Tables d'intérêt composé et d'annuité

Frederick C. Kent
Maude E. Kent

Traduit et adapté par Jean-Guy Farrier

McGraw-Hill, Éditeurs — Montréal

Toronto — New York — Düsseldorf — Johannesburg — Kuala-Lumpur — Londres — Mexico
New Delhi — Panama — Paris — Rio de Janeiro — Singapour — Sydney

Dépôt légal 1er trimestre 1972   Imprimé et relié au Canada
Bibliothèque nationale du Québec
ISBN 0-07-092988-2
  56789 SHA72 98

AVANT-PROPOS

Les présentes tables ont été préparées pour répondre à un besoin pressant de tables qui simplifieraient la résolution de problèmes en matière de finance, tout en ne sacrifiant rien à l'exactitude.

Pour satisfaire à ce souci d'exactitude du monde des affaires, la valeur de chacune des fonctions d'intérêt composé est portée à 10 décimales. Afin d'assurer le maximum d'exactitude possible, les calculs ont été effectués avec 15 décimales. Les chiffres ainsi obtenus peuvent donc être utilisés avec une très grande précision. C'est l'une des caractéristiques principales de ce manuel. Certains taux d'intérêt ont été portés à 300 périodes en vue de mieux les adapter aux conditions actuelles du monde des affaires.

Pour les taux non compris dans les tables, la valeur des fonctions d'intérêt composé se détermine par interpolation. On obtient ainsi des résultats plus rapidement qu'avec l'usage des logarithmes. Lorsque les calculs sont effectués à partir de 10 décimales, le résultat est exact jusqu'à la sixième décimale au moins. On trouvera dans l'Introduction une explication du mécanisme de l'interpolation dans les fonctions d'intérêt composé et des limites à respecter à son usage. L'exactitude des résultats obtenus par interpolation à partir des facteurs à 10 décimales intéressera particulièrement celui qui n'est pas très familier avec l'usage des logarithmes.

Les présentes tables peuvent aussi être utilisées avec profit dans les classes de niveau collégial ou universitaire comme complément d'un manuel de base. Nous avons développé dans l'introduction quelques exemples destinés à en illustrer l'usage. Des tables de logarithmes sont incluses aussi à l'intention de l'usager éventuel.

Les auteurs expriment leur reconnaissance au professeur E.B. Escott de la "Walton School of Commerce" de Chicago, Illinois, pour les nombreuses suggestions pertinentes qu'il leur a faites au sujet des procédés de calcul et de contrôle des tables. Les tables de logarithmes sont établies à partir de la table de Vega.

NOTE DU TRADUCTEUR

Nous avons traduit l'introduction en tenant compte de l'addition de quatre nouvelles tables destinées à simplifier le maniement des annuités générales (Tables VIII, IX, X, XI).

Le mécanisme de l'interpolation expliqué par les auteurs à la fin de l'introduction nous semble d'autre part d'un intérêt plus théorique que pratique: si la précision doit être rigoureuse dans la détermination des sommes (terme, valeur actuelle ou valeur définitive), il est permis de croire, lorsque les sommes sont connues, que la détermination du taux réel n'a qu'une valeur d'indice ou d'estimation. Dans cette optique, une précision à 2 ou 3 décimales devrait suffire.

Jean-Guy Farrier

TABLE DES MATIÈRES

INTRODUCTION

Les problèmes types qui suivent illustrent l'éventail des applications possibles des présentes tables.

VALEUR ACQUISE ET VALEUR ACTUELLE

Exemple 1 — Déterminer la valeur acquise au bout de trente ans d'une somme de \$1 000 qui croît à intérêt composé à raison de (*a*) 3½ pour cent effectif; (*b*) 3½ pour cent nominal capitalisé trimestriellement; (*c*) 3½ pour cent nominal capitalisé mensuellement.

Solutions — Supposons S pour désigner la valeur acquise et $(1.035)^{30}$ pour désigner la croissance de l'unité à 3½ pour cent pendant trente ans.

a) $S = 1\ 000\ (1.035)^{30}$
$\qquad\qquad (1.035)^{30} = 2.8067937047$ .... (table I, p. 34)
$\qquad = 1\ 000\ (2.8067937047) = 2\ 806.7937047$
$\quad S = \$2\ 806.79$, la valeur acquise cherchée.

Trois et demi pour cent nominal capitalisé trimestriellement est équivalent à ⅞ pour cent (3½ ÷ 4 = ⅞) par trimestre. Dans trente ans nous aurons 120 périodes de capitalisation ou de conversion d'intérêt.

b) $S = 1\ 000\ (1.00⅞)^{120}$
$\qquad\qquad (1.00⅞)^{120} = 2.8446296184$ .... (table I, p. 28)
$\qquad = 1\ 000\ (2.8446296184) = 2\ 844.6296184$
$\quad S = \$2\ 844.63$

Trois et demi pour cent nominal capitalisé mensuellement est équivalent à ⁷⁄₂₄ pour cent (3½ ÷ 12 = ⁷⁄₂₄) par mois. Dans trente ans nous aurons 360 périodes mensuelles de capitalisation.

c) $S = 1\ 000\ (1.00⁷⁄₂₄)^{360}$

Un bref examen des tables fait apparaître que $(1.00⁷⁄₂₄)^{360}$ excède la limite des tables puisque ⁷⁄₂₄ pour cent n'est déterminé que jusqu'à 300 périodes. Cependant l'on sait que:
$$(1 + i)^{360} = (1 + i)^{300}(1 + i)^{60}$$

d'où

$\qquad S = 1\ 000\ (1.00⁷⁄₂₄)^{300}\ (1.00⁷⁄₂₄)^{60}$
$\qquad\qquad (1.00⁷⁄₂₄)^{300} = 2.3958221128$ .... (table I, p. 19)
$\qquad\qquad (1.00⁷⁄₂₄)^{60} = 1.1909428291$ .... (table I, p. 15)
$\qquad = 1\ 000\ (2.3958221128)\ (1.1909428291) = 2\ 853.2871650$
$\quad S = \$2\ 853.29$, la valeur acquise cherchée.

Exemple 2 — Quelle somme investie aujourd'hui acquerra une valeur de $1 000 dans trente ans (ou: quelle est la valeur actuelle d'une somme de $1 000 exigible dans trente ans) si l'intérêt s'établit (*a*) à 4 pour cent effectif; (*b*) à 4 pour cent nominal capitalisé semestriellement; (*c*) à 4 pour cent nominal capitalisé mensuellement?

Solutions — Supposons P pour désigner la somme (valeur actuelle) et

$$v_{.04}^{30} = \frac{1}{(1.04)^{30}} = (1.04)^{-30}$$ pour désigner la valeur actuelle de l'unité

exigible dans trente ans. À 4 pour cent effectif nous aurons:

a) $\quad\quad P = 1\ 000\ v_{.04}^{30}$

$\quad\quad\quad\quad v_{.04}^{30} = 0.3083186680$ . . . . (table II, p. 66)

$\quad\quad\quad\quad = 1\ 000\ (0.3083186680) = 308.3186680$

$\quad\quad P = \$308.32$, la valeur actuelle désirée.

Quatre pour cent nominal capitalisé semestriellement équivaut à 2 pour cent par semestre. En trente ans nous aurons 60 périodes de capitalisation.

b) $\quad\quad P = 1\ 000\ v_{.02}^{60}$

$\quad\quad\quad\quad v_{.02}^{60} = 0.3047822665$ . . . . (table II, p. 65)

$\quad\quad\quad\quad = 1\ 000\ (0.3047822665) = 304.7822665$

$\quad\quad P = \$304.78$, la valeur actuelle requise.

Quatre pour cent nominal capitalisé mensuellement équivaut à ⅓ pour cent $(0.04 \div 12 = 0.00⅓)$ par mois. Pendant trente ans nous aurons 360 périodes mensuelles de capitalisation.

c) $\quad\quad P = 1\ 000\ v_{.001/3}^{360}$

$\quad\quad\quad\quad v_{.001/3}^{360} = $ (excède la limite des tables)

Cependant $v^{360} = v^{300} \times v^{60}$

$\quad\quad\quad\quad v_{.001/3}^{300} = 0.3684917234$ . . . . (table II, p. 51)

$\quad\quad\quad\quad v_{.001/3}^{60} = 0.8190031037$ . . . . (table II, p. 47)

$\quad\quad\quad\quad = 1\ 000\ (0.3684917234)\ (0.8190031037) = 301.79586515236$

$\quad\quad P = \$301.80$, la valeur actuelle cherchée.

Exemple 3 — Une somme de $1 000 investie à un taux capitalisé mensuellement s'élève à $1 500 au bout de 5 ans. Déterminer le taux d'intérêt composé en cause.

Solution — Dans 5 ans, il y a 60 périodes mensuelles de capitalisation d'intérêt. Incorporées dans une équation, ces valeurs peuvent se lire comme suit: $1\ 000\ (1 + i)^{60} = 1\ 500$ où i désigne le taux d'intérêt par mois. En divisant les 2 membres par 1 000, nous obtenons:

$$(1 + i)^{60} = 1.5$$

Une lecture de la table I (*a*) à la période 60 nous permet de trouver 2 taux d'intérêt qui encadrent 1.5:

$\quad\quad (1.006½)^{60} = 1.4751179694^*$ . . . . (p. 43)

$\quad\quad (1.007)^{60} = 1.5197362866$ . . . . (p. 43)

*Puisque seules les premières différences sont utilisées ici, nous nous contenterons de 10 décimales.

Il est évident que i, taux mensuel, se situe entre 0.65 et 0.7 pour cent. La valeur approximative de i peut se trouver par interpolation en procédant comme suit:

Supposons $s = 1.5$, la valeur acquise de 1 au taux requis par l'exemple. Supposons maintenant:

s_1 pour désigner la valeur acquise de 1 à 0.65 pour cent;

s_2 pour désigner la valeur acquise de 1 à 0.7 pour cent;

p pour désigner la fraction de l'intervalle occupée par i et déterminée par l'équation suivante:

$$p = \frac{s - s_1}{s_2 - s_1}.$$

d'où

$$p = \frac{1.50 - 1.4751179694}{1.5197362866 - 1.4751179694}$$
$$= \frac{0.0248820305}{0.0446183172}$$
$$p = 0.5576640296$$

Par ailleurs l'intervalle complet est de

$$0.007 - 0.006\tfrac{1}{2} = 0.0005$$

Comme i, taux mensuel, se situe entre 0.65 et 0.7 pour cent, il faudra additionner la fraction de l'intervalle à 0.65 pour cent pour le déterminer.

$$0.5576640296 \times 0.0005 = 0.000278832$$

donc

$$i = 0.0065 + 0.000278832 = 0.0067788320$$

Et le taux annuel devient $0.0067788320 \times 12 = 0.0813459840$ comme première approximation. Le taux nominal annuel cherché est donc approximativement 8.13459840 pour cent, ce qui est exact jusqu'à la cinquième décimale.

Une meilleure approximation peut s'obtenir avec l'emploi des secondes différences. Ce genre de calcul est illustré dans la solution de l'exemple 8, page 6.

ANNUITÉ

Exemples d'amortissement de dette, de *Sinking Fund* et d'investissement.

Exemple 4 — Que vaudra au bout de vingt ans l'accumulation de sommes de \$500 investies à la fin de chaque année (*a*) à 6 pour cent effectif; (*b*) à 6 pour cent nominal capitalisé semestriellement?

Solutions — La relation entre les valeurs de ce problème s'exprime dans l'équation suivante:

$$S = R \, s_{\overline{n}|i}$$

où S désigne la valeur acquise accumulée, R la rente ou encore le terme investi chaque année et $s_{\overline{n}|i}$ appelé aussi facteur d'accumulation, désigne la valeur acquise de 1 par année pendant n années. Dans l'exemple 4 a) $R = 500$, $i = 0.06$ et $n = 20$. D'où

a) $S = 500\, s_{\overline{20}|0\,06}$

$\qquad s_{\overline{20}|0\,06} = 36.7855912035$ .... (table III, p. 96)

$\qquad\quad = 500\,(36.7855912035) = 18\,392.7956017$

$\qquad S = \$18\,392.80$, la valeur accumulée après 20 ans à 6 pour cent effectif.

Six pour cent nominal capitalisé semestriellement équivaut à 3 pour cent par semestre. En vingt années, il y aura 40 périodes de capitalisation des intérêts. Nous remarquons que le versement demeure annuel bien que la capitalisation soit semestrielle. Il faut donc introduire un facteur de correction pour ajuster le versement sur la période de capitalisation. Supposons c pour désigner le nombre de périodes de capitalisation dans un temps donné et v pour désigner le nombre de versements durant le même temps.

$$c = 2 \text{ (par année)}$$
$$v = 1 \text{ (par année)}$$
$$c/v = 2/1 = 2$$

Le facteur de correction* de l'annuité générale de fin de période se lit comme suit:

$$\frac{1}{s_{\overline{c/v}|\,i}}$$

b) Dans l'exemple 4 b), nous obtiendrons donc: $\dfrac{1}{s_{\overline{2}|0.03}}$

d'où $\qquad S = 500 s_{\overline{40}|0.03} \times \dfrac{1}{s_{\overline{2}|0.03}}$

$\qquad s_{\overline{40}|0.03} = 75.4012597333$ .... (table III, p. 94)

$\qquad \dfrac{1}{s_{\overline{2}|0.03}} = 0.4926108374$ .... (table V, p. 150)

$\qquad\quad = 500\,(75.4012597333)\,(0.4926108374) = 18\,571.7388$

$\qquad S = \$18\,571.74$, la valeur accumulée après vingt ans si l'intérêt est capitalisé tous les semestres.

Exemple 5 — Une somme de \$100 est investie à la fin de chaque mois durant vingt ans dans l'achat d'actions privilégiées rapportant un dividende semestriel de trois pour cent. En assumant que le dividende sera réinvesti automatiquement à 6 pour cent capitalisé semestriellement dès sa réception, déterminer la valeur acquise accumulée par cet investissement au bout de vingt ans.

Solution — Le versement (ou le paiement) est effectué à la fin de chaque mois tandis que le dividende est payé à la fin de chaque semestre. Le paiement du dividende aussitôt réinvesti équivaut à une capitalisation

*Le facteur de correction est le même lorsqu'il s'agit de trouver la valeur actuelle au lieu de la valeur acquise puisqu'il ne fait qu'ajuster le versement sur la période de capitalisation.

semestrielle de l'intérêt. Il convient donc de corriger l'équation en fonction de c/v avec le facteur identifié à l'exemple 4*b*).

$c = 1$ (par semestre: c'est le dividende)
$v = 6$ (par semestre: c'est l'investissement mensuel)

d'où

$c/v = 1/6$

L'équation générale s'établit en fonction des périodes de capitalisation (40 semestres dans vingt ans) et il suffit de corriger le facteur pour ajuster les versements et les périodes de capitalisation.

$$S = Rs_{\overline{n}|i} \; \frac{1}{s_{\overline{c/v}|i}}$$

Dans l'exemple 5, nous avons $R = 100$; $c/v = 1/6$; $i = 0.03$ (½ de 0.06).

$$S = 100 \, s_{\overline{40}|0.03} \; \frac{1}{s_{\overline{1/6}|3\%}}$$

$$s_{\overline{40}|0.03} = 75.4012597333 \; \dots\dots\dots\dots \text{(table III, p. 94)}$$

$$\frac{1}{s_{\overline{1/6}|3\%}} = 6.0745689402 \; \dots\dots\dots \text{(table XIII, p. 192)}$$

$= 100(75.4012597333)(6.0745689402) = 45\ 803.014956$
$S = \$45\ 803.01$, la valeur accumulée après vingt ans.

Exemple 6 — Quel versement doit-on effectuer à la fin de chaque mois dans l'achat de débentures rapportant 8 pour cent nominal capitalisé mensuellement si l'on veut retirer une somme de \$10 000 à la fin de quinze ans?

Solution — L'équation régissant les données de ce problème est identique à la précédente:

$$S = Rs_{\overline{n}|i}$$

Nous savons que $S = 10\ 000$, $i = 8/12$ pour cent ou 2/3 pour cent et $n = 180$ (12 × 15). Il suffit d'isoler R pour mettre en relief le facteur "terme du *Sinking Fund*":

$$S = Rs_{\overline{n}|i}$$

$$R = S\frac{1}{s_{\overline{n}|i}} \qquad (\frac{1}{s_{\overline{n}|i}} : \text{terme du } Sinking \ Fund)$$

$$R = 10\ 000\,\frac{1}{s_{\overline{180}|2/3\%}}$$

$$\frac{1}{s_{\overline{180}|2/3\%}} = 0.0028898542\dots\dots \text{(table V, p. 139)}$$

$= 10\ 000\ (0.0028898542) = 28.898542$
$R = \$28.90$, la somme ou le versement à effectuer à la fin de chaque mois.

Exemple 7 — Une dette de \$10 000 portant intérêt à 7 pour cent nominal capitalisé mensuellement doit être remboursée, capital et intérêt, par des versements mensuels répartis sur dix ans, le premier versement devient échu à la fin du premier mois. Quelle somme doit-on débourser comme versement tous les mois?

Solution — Le principe fondamental à respecter dans les problèmes d'amortissement de dette est le suivant: *la valeur actuelle des versements périodiques requis pour amortir une dette équivaut toujours à la dette elle-même.* L'équation générale qui encadre de telles données se lit comme suit:

$$A = R\, a_{\overline{n}|\,i}$$

Dans cette équation, A désigne la valeur actuelle d'une série de versements périodiques notés par R; $a_{\overline{n}|\,i}$ désigne la valeur actuelle d'une annuité de \$1; n désigne le nombre de périodes de capitalisation (annuelles ou non) et i désigne le taux périodique ou le taux par période de capitalisation. En l'occurrence, $A = 10\,000$; R est inconnu; $n = 120$ (12×10) et $i = 7/12$ pour cent. D'où:

$$10\,000 = R\, a_{\overline{120}|\,7/12\,\%}$$

Isolons l'inconnue:

$$R = 10\,000 \ \frac{1}{a_{\overline{120}|\,7/12\,\%}} \qquad (\frac{1}{a_{\overline{n}|\,i}} : \text{terme de l'amortissement d'une dette})$$

$$\frac{1}{a_{\overline{120}|\,7/12\,\%}} = 0.0116108479 \ (\text{Table VI, p. 166})$$

$$= 10\,000\,(0.0116108479) = 116.108479$$

$$R = \$116.11, \text{le versement cherché}$$

Exemple 8 — Une dette de \$1 000 doit être remboursée par 84 versements mensuels de \$16.05 en fin de période. Déterminer le taux d'intérêt impliqué.

Solution — Ce problème d'amortissement de dette fait appel à l'équation générale de l'exemple précédent:

$$A = R a_{\overline{n}|\,i}$$

En l'occurrence, les valeurs de l'exemple 8 sont les suivantes: $A = 1\,000$; $R = 16.05$; $n = 84$ et i devient l'inconnue à déterminer.

$$16.05\, a_{\overline{84}|\,i} = 1\,000$$

En divisant les deux membres de l'équation par 16.05, nous obtenons:

$$a_{\overline{84}|\,i} = 62.3052959502$$

La table IV (page 109) nous permet de trouver des valeurs d'encadrement pour la 84e période.

$$a_{\overline{84}|7/12\%} = 66.2572850667 = a_1$$
$$a_{\overline{84}|2/3\%} = 64.1592611371 = a_2$$
$$a_{\overline{84}|3/4\%} = 62.1539645614 = a_3$$

On peut constater que 62.3052959502 se situe entre 64.1592611371 et 62.1539645614, donc que le taux cherché i se trouve entre ⅔ et ¾%. La valeur de i peut se trouver par interpolation. Nous utiliserons les secondes différences pour préciser la réponse obtenue avec les premières différences. Supposons que

$$a_{\overline{84}|i} = 62.3052959502 = a$$

Les premières différences seront:

$$D_1 = a_2 - a_1 = -2.0980239296$$
$$D_1 = a_3 - a_2 = \underline{-2.0052965757}$$

Les secondes différences sont: $D_2 = -0.0927273539$

Si p désigne l'écart occupé par i dans l'intervalle donné, nous aurons:

$$p = \frac{a - a_2}{D_1} = \frac{a - a_2}{a_3 - a_2} = \frac{-1.8539651869}{-2.0052965757} = 0.9245341607$$

L'écart en pourcentage est de l'ordre de ¹/₁₂% (¾% − ⅔% = ¹/₁₂%).

Pour une première approximation:

$i = 0.00⅔ + 0.9245341607 \times 0.00¹/₁₂ = 0.0066666667 + 0.0007704451$
$= 0.0074371118$

Sur une base nominale (annuelle), ce taux devient:

$i = 12 \times 0.007437118 = 0.0892453416$
$= 8.92453416$ pour cent.

Déterminons maintenant les secondes différences (l'ancien p devient p_1).

$$p = \frac{a - a_2}{D_1 + \dfrac{p_1 - 1}{1 \times 2} \cdot D_2}$$

$$= \frac{-1.8539651869}{-2.0052965757 - (0.0377329196)(-0.0927273539)}$$

$$= 0.9229444200$$

Pour une seconde approximation:

$i = 0.00⅔ + 0.9229444200 \times 0.00¹/₁₂ = 0.0066666667 + 0.0007691204$
$= 0.0074357870$
$i = 12 \times 0.0074357870 = 0.0892294440$
$= 8.92294440$ pour cent.

Ce résultat est exact jusqu'à la sixième décimale.

Exemple 9 − Une obligation de $1 000 à 5 pour cent, coupon semestriel, rachetable au pair dans vingt-quatre ans, est acquise au prix de $1 060.50. Déterminer le taux approximatif de rendement de l'acquéreur.

Solution − La prime de $60.50 (1 060.50 − 1 000.00 = 60.50) doit être amortie sur les vingt-quatre années. Cela signifie une réduction d'intérêt d'environ \$2.50 par année (60.50 ÷ 24 ≈ 2.50). Cette réduction abaisse le taux de rendement d'au moins ¼ de 1 pour cent (2.50 ÷ 1 000 = ¼%) sous le taux de l'obligation, ce qui revient à dire que le taux de rendement n'excède pas 4¾ pour cent (5% − ¼% = 4¾%).

En supposant que le taux de rendement s'élève à 4½%, le prix payé en cette occurrence et déterminé par la formule suivante:

$$P = R v^{2n} + Ca_{\overline{2n}|}$$

P = prix
R = valeur de rachat
C = valeur du coupon

serait de \$1 072.90. En procédant de la même façon, il est possible de trouver que le prix d'une obligation à 4⅝% s'élèverait à \$1 054. Comme le prix actuel, \$1 060.50, est compris entre \$1 054 et \$1 072.90, il est évident que le taux cherché est compris lui aussi entre 4½% et 4⅝%.

Le taux approximatif de rendement peut se déterminer maintenant par interpolation en employant la formule suivante:

$$i = i' + (i'' - i') \quad \frac{P - P'}{P'' - P'}$$

où i désigne le taux de rendement cherché et P le prix payé. P' et P'' désignent les prix correspondant respectivement aux taux i' et i''. Dans l'exemple 9, les valeurs sont les suivantes: P = \$1 060.50; P' = \$1 072.90 et i' = 4½%; P'' = \$1 054 et i'' = 4⅝%.

En substituant ces valeurs dans la formule précédente, nous obtenons

$$i = .04½ + (.04⅝ - .04½) \quad \frac{1\,060.50 - 1\,072.90}{1\,054.00 - 1\,072.90}$$

$$= .045 + .00125 \times \frac{-12.40}{-18.90} = .045 + .00125 \times .65608$$

$$= 0.045820$$

i = 4.582 pour cent, taux approximatif cherché.

INTERPOLATION

Valeurs trouvées par la méthode de l'interpolation

Les valeurs des fonctions d'intérêt composé pour les taux non inclus dans les présentes tables peuvent être trouvées par interpolation. La formule suivante basée sur la formule d'interpolation de Newton peut être utilisée compte tenu de certaines restrictions explicitées plus loin.
N.B.

s désigne la valeur cherchée de la fonction envisagée; p désigne la portion de l'écart occupée entre deux valeurs successives des tables; D_1, D_2, D_3 . . . désignent les premières, deuxièmes, troisièmes . . . différences respectives qu'on retrouve entre chacune des valeurs successives de s_1, s_2, s_3 . . . dans les tables.

Formule:

$$s = s_1 + pD_1 + \frac{p(p-1)D_2}{1 \times 2} + \frac{p(p-1)(p-2)D_3}{1 \times 2 \times 3} +$$
$$\frac{p(p-1)(p-2)(p-3)D_4}{1 \times 2 \times 3 \times 4}$$

Pour une première approximation, nous avons:

$$s = s_1 + pD_1$$

Pour une deuxième approximation,

$$s = s_1 + pD_1 + \frac{p(p-1)D_2}{1 \times 2}.$$

Pour une troisième approximation,

$$s = s_1 + pD_1 + \frac{p(p-1)D_2}{1 \times 2} + \frac{p(p-1)(p-2)D_3}{1 \times 2 \times 3},$$

et de même pour l'approximation désirée.

Les deux exemples suivants illustrent ce genre de calcul.

Exemple A — Déterminer la valeur acquise de \$1 à ⅜ pour cent à la fin de cinquante ans, ou encore déterminer la valeur de $(1.00⅜)^{50}$.

Solution — Trois huitièmes pour cent se situe exactement à mi-chemin entre 0.35 et 0.40 pour cent et ces 2 taux sont incorporés à la table I(*a*)

$$p = \frac{0.00375 - 0.00350}{0.00400 - 0.00350} = \frac{0.00025}{0.00050} = ½,$$

Les autres facteurs de la formule se déterminent aisément comme suit:

$$\frac{p(p-1)}{1 \times 2} = \frac{½(½-1)}{1 \times 2} = -⅛$$

$$\frac{p(p-1)(p-2)}{1 \times 2 \times 3} = \frac{½(½-1)(½-2)}{1 \times 2 \times 3} = \frac{½(-½)(-3/2)}{1 \times 2 \times 3} = 1/16$$

et ainsi de suite.

Pour effectuer le calcul des différences $D_1, D_2, D_3 \ldots$ il est relativement aisé d'utiliser un tableau comme le suivant:

Taux i	Valeur acquise de $s = (1+i)^{50}$ (table 1 (*a*))	premières D_1	deuxièmes D_2	troisièmes D_3
			Différences	
0.35%	1.190882302072496			
		30033291098410		
0.40%	1.220915593170906		741898609767	
		30775189708177		17943738343
0.45%	1.251690782879083		759842348110	
		31535032056287		
0.50%	1.283225814935370			

Substituons ces valeurs dans la formule précédente.

s = 1.190882302072496 + ½(30033291098410)−

⅛(741898609767) + ¹⁄₁₆(17943738343)

Nous obtenons, pour une 1ʳᵉ approximation:

s = 1.190882302072496 + ½(30033291098410) = 1.205898947621701

pour une 2ᵉ approximation:

Soustrayons ⅛(741898609767) = − 92737326221
_____

1.205806210295480

pour une 3ᵉ approximation:

Ajoutons ¹⁄₁₆(17943738343) = + 1121483646
_____

1.205807331779126

et ainsi de suite pour toute approximation désirée.

La valeur réelle de $(1.00⅜)^{50}$ se situe à 1.20580732; la réponse obtenue est donc valide jusqu'à la septième décimale incluse.

Exemple B − Déterminer la valeur de $(1.021)^{40}$ avec la méthode précédente de façon à obtenir une réponse exacte jusqu'à la sixième décimale.

Solution − Il convient de remarquer que 2.1 pour cent se situe entre 2 et 2¼%. L'intervalle total étant de ¼%, il faudra interpoler avec les quatrièmes différences pour obtenir l'approximation désirée. Il faudra donc utiliser les taux 2, 2¼, 2½, 2¾, et 3 pour cent pour effectuer cette interpolation.

Déterminons d'abord les coefficients de la formule générale:

$$p = \frac{2.1 - 2}{2.25 - 2} = 0.4$$

$$\frac{p(p-1)}{1 \times 2} = \frac{0.4(-0.6)}{1 \times 2} = -0.12$$

$$\frac{p(p-1)(p-2)}{1 \times 2 \times 3} = \frac{0.4(-0.6)(-1.6)}{1 \times 2 \times 3} = +0.064$$

$$\frac{p(p-1)(p-2)(p-3)}{1 \times 2 \times 3 \times 4} = \frac{0.4(-0.6)(-1.6)(-2.6)}{1 \times 2 \times 3 \times 4} = -0.0416$$

et ainsi de suite.

Les différences trouvées à partir de la table I de la même manière que dans l'exemple précédent nous permettent d'établir la valeur de s:

s = 2.2080396636 + 0.4(2271493018) − 0.12(227255712)

+ 0.064(22098046) − 0.0416(2086756) . . .

D'où pour une 4ᵉ approximation, nous obtenons:

s = 2.2963050564

La valeur exacte de $(1.021)^{40}$ est de 2.2963055929 . . . On peut donc constater que l'approximation est valide jusqu'à la 6ᵉ décimale.

Limites de l'interpolation

1. Avec l'emploi des tables de facteurs croissants (tables I et III), les valeurs doivent être choisies de façon à encadrer la valeur cherchée au début de la série. Ainsi, dans l'exemple *A*, toutes les valeurs, sauf celle qui correspond à 0.35%, excèdent la valeur cherchée. En d'autres termes, pour les valeurs correspondant aux taux 0.35, 0.40, 0.45 et 0.50, on doit remarquer que le taux en cause est situé entre les deux taux les plus bas.

2. Avec l'emploi des tables de facteurs décroissants (tables II et IV), les valeurs doivent être choisies de façon à encadrer la valeur cherchée à la fin de la série. Ainsi, par exemple, si on cherche la valeur actuelle de ⅜ pour cent avec la méthode de l'interpolation, les valeurs utilisées doivent être les valeurs correspondant aux taux 0.40, 0.35, 0.30 et 0.25 pour cent de façon à ce que le taux 0.375 pour cent soit situé entre les deux taux les plus forts, en l'occurrence 0.40 et 0.35 pour cent.

3. Le nombre de termes à utiliser dans la formule est déterminé par l'intervalle entre les valeurs des tables, la valeur de *n* et l'approximation désirée. Dans l'exemple *A*, l'intervalle est de 0.05 pour cent et la 3e approximation donne un résultat exact jusqu'à la huitième décimale, tandis que dans l'exemple *B*, un intervalle plus grand, 0.25 pour cent, nécessite l'emploi des quatrièmes différences pour en arriver à un résultat exact jusqu'à la sixième décimale.

4. Avec la première approximation dérivant de la formule

$$p = \frac{s - s_1}{D_1}$$

nous obtenons un résultat légèrement supérieur si l'interpolation s'effectue à partir des tables I et III, et légèrement inférieur à partir des tables II et IV. Ce résultat est rarement exact à plus de quatre décimales.

Avec la seconde approximation dérivant de la formule

$$p = \frac{s - s_1}{D_1 + \dfrac{p_1 - 1}{1 \times 2} D_2} \qquad \text{où} \qquad p_1 = \frac{s - s_1}{D_1}$$

nous obtenons à l'inverse un résultat légèrement inférieur avec les tables I et III et légèrement supérieur avec les tables II et IV. Une seconde approximation donne un résultat habituellement exact jusqu'à la sixième décimale.

Tables

TABLE I VALEUR ACQUISE DE 1 $s = (1 + i)^n$

n	¼ pour cent	⁷⁄₂₄ pour cent	⅓ pour cent	⁵⁄₁₂ pour cent	n
1	1.0025 000 000	1.0029 166 667	1.0033 333 333	1.0041 666 667	1
2	1.0050 062 500	1.0058 418 403	1.0066 777 778	1.0083 506 944	2
3	1.0075 187 656	1.0087 755 456	1.0100 333 704	1.0125 521 557	3
4	1.0100 375 625	1.0117 178 077	1.0134 001 483	1.0167 711 230	4
5	1.0125 626 564	1.0146 686 513	1.0167 781 488	1.0210 076 693	5
6	1.0150 940 631	1.0176 281 015	1.0201 674 093	1.0252 618 680	6
7	1.0176 317 982	1.0205 961 835	1.0235 679 673	1.0295 337 924	7
8	1.0201 758 777	1.0235 729 223	1.0269 798 605	1.0338 235 165	8
9	1.0227 263 174	1.0265 583 433	1.0304 031 267	1.0381 311 145	9
10	1.0252 831 332	1.0295 524 718	1.0338 378 038	1.0424 566 608	10
11	1.0278 463 411	1.0325 553 332	1.0372 839 298	1.0468 002 303	11
12	1.0304 159 569	1.0355 669 529	1.0407 415 429	1.0511 618 979	12
13	1.0329 919 968	1.0385 873 566	1.0442 106 814	1.0555 417 391	13
14	1.0355 744 768	1.0416 165 697	1.0476 913 837	1.0599 398 297	14
15	1.0381 634 130	1.0446 546 180	1.0511 836 883	1.0643 562 457	15
16	1.0407 588 215	1.0477 015 273	1.0546 876 339	1.0687 910 633	16
17	1.0433 607 186	1.0507 573 234	1.0582 032 594	1.0732 443 594	17
18	1.0459 691 204	1.0538 220 323	1.0617 306 036	1.0777 162 109	18
19	1.0485 840 432	1.0568 956 799	1.0652 697 056	1.0822 066 952	19
20	1.0512 055 033	1.0599 782 923	1.0688 206 046	1.0867 158 897	20
21	1.0538 335 170	1.0630 698 956	1.0723 833 399	1.0912 438 726	21
22	1.0564 681 008	1.0661 705 162	1.0759 579 511	1.0957 907 221	22
23	1.0591 092 711	1.0692 801 802	1.0795 444 776	1.1003 565 167	23
24	1.0617 570 443	1.0723 989 140	1.0831 429 592	1.1049 413 356	24
25	1.0644 114 369	1.0755 267 442	1.0867 534 357	1.1095 452 578	25
26	1.0670 724 655	1.0786 636 972	1.0903 759 471	1.1141 683 630	26
27	1.0697 401 466	1.0818 097 997	1.0940 105 336	1.1188 107 312	27
28	1.0724 144 970	1.0849 650 782	1.0976 572 354	1.1234 724 426	28
29	1.0750 955 332	1.0881 295 597	1.1013 160 929	1.1281 535 778	29
30	1.0777 832 721	1.0913 032 709	1.1049 871 465	1.1328 542 177	30
31	1.0804 777 303	1.0944 862 388	1.1086 704 370	1.1375 744 436	31
32	1.0831 789 246	1.0976 784 903	1.1123 660 051	1.1423 143 371	32
33	1.0858 868 719	1.1008 800 526	1.1160 738 918	1.1470 739 802	33
34	1.0886 015 891	1.1040 909 528	1.1197 941 381	1.1518 534 551	34
35	1.0913 230 930	1.1073 112 180	1.1235 267 852	1.1566 528 445	35
36	1.0940 514 008	1.1105 408 757	1.1272 718 745	1.1614 722 313	36
37	1.0967 865 293	1.1137 799 533	1.1310 294 474	1.1663 116 990	37
38	1.0995 284 956	1.1170 284 782	1.1347 995 456	1.1711 713 310	38
39	1.1022 773 168	1.1202 864 779	1.1385 822 107	1.1760 512 116	39
40	1.1050 330 101	1.1235 539 801	1.1423 774 848	1.1809 514 250	40
41	1.1077 955 927	1.1268 310 126	1.1461 854 097	1.1858 720 559	41
42	1.1105 650 816	1.1301 176 030	1.1500 060 278	1.1908 131 895	42
43	1.1133 414 943	1.1334 137 794	1.1538 393 812	1.1957 749 111	43
44	1.1161 248 481	1.1367 195 695	1.1576 855 125	1.2007 573 066	44
45	1.1189 151 602	1.1400 350 016	1.1615 444 642	1.2057 604 620	45
46	1.1217 124 481	1.1433 601 037	1.1654 162 790	1.2107 844 639	46
47	1.1245 167 292	1.1466 949 040	1.1693 010 000	1.2158 293 992	47
48	1.1273 280 210	1.1500 394 308	1.1731 986 700	1.2208 953 550	48
49	1.1301 463 411	1.1533 937 125	1.1771 093 322	1.2259 824 190	49
50	1.1329 717 069	1.1567 577 775	1.1810 330 300	1.2310 906 791	50

TABLE I VALEUR ACQUISE DE 1 $s = (1 + i)^n$

n	¼ pour cent	7/24 pour cent	⅓ pour cent	5/12 pour cent	n
51	1.1358 041 362	1.1601 316 543	1.1849 698 067	1.2362 202 236	51
52	1.1386 436 466	1.1635 153 717	1.1889 197 061	1.2413 711 412	52
53	1.1414 902 557	1.1669 089 582	1.1928 827 718	1.2465 435 209	53
54	1.1443 439 813	1.1703 124 426	1.1968 590 477	1.2517 374 523	54
55	1.1472 048 413	1.1737 258 539	1.2008 485 779	1.2569 530 250	55
56	1.1500 728 534	1.1771 492 210	1.2048 514 065	1.2621 903 293	56
57	1.1529 480 355	1.1805 825 729	1.2088 675 778	1.2674 494 556	57
58	1.1558 304 056	1.1840 259 387	1.2128 971 364	1.2727 304 950	58
59	1.1587 199 816	1.1874 793 477	1.2169 401 269	1.2780 335 388	59
60	1.1616 167 816	1.1909 428 291	1.2209 965 939	1.2833 586 785	60
61	1.1645 208 235	1.1944 164 124	1.2250 665 826	1.2887 060 063	61
62	1.1674 321 256	1.1979 001 269	1.2291 501 379	1.2940 756 147	62
63	1.1703 507 059	1.2013 940 023	1.2332 473 050	1.2994 675 964	63
64	1.1732 765 826	1.2048 980 681	1.2373 581 293	1.3048 820 447	64
65	1.1762 097 741	1.2084 123 542	1.2414 826 564	1.3103 190 533	65
66	1.1791 502 985	1.2119 368 902	1.2456 209 320	1.3157 787 160	66
67	1.1820 981 743	1.2154 717 061	1.2497 730 017	1.3212 611 273	67
68	1.1850 534 197	1.2190 168 319	1.2539 389 117	1.3267 663 820	68
69	1.1880 160 533	1.2225 722 977	1.2581 187 081	1.3322 945 753	69
70	1.1909 860 934	1.2261 381 336	1.2623 124 371	1.3378 458 026	70
71	1.1939 635 586	1.2297 143 698	1.2665 201 453	1.3434 201 602	71
72	1.1969 484 675	1.2333 010 367	1.2707 418 791	1.3490 177 442	72
73	1.1999 408 387	1.2368 981 647	1.2749 776 853	1.3546 386 514	73
74	1.2029 406 908	1.2405 057 844	1.2792 276 110	1.3602 829 791	74
75	1.2059 480 425	1.2441 239 263	1.2834 917 030	1.3659 508 249	75
76	1.2089 629 126	1.2477 526 210	1.2877 700 087	1.3716 422 867	76
77	1.2119 853 199	1.2513 918 995	1.2920 625 754	1.3773 574 629	77
78	1.2150 152 832	1.2550 417 926	1.2963 694 506	1.3830 964 523	78
79	1.2180 528 214	1.2587 023 311	1.3006 906 821	1.3888 593 542	79
80	1.2210 979 535	1.2623 735 462	1.3050 263 177	1.3946 462 681	80
81	1.2241 506 984	1.2660 554 691	1.3093 764 055	1.4004 572 943	81
82	1.2272 110 751	1.2697 481 309	1.3137 409 935	1.4062 925 330	82
83	1.2302 791 028	1.2734 515 629	1.3181 201 301	1.4121 520 852	83
84	1.2333 548 005	1.2771 657 966	1.3225 138 639	1.4180 360 522	84
85	1.2364 381 876	1.2808 908 636	1.3269 222 434	1.4239 445 358	85
86	1.2395 292 830	1.2846 267 952	1.3313 453 176	1.4298 776 380	86
87	1.2426 281 062	1.2883 736 234	1.3357 831 353	1.4358 354 615	87
88	1.2457 346 765	1.2921 313 798	1.3402 357 458	1.4418 181 093	88
89	1.2488 490 132	1.2959 000 963	1.3447 031 982	1.4478 256 847	89
90	1.2519 711 357	1.2996 798 049	1.3491 855 422	1.4538 582 917	90
91	1.2551 010 636	1.3034 705 377	1.3536 828 274	1.4599 160 346	91
92	1.2582 388 162	1.3072 723 268	1.3581 951 035	1.4659 990 181	92
93	1.2613 844 133	1.3110 852 044	1.3627 224 205	1.4721 073 473	93
94	1.2645 378 743	1.3149 092 029	1.3672 648 285	1.4782 411 279	94
95	1.2676 992 190	1.3187 443 547	1.3718 223 780	1.4844 004 660	95
96	1.2708 684 670	1.3225 906 924	1.3763 951 192	1.4905 854 679	96
97	1.2740 456 382	1.3264 482 486	1.3809 831 030	1.4967 962 407	97
98	1.2772 307 523	1.3303 170 560	1.3855 863 800	1.5030 328 917	98
99	1.2804 238 292	1.3341 971 474	1.3902 050 012	1.5092 955 288	99
100	1.2836 248 887	1.3380 885 558	1.3948 390 179	1.5155 842 601	100

TABLE I   VALEUR ACQUISE DE 1 $s = (1 + i)^n$

n	¼ pour cent	⁷⁄₂₄ pour cent	⅓ pour cent	⁵⁄₁₂ pour cent	n
101	1.2868 339 510	1.3419 913 141	1.3994 884 813	1.5218 991 945	101
102	1.2900 510 358	1.3459 054 554	1.4041 534 429	1.5282 404 412	102
103	1.2932 761 634	1.3498 310 130	1.4088 339 544	1.5346 081 097	103
104	1.2965 093 538	1.3537 680 201	1.4135 300 676	1.5410 023 102	104
105	1.2997 506 272	1.3577 165 102	1.4182 418 345	1.5474 231 531	105
106	1.3030 000 038	1.3616 765 166	1.4229 693 072	1.5538 707 496	106
107	1.3062 575 038	1.3656 480 732	1.4277 125 383	1.5603 452 110	107
108	1.3095 231 476	1.3696 312 134	1.4324 715 801	1.5668 466 494	108
109	1.3127 969 554	1.3736 259 711	1.4372 464 853	1.5733 751 771	109
110	1.3160 789 478	1.3776 323 802	1.4420 373 069	1.5799 309 070	110
111	1.3193 691 452	1.3816 504 746	1.4468 440 980	1.5865 139 525	111
112	1.3226 675 680	1.3856 802 885	1.4516 669 116	1.5931 244 273	112
113	1.3259 742 370	1.3897 218 560	1.4565 058 013	1.5997 624 457	113
114	1.3292 891 726	1.3937 752 114	1.4613 608 207	1.6064 281 226	114
115	1.3326 123 955	1.3978 403 891	1.4662 320 234	1.6131 215 731	115
116	1.3359 439 265	1.4019 174 236	1.4711 194 635	1.6198 429 130	116
117	1.3392 837 863	1.4060 063 494	1.4760 231 950	1.6265 922 584	117
118	1.3426 319 958	1.4101 072 012	1.4809 432 723	1.6333 697 262	118
119	1.3459 885 758	1.4142 200 139	1.4858 797 499	1.6401 754 334	119
120	1.3493 535 472	1.4183 448 223	1.4908 326 824	1.6470 094 977	120
121	1.3527 269 311	1.4224 816 614	1.4958 021 247	1.6538 720 373	121
122	1.3561 087 484	1.4266 305 662	1.5007 881 318	1.6607 631 708	122
123	1.3594 990 203	1.4307 915 720	1.5057 907 589	1.6676 830 173	123
124	1.3628 977 678	1.4349 647 141	1.5108 100 614	1.6746 316 965	124
125	1.3663 050 122	1.4391 500 278	1.5158 460 949	1.6816 093 286	125
126	1.3697 207 748	1.4433 475 488	1.5208 989 153	1.6886 160 341	126
127	1.3731 450 767	1.4475 573 124	1.5259 685 783	1.6956 519 343	127
128	1.3765 779 394	1.4517 793 546	1.5310 551 402	1.7027 171 507	128
129	1.3800 193 842	1.4560 137 111	1.5361 586 574	1.7098 118 055	129
130	1.3834 694 327	1.4602 604 177	1.5412 791 862	1.7169 360 213	130
131	1.3869 281 063	1.4645 195 106	1.5464 167 835	1.7240 899 214	131
132	1.3903 954 265	1.4687 910 258	1.5515 715 061	1.7312 736 294	132
133	1.3938 714 151	1.4730 749 997	1.5567 434 112	1.7384 872 695	133
134	1.3973 560 936	1.4773 714 684	1.5619 325 559	1.7457 309 665	134
135	1.4008 494 839	1.4816 804 685	1.5671 389 977	1.7530 048 455	135
136	1.4043 516 076	1.4860 020 366	1.5723 627 944	1.7603 090 324	136
137	1.4078 624 866	1.4903 362 092	1.5776 040 037	1.7676 436 534	137
138	1.4113 821 428	1.4946 830 231	1.5828 626 837	1.7750 088 352	138
139	1.4149 105 982	1.4990 425 153	1.5881 388 926	1.7824 047 054	139
140	1.4184 478 747	1.5034 147 226	1.5934 326 890	1.7898 313 917	140
141	1.4219 939 944	1.5077 996 822	1.5987 441 312	1.7972 890 225	141
142	1.4255 489 794	1.5121 974 313	1.6040 732 784	1.8047 777 267	142
143	1.4291 128 518	1.5166 080 071	1.6094 201 893	1.8122 976 339	143
144	1.4326 856 339	1.5210 314 471	1.6147 849 232	1.8198 488 741	144
145	1.4362 673 480	1.5254 677 889	1.6201 675 397	1.8274 315 777	145
146	1.4398 580 164	1.5299 170 699	1.6255 680 981	1.8350 458 759	146
147	1.4434 576 614	1.5343 793 280	1.6309 866 584	1.8426 919 004	147
148	1.4470 663 056	1.5388 546 011	1.6364 232 806	1.8503 697 833	148
149	1.4506 839 713	1.5433 429 270	1.6418 780 249	1.8580 796 574	149
150	1.4543 106 813	1.5478 443 439	1.6473 509 517	1.8658 216 560	150

TABLE I · · · · · · · · · · · · · · · VALEUR ACQUISE DE 1 · · · · · · · · · · $s = (1 + i)^n$

n	¼ pour cent	⁷⁄₂₄ pour cent	⅓ pour cent	⁵⁄₁₂ pour cent	n
151	1.4579 464 580	1.5523 588 899	1.6528 421 215	1.8735 959 129	151
152	1.4615 913 241	1.5568 866 033	1.6583 515 952	1.8814 025 625	152
153	1.4652 453 024	1.5614 275 226	1.6638 794 339	1.8892 417 399	153
154	1.4689 084 157	1.5659 816 862	1.6694 256 987	1.8971 135 805	154
155	1.4725 806 867	1.5705 491 328	1.6749 904 510	1.9050 182 204	155
156	1.4762 621 384	1.5751 299 011	1.6805 737 525	1.9129 557 963	156
157	1.4799 527 938	1.5797 240 299	1.6861 756 650	1.9209 264 455	157
158	1.4836 526 758	1.5843 315 584	1.6917 962 506	1.9289 303 056	158
159	1.4873 618 075	1.5889 525 254	1.6974 355 714	1.9369 675 153	159
160	1.4910 802 120	1.5935 869 703	1.7030 936 900	1.9450 382 132	160
161	1.4948 079 125	1.5982 349 323	1.7087 706 689	1.9531 425 391	161
162	1.4985 449 323	1.6028 964 508	1.7144 665 712	1.9612 806 330	162
163	1.5022 912 946	1.6075 715 655	1.7201 814 597	1.9694 526 357	163
164	1.5060 470 229	1.6122 603 159	1.7259 153 979	1.9776 586 883	164
165	1.5098 121 404	1.6169 627 418	1.7316 684 493	1.9858 989 329	165
166	1.5135 866 708	1.6216 788 831	1.7374 406 774	1.9941 735 117	166
167	1.5173 706 374	1.6264 087 799	1.7432 321 463	2.0024 825 680	167
168	1.5211 640 640	1.6311 524 721	1.7490 429 202	2.0108 262 454	168
169	1.5249 669 742	1.6359 100 002	1.7548 730 632	2.0192 046 881	169
170	1.5287 793 916	1.6406 814 043	1.7607 226 401	2.0276 180 410	170
171	1.5326 013 401	1.6454 667 251	1.7665 917 156	2.0360 664 495	171
172	1.5364 328 435	1.6502 660 031	1.7724 803 546	2.0445 500 597	172
173	1.5402 739 256	1.6550 792 789	1.7783 886 225	2.0530 690 183	173
174	1.5441 246 104	1.6599 065 935	1.7843 165 846	2.0616 234 725	174
175	1.5479 849 219	1.6647 479 877	1.7902 643 065	2.0702 135 703	175
176	1.5518 548 842	1.6696 035 027	1.7962 318 542	2.0788 394 602	176
177	1.5557 345 214	1.6744 731 795	1.8022 192 937	2.0875 012 913	177
178	1.5596 238 577	1.6793 570 596	1.8082 266 914	2.0961 992 133	178
179	1.5635 229 174	1.6842 551 844	1.8142 541 137	2.1049 333 767	179
180	1.5674 317 247	1.6891 675 954	1.8203 016 274	2.1137 039 324	180
181	1.5713 503 040	1.6940 943 342	1.8263 692 995	2.1225 110 322	181
182	1.5752 786 797	1.6990 354 426	1.8324 571 971	2.1313 548 281	182
183	1.5792 168 764	1.7039 909 627	1.8385 653 878	2.1402 354 732	183
184	1.5831 649 186	1.7089 609 363	1.8446 939 391	2.1491 531 210	184
185	1.5871 228 309	1.7139 454 057	1.8508 429 189	2.1581 079 257	185
186	1.5910 906 380	1.7189 444 132	1.8570 123 953	2.1671 000 421	186
187	1.5950 683 646	1.7239 580 010	1.8632 024 366	2.1761 296 256	187
188	1.5990 560 355	1.7289 862 119	1.8694 131 114	2.1851 968 324	188
189	1.6030 536 756	1.7340 290 883	1.8756 444 884	2.1943 018 192	189
190	1.6070 613 098	1.7390 866 732	1.8818 966 367	2.2034 447 434	190
191	1.6110 789 631	1.7441 590 093	1.8881 696 255	2.2126 257 632	191
192	1.6151 066 605	1.7492 461 397	1.8944 635 242	2.2218 450 372	192
193	1.6191 444 271	1.7543 481 076	1.9007 784 027	2.2311 027 248	193
194	1.6231 922 882	1.7594 649 563	1.9071 143 307	2.2403 989 862	194
195	1.6272 502 689	1.7645 967 291	1.9134 713 784	2.2497 339 820	195
196	1.6313 183 946	1.7697 434 695	1.9198 496 164	2.2591 078 736	196
197	1.6353 966 906	1.7749 052 213	1.9262 491 151	2.2685 208 230	197
198	1.6394 851 823	1.7800 820 282	1.9326 699 455	2.2779 729 931	198
199	1.6435 838 952	1.7852 739 341	1.9391 121 786	2.2874 645 473	199
200	1.6476 928 550	1.7904 809 831	1.9455 758 859	2.2969 956 495	200

Table I Valeur acquise de 1 $s = (1 + i)^n$

n	¼ pour cent	$^7/_{24}$ pour cent	⅓ pour cent	$^5/_{12}$ pour cent	n
201	1.6518 120 871	1.7957 032 193	1.9520 611 388	2.3065 664 648	201
202	1.6559 416 173	1.8009 406 870	1.9585 680 093	2.3161 771 584	202
203	1.6600 814 714	1.8061 934 307	1.9650 965 693	2.3258 278 965	203
204	1.6642 316 751	1.8114 614 949	1.9716 468 912	2.3355 188 461	204
205	1.6683 922 543	1.8167 449 242	1.9782 190 475	2.3452 501 746	205
206	1.6725 632 349	1.8220 437 636	1.9848 131 110	2.3550 220 503	206
207	1.6767 446 430	1.8273 580 579	1.9914 291 547	2.3648 346 422	207
208	1.6809 365 046	1.8326 878 522	1.9980 672 519	2.3746 881 199	208
209	1.6851 388 458	1.8380 331 918	2.0047 274 761	2.3845 826 537	209
210	1.6893 516 930	1.8433 941 220	2.0114 099 010	2.3945 184 148	210
211	1.6935 750 722	1.8487 706 881	2.0181 146 007	2.4044 955 748	211
212	1.6978 090 099	1.8541 629 360	2.0248 416 493	2.4145 143 064	212
213	1.7020 535 324	1.8595 709 112	2.0315 911 215	2.4245 747 827	213
214	1.7063 086 662	1.8649 946 597	2.0383 630 919	2.4346 771 776	214
215	1.7105 744 379	1.8704 342 275	2.0451 576 356	2.4448 216 658	215
216	1.7148 508 740	1.8758 896 606	2.0519 748 277	2.4550 084 228	216
217	1.7191 380 012	1.8813 610 055	2.0588 147 438	2.4652 376 245	217
218	1.7234 358 462	1.8868 483 084	2.0656 774 596	2.4755 094 480	218
219	1.7277 444 358	1.8923 516 160	2.0725 630 511	2.4858 240 707	219
220	1.7320 637 969	1.8978 709 749	2.0794 715 946	2.4961 816 710	220
221	1.7363 939 564	1.9034 064 319	2.0864 031 666	2.5065 824 279	221
222	1.7407 349 413	1.9089 580 340	2.0933 578 438	2.5170 265 214	222
223	1.7450 867 786	1.9145 258 282	2.1003 357 033	2.5275 141 319	223
224	1.7494 494 956	1.9201 098 619	2.1073 368 223	2.5380 454 408	224
225	1.7538 231 193	1.9257 101 823	2.1143 612 784	2.5486 206 301	225
226	1.7582 076 771	1.9313 268 370	2.1214 091 493	2.5592 398 827	226
227	1.7626 031 963	1.9369 598 736	2.1284 805 131	2.5699 033 823	227
228	1.7670 097 043	1.9426 093 399	2.1355 754 482	2.5806 113 130	228
229	1.7714 272 285	1.9482 752 838	2.1426 940 330	2.5913 638 601	229
230	1.7758 557 966	1.9539 577 534	2.1498 363 465	2.6021 612 096	230
231	1.7802 954 361	1.9596 567 969	2.1570 024 676	2.6130 035 479	231
232	1.7847 461 747	1.9653 724 625	2.1641 924 758	2.6238 910 627	232
233	1.7892 080 401	1.9711 047 989	2.1714 064 508	2.6348 239 422	233
234	1.7936 810 602	1.9768 538 545	2.1786 444 723	2.6458 023 752	234
235	1.7981 652 629	1.9826 196 783	2.1859 066 205	2.6568 265 518	235
236	1.8026 606 760	1.9884 023 190	2.1931 929 759	2.6678 966 624	236
237	1.8071 673 277	1.9942 018 258	2.2005 036 192	2.6790 128 985	237
238	1.8116 852 461	2.0000 182 478	2.2078 386 312	2.6901 754 523	238
239	1.8162 144 592	2.0058 516 343	2.2151 980 933	2.7013 845 167	239
240	1.8207 549 953	2.0117 020 349	2.2225 820 870	2.7126 402 855	240
241	1.8253 068 828	2.0175 694 992	2.2299 906 939	2.7239 429 533	241
242	1.8298 701 500	2.0234 540 769	2.2374 239 962	2.7352 927 156	242
243	1.8344 448 254	2.0293 558 179	2.2448 820 762	2.7466 897 686	243
244	1.8390 309 374	2.0352 747 724	2.2523 650 165	2.7581 343 093	244
245	1.8436 285 148	2.0412 109 905	2.2598 728 999	2.7696 265 356	245
246	1.8482 375 861	2.0471 645 225	2.2674 058 095	2.7811 666 462	246
247	1.8528 581 800	2.0531 354 191	2.2749 638 289	2.7927 548 405	247
248	1.8574 903 255	2.0591 237 307	2.2825 470 417	2.8043 913 190	248
249	1.8621 340 513	2.0651 295 093	2.2901 555 318	2.8160 762 829	249
250	1.8667 893 864	2.0711 528 027	2.2977 893 836	2.8278 099 341	250

TABLE I · VALEUR ACQUISE DE 1 · $s = (1 + i)^n$

n	¼ pour cent	⁷⁄₂₄ pour cent	⅓ pour cent	⁵⁄₁₂ pour cent	n
251	1.8714 563 599	2.0771 936 650	2.3054 486 815	2.8395 924 754	251
252	1.8761 350 008	2.0832 521 465	2.3131 335 105	2.8514 241 108	252
253	1.8808 253 383	2.0893 282 986	2.3208 439 555	2.8633 050 446	253
254	1.8855 274 017	2.0954 221 728	2.3285 801 020	2.8752 354 822	254
255	1.8902 412 202	2.1015 338 208	2.3363 420 357	2.8872 156 301	255
256	1.8949 668 232	2.1076 632 945	2.3441 298 425	2.8992 456 952	256
257	1.8997 042 403	2.1138 106 457	2.3519 436 086	2.9113 258 856	257
258	1.9044 535 009	2.1199 759 268	2.3597 834 206	2.9234 564 101	258
259	1.9092 146 346	2.1261 591 899	2.3676 493 654	2.9356 374 785	259
260	1.9139 876 712	2.1323 604 876	2.3755 415 299	2.9478 693 013	260
261	1.9187 726 404	2.1385 798 723	2.3834 600 017	2.9601 520 901	261
262	1.9235 695 720	2.1448 173 969	2.3914 048 684	2.9724 860 571	262
263	1.9283 784 959	2.1510 731 143	2.3993 762 179	2.9848 714 157	263
264	1.9331 994 422	2.1573 470 776	2.4073 741 386	2.9973 083 799	264
265	1.9380 324 408	2.1636 393 399	2.4153 987 191	3.0097 971 648	265
266	1.9428 775 219	2.1699 499 546	2.4234 500 482	3.0223 379 864	266
267	1.9477 347 157	2.1762 789 753	2.4315 282 150	3.0349 310 613	267
268	1.9526 040 525	2.1826 264 557	2.4396 333 091	3.0475 766 074	268
269	1.9574 855 626	2.1889 924 495	2.4477 654 201	3.0602 748 433	269
270	1.9623 792 765	2.1953 770 108	2.4559 246 382	3.0730 259 884	270
271	1.9672 852 247	2.2017 801 938	2.4641 110 536	3.0858 302 634	271
272	1.9722 034 377	2.2082 020 527	2.4723 247 571	3.0986 878 895	272
273	1.9771 339 463	2.2146 426 420	2.4805 658 396	3.1115 990 890	273
274	1.9820 767 812	2.2211 020 164	2.4888 343 924	3.1245 640 852	274
275	1.9870 319 732	2.2275 802 306	2.4971 305 071	3.1375 831 023	275
276	1.9919 995 531	2.2340 773 396	2.5054 542 754	3.1506 563 652	276
277	1.9969 795 520	2.2405 933 985	2.5138 057 897	3.1637 841 000	277
278	2.0019 720 009	2.2471 284 626	2.5221 851 423	3.1769 665 338	278
279	2.0069 769 309	2.2536 825 873	2.5305 924 261	3.1902 038 943	279
280	2.0119 943 732	2.2602 558 281	2.5390 277 342	3.2034 964 106	280
281	2.0170 243 591	2.2668 482 410	2.5474 911 600	3.2168 443 123	281
282	2.0220 669 200	2.2734 598 817	2.5559 827 972	3.2302 478 302	282
283	2.0271 220 873	2.2800 908 063	2.5645 027 399	3.2437 071 962	283
284	2.0321 898 925	2.2867 410 712	2.5730 510 823	3.2572 226 429	284
285	2.0372 703 673	2.2934 107 326	2.5816 279 193	3.2707 944 039	285
286	2.0423 635 432	2.3000 998 473	2.5902 333 457	3.2844 227 139	286
287	2.0474 694 520	2.3068 084 718	2.5988 674 568	3.2981 078 085	287
288	2.0525 881 257	2.3135 366 632	2.6075 303 483	3.3118 499 244	288
289	2.0577 195 960	2.3202 844 785	2.6162 221 162	3.3256 492 991	289
290	2.0628 638 950	2.3270 519 749	2.6249 428 566	3.3395 061 712	290
291	2.0680 210 547	2.3338 392 098	2.6336 926 661	3.3534 207 802	291
292	2.0731 911 073	2.3406 462 408	2.6424 716 416	3.3673 933 668	292
293	2.0783 740 851	2.3474 731 257	2.6512 798 804	3.3814 241 725	293
294	2.0835 700 203	2.3543 199 223	2.6601 174 800	3.3955 134 399	294
295	2.0887 789 454	2.3611 866 887	2.6689 845 383	3.4096 614 125	295
296	2.0940 008 927	2.3680 734 833	2.6778 811 534	3.4238 683 351	296
297	2.0992 358 950	2.3749 803 643	2.6868 074 239	3.4381 344 532	297
298	2.1044 839 847	2.3819 073 903	2.6957 634 487	3.4524 600 134	298
299	2.1097 451 947	2.3888 546 202	2.7047 493 269	3.4668 452 634	299
300	2.1150 195 577	2.3958 221 128	2.7137 651 579	3.4812 904 520	300

TABLE I VALEUR ACQUISE DE 1 $s = (1 + i)^n$

n	½ pour cent	7/12 pour cent	⅔ pour cent	¾ pour cent	n
1	1.0050 000 000	1.0058 333 333	1.0066 666 667	1.0075 000 000	1
2	1.0100 250 000	1.0117 006 944	1.0133 777 778	1.0150 562 500	2
3	1.0150 751 250	1.0176 022 818	1.0201 336 296	1.0226 691 719	3
4	1.0201 505 006	1.0235 382 951	1.0269 345 205	1.0303 391 907	4
5	1.0252 512 531	1.0295 089 352	1.0337 807 506	1.0380 667 346	5
6	1.0303 775 094	1.0355 144 040	1.0406 726 223	1.0458 522 351	6
7	1.0355 293 969	1.0415 549 047	1.0476 104 398	1.0536 961 269	7
8	1.0407 070 439	1.0476 306 416	1.0545 945 094	1.0615 988 478	8
9	1.0459 105 791	1.0537 418 204	1.0616 251 394	1.0695 608 392	9
10	1.0511 401 320	1.0598 886 476	1.0687 026 404	1.0775 825 455	10
11	1.0563 958 327	1.0660 713 314	1.0758 273 246	1.0856 644 146	11
12	1.0616 778 119	1.0722 900 809	1.0829 995 068	1.0938 068 977	12
13	1.0669 862 009	1.0785 451 063	1.0902 195 035	1.1020 104 494	13
14	1.0723 211 319	1.0848 366 194	1.0974 876 335	1.1102 755 278	14
15	1.0776 827 376	1.0911 648 331	1.1048 042 178	1.1186 025 942	15
16	1.0830 711 513	1.0975 299 613	1.1121 695 792	1.1269 921 137	16
17	1.0884 865 070	1.1039 322 194	1.1195 840 431	1.1354 445 545	17
18	1.0939 289 396	1.1103 718 240	1.1270 479 367	1.1439 603 887	18
19	1.0993 985 843	1.1168 489 929	1.1345 615 896	1.1525 400 916	19
20	1.1048 955 772	1.1233 639 454	1.1421 253 335	1.1611 841 423	20
21	1.1104 200 551	1.1299 169 018	1.1497 395 024	1.1698 930 234	21
22	1.1159 721 553	1.1365 080 837	1.1574 044 324	1.1786 672 210	22
23	1.1215 520 161	1.1431 377 142	1.1651 204 620	1.1875 072 252	23
24	1.1271 597 762	1.1498 060 175	1.1728 879 317	1.1964 135 294	24
25	1.1327 955 751	1.1565 132 193	1.1807 071 846	1.2053 866 309	25
26	1.1384 595 530	1.1632 595 464	1.1885 785 659	1.2144 270 306	26
27	1.1441 518 507	1.1700 452 271	1.1965 024 230	1.2235 352 333	27
28	1.1498 726 100	1.1768 704 909	1.2044 791 058	1.2327 117 476	28
29	1.1556 219 730	1.1837 355 688	1.2125 089 665	1.2419 570 857	29
30	1.1614 000 829	1.1906 406 929	1.2205 923 596	1.2512 717 638	30
31	1.1672 070 833	1.1975 860 970	1.2287 296 420	1.2606 563 021	31
32	1.1730 431 187	1.2045 720 159	1.2369 211 729	1.2701 112 243	32
33	1.1789 083 343	1.2115 986 859	1.2451 673 141	1.2796 370 585	33
34	1.1848 028 760	1.2186 663 449	1.2534 684 295	1.2892 343 364	34
35	1.1907 268 904	1.2257 752 320	1.2618 248 857	1.2989 035 940	35
36	1.1966 805 248	1.2329 255 875	1.2702 370 516	1.3086 453 709	36
37	1.2026 639 274	1.2401 176 534	1.2787 052 986	1.3184 602 112	37
38	1.2086 772 471	1.2473 516 730	1.2872 300 006	1.3283 486 628	38
39	1.2147 206 333	1.2546 278 911	1.2958 115 340	1.3383 112 778	39
40	1.2207 942 365	1.2619 465 538	1.3044 502 775	1.3483 486 123	40
41	1.2268 982 077	1.2693 079 087	1.3131 466 127	1.3584 612 269	41
42	1.2330 326 987	1.2767 122 049	1.3219 009 235	1.3686 496 861	42
43	1.2391 978 622	1.2841 596 927	1.3307 135 963	1.3789 145 588	43
44	1.2453 938 515	1.2916 506 243	1.3395 850 203	1.3892 564 180	44
45	1.2516 208 208	1.2991 852 529	1.3485 155 871	1.3996 758 411	45
46	1.2578 789 249	1.3067 638 336	1.3575 056 910	1.4101 734 099	46
47	1.2641 683 195	1.3143 866 226	1.3665 557 289	1.4207 497 105	47
48	1.2704 891 611	1.3220 538 779	1.3756 661 004	1.4314 053 333	48
49	1.2768 416 069	1.3297 658 588	1.3848 372 078	1.4421 408 733	49
50	1.2832 258 149	1.3375 228 263	1.3940 694 558	1.4529 569 299	50

Table I   Valeur acquise de 1 $s = (1 + i)^n$

n	½ pour cent	7/12 pour cent	⅔ pour cent	¾ pour cent	n
51	1.2896 419 440	1.3453 250 428	1.4033 632 522	1.4638 541 068	51
52	1.2960 901 537	1.3531 727 723	1.4127 190 072	1.4748 330 126	52
53	1.3025 706 045	1.3610 662 801	1.4221 371 339	1.4858 942 602	53
54	1.3090 834 575	1.3690 058 334	1.4316 180 481	1.4970 384 672	54
55	1.3156 288 748	1.3769 917 008	1.4411 621 685	1.5082 662 557	55
56	1.3222 070 192	1.3850 241 523	1.4507 699 163	1.5195 782 526	56
57	1.3288 180 543	1.3931 034 599	1.4604 417 157	1.5309 750 895	57
58	1.3354 621 446	1.4012 298 967	1.4701 779 938	1.5424 574 027	58
59	1.3421 394 553	1.4094 037 378	1.4799 791 804	1.5540 258 332	59
60	1.3488 501 525	1.4176 252 596	1.4898 457 083	1.5656 810 269	60
61	1.3555 944 033	1.4258 947 403	1.4997 780 130	1.5774 236 346	61
62	1.3623 723 753	1.4342 124 596	1.5097 765 331	1.5892 543 119	62
63	1.3691 842 372	1.4425 786 990	1.5198 417 100	1.6011 737 192	63
64	1.3760 301 584	1.4509 937 414	1.5299 739 881	1.6131 825 221	64
65	1.3829 103 092	1.4594 578 715	1.5401 738 147	1.6252 813 911	65
66	1.3898 248 607	1.4679 713 758	1.5504 416 401	1.6374 710 015	66
67	1.3967 739 850	1.4765 345 421	1.5607 779 177	1.6497 520 340	67
68	1.4037 578 550	1.4851 476 603	1.5711 831 038	1.6621 251 743	68
69	1.4107 766 442	1.4938 110 217	1.5816 576 578	1.6745 911 131	69
70	1.4178 305 275	1.5025 249 193	1.5922 020 422	1.6871 505 464	70
71	1.4249 196 801	1.5112 896 480	1.6028 167 225	1.6998 041 755	71
72	1.4320 442 785	1.5201 055 043	1.6135 021 673	1.7125 527 068	72
73	1.4392 044 999	1.5289 727 864	1.6242 588 484	1.7253 968 521	73
74	1.4464 005 224	1.5378 917 943	1.6350 872 407	1.7383 373 285	74
75	1.4536 325 250	1.5468 628 298	1.6459 878 224	1.7513 748 585	75
76	1.4609 006 876	1.5558 861 963	1.6569 610 745	1.7645 101 699	76
77	1.4682 051 911	1.5649 621 991	1.6680 074 817	1.7777 439 962	77
78	1.4755 462 170	1.5740 911 452	1.6791 275 315	1.7910 770 762	78
79	1.4829 239 481	1.5832 733 436	1.6903 217 151	1.8045 101 542	79
80	1.4903 385 678	1.5925 091 047	1.7015 905 265	1.8180 439 804	80
81	1.4977 902 607	1.6017 987 412	1.7129 344 634	1.8316 793 102	81
82	1.5052 792 120	1.6111 425 672	1.7243 540 265	1.8454 169 051	82
83	1.5128 056 080	1.6205 408 988	1.7358 497 200	1.8592 575 319	83
84	1.5203 696 361	1.6299 940 541	1.7474 220 514	1.8732 019 633	84
85	1.5279 714 843	1.6395 023 527	1.7590 715 318	1.8872 509 781	85
86	1.5356 113 417	1.6490 661 164	1.7707 986 753	1.9014 053 604	86
87	1.5432 893 984	1.6586 856 688	1.7826 039 998	1.9156 659 006	87
88	1.5510 058 454	1.6683 613 352	1.7944 880 265	1.9300 333 949	88
89	1.5587 608 746	1.6780 934 430	1.8064 512 800	1.9445 086 453	89
90	1.5665 546 790	1.6878 823 214	1.8184 942 885	1.9590 924 602	90
91	1.5743 874 524	1.6977 283 016	1.8306 175 838	1.9737 856 536	91
92	1.5822 593 896	1.7076 317 167	1.8428 217 010	1.9885 890 460	92
93	1.5901 706 866	1.7175 929 017	1.8551 071 790	2.0035 034 639	93
94	1.5981 215 400	1.7276 121 936	1.8674 745 602	2.0185 297 398	94
95	1.6061 121 477	1.7376 899 314	1.8799 243 906	2.0336 687 129	95
96	1.6141 427 085	1.7478 264 560	1.8924 572 199	2.0489 212 282	96
97	1.6222 134 220	1.7580 221 104	1.9050 736 013	2.0642 881 375	97
98	1.6303 244 891	1.7682 772 393	1.9177 740 920	2.0797 702 985	98
99	1.6387 761 116	1.7785 921 899	1.9305 592 526	2.0953 685 757	99
100	1.6466 684 921	1.7889 673 110	1.9434 296 477	2.1110 838 400	100

n	½ pour cent	⁷⁄₁₂ pour cent	⅔ pour cent	¾ pour cent	n
101	1.6549 018 346	1.7994 029 537	1.9563 858 453	2.1269 169 688	101
102	1.6631 763 437	1.8098 994 709	1.9694 284 176	2.1428 688 461	102
103	1.6714 922 255	1.8204 572 178	1.9825 579 404	2.1589 403 625	103
104	1.6798 496 866	1.8310 765 516	1.9957 749 933	2.1751 324 152	104
105	1.6882 489 350	1.8417 578 315	2.0090 801 600	2.1914 459 083	105
106	1.6966 901 797	1.8525 014 188	2.0224 740 277	2.2078 817 526	106
107	1.7051 736 306	1.8633 076 771	2.0359 571 879	2.2244 408 657	107
108	1.7136 994 988	1.8741 769 719	2.0495 302 358	2.2411 241 722	108
109	1.7222 679 962	1.8851 096 709	2.0631 937 707	2.2579 326 035	109
110	1.7308 793 362	1.8961 061 439	2.0769 483 958	2.2748 670 981	110
111	1.7395 337 329	1.9071 667 631	2.0907 947 185	2.2919 286 013	111
112	1.7482 314 016	1.9182 919 026	2.1047 333 499	2.3091 180 658	112
113	1.7569 725 586	1.9294 819 387	2.1187 649 056	2.3264 364 513	113
114	1.7657 574 214	1.9407 372 500	2.1328 900 050	2.3438 847 247	114
115	1.7745 862 085	1.9520 582 173	2.1471 092 717	2.3614 638 601	115
116	1.7834 591 395	1.9634 452 235	2.1614 233 335	2.3791 748 391	116
117	1.7923 764 352	1.9748 986 540	2.1758 328 224	2.3970 186 504	117
118	1.8013 383 174	1.9864 188 962	2.1903 383 745	2.4149 962 902	118
119	1.8103 450 090	1.9980 063 397	2.2049 406 303	2.4331 087 624	119
120	1.8193 967 340	2.0096 613 767	2.2196 402 345	2.4513 570 781	120
121	1.8284 937 177	2.0213 844 014	2.2344 378 361	2.4697 422 562	121
122	1.8376 361 863	2.0331 758 104	2.2493 340 883	2.4882 653 231	122
123	1.8468 243 672	2.0450 360 026	2.2643 296 489	2.5069 273 131	123
124	1.8560 584 891	2.0569 653 793	2.2794 251 799	2.5257 292 679	124
125	1.8653 387 815	2.0689 643 440	2.2946 213 478	2.5446 722 374	125
126	1.8746 654 754	2.0810 333 027	2.3099 188 234	2.5637 572 792	126
127	1.8840 388 028	2.0931 726 636	2.3253 182 823	2.5829 854 588	127
128	1.8934 589 968	2.1053 828 375	2.3408 204 042	2.6023 578 497	128
129	1.9029 262 918	2.1176 642 374	2.3564 258 735	2.6218 755 336	129
130	1.9124 409 232	2.1300 172 788	2.3721 353 793	2.6415 396 001	130
131	1.9220 031 279	2.1424 423 796	2.3879 496 152	2.6613 511 471	131
132	1.9316 131 435	2.1549 399 601	2.4038 692 793	2.6813 112 807	132
133	1.9412 712 092	2.1675 104 432	2.4198 950 745	2.7014 211 153	133
134	1.9509 775 653	2.1801 542 541	2.4360 277 083	2.7216 817 737	134
135	1.9607 324 531	2.1928 718 206	2.4522 678 930	2.7420 943 870	135
136	1.9705 361 154	2.2056 635 729	2.4686 163 457	2.7626 600 949	136
137	1.9803 887 959	2.2185 299 437	2.4850 737 880	2.7833 800 456	137
138	1.9902 907 399	2.2314 713 684	2.5016 409 466	2.8042 553 959	138
139	2.0002 421 936	2.2444 882 847	2.5183 185 529	2.8252 873 114	139
140	2.0102 434 046	2.2575 811 331	2.5351 073 432	2.8464 769 662	140
141	2.0202 946 216	2.2707 503 563	2.5520 080 588	2.8678 255 435	141
142	2.0303 960 947	2.2839 964 001	2.5690 214 459	2.8893 342 351	142
143	2.0405 480 752	2.2973 197 124	2.5861 482 555	2.9110 042 418	143
144	2.0507 508 156	2.3107 207 441	2.6033 892 439	2.9328 367 736	144
145	2.0610 045 696	2.3241 999 484	2.6207 451 722	2.9548 330 494	145
146	2.0713 095 925	2.3377 577 814	2.6382 168 067	2.9769 942 973	146
147	2.0816 661 404	2.3513 947 018	2.6558 049 187	2.9993 217 545	147
148	2.0920 744 712	2.3651 111 709	2.6735 102 849	3.0218 166 677	148
149	2.1025 348 435	2.3789 076 528	2.6913 336 868	3.0444 802 927	149
150	2.1130 475 177	2.3927 846 141	2.7092 759 113	3.0673 138 949	150

TABLE I   VALEUR ACQUISE DE 1 $s = (1 + i)^n$

n	½ pour cent	7/12 pour cent	⅔ pour cent	¾ pour cent	n
151	2.1236 127 553	2.4067 425 243	2.7273 377 507	3.0903 187 491	151
152	2.1342 308 191	2.4207 818 557	2.7455 200 024	3.1134 961 397	152
153	2.1449 019 732	2.4349 030 832	2.7638 234 691	3.1368 473 608	153
154	2.1556 264 831	2.4491 066 845	2.7822 489 589	3.1603 737 160	154
155	2.1664 046 155	2.4633 931 402	2.8007 972 853	3.1840 765 189	155
156	2.1772 366 385	2.4777 629 335	2.8194 692 672	3.2079 570 928	156
157	2.1881 228 217	2.4922 165 506	2.8382 657 290	3.2320 167 709	157
158	2.1990 634 358	2.5067 544 805	2.8571 875 005	3.2562 568 967	158
159	2.2100 587 530	2.5213 772 150	2.8762 354 172	3.2806 788 235	159
160	2.2211 090 468	2.5360 852 487	2.8954 103 199	3.3052 839 146	160
161	2.2322 145 920	2.5508 790 793	2.9147 130 554	3.3300 735 440	161
162	2.2433 756 650	2.5657 592 073	2.9341 444 758	3.3550 490 956	162
163	2.2545 925 433	2.5807 261 360	2.9537 054 390	3.3802 119 638	163
164	2.2658 655 060	2.5957 803 718	2.9733 968 086	3.4055 635 535	164
165	2.2771 948 336	2.6109 224 240	2.9932 194 539	3.4311 052 802	165
166	2.2885 808 077	2.6261 528 048	3.0131 742 503	3.4568 385 698	166
167	2.3000 237 118	2.6414 720 295	3.0332 620 786	3.4827 648 590	167
168	2.3115 238 303	2.6568 806 163	3.0534 838 258	3.5088 855 955	168
169	2.3230 814 495	2.6723 790 866	3.0738 403 847	3.5352 022 375	169
170	2.3346 968 567	2.6879 679 646	3.0943 326 539	3.5617 162 542	170
171	2.3463 703 410	2.7036 477 777	3.1149 615 383	3.5884 291 261	171
172	2.3581 021 927	2.7194 190 564	3.1357 279 485	3.6153 423 446	172
173	2.3698 927 037	2.7352 823 342	3.1566 328 015	3.6424 574 122	173
174	2.3817 421 672	2.7512 381 478	3.1776 770 202	3.6697 758 428	174
175	2.3936 508 780	2.7672 870 370	3.1988 615 336	3.6972 991 616	175
176	2.4056 191 324	2.7834 295 447	3.2201 872 772	3.7250 289 053	176
177	2.4176 472 281	2.7996 662 171	3.2416 551 924	3.7529 666 221	177
178	2.4297 354 642	3.8159 976 034	3.2632 662 270	3.7811 138 717	178
179	2.4418 841 415	2.8324 242 560	3.2850 213 352	3.8094 722 258	179
180	2.4540 935 622	2.8489 467 309	3.3069 214 774	3.8380 432 675	180
181	2.4663 640 301	2.8655 655 868	3.3289 676 206	3.8668 285 920	181
182	2.4786 958 502	2.8822 813 861	3.3511 607 381	3.8958 298 064	182
183	2.4910 893 295	2.8990 946 941	3.3735 018 096	3.9250 485 300	183
184	2.5035 447 761	2.9160 060 799	3.3959 918 217	3.9544 863 939	184
185	2.5160 625 000	2.9330 161 153	3.4186 317 672	3.9841 450 419	185
186	2.5286 428 125	2.9501 253 760	3.4414 226 456	4.0140 261 297	186
187	2.5412 860 265	2.9673 344 407	3.4643 654 633	4.0441 313 257	187
188	2.5539 924 567	2.9846 438 916	3.4874 612 330	4.0744 623 106	188
189	2.5667 624 190	3.0020 543 143	3.5107 109 746	4.1050 207 780	189
190	2.5795 962 311	3.0195 662 978	3.5341 157 144	4.1358 084 338	190
191	2.5924 942 122	3.0371 804 345	3.5576 764 858	4.1668 269 970	191
192	2.6054 566 833	3.0548 973 204	3.5813 943 291	4.1980 781 995	192
193	2.6184 839 667	3.0727 175 548	3.6052 702 913	4.2295 637 860	193
194	2.6315 763 865	3.0906 417 405	3.6293 054 266	4.2612 855 144	194
195	2.6447 342 685	3.1086 704 840	3.6535 007 961	4.2932 451 558	195
196	2.6579 579 398	3.1268 043 952	3.6778 574 680	4.3254 444 944	196
197	2.6712 477 295	3.1450 440 875	3.7023 765 178	4.3578 853 282	197
198	2.6846 039 681	3.1633 901 780	3.7270 590 279	4.3905 694 681	198
199	2.6980 269 880	3.1818 432 873	3.7519 060 881	4.4234 987 391	199
200	2.7115 171 229	3.2004 040 398	3.7769 187 954	4.4566 749 797	200

TABLE I VALEUR ACQUISE DE 1 $s = (1 + i)^n$

n	½ pour cent	7/12 pour cent	⅔ pour cent	¾ pour cent	n
201	2.7250 747 085	3.2190 730 634	3.8020 982 540	4.4901 000 420	201
202	2.7387 000 821	3.2378 509 896	3.8274 455 757	4.5237 757 923	202
203	2.7523 935 825	3.2567 384 537	3.8529 618 795	4.5577 041 108	203
204	2.7661 555 504	3.2757 360 947	3.8786 482 921	4.5918 868 916	204
205	2.7799 863 282	3.2948 445 553	3.9045 059 474	4.6263 260 433	205
206	2.7938 862 598	3.3140 644 818	3.9305 359 870	4.6610 234 886	206
207	2.8078 556 911	3.3333 965 246	3.9567 395 603	4.6959 811 648	207
208	2.8218 949 696	3.3528 413 377	3.9831 178 240	4.7312 010 235	208
209	2.8360 044 444	3.3723 995 788	4.0096 719 428	4.7666 850 312	209
210	2.8501 844 666	3.3920 719 097	4.0364 030 891	4.8024 351 689	210
211	2.8644 353 890	3.4118 589 959	4.0633 124 430	4.8384 534 327	211
212	2.8787 575 659	3.4317 615 067	4.0904 011 927	4.8747 418 334	212
213	2.8931 513 537	3.4517 801 154	4.1176 705 339	4.9113 023 972	213
214	2.9076 171 105	3.4719 154 995	4.1451 216 708	4.9481 371 652	214
215	2.9221 551 961	3.4921 683 399	4.1727 558 153	4.9852 481 939	215
216	2.9367 659 720	3.5125 393 219	4.2005 741 874	5.0226 375 554	216
217	2.9514 498 019	3.5330 291 346	4.2285 780 153	5.0603 073 370	217
218	2.9662 070 509	3.5536 384 712	4.2567 685 354	5.0982 596 421	218
219	2.9810 380 862	3.5743 680 289	4.2851 469 923	5.1364 965 894	219
220	2.9959 432 766	3.5952 185 091	4.3137 146 389	5.1750 203 138	220
221	3.0109 229 930	3.6161 906 171	4.3424 727 365	5.2138 329 661	221
222	3.0259 776 079	3.6372 850 623	4.3714 225 548	5.2529 367 134	222
223	3.0411 074 960	3.6585 025 585	4.4005 653 718	5.2923 337 387	223
224	3.0563 130 335	3.6798 438 235	4.4299 024 743	5.3320 262 418	224
225	3.0715 945 986	3.7013 095 791	4.4594 351 574	5.3720 164 386	225
226	3.0869 525 716	3.7229 005 516	4.4891 647 252	5.4123 065 619	226
227	3.1023 873 345	3.7446 174 715	4.5190 924 900	5.4528 988 611	227
228	3.1178 992 711	3.7664 610 734	4.5492 197 733	5.4937 956 026	228
229	3.1334 887 675	3.7884 320 964	4.5795 479 051	5.5349 990 696	229
230	3.1491 562 113	3.8105 312 836	4.6100 782 245	5.5765 115 626	230
231	3.1649 019 924	3.8327 593 828	4.6408 120 793	5.6183 353 993	231
232	3.1807 265 024	3.8551 171 458	4.6717 508 265	5.6604 729 148	232
233	3.1966 301 349	3.8776 053 292	4.7028 958 320	5.7029 264 617	233
234	3.2126 132 855	3.9002 246 936	4.7342 484 709	5.7456 984 101	234
235	3.2286 763 520	3.9229 760 043	4.7658 101 273	5.7887 911 482	235
236	3.2448 197 337	3.9458 600 310	4.7975 821 949	5.8322 070 818	236
237	3.2610 438 324	3.9688 775 478	4.8295 660 762	5.8759 486 349	237
238	3.2773 490 516	3.9920 293 335	4.8617 631 833	5.9200 182 497	238
239	3.2937 357 968	4.0153 161 713	4.8941 749 379	5.9644 183 866	239
240	3.3102 044 758	4.0387 388 490	4.9268 027 708	6.0091 515 245	240
241	3.3267 554 982	4.0622 981 589	4.9596 481 226	6.0542 201 609	241
242	3.3433 892 757	4.0859 948 982	4.9927 124 434	6.0996 268 121	242
243	3.3601 062 221	4.1098 298 684	5.0259 971 931	6.1453 740 132	243
244	3.3769 067 532	4.1338 038 760	5.0595 038 410	6.1914 643 183	244
245	3.3937 912 869	4.1579 177 319	5.0932 338 666	6.2379 003 007	245
246	3.4107 602 434	4.1821 722 520	5.1271 887 591	6.2846 845 529	246
247	3.4278 140 446	4.2065 682 568	5.1613 700 175	6.3318 196 871	247
248	3.4449 531 148	4.2311 065 717	5.1957 791 509	6.3793 083 347	248
249	3.4621 778 804	4.2557 880 267	5.2304 176 786	6.4271 531 473	249
250	3.4794 887 698	4.2806 134 568	5.2652 871 298	6.4753 567 959	250

TABLE I   VALEUR ACQUISE DE 1 $s = (1 + i)^n$

n	½ pour cent	⁷⁄₁₂ pour cent	⅔ pour cent	¾ pour cent	n
251	3.4968 862 136	4.3055 837 020	5.3003 890 440	6.5239 219 718	251
252	3.5143 706 447	4.3306 996 069	5.3357 249 709	6.5728 513 866	252
253	3.5319 424 979	4.3559 620 213	5.3712 964 707	6.6221 477 720	253
254	3.5496 022 104	4.3813 717 998	5.4071 051 139	6.6718 138 803	254
255	3.5673 502 215	4.4069 298 019	5.4431 524 813	6.7218 524 844	255
256	3.5851 869 726	4.4326 368 924	5.4794 401 645	6.7722 663 780	256
257	3.6031 129 074	4.4584 939 410	5.5159 697 656	6.8230 583 759	257
258	3.6211 284 720	4.4845 018 223	5.5527 428 974	6.8742 313 137	258
259	3.6392 341 143	4.5106 614 163	5.5897 611 834	6.9257 880 485	259
260	3.6574 302 849	4.5369 736 079	5.6270 262 579	6.9777 314 589	260
261	3.6757 174 363	4.5634 392 872	5.6645 397 663	7.0300 644 449	261
262	3.6940 960 235	4.5900 593 497	5.7023 033 647	7.0827 899 282	262
263	3.7125 665 036	4.6168 346 960	5.7403 187 205	7.1359 108 527	263
264	3.7311 293 361	4.6437 662 317	5.7785 875 120	7.1894 301 840	264
265	3.7497 849 828	4.6708 548 680	5.8171 114 287	7.2433 509 104	265
266	3.7685 339 077	4.6981 015 214	5.8558 921 716	7.2976 760 423	266
267	3.7873 765 773	4.7255 071 136	5.8949 314 527	7.3524 086 126	267
268	3.8063 134 602	4.7530 725 718	5.9342 309 957	7.4075 516 772	268
269	3.8253 450 275	4.7807 988 285	5.9737 925 357	7.4631 083 147	269
270	3.8444 717 526	4.8086 868 216	6.0136 178 193	7.5190 816 271	270
271	3.8636 941 114	4.8367 374 948	6.0537 086 047	7.5754 747 393	271
272	3.8830 125 819	4.8649 517 968	6.0940 666 621	7.6322 907 999	272
273	3.9024 276 448	4.8933 306 823	6.1346 937 732	7.6895 329 809	273
274	3.9219 397 831	4.9218 751 113	6.1755 917 317	7.7472 044 782	274
275	3.9415 494 820	4.9505 860 494	6.2167 623 432	7.8053 085 118	275
276	3.9612 572 294	4.9794 644 680	6.2582 074 255	7.8638 483 256	276
277	3.9810 635 155	5.0085 113 441	6.2999 288 083	7.9228 271 881	277
278	4.0009 688 331	5.0377 276 603	6.3419 283 337	7.9822 483 920	278
279	4.0209 736 773	5.0671 144 050	6.3842 078 560	8.0421 152 549	279
280	4.0410 785 457	5.0966 725 723	6.4267 692 417	8.1024 311 193	280
281	4.0612 839 384	5.1264 031 623	6.4696 143 699	8.1631 993 527	281
282	4.0815 903 581	5.1563 071 808	6.5127 451 324	8.2244 233 479	282
283	4.1019 983 099	5.1863 856 393	6.5561 634 333	8.2861 065 230	283
284	4.1225 083 014	5.2166 395 556	6.5998 711 895	8.3482 523 219	284
285	4.1431 208 429	5.2470 699 530	6.6438 703 308	8.4108 642 143	285
286	4.1638 364 471	5.2776 778 610	6.6881 627 996	8.4739 456 959	286
287	4.1846 556 294	5.3084 643 152	6.7327 505 516	8.5375 002 887	287
288	4.2055 789 075	5.3394 303 571	6.7776 355 553	8.6015 315 408	288
289	4.2266 068 021	5.3705 770 341	6.8228 197 924	8.6660 430 274	289
290	4.2477 398 361	5.4019 054 002	6.8683 052 576	8.7310 383 501	290
291	4.2689 785 353	5.4334 165 150	6.9140 939 594	8.7965 211 377	291
292	4.2903 234 279	5.4651 114 447	6.9601 879 191	8.8624 950 462	292
293	4.3117 750 451	5.4969 912 614	7.0065 891 719	8.9289 637 591	293
294	4.3333 339 203	5.5290 570 438	7.0532 997 664	8.9959 309 873	294
295	4.3550 005 899	5.5613 098 766	7.1003 217 648	9.0634 004 697	295
296	4.3767 755 928	5.5937 508 508	7.1476 572 432	9.1313 759 732	296
297	4.3986 594 708	5.6263 810 641	7.1953 082 915	9.1998 612 930	297
298	4.4206 527 682	5.6592 016 203	7.2432 770 135	9.2688 602 527	298
299	4.4427 560 320	5.6922 136 298	7.2915 655 269	9.3383 767 046	299
300	4.4649 698 122	5.7254 182 092	7.3401 759 637	9.4084 145 299	300

TABLE I   VALEUR ACQUISE DE 1 $s = (1 + i)^n$

n	⅞ pour cent	1 pour cent	1⅛ pour cent	1¼ pour cent	n
1	1.0087 500 000	1.0100 000 000	1.0112 500 000	1.0125 000 000	1
2	1.0175 765 625	1.0201 000 000	1.0226 265 625	1.0251 562 500	2
3	1.0264 803 574	1.0303 010 000	1.0341 311 113	1.0379 707 031	3
4	1.0354 620 605	1.0406 040 100	1.0457 650 863	1.0509 453 369	4
5	1.0445 223 536	1.0510 100 501	1.0575 299 436	1.0640 821 536	5
6	1.0536 619 242	1.0615 201 506	1.0694 271 554	1.0773 831 805	6
7	1.0628 814 660	1.0721 353 521	1.0814 582 109	1.0908 504 703	7
8	1.0721 816 788	1.0828 567 056	1.0936 246 158	1.1044 861 012	8
9	1.0815 632 685	1.0936 852 727	1.1059 278 927	1.1182 921 774	9
10	1.0910 269 471	1.1046 221 254	1.1183 695 815	1.1322 708 297	10
11	1.1005 734 329	1.1156 683 467	1.1309 512 393	1.1464 242 150	11
12	1.1102 034 505	1.1268 250 301	1.1436 744 407	1.1607 545 177	12
13	1.1199 177 306	1.1380 932 804	1.1565 407 782	1.1752 639 492	13
14	1.1297 170 108	1.1494 742 132	1.1695 518 620	1.1899 547 486	14
15	1.1396 020 346	1.1609 689 554	1.1827 093 204	1.2048 291 829	15
16	1.1495 735 524	1.1725 786 449	1.1960 148 003	1.2198 895 477	16
17	1.1596 323 210	1.1843 044 314	1.2094 699 668	1.2351 381 670	17
18	1.1697 791 038	1.1961 474 757	1.2230 765 039	1.2505 773 941	18
19	1.1800 146 710	1.2081 089 504	1.2368 361 146	1.2662 096 116	19
20	1.1903 397 994	1.2201 900 399	1.2507 505 208	1.2820 372 317	20
21	1.2007 552 726	1.2323 919 403	1.2648 214 642	1.2980 626 971	21
22	1.2112 618 812	1.2447 158 598	1.2790 507 057	1.3142 884 808	22
23	1.2218 604 227	1.2571 630 183	1.2934 400 261	1.3307 170 868	23
24	1.2325 517 014	1.2697 346 485	1.3079 912 264	1.3473 510 504	24
25	1.2433 365 288	1.2824 319 950	1.3227 061 277	1.3641 929 385	25
26	1.2542 157 234	1.2952 563 150	1.3375 865 716	1.3812 453 503	26
27	1.2651 901 110	1.3082 088 781	1.3526 344 206	1.3985 109 172	27
28	1.2762 605 245	1.3212 909 669	1.3678 515 578	1.4159 923 036	28
29	1.2874 278 040	1.3345 038 766	1.3832 398 878	1.4336 922 074	29
30	1.2986 927 973	1.3478 489 153	1.3988 013 366	1.4516 133 600	30
31	1.3100 563 593	1.3613 274 045	1.4145 378 516	1.4697 585 270	31
32	1.3215 193 525	1.3749 406 785	1.4304 514 024	1.4881 305 086	32
33	1.3330 826 468	1.3886 900 853	1.4465 439 807	1.5067 321 400	33
34	1.3447 471 199	1.4025 769 862	1.4628 176 005	1.5255 662 917	34
35	1.3565 136 572	1.4166 027 560	1.4792 742 985	1.5446 358 703	35
36	1.3683 831 517	1.4307 687 836	1.4959 161 344	1.5639 438 187	36
37	1.3803 565 043	1.4450 764 714	1.5127 451 909	1.5834 931 165	37
38	1.3924 346 237	1.4595 272 361	1.5297 635 743	1.6032 867 804	38
39	1.4046 184 267	1.4741 225 085	1.5469 734 145	1.6233 278 652	39
40	1.4169 088 379	1.4888 637 336	1.5643 768 654	1.6436 194 635	40
41	1.4293 067 903	1.5037 523 709	1.5819 761 051	1.6641 647 068	41
42	1.4418 132 247	1.5187 898 946	1.5997 733 363	1.6849 667 656	42
43	1.4544 290 904	1.5339 777 936	1.6177 707 863	1.7060 288 502	43
44	1.4671 553 449	1.5493 175 715	1.6359 707 077	1.7273 542 108	44
45	1.4799 929 542	1.5648 107 472	1.6543 753 782	1.7489 461 384	45
46	1.4929 428 926	1.5804 588 547	1.6729 871 012	1.7708 079 652	46
47	1.5060 061 429	1.5962 634 432	1.6918 082 060	1.7929 430 647	47
48	1.5191 836 966	1.6122 260 777	1.7108 410 484	1.8153 548 531	48
49	1.5324 765 540	1.6283 483 385	1.7300 880 102	1.8380 467 887	49
50	1.5458 857 238	1.6446 318 218	1.7495 515 003	1.8610 223 736	50

Table I   Valeur acquise de 1 $s = (1 + i)^n$

n	⅞ pour cent	1 pour cent	1⅛ pour cent	1¼ pour cent	n
51	1.5594 122 239	1.6610 781 401	1.7692 339 546	1.8842 851 532	51
52	1.5730 570 808	1.6776 889 215	1.7891 378 366	1.9078 387 177	52
53	1.5868 213 303	1.6944 658 107	1.8092 656 373	1.9316 867 016	53
54	1.6007 060 169	1.7114 104 688	1.8296 198 757	1.9558 327 854	54
55	1.6147 121 946	1.7285 245 735	1.8502 030 993	1.9802 806 952	55
56	1.6288 409 263	1.7458 098 192	1.8710 178 842	2.0050 342 039	56
57	1.6430 932 844	1.7632 679 174	1.8920 668 354	2.0300 971 315	57
58	1.6574 703 506	1.7809 005 966	1.9133 525 873	2.0554 733 456	58
59	1.6719 732 162	1.7987 096 025	1.9348 778 039	2.0811 667 624	59
60	1.6866 029 818	1.8166 966 986	1.9566 451 792	2.1071 813 470	60
61	1.7013 607 579	1.8348 636 655	1.9786 574 374	2.1335 211 138	61
62	1.7162 476 646	1.8532 123 022	2.0009 173 336	2.1601 901 277	62
63	1.7312 648 316	1.8717 444 252	2.0234 276 536	2.1871 925 043	63
64	1.7464 133 989	1.8904 618 695	2.0461 912 147	2.2145 324 106	64
65	1.7616 945 162	1.9093 664 882	2.0692 108 659	2.2422 140 657	65
66	1.7771 093 432	1.9284 601 531	2.0924 894 881	2.2702 417 416	66
67	1.7926 590 499	1.9477 447 546	2.1160 299 949	2.2986 197 633	67
68	1.8083 448 166	1.9672 222 021	2.1398 353 323	2.3273 525 104	68
69	1.8241 678 338	1.9868 944 242	2.1639 084 798	2.3564 444 168	69
70	1.8401 293 023	2.0067 633 684	2.1882 524 502	2.3858 999 720	70
71	1.8562 304 337	2.0268 310 021	2.2128 702 903	2.4157 237 216	71
72	1.8724 724 500	2.0470 993 121	2.2377 650 810	2.4459 202 681	72
73	1.8888 565 839	2.0675 703 052	2.2629 399 382	2.4764 942 715	73
74	1.9053 840 790	2.0882 460 083	2.2883 980 125	2.5074 504 499	74
75	1.9220 561 897	2.1091 284 684	2.3141 424 901	2.5387 935 805	75
76	1.9388 741 814	2.1302 197 530	2.3401 765 932	2.5705 285 003	76
77	1.9558 393 305	2.1515 219 506	2.3665 035 798	2.6026 601 065	77
78	1.9729 529 246	2.1730 371 701	2.3931 267 451	2.6351 933 578	78
79	1.9902 162 627	2.1947 675 418	2.4200 494 210	2.6681 332 748	79
80	2.0076 306 550	2.2167 152 172	2.4472 749 770	2.7014 849 408	80
81	2.0251 974 232	2.2388 823 694	2.4748 068 205	2.7352 535 025	81
82	2.0429 179 007	2.2612 711 931	2.5026 483 972	2.7694 441 713	82
83	2.0607 934 323	2.2838 839 050	2.5308 031 917	2.8040 622 234	83
84	2.0788 253 749	2.3067 227 440	2.5592 747 276	2.8391 130 012	84
85	2.0970 150 969	2.3297 899 715	2.5880 665 683	2.8746 019 137	85
86	2.1153 639 790	2.3530 878 712	2.6171 823 171	2.9105 344 377	86
87	2.1338 734 138	2.3766 187 499	2.6466 256 182	2.9469 161 181	87
88	2.1525 448 062	2.4003 849 374	2.6764 001 564	2.9837 525 696	88
89	2.1713 795 732	2.4243 887 868	2.7065 096 582	3.0210 494 767	89
90	2.1903 791 445	2.4486 326 746	2.7369 578 918	3.0588 125 952	90
91	2.2095 449 620	2.4731 190 014	2.7677 486 681	3.0970 477 526	91
92	2.2288 784 804	2.4978 501 914	2.7988 858 406	3.1357 608 495	92
93	2.2483 811 671	2.5228 286 933	2.8303 733 063	3.1749 578 602	93
94	2.2680 545 023	2.5480 569 803	2.8622 150 060	3.2146 448 334	94
95	2.2878 999 792	2.5735 375 501	2.8944 149 249	3.2548 278 938	95
96	2.3079 191 041	2.5992 729 256	2.9269 770 928	3.2955 132 425	96
97	2.3281 133 962	2.6252 656 548	2.9599 055 851	3.3367 071 580	97
98	2.3484 843 884	2.6515 183 114	2.9932 045 229	3.3784 159 975	98
99	2.3690 336 268	2.6780 334 945	3.0268 780 738	3.4206 461 975	99
100	2.3897 626 711	2.7048 138 294	3.0609 304 521	3.4634 042 749	100

TABLE I VALEUR ACQUISE DE 1 $s = (1 + i)^n$

n	⅞ pour cent	1 pour cent	1⅛ pour cent	1¼ pour cent	n
101	2.4106 730 944	2.7318 619 677	3.0953 659 197	3.5066 968 284	101
102	2.4317 664 840	2.7591 805 874	3.1301 887 863	3.5505 305 387	102
103	2.4530 444 407	2.7867 723 933	3.1654 034 101	3.5949 121 705	103
104	2.4745 085 796	2.8146 401 172	3.2010 141 985	3.6398 485 726	104
105	2.4961 605 297	2.8427 865 184	3.2370 256 082	3.6853 466 798	105
106	2.5180 019 343	2.8712 143 836	3.2734 421 463	3.7314 135 133	106
107	2.5400 344 512	2.8999 265 274	3.3102 683 705	3.7780 561 822	107
108	2.5622 597 527	2.9289 257 927	3.3475 088 896	3.8252 818 844	108
109	2.5846 795 255	2.9582 150 506	3.3851 683 646	3.8730 979 080	109
110	2.6072 954 714	2.9877 972 011	3.4232 515 087	3.9215 116 319	110
111	2.6301 093 067	3.0176 751 731	3.4617 630 882	3.9705 305 273	111
112	2.6531 227 632	3.0478 519 248	3.5007 079 230	4.0201 621 588	112
113	2.6763 375 874	3.0783 304 441	3.5400 908 871	4.0704 141 858	113
114	2.6997 555 412	3.1091 137 485	3.5799 169 096	4.1212 943 632	114
115	2.7233 784 022	3.1402 048 860	3.6201 909 748	4.1728 105 427	115
116	2.7472 079 632	3.1716 069 349	3.6609 181 233	4.2249 706 745	116
117	2.7712 460 329	3.2033 230 042	3.7021 034 522	4.2777 828 079	117
118	2.7954 944 357	3.2353 562 343	3.7437 521 160	4.3312 550 930	118
119	2.8199 550 120	3.2677 097 966	3.7858 693 273	4.3853 957 817	119
120	2.8446 296 184	3.3003 868 946	3.8284 603 572	4.4402 132 289	120
121	2.8695 201 275	3.3333 907 635	3.8715 305 362	4.4957 158 943	121
122	2.8946 284 287	3.3667 246 712	3.9150 852 548	4.5519 123 430	122
123	2.9199 564 274	3.4003 919 179	3.9591 299 639	4.6088 112 473	123
124	2.9455 060 461	3.4343 958 370	4.0036 701 760	4.6664 213 879	124
125	2.9712 792 241	3.4687 397 954	4.0487 114 655	4.7247 516 552	125
126	2.9972 779 173	3.5034 271 934	4.0942 594 695	4.7838 110 509	126
127	3.0235 040 990	3.5384 614 653	4.1403 198 885	4.8436 086 890	127
128	3.0499 597 599	3.5738 460 800	4.1868 984 872	4.9041 537 976	128
129	3.0766 469 078	3.6095 845 408	4.2340 010 952	4.9654 557 201	129
130	3.1035 675 682	3.6456 803 862	4.2816 336 075	5.0275 239 166	130
131	3.1307 237 845	3.6821 371 900	4.3298 019 856	5.0903 679 656	131
132	3.1581 176 176	3.7189 585 619	4.3785 122 580	5.1539 975 651	132
133	3.1857 511 467	3.7561 481 475	4.4277 705 209	5.2184 225 347	133
134	3.2136 264 693	3.7937 096 290	4.4775 829 392	5.2836 528 164	134
135	3.2417 457 009	3.8316 467 253	4.5279 557 473	5.3496 984 766	135
136	3.2701 109 758	3.8699 631 926	4.5788 952 494	5.4165 697 076	136
137	3.2987 244 468	3.9086 628 245	4.6304 078 210	5.4842 768 289	137
138	3.3275 882 857	3.9477 494 527	4.6824 999 090	5.5528 302 893	138
139	3.3567 046 832	3.9872 269 473	4.7351 780 330	5.6222 406 679	139
140	3.3860 758 492	4.0270 992 167	4.7884 487 858	5.6925 186 762	140
141	3.4157 040 129	4.0673 702 089	4.8423 188 347	5.7636 751 597	141
142	3.4455 914 230	4.1080 439 110	4.8967 949 216	5.8357 210 992	142
143	3.4757 403 479	4.1491 243 501	4.9518 838 644	5.9086 676 129	143
144	3.5061 530 760	4.1906 155 936	5.0075 925 579	5.9825 259 581	144
145	3.5368 319 154	4.2325 217 495	5.0639 279 742	6.0573 075 326	145
146	3.5677 791 946	4.2748 469 670	5.1208 971 639	6.1330 238 767	146
147	3.5989 972 626	4.3175 954 367	5.1785 072 570	6.2096 866 752	147
148	3.6304 884 887	4.3607 713 911	5.2367 654 636	6.2873 077 586	148
149	3.6622 552 629	4.4043 791 050	5.2956 790 751	6.3658 991 056	149
150	3.6942 999 965	4.4484 228 960	5.3552 554 647	6.4454 728 444	150

TABLE I · VALEUR ACQUISE DE 1 · $s = (1 + i)^n$

n	⅞ pour cent	1 pour cent	1⅛ pour cent	1¼ pour cent	n
151	3.7266 251 214	4.4929 071 250	5.4155 020 887	6.5260 412 550	151
152	3.7592 330 913	4.5378 361 962	5.4764 264 872	6.6076 167 707	152
153	3.7921 263 808	4.5832 145 582	5.5380 362 851	6.6902 119 803	153
154	3.8253 074 866	4.6290 467 038	5.6003 391 933	6.7738 396 300	154
155	3.8587 789 271	4.6753 371 708	5.6633 430 093	6.8585 126 254	155
156	3.8925 432 428	4.7220 905 425	5.7270 556 181	6.9442 440 332	156
157	3.9266 029 961	4.7693 114 480	5.7914 849 938	7.0310 470 836	157
158	3.9609 607 724	4.8170 045 624	5.8566 392 000	7.1189 351 722	158
159	3.9956 191 791	4.8651 746 081	5.9225 263 910	7.2079 218 618	159
160	4.0305 808 469	4.9138 263 541	5.9891 548 129	7.2980 208 851	160
161	4.0658 484 293	4.9629 646 177	6.0565 328 046	7.3892 461 462	161
162	4.1014 246 031	5.0125 942 639	6.1246 687 986	7.4816 117 230	162
163	4.1373 120 684	5.0627 202 065	6.1935 713 226	7.5751 318 695	163
164	4.1735 135 490	5.1133 474 086	6.2632 490 000	7.6698 210 179	164
165	4.2100 317 925	5.1644 808 826	6.3337 105 512	7.7656 937 806	165
166	4.2468 695 707	5.2161 256 915	6.4049 647 949	7.8627 649 529	166
167	4.2840 296 794	5.2682 869 484	6.4770 206 489	7.9610 495 148	167
168	4.3215 149 391	5.3209 698 179	6.5498 871 312	8.0605 626 337	168
169	4.3593 281 949	5.3741 795 161	6.6235 733 614	8.1613 196 667	169
170	4.3974 723 166	5.4279 213 112	6.6980 885 617	8.2633 361 625	170
171	4.4359 501 993	5.4822 005 243	6.7734 420 580	8.3666 278 645	171
172	4.4747 647 636	5.5370 225 296	6.8496 432 812	8.4712 107 128	172
173	4.5139 189 553	5.5923 927 549	6.9267 017 681	8.5771 008 467	173
174	4.5534 157 461	5.6483 166 824	7.0046 271 630	8.6843 146 073	174
175	4.5932 581 339	5.7047 998 492	7.0834 292 186	8.7928 685 399	175
176	4.6334 491 426	5.7618 478 477	7.1631 177 973	8.9027 793 967	176
177	4.6739 918 226	5.8194 663 262	7.2437 028 725	9.0140 641 391	177
178	4.7148 892 510	5.8776 609 895	7.3251 945 298	9.1267 399 409	178
179	4.7561 445 320	5.9364 375 994	7.4076 029 683	9.2408 241 901	179
180	4.7977 607 966	5.9958 019 754	7.4909 385 017	9.3563 344 925	180
181	4.8397 412 036	6.0557 599 951	7.5752 115 598	9.4732 886 737	181
182	4.8820 889 391	6.1163 175 951	7.6604 326 898	9.5917 047 821	182
183	4.9248 072 173	6.1774 807 710	7.7466 125 576	9.7116 010 919	183
184	4.9678 992 805	6.2392 555 787	7.8337 619 489	9.8329 961 055	184
185	5.0113 683 992	6.3016 481 345	7.9218 917 708	9.9559 085 568	185
186	5.0552 178 727	6.3646 646 159	8.0110 130 532	10.0803 574 138	186
187	5.0994 510 291	6.4283 112 620	8.1011 369 501	10.2063 618 815	187
188	5.1440 712 256	6.4925 943 746	8.1922 747 408	10.3339 414 050	188
189	5.1890 818 488	6.5575 203 184	8.2844 378 316	10.4631 156 725	189
190	5.2344 863 150	6.6230 955 216	8.3776 377 572	10.5939 046 184	190
191	5.2802 880 702	6.6893 264 768	8.4718 861 820	10.7263 284 262	191
192	5.3264 905 908	6.7562 197 415	8.5671 949 015	10.8604 075 315	192
193	5.3730 973 835	6.8237 819 390	8.6635 758 442	10.9961 626 256	193
194	5.4201 119 856	6.8920 197 584	8.7610 410 724	11.1336 146 585	194
195	5.4675 379 655	6.9609 399 559	8.8596 027 845	11.2727 848 417	195
196	5.5153 789 227	7.0305 493 555	8.9592 733 158	11.4136 946 522	196
197	5.5636 384 883	7.1008 548 490	9.0600 651 406	11.5563 658 354	197
198	5.6123 203 250	7.1718 633 975	9.1619 908 734	11.7008 204 083	198
199	5.6614 281 279	7.2435 820 315	9.2650 632 708	11.8470 806 634	199
200	5.7109 656 240	7.3160 178 518	9.3692 952 326	11.9951 691 717	200

TABLE I

VALEUR ACQUISE DE 1

$$s = (1 + i)^n$$

n	1⅜ pour cent	1½ pour cent	1⅝ pour cent	1¾ pour cent	n
1	1.0137 500 000	1.0150 000 000	1.0162 500 000	1.0175 000 000	1
2	1.0276 890 625	1.0302 250 000	1.0327 640 625	1.0353 062 500	2
3	1.0418 197 871	1.0456 783 750	1.0495 464 785	1.0534 241 094	3
4	1.0561 448 092	1.0613 635 506	1.0666 016 088	1.0718 590 313	4
5	1.0706 668 003	1.0772 840 039	1.0839 338 849	1.0906 165 643	5
6	1.0853 884 688	1.0934 432 639	1.1015 478 106	1.1097 023 542	6
7	1.1003 125 603	1.1098 449 129	1.1194 479 625	1.1291 221 454	7
8	1.1154 418 580	1.1264 925 866	1.1376 389 919	1.1488 817 830	8
9	1.1307 791 835	1.1433 899 754	1.1561 256 255	1.1689 872 142	9
10	1.1463 273 973	1.1605 408 250	1.1749 126 669	1.1894 444 904	10
11	1.1620 893 990	1.1779 489 374	1.1940 049 977	1.2102 597 690	11
12	1.1780 681 282	1.1956 181 715	1.2134 075 790	1.2314 393 149	12
13	1.1942 665 650	1.2135 524 440	1.2331 254 521	1.2529 895 030	13
14	1.2106 877 303	1.2317 557 307	1.2531 637 407	1.2749 168 193	14
15	1.2273 346 866	1.2502 320 667	1.2735 276 515	1.2972 278 636	15
16	1.2442 105 385	1.2689 855 477	1.2942 224 758	1.3199 293 512	16
17	1.2613 184 334	1.2880 203 309	1.3152 535 911	1.3430 281 149	17
18	1.2786 615 619	1.3073 406 358	1.3366 264 619	1.3665 311 069	18
19	1.2962 431 583	1.3269 507 454	1.3583 466 419	1.3904 454 012	19
20	1.3140 665 018	1.3468 550 066	1.3804 197 749	1.4147 781 958	20
21	1.3321 349 162	1.3670 578 316	1.4028 515 962	1.4395 368 142	21
22	1.3504 517 713	1.3875 636 991	1.4256 479 346	1.4647 287 084	22
23	1.3690 204 831	1.4083 771 546	1.4488 147 136	1.4903 614 608	23
24	1.3878 445 148	1.4295 028 119	1.4723 579 527	1.5164 427 864	24
25	1.4069 273 768	1.4509 453 541	1.4962 837 694	1.5429 805 352	25
26	1.4262 726 283	1.4727 095 344	1.5205 983 807	1.5699 826 945	26
27	1.4458 838 769	1.4948 001 774	1.5453 081 043	1.5974 573 917	27
28	1.4657 647 802	1.5172 221 801	1.5704 193 610	1.6254 128 960	28
29	1.4859 190 459	1.5399 805 128	1.5959 386 757	1.6538 576 217	29
30	1.5063 504 328	1.5630 802 205	1.6218 726 791	1.6828 001 301	30
31	1.5270 627 513	1.5865 264 238	1.6482 281 102	1.7122 491 324	31
32	1.5480 598 641	1.6103 243 202	1.6750 118 170	1.7422 134 922	32
33	1.5693 456 872	1.6344 791 850	1.7022 307 590	1.7727 022 283	33
34	1.5909 241 904	1.6589 963 727	1.7298 920 088	1.8037 245 173	34
35	1.6127 993 981	1.6838 813 183	1.7580 027 540	1.8352 896 963	35
36	1.6349 753 898	1.7091 395 381	1.7865 702 987	1.8674 072 660	36
37	1.6574 563 014	1.7347 766 312	1.8156 020 661	1.9000 868 932	37
38	1.6802 463 255	1.7607 982 806	1.8451 055 996	1.9333 384 138	38
39	1.7033 497 125	1.7872 102 548	1.8750 885 656	1.9671 718 361	39
40	1.7267 707 710	1.8140 184 087	1.9055 587 548	2.0015 973 432	40
41	1.7505 138 692	1.8412 286 848	1.9365 240 846	2.0366 252 967	41
42	1.7745 834 349	1.8688 471 151	1.9679 926 010	2.0722 662 394	42
43	1.7989 839 571	1.8968 798 218	1.9999 724 807	2.1085 308 986	43
44	1.8237 199 865	1.9253 330 191	2.0324 720 336	2.1454 301 893	44
45	1.8487 961 363	1.9542 130 144	2.0654 997 041	2.1829 752 176	45
46	1.8742 170 832	1.9835 262 096	2.0990 640 743	2.2211 772 839	46
47	1.8999 875 681	2.0132 791 028	2.1331 738 655	2.2600 478 864	47
48	1.9261 123 971	2.0434 782 893	2.1678 379 408	2.2995 987 244	48
49	1.9525 964 426	2.0741 304 637	2.2030 653 073	2.3398 417 021	49
50	1.9794 446 437	2.1052 424 206	2.2388 651 186	2.3807 889 319	50

TABLE I   VALEUR ACQUISE DE 1 $s = (1 + i)^n$

n	1⅜ pour cent	1½ pour cent	1⅝ pour cent	1¾ pour cent	n
51	2.0066 620 075	2.1368 210 569	2.2752 466 768	2.4224 527 382	51
52	2.0342 536 101	2.1688 733 728	2.3122 194 353	2.4648 456 611	52
53	2.0622 245 973	2.2014 064 734	2.3497 930 011	2.5079 804 602	53
54	2.0905 801 855	2.2344 275 705	2.3879 771 374	2.5518 701 182	54
55	2.1193 256 630	2.2679 439 840	2.4267 817 658	2.5965 278 453	55
56	2.1484 663 909	2.3019 631 438	2.4662 169 695	2.6419 670 826	56
57	2.1780 078 038	2.3364 925 909	2.5062 929 953	2.6882 015 065	57
58	2.2079 554 111	2.3715 399 798	2.5470 202 565	2.7352 450 329	58
59	2.2383 147 980	2.4071 130 795	2.5884 093 356	2.7831 118 210	59
60	2.2690 916 265	2.4432 197 757	2.6304 709 873	2.8318 162 778	60
61	2.3002 916 363	2.4798 680 723	2.6732 161 409	2.8813 730 627	61
62	2.3319 206 463	2.5170 660 934	2.7166 559 032	2.9317 970 913	62
63	2.3639 845 552	2.5548 220 848	2.7608 015 616	2.9831 035 404	63
64	2.3964 893 428	2.5931 444 161	2.8056 645 870	3.0353 078 523	64
65	2.4294 410 713	2.6320 415 823	2.8512 566 365	3.0884 257 398	65
66	2.4628 458 860	2.6715 222 061	2.8975 895 569	3.1424 731 902	66
67	2.4967 100 170	2.7115 950 392	2.9446 753 872	3.1974 664 710	67
68	2.5310 397 797	2.7522 689 647	2.9925 263 622	3.2534 221 343	68
69	2.5658 415 767	2.7935 529 992	3.0411 549 156	3.3103 570 216	69
70	2.6011 218 984	2.8354 562 942	3.0905 736 830	3.3682 882 695	70
71	2.6368 873 245	2.8779 881 386	3.1407 955 053	3.4272 333 142	71
72	2.6731 445 252	2.9211 579 607	3.1918 334 323	3.4872 098 972	72
73	2.7099 002 624	2.9649 753 301	3.2437 007 255	3.5482 360 704	73
74	2.7471 613 910	3.0094 499 601	3.2964 108 623	3.6103 302 016	74
75	2.7849 348 601	3.0545 917 095	3.3499 775 388	3.6735 109 802	75
76	2.8232 277 144	3.1004 105 851	3.4044 146 738	3.7377 974 223	76
77	2.8620 470 955	3.1469 167 439	3.4597 364 123	3.8032 088 772	77
78	2.9014 002 431	3.1941 204 950	3.5159 571 290	3.8697 650 326	78
79	2.9412 944 964	3.2420 323 025	3.5730 914 323	3.9374 859 206	79
80	2.9817 372 958	3.2906 627 870	3.6311 541 681	4.0063 919 242	80
81	3.0227 361 836	3.3400 227 288	3.6901 604 234	4.0765 037 829	81
82	3.0642 988 061	3.3901 230 697	3.7501 255 302	4.1478 425 991	82
83	3.1064 329 147	3.4409 749 158	3.8110 650 701	4.2204 298 446	83
84	3.1491 463 673	3.4925 895 395	3.8729 948 775	4.2942 873 669	84
85	3.1924 471 298	3.5449 783 826	3.9359 310 442	4.3694 373 958	85
86	3.2363 432 778	3.5981 530 583	3.9998 899 237	4.4459 025 502	86
87	3.2808 429 979	3.6521 253 542	4.0648 881 350	4.5237 058 449	87
88	3.3259 545 891	3.7069 072 345	4.1309 425 672	4.6028 706 972	88
89	3.3716 864 647	3.7625 108 430	4.1980 703 839	4.6834 209 344	89
90	3.4180 471 536	3.8189 485 057	4.2662 890 276	4.7653 808 007	90
91	3.4650 453 020	3.8762 327 333	4.3356 162 243	4.8487 749 647	91
92	3.5126 896 749	3.9343 762 243	4.4060 699 880	4.9336 285 266	92
93	3.5609 891 579	3.9933 918 676	4.4776 686 253	5.0199 670 258	93
94	3.6099 527 588	4.0532 927 457	4.5504 307 404	5.1078 164 488	94
95	3.6595 896 093	4.1140 921 368	4.6243 752 400	5.1972 032 366	95
96	3.7099 089 664	4.1758 035 189	4.6995 213 376	5.2881 542 933	96
97	3.7609 202 147	4.2384 405 717	4.7758 885 594	5.3806 969 934	97
98	3.8126 328 676	4.3020 171 803	4.8534 967 484	5.4748 591 908	98
99	3.8650 565 696	4.3665 474 380	4.9323 660 706	5.5706 692 266	99
100	3.9182 010 974	4.4320 456 495	5.0125 170 192	5.6681 559 381	100

n	2 pour cent	2¼ pour cent	2½ pour cent	2¾ pour cent	n
1	1.0200 000 000	1.0225 000 000	1.0250 000 000	1.0275 000 000	1
2	1.0404 000 000	1.0455 062 500	1.0506 250 000	1.0557 562 500	2
3	1.0612 080 000	1.0690 301 406	1.0768 906 250	1.0847 895 469	3
4	1.0824 321 600	1.0930 833 188	1.1038 128 906	1.1146 212 594	4
5	1.1040 808 032	1.1176 776 935	1.1314 082 129	1.1452 733 440	5
6	1.1261 624 193	1.1428 254 416	1.1596 934 182	1.1767 683 610	6
7	1.1486 856 676	1.1685 390 140	1.1886 857 537	1.2091 294 909	7
8	1.1716 593 810	1.1948 311 418	1.2184 028 975	1.2423 805 519	8
9	1.1950 925 686	1.2217 148 425	1.2488 629 699	1.2765 460 171	9
10	1.2189 944 200	1.2492 034 265	1.2800 845 442	1.3116 510 326	10
11	1.2433 743 084	1.2773 105 036	1.3120 866 578	1.3477 214 360	11
12	1.2682 417 946	1.3060 499 899	1.3448 888 242	1.3847 837 755	12
13	1.2936 066 305	1.3354 361 147	1.3785 110 449	1.4228 653 293	13
14	1.3194 787 631	1.3654 834 272	1.4129 738 210	1.4619 941 259	14
15	1.3458 683 383	1.3962 068 044	1.4482 981 665	1.5021 989 643	15
16	1.3727 857 051	1.4276 214 575	1.4845 056 207	1.5435 094 358	16
17	1.4002 414 192	1.4597 429 402	1.5216 182 612	1.5859 559 453	17
18	1.4282 462 476	1.4925 871 564	1.5596 587 177	1.6295 697 338	18
19	1.4568 111 725	1.5261 703 674	1.5986 501 856	1.6743 829 015	19
20	1.4859 473 960	1.5605 092 007	1.6386 164 403	1.7204 284 313	20
21	1.5156 663 439	1.5956 206 577	1.6795 818 513	1.7677 402 131	21
22	1.5459 796 708	1.6315 221 225	1.7215 713 976	1.8163 530 690	22
23	1.5768 992 642	1.6682 313 703	1.7646 106 825	1.8663 027 784	23
24	1.6084 372 495	1.7057 665 761	1.8087 259 496	1.9176 261 048	24
25	1.6406 059 945	1.7441 463 240	1.8539 440 983	1.9703 608 227	25
26	1.6734 181 144	1.7833 896 163	1.9002 927 008	2.0245 457 453	26
27	1.7068 864 766	1.8235 158 827	1.9478 000 183	2.0802 207 533	27
28	1.7410 242 062	1.8645 449 901	1.9964 950 188	2.1374 268 240	28
29	1.7758 446 903	1.9064 972 523	2.0464 073 942	2.1962 060 617	29
30	1.8113 615 841	1.9493 934 405	2.0975 675 791	2.2566 017 284	30
31	1.8475 888 158	1.9932 547 929	2.1500 067 686	2.3186 582 759	31
32	1.8845 405 921	2.0381 030 258	2.2037 569 378	2.3824 213 785	32
33	1.9222 314 039	2.0839 603 439	2.2588 508 612	2.4479 379 664	33
34	1.9606 760 320	2.1308 494 516	2.3153 221 327	2.5152 562 605	34
35	1.9998 895 527	2.1787 935 643	2.3732 051 861	2.5844 258 077	35
36	2.0398 873 437	2.2278 164 194	2.4325 353 157	2.6554 975 174	36
37	2.0806 850 906	2.2779 422 889	2.4933 486 986	2.7285 236 991	37
38	2.1222 987 924	2.3291 959 904	2.5556 824 161	2.8035 581 008	38
39	2.1647 447 682	2.3816 029 002	2.6195 744 765	2.8806 559 486	39
40	2.2080 396 636	2.4351 889 654	2.6850 638 384	2.9598 739 872	40
41	2.2522 004 569	2.4899 807 171	2.7521 904 343	3.0412 705 218	41
42	2.2972 444 660	2.5460 052 833	2.8209 951 952	3.1249 054 612	42
43	2.3431 893 553	2.6032 904 022	2.8915 200 751	3.2108 403 614	43
44	2.3900 531 425	2.6618 644 362	2.9638 080 770	3.2991 384 713	44
45	2.4378 542 053	2.7217 563 860	3.0379 032 789	3.3898 647 793	45
46	2.4866 112 894	2.7829 959 047	3.1138 508 609	3.4830 860 607	46
47	2.5363 435 152	2.8456 133 126	3.1916 971 324	3.5788 709 274	47
48	2.5870 703 855	2.9096 396 121	3.2714 895 607	3.6772 898 779	48
49	2.6388 117 932	2.9751 065 034	3.3532 767 997	3.7784 153 495	49
50	2.6915 880 291	3.0420 463 997	3.4371 087 197	3.8823 217 716	50

TABLE I   VALEUR ACQUISE DE 1 $s = (1 + i)^n$

n	2 pour cent	2¼ pour cent	2½ pour cent	2¾ pour cent	n
51	2.7454 197 897	3.1104 924 437	3.5230 364 377	3.9890 856 203	51
52	2.8003 281 854	3.1804 785 237	3.6111 123 486	4.0987 854 749	52
53	2.8563 347 492	3.2520 392 904	3.7013 901 574	4.2115 020 754	53
54	2.9134 614 441	3.3252 101 745	3.7939 249 113	4.3273 183 825	54
55	2.9717 306 730	3.4000 274 034	3.8887 730 341	4.4463 196 380	55
56	3.0311 652 865	3.4765 280 200	3.9859 923 599	4.5685 934 281	56
57	3.0917 885 922	3.5547 499 004	4.0856 421 689	4.6942 297 474	57
58	3.1536 243 641	3.6347 317 732	4.1877 832 231	4.8233 210 654	58
59	3.2166 968 513	3.7165 132 381	4.2924 778 037	4.9559 623 947	59
60	3.2810 307 884	3.8001 347 859	4.3997 897 488	5.0922 513 606	60
61	3.3466 514 041	3.8856 378 186	4.5097 844 925	5.2322 882 730	61
62	3.4135 844 322	3.9730 646 695	4.6225 291 048	5.3761 762 005	62
63	3.4818 561 209	4.0624 586 246	4.7380 923 325	5.5240 210 460	63
64	3.5514 932 433	4.1538 639 437	4.8565 446 408	5.6759 316 248	64
65	3.6225 231 081	4.2473 258 824	4.9779 582 568	5.8320 197 444	65
66	3.6949 735 703	4.3428 907 148	5.1024 072 132	5.9924 002 874	66
67	3.7688 730 417	4.4406 057 558	5.2299 673 936	6.1571 912 953	67
68	3.8442 505 025	4.5405 193 853	5.3607 165 784	6.3265 140 559	68
69	3.9211 355 126	4.6426 810 715	5.4947 344 929	6.5004 931 925	69
70	3.9995 582 228	4.7471 413 956	5.6321 028 552	6.6792 567 553	70
71	4.0795 493 873	4.8539 520 770	5.7729 054 266	6.8629 363 160	71
72	4.1611 403 751	4.9631 659 988	5.9172 280 622	7.0516 670 647	72
73	4.2443 631 826	5.0748 372 337	6.0651 587 638	7.2455 879 090	73
74	4.3292 504 462	5.1890 210 715	6.2167 877 329	7.4448 415 765	74
75	4.4158 354 551	5.3057 740 456	6.3722 074 262	7.6495 747 199	75
76	4.5041 521 642	5.4251 539 616	6.5315 126 118	7.8599 380 247	76
77	4.5942 352 075	5.5472 199 258	6.6948 004 271	8.0760 863 203	77
78	4.6861 199 117	5.6720 323 741	6.8621 704 378	8.2981 786 942	78
79	4.7798 423 099	5.7996 531 025	7.0337 246 988	8.5263 786 082	79
80	4.8754 391 561	5.9301 452 973	7.2095 678 162	8.7608 540 200	80
81	4.9729 479 392	6.0635 735 665	7.3898 070 116	9.0017 775 055	81
82	5.0724 068 980	6.2000 039 717	7.5745 521 869	9.2493 263 869	82
83	5.1738 550 360	6.3395 040 611	7.7639 159 916	9.5036 828 626	83
84	5.2773 321 367	6.4821 429 025	7.9580 138 914	9.7650 341 413	84
85	5.3828 787 794	6.6279 911 178	8.1569 642 387	10.0335 725 802	85
86	5.4905 363 550	6.7771 209 179	8.3608 883 446	10.3094 958 261	86
87	5.6003 470 821	6.9296 061 386	8.5699 105 533	10.5930 069 613	87
88	5.7123 540 237	7.0855 222 767	8.7841 583 171	10.8843 146 528	88
89	5.8266 011 042	7.2449 465 279	9.0037 622 750	11.1836 333 057	89
90	5.9431 331 263	7.4079 578 248	9.2288 563 319	11.4911 832 216	90
91	6.0619 957 888	7.5746 368 759	9.4595 777 402	11.8071 907 602	91
92	6.1832 357 046	7.7450 662 056	9.6960 671 837	12.1318 885 061	92
93	6.3069 004 187	7.9193 301 952	9.9384 688 633	12.4655 154 401	93
94	6.4330 384 271	8.0975 151 246	10.1869 305 849	12.8083 171 147	94
95	6.5616 991 956	8.2797 092 149	10.4416 038 495	13.1605 458 353	95
96	6.6929 331 795	8.4660 026 723	10.7026 439 457	13.5224 608 458	96
97	6.8267 918 431	8.6564 877 324	10.9702 100 444	13.8943 285 190	97
98	6.9633 276 800	8.8512 587 064	11.2444 652 955	14.2764 225 533	98
99	7.1025 942 336	9.0504 120 272	11.5255 769 279	14.6690 241 735	99
100	7.2446 461 183	9.2540 462 979	11.8137 163 511	15.0724 223 383	100

TABLE I VALEUR ACQUISE DE 1 $s = (1 + i)^n$

n	3 pour cent	3½ pour cent	4 pour cent	4½ pour cent	n
1	1.0300 000 000	1.0350 000 000	1.0400 000 000	1.0450 000 000	1
2	1.0609 000 000	1.0712 250 000	1.0816 000 000	1.0920 250 000	2
3	1.0927 270 000	1.1087 178 750	1.1248 640 000	1.1411 661 250	3
4	1.1255 088 100	1.1475 230 006	1.1698 585 600	1.1925 186 006	4
5	1.1592 740 743	1.1876 863 056	1.2166 529 024	1.2461 819 377	5
6	1.1940 522 965	1.2292 553 263	1.2653 190 185	1.3022 601 248	6
7	1.2298 738 654	1.2722 792 628	1.3159 317 792	1.3608 618 305	7
8	1.2667 700 814	1.3168 090 370	1.3685 690 504	1.4221 006 128	8
9	1.3047 731 838	1.3628 973 533	1.4233 118 124	1.4860 951 404	9
10	1.3439 163 793	1.4105 987 606	1.4802 442 849	1.5529 694 217	10
11	1.3842 338 707	1.4599 697 172	1.5394 540 563	1.6228 530 457	11
12	1.4257 608 868	1.5110 686 573	1.6010 322 186	1.6958 814 328	12
13	1.4685 337 135	1.5639 560 604	1.6650 735 073	1.7721 960 972	13
14	1.5125 897 249	1.6186 945 225	1.7316 764 476	1.8519 449 216	14
15	1.5579 674 166	1.6753 488 308	1.8009 435 055	1.9352 824 431	15
16	1.6047 064 391	1.7339 860 398	1.8729 812 457	2.0223 701 530	16
17	1.6528 476 323	1.7946 755 512	1.9479 004 956	2.1133 768 099	17
18	1.7024 330 612	1.8574 891 955	2.0258 165 154	2.2084 787 664	18
19	1.7535 060 531	1.9225 013 174	2.1068 491 760	2.3078 603 108	19
20	1.8061 112 347	1.9897 888 635	2.1911 231 430	2.4117 140 248	20
21	1.8602 945 717	2.0594 314 737	2.2787 680 688	2.5202 411 560	21
22	1.9161 034 089	2.1315 115 753	2.3699 187 915	2.6336 520 080	22
23	1.9735 865 111	2.2061 144 804	2.4647 155 432	2.7521 663 483	23
24	2.0327 941 065	2.2833 284 877	2.5633 041 649	2.8760 138 340	24
25	2.0937 779 297	2.3632 449 843	2.6658 363 315	3.0054 344 565	25
26	2.1565 912 675	2.4459 585 587	2.7724 697 847	3.1406 790 071	26
27	2.2212 890 056	2.5315 671 083	2.8833 685 761	3.2820 095 624	27
28	2.2879 276 757	2.6201 719 571	2.9987 033 192	3.4296 999 927	28
29	2.3565 655 060	2.7118 779 756	3.1186 514 519	3.5840 364 924	29
30	2.4272 624 712	2.8067 937 047	3.2433 975 100	3.7453 181 345	30
31	2.5000 803 453	2.9050 314 844	3.3731 334 104	3.9138 574 506	31
32	2.5750 827 557	3.0067 075 863	3.5080 587 468	4.0899 810 359	32
33	2.6523 352 384	3.1119 423 518	3.6483 810 967	4.2740 301 825	33
34	2.7319 052 955	3.2208 603 342	3.7943 163 406	4.4663 615 407	34
35	2.8138 624 544	3.3335 904 459	3.9460 889 942	4.6673 478 100	35
36	2.8982 783 280	3.4502 661 115	4.1039 325 540	4.8773 784 615	36
37	2.9852 266 778	3.5710 254 254	4.2680 898 561	5.0968 604 922	37
38	3.0747 834 782	3.6960 113 152	4.4388 134 504	5.3262 192 144	38
39	3.1670 269 825	3.8253 717 113	4.6163 659 884	5.5658 990 790	39
40	3.2620 377 920	3.9592 597 212	4.8010 206 279	5.8163 645 376	40
41	3.3598 989 258	4.0978 338 114	4.9930 614 531	6.0781 009 418	41
42	3.4606 958 935	4.2412 579 948	5.1927 839 112	6.3516 154 842	42
43	3.5645 167 703	4.3897 020 246	5.4004 952 676	6.6374 381 810	43
44	3.6714 522 734	4.5433 415 955	5.6165 150 783	6.9361 228 991	44
45	3.7815 958 417	4.7023 585 513	5.8411 756 815	7.2482 484 296	45
46	3.8950 437 169	4.8669 411 006	6.0748 227 087	7.5744 196 089	46
47	4.0118 950 284	5.0372 840 392	6.3178 156 171	7.9152 684 913	47
48	4.1322 518 793	5.2135 889 805	6.5705 282 418	8.2714 555 734	48
49	4.2562 194 356	5.3960 645 948	6.8333 493 714	8.6436 710 742	49
50	4.3839 060 187	5.5849 268 557	7.1066 833 463	9.0326 362 725	50

TABLE I   VALEUR ACQUISE DE 1 $s = (1 + i)^n$

n	3 pour cent	3½ pour cent	4 pour cent	4½ pour cent	n
51	4.5154 231 993	5.7803 992 956	7.3909 506 801	9.4391 049 048	51
52	4.6508 858 952	5.9827 132 710	7.6865 887 073	9.8638 646 255	52
53	4.7904 124 721	6.1921 082 354	7.9940 522 556	10.3077 385 337	53
54	4.9341 248 463	6.4088 320 237	8.3138 143 459	10.7715 867 677	54
55	5.0821 485 917	6.6331 411 445	8.6463 669 197	11.2563 081 722	55
56	5.2346 130 494	6.8653 010 846	8.9922 215 965	11.7628 420 400	56
57	5.3916 514 409	7.1055 866 225	9.3519 104 603	12.2921 699 318	57
58	5.5534 009 841	7.3542 821 543	9.7259 868 787	12.8453 175 787	58
59	5.7200 030 136	7.6116 820 297	10.1150 263 539	13.4233 568 698	59
60	5.8916 031 040	7.8780 909 008	10.5196 274 081	14.0274 079 289	60
61	6.0683 511 972	8.1538 240 823	10.9404 125 044	14.6586 412 857	61
62	6.2504 017 331	8.4392 079 252	11.3780 290 045	15.3182 801 435	62
63	6.4379 137 851	8.7345 802 025	11.8331 501 647	16.0076 027 500	63
64	6.6310 511 986	9.0402 905 096	12.3064 761 713	16.7279 448 738	64
65	6.8299 827 346	9.3567 006 775	12.7987 352 182	17.4807 023 931	65
66	7.0348 822 166	9.6841 852 012	13.3106 846 269	18.2673 340 008	66
67	7.2459 286 831	10.0231 316 832	13.8431 120 120	19.0893 640 308	67
68	7.4633 065 436	10.3739 412 921	14.3968 364 925	19.9483 854 122	68
69	7.6872 057 399	10.7370 292 374	14.9727 099 522	20.8460 627 557	69
70	7.9178 219 121	11.1128 252 607	15.5716 183 502	21.7841 355 797	70
71	8.1553 565 695	11.5017 741 448	16.1944 830 843	22.7644 216 808	71
72	8.4000 172 666	11.9043 362 399	16.8422 624 076	23.7888 206 564	72
73	8.6520 177 846	12.3209 880 083	17.5159 529 039	24.8593 175 860	73
74	8.9115 783 181	12.7522 225 885	18.2165 910 201	25.9779 868 774	74
75	9.1789 256 676	13.1985 503 791	18.9452 546 609	27.1469 962 869	75
76	9.4542 934 377	13.6604 996 424	19.7030 648 473	28.3686 111 198	76
77	9.7379 222 408	14.1386 171 299	20.4911 874 412	29.6451 986 202	77
78	10.0300 599 080	14.6334 687 294	21.3108 349 389	30.9792 325 581	78
79	10.3309 617 053	15.1456 401 350	22.1632 683 364	32.3732 980 232	79
80	10.6408 905 564	15.6757 375 397	23.0497 990 699	33.8300 964 342	80
81	10.9601 172 731	16.2243 883 536	23.9717 910 327	35.3524 507 738	81
82	11.2889 207 913	16.7922 419 460	24.9306 626 740	36.9433 110 586	82
83	11.6275 884 151	17.3799 704 141	25.9278 891 809	38.6057 600 562	83
84	11.9764 160 675	17.9882 693 786	26.9650 047 482	40.3430 192 587	84
85	12.3357 085 495	18.6178 588 068	28.0436 049 381	42.1584 551 254	85
86	12.7057 798 060	19.2694 838 651	29.1653 491 356	44.0555 856 060	86
87	13.0869 532 002	19.9439 158 003	30.3319 631 010	46.0380 869 583	87
88	13.4795 617 962	20.6419 528 533	31.5452 416 251	48.1098 008 714	88
89	13.8839 486 501	21.3644 212 032	32.8070 512 901	50.2747 419 106	89
90	14.3004 671 096	22.1121 759 453	34.1193 333 417	52.5371 052 966	90
91	14.7294 811 229	22.8861 021 034	35.4841 066 754	54.9012 750 350	91
92	15.1713 655 566	23.6871 156 770	36.9034 709 424	57.3718 324 115	92
93	15.6265 065 233	24.5161 647 257	38.3796 097 801	59.9535 648 701	93
94	16.0953 017 190	25.3742 304 911	39.9147 941 713	62.6514 752 892	94
95	16.5781 607 705	26.2623 285 583	41.5113 859 381	65.4707 916 772	95
96	17.0755 055 936	27.1815 100 579	43.1718 413 757	68.4169 773 027	96
97	17.5877 707 615	28.1328 629 099	44.8987 150 307	71.4957 412 813	97
98	18.1154 038 843	29.1175 131 117	46.6946 636 319	74.7130 496 390	98
99	18.6588 660 008	30.1366 260 706	48.5624 501 772	78.0751 368 727	99
100	19.2186 319 809	31.1914 079 831	50.5049 481 843	81.5885 180 320	100

TABLE I VALEUR ACQUISE DE 1 $s = (1 + i)^n$

n	5 pour cent	5½ pour cent	6 pour cent	6½ pour cent	n
1	1.0500 000 000	1.0550 000 000	1.0600 000 000	1.0650 000 000	1
2	1.1025 000 000	1.1130 250 000	1.1236 000 000	1.1342 250 000	2
3	1.1576 250 000	1.1742 413 750	1.1910 160 000	1.2079 496 250	3
4	1.2155 062 500	1.2388 246 506	1.2624 769 600	1.2864 663 506	4
5	1.2762 815 625	1.3069 600 064	1.3382 255 776	1.3700 866 634	5
6	1.3400 956 406	1.3788 428 068	1.4185 191 123	1.4591 422 965	6
7	1.4071 004 227	1.4546 791 611	1.5036 302 590	1.5539 865 458	7
8	1.4774 554 438	1.5346 865 150	1.5938 480 745	1.6549 956 713	8
9	1.5513 282 160	1.6190 942 733	1.6894 789 590	1.7625 703 899	9
10	1.6288 946 268	1.7081 444 584	1.7908 476 965	1.8771 374 653	10
11	1.7103 393 581	1.8020 924 036	1.8982 985 583	1.9991 514 005	11
12	1.7958 563 260	1.9012 074 858	2.0121 964 718	2.1290 962 415	12
13	1.8856 491 423	2.0057 738 975	2.1329 282 601	2.2674 874 972	13
14	1.9799 315 994	2.1160 914 618	2.2609 039 558	2.4148 741 846	14
15	2.0789 281 794	2.2324 764 922	2.3965 581 931	2.5718 410 066	15
16	2.1828 745 884	2.3552 626 993	2.5403 516 847	2.7390 106 720	16
17	2.2920 183 178	2.4848 021 478	2.6927 727 858	2.9170 463 657	17
18	2.4066 192 337	2.6214 662 659	2.8543 391 529	3.1066 543 794	18
19	2.5269 501 954	2.7656 469 105	3.0255 995 021	3.3085 869 141	19
20	2.6532 977 051	2.9177 574 906	3.2071 354 722	3.5236 450 635	20
21	2.7859 625 904	3.0782 341 526	3.3995 636 005	3.7526 819 926	21
22	2.9252 607 199	3.2475 370 310	3.6035 374 166	3.9966 063 222	22
23	3.0715 237 559	3.4261 515 677	3.8197 496 616	4.2563 857 331	23
24	3.2250 999 437	3.6145 899 039	4.0489 346 413	4.5330 508 058	24
25	3.3863 549 409	3.8133 923 486	4.2918 707 197	4.8276 991 081	25
26	3.5556 726 879	4.0231 289 278	4.5493 829 629	5.1414 995 502	26
27	3.7334 563 223	4.2444 010 188	4.8223 459 407	5.4756 970 209	27
28	3.9201 291 385	4.4778 430 749	5.1116 866 971	5.8316 173 273	28
29	4.1161 355 954	4.7241 244 440	5.4183 878 990	6.2106 724 536	29
30	4.3219 423 752	4.9839 512 884	5.7434 911 729	6.6143 661 630	30
31	4.5380 394 939	5.2580 686 093	6.0881 006 433	7.0442 999 636	31
32	4.7649 414 686	5.5472 623 828	6.4533 866 819	7.5021 794 613	32
33	5.0031 885 420	5.8523 618 138	6.8405 898 828	7.9898 211 263	33
34	5.2533 479 691	6.1742 417 136	7.2510 252 758	8.5091 594 995	34
35	5.5160 153 676	6.5138 250 078	7.6860 867 923	9.0622 548 669	35
36	5.7918 161 360	6.8720 853 833	8.1472 519 999	9.6513 014 333	36
37	6.0814 069 428	7.2500 500 793	8.6360 871 198	10.2786 360 264	37
38	6.3854 772 899	7.6488 028 337	9.1542 523 470	10.9467 473 682	38
39	6.7047 511 544	8.0694 869 896	9.7035 074 879	11.6582 859 471	39
40	7.0399 887 121	8.5133 087 740	10.2857 179 371	12.4160 745 337	40
41	7.3919 881 477	8.9815 407 565	10.9028 610 134	13.2231 193 783	41
42	7.7615 875 551	9.4755 254 982	11.5570 326 742	14.0826 221 379	42
43	8.1496 669 329	9.9966 794 006	12.2504 546 346	14.9979 925 769	43
44	8.5571 502 795	10.5464 967 676	12.9854 819 127	15.9728 620 944	44
45	8.9850 077 935	11.1265 540 898	13.7646 108 274	17.0110 981 305	45
46	9.4342 581 832	11.7385 145 647	14.5904 874 771	18.1168 195 090	46
47	9.9059 710 923	12.3841 328 658	15.4659 167 257	19.2944 127 771	47
48	10.4012 696 469	13.0652 601 734	16.3938 717 293	20.5485 496 076	48
49	10.9213 331 293	13.7838 494 830	17.3775 040 330	21.8842 053 321	49
50	11.4673 997 858	14.5419 612 045	18.4201 542 750	23.3066 786 787	50

TABLE I   VALEUR ACQUISE DE 1 $s = (1 + i)^n$

n	5 pour cent	5½ pour cent	6 pour cent	6½ pour cent	n
51	12.0407 697 750	15.3417 690 708	19.5253 635 315	24.8216 127 928	51
52	12.6428 082 638	16.1855 663 697	20.6968 853 434	26.4350 176 243	52
53	13.2749 486 770	17.0757 725 200	21.9386 984 640	28.1532 937 699	53
54	13.9386 961 108	18.0149 400 086	23.2550 203 718	29.9832 578 650	54
55	14.6356 309 164	19.0057 617 091	24.6503 215 941	31.9321 696 262	55
56	15.3674 124 622	20.0510 786 031	26.1293 408 898	34.0077 606 519	56
57	16.1357 830 853	21.1538 879 262	27.6971 013 432	36.2182 650 943	57
58	16.9425 722 396	22.3173 517 622	29.3589 274 238	38.5724 523 254	58
59	17.7897 008 515	23.5448 061 091	31.1204 630 692	41.0796 617 266	59
60	18.6791 858 941	24.8397 704 451	32.9876 908 533	43.7498 397 388	60
61	19.6131 451 888	26.2059 578 196	34.9669 523 045	46.5935 793 218	61
62	20.5938 024 483	27.6472 854 997	37.0649 694 428	49.6221 619 777	62
63	21.6234 925 707	29.1678 862 021	39.2888 676 094	52.8476 025 063	63
64	22.7046 671 992	30.7721 199 432	41.6461 996 659	56.2826 966 692	64
65	23.8399 005 592	32.4645 865 401	44.1449 716 459	59.9410 719 527	65
66	25.0318 955 871	34.2501 387 998	46.7936 699 446	63.8372 416 296	66
67	26.2834 903 665	36.1338 964 338	49.6012 901 413	67.9866 623 355	67
68	27.5976 648 848	38.1212 607 377	52.5773 675 498	72.4057 953 873	68
69	28.9775 481 291	40.2179 300 783	55.7320 096 028	77.1121 720 875	69
70	30.4264 255 355	42.4299 162 326	59.0759 301 790	82.1244 632 732	70
71	31.9477 468 123	44.7635 616 254	62.6204 859 897	87.4625 533 860	71
72	33.5451 341 529	47.2255 575 147	66.3777 151 491	93.1476 193 560	72
73	35.2223 908 605	49.8229 631 781	70.3603 780 580	99.2022 146 142	73
74	36.9835 104 036	52.5632 261 529	74.5820 007 415	105.6503 585 641	74
75	38.8326 859 238	55.4542 035 913	79.0569 207 860	112.5176 318 708	75
76	40.7743 202 199	58.5041 847 888	83.8003 360 332	119.8312 779 424	76
77	42.8130 362 309	61.7219 149 522	88.8283 561 951	127.6203 110 086	77
78	44.9536 880 425	65.1166 202 745	94.1580 575 669	135.9156 312 242	78
79	47.2013 724 446	68.6980 343 896	99.8075 410 209	144.7501 472 538	79
80	49.5614 410 668	72.4764 262 811	105.7959 934 821	154.1589 068 252	80
81	52.0395 313 202	76.4626 297 265	112.1437 530 910	164.1792 357 689	81
82	54.6414 887 762	80.6680 743 615	118.8723 782 765	174.8508 860 939	82
83	57.3735 632 150	85.1048 184 514	126.0047 209 731	186.2161 936 900	83
84	60.2422 413 758	89.7855 834 662	133.5650 042 315	198.3202 462 798	84
85	63.2543 534 445	94.7237 905 568	141.5789 044 854	211.2110 622 880	85
86	66.4170 711 168	99.9335 990 374	150.0736 387 545	224.9397 813 367	86
87	69.7379 246 726	105.4299 469 845	159.0780 570 798	239.5608 671 236	87
88	73.2248 209 062	111.2285 940 687	168.6227 405 045	255.1323 234 866	88
89	76.8860 619 515	117.3461 667 424	178.7401 049 348	271.7159 245 133	89
90	80.7303 650 491	123.8002 059 133	189.4645 112 309	289.3774 596 066	90
91	84.7668 833 016	130.6092 172 385	200.8323 819 048	308.1869 944 811	91
92	89.0052 274 667	137.7927 241 866	212.8823 248 190	328.2191 491 223	92
93	93.4554 888 400	145.3713 240 169	225.6552 643 082	349.5533 938 153	93
94	98.1282 632 820	153.3667 468 378	239.1945 801 667	372.2743 644 133	94
95	103.0346 764 461	161.8019 179 139	253.5462 549 767	396.4721 981 002	95
96	108.1864 102 684	170.7010 233 991	268.7590 302 753	422.2428 909 767	96
97	113.5957 307 818	180.0895 796 861	284.8845 720 918	449.6686 788 901	97
98	119.2755 173 209	189.9945 065 688	301.9776 464 173	478.9184 430 180	98
99	125.2392 931 870	200.4442 044 301	320.0963 052 023	510.0481 418 142	99
100	131.5012 578 463	211.4686 356 738	339.3020 835 145	543.2012 710 321	100

TABLE I　　　　　　　　　　　VALEUR ACQUISE DE 1　　　　　　　　$s = (1 + i)^n$

n	7 pour cent	7½ pour cent	8 pour cent	8½ pour cent	n
1	1.0700 000 000	1.0750 000 000	1.0800 000 000	1.0850 000 000	1
2	1.1449 000 000	1.1556 250 000	1.1664 000 000	1.1772 250 000	2
3	1.2250 430 000	1.2422 968 750	1.2597 120 000	1.2772 891 250	3
4	1.3107 960 100	1.3354 691 406	1.3604 889 600	1.3858 587 006	4
5	1.4025 517 307	1.4356 293 262	1.4693 280 768	1.5036 566 902	5
6	1.5007 303 518	1.5433 015 256	1.5868 743 229	1.6314 675 088	6
7	1.6057 814 765	1.6590 491 401	1.7138 242 688	1.7701 422 471	7
8	1.7181 861 798	1.7834 778 256	1.8509 302 103	1.9206 043 381	8
9	1.8384 592 124	1.9172 386 625	1.9990 046 271	2.0838 557 068	9
10	1.9671 513 573	2.0610 315 622	2.1589 249 973	2.2609 834 419	10
11	2.1048 519 523	2.2156 089 293	2.3316 389 971	2.4531 670 345	11
12	2.2521 915 890	2.3817 795 990	2.5181 701 168	2.6616 862 324	12
13	2.4098 450 002	2.5604 130 690	2.7196 237 262	2.8879 295 622	13
14	2.5785 341 502	2.7524 440 491	2.9371 936 243	3.1334 035 750	14
15	2.7590 315 407	2.9588 773 528	3.1721 691 142	3.3997 428 788	15
16	2.9521 637 486	3.1807 931 543	3.4259 426 433	3.6887 210 235	16
17	3.1588 152 110	3.4193 526 408	3.7000 180 548	4.0022 623 105	17
18	3.3799 322 757	3.6758 040 889	3.9960 194 992	4.3424 546 069	18
19	3.6165 275 350	3.9514 893 956	4.3157 010 591	4.7115 632 485	19
20	3.8696 844 625	4.2478 511 002	4.6609 571 438	5.1120 461 246	20
21	4.1405 623 749	4.5664 399 328	5.0338 337 154	5.5465 700 452	21
22	4.4304 017 411	4.9089 229 277	5.4365 404 126	6.0180 284 991	22
23	4.7405 298 630	5.2770 921 473	5.8714 636 456	6.5295 609 215	23
24	5.0723 669 534	5.6728 740 583	6.3411 807 372	7.0845 735 998	24
25	5.4274 326 401	6.0983 396 127	6.8484 751 962	7.6867 623 558	25
26	5.8073 529 249	6.5557 150 837	7.3963 532 119	8.3401 371 560	26
27	6.2138 676 297	7.0473 937 149	7.9880 614 689	9.0490 488 143	27
28	6.6488 383 638	7.5759 482 436	8.6271 063 864	9.8182 179 635	28
29	7.1142 570 492	8.1441 443 618	9.3172 748 973	10.6527 664 904	29
30	7.6122 550 427	8.7549 551 890	10.0626 568 891	11.5582 516 421	30
31	8.1451 128 956	9.4115 768 281	10.8676 694 402	12.5407 030 317	31
32	8.7152 707 983	10.1174 450 903	11.7370 829 954	13.6066 627 894	32
33	9.3253 397 542	10.8762 534 720	12.6760 496 350	14.7632 291 265	33
34	9.9781 135 370	11.6919 724 824	13.6901 336 059	16.0181 036 022	34
35	10.6765 814 846	12.5688 704 186	14.7853 442 943	17.3796 424 084	35
36	11.4239 421 885	13.5115 357 000	15.9681 718 379	18.8569 120 131	36
37	12.2236 181 417	14.5249 008 775	17.2456 255 849	20.4597 495 342	37
38	13.0792 714 117	15.6142 684 433	18.6252 756 317	22.1988 282 446	38
39	13.9948 204 105	16.7853 385 766	20.1152 976 822	24.0857 286 454	39
40	14.9744 578 392	18.0442 389 698	21.7245 214 968	26.1330 155 803	40
41	16.0226 698 880	19.3975 568 925	23.4624 832 165	28.3543 219 046	41
42	17.1442 567 801	20.8523 736 595	25.3394 818 739	30.7644 392 665	42
43	18.3443 547 547	22.4163 016 839	27.3666 404 238	33.3794 166 042	43
44	19.6284 595 875	24.0975 243 102	29.5559 716 577	36.2166 670 155	44
45	21.0024 517 587	25.9048 386 335	31.9204 493 903	39.2950 837 118	45
46	22.4726 233 818	27.8477 015 310	34.4740 853 415	42.6351 658 273	46
47	24.0457 070 185	29.9362 791 458	37.2320 121 688	46.2591 549 227	47
48	25.7289 065 098	32.1815 000 818	40.2105 731 423	50.1911 830 911	48
49	27.5299 299 655	34.5951 125 879	43.4274 189 937	54.4574 336 538	49
50	29.4570 250 631	37.1897 460 320	46.9016 125 132	59.0863 155 144	50

n	7 pour cent	7½ pour cent	8 pour cent	8½ pour cent	n
51	31.5190 168 175	39.9789 769 844	50.6537 415 143	64.1086 523 331	51
52	33.7253 479 947	42.9774 002 582	54.7060 408 354	69.5578 877 815	52
53	36.0861 223 543	46.2007 052 776	59.0825 241 023	75.4703 082 429	53
54	38.6121 509 191	49.6657 581 734	63.8091 260 304	81.8852 844 435	54
55	41.3150 014 835	53.3906 900 364	68.9138 561 129	88.8455 336 212	55
56	44.2070 515 873	57.3949 917 892	74.4269 646 019	96.3974 039 790	56
57	47.3015 451 984	61.6996 161 734	80.3811 217 701	104.5911 833 172	57
58	50.6126 533 623	66.3270 873 864	86.8116 115 117	113.4814 338 992	58
59	54.1555 390 977	71.3016 189 403	93.7565 404 326	123.1273 557 806	59
60	57.9464 268 345	76.6492 403 609	101.2570 636 672	133.5931 810 220	60
61	62.0026 767 130	82.3979 333 879	109.3576 287 606	144.9486 014 089	61
62	66.3428 640 829	88.5777 783 920	118.1062 390 614	157.2692 325 286	62
63	70.9868 645 687	95.2211 117 714	127.5547 381 864	170.6371 172 935	63
64	75.9559 450 885	102.3626 951 543	137.7591 172 413	185.1412 722 635	64
65	81.2728 612 447	110.0398 972 908	148.7798 466 206	200.8782 804 059	65
66	86.9619 615 318	118.2928 895 876	160.6822 343 502	217.9529 342 404	66
67	93.0492 988 390	127.1648 563 067	173.5368 130 982	236.4789 336 508	67
68	99.5627 497 577	136.7022 205 297	187.4197 581 461	256.5796 430 111	68
69	106.5321 422 408	146.9548 870 695	202.4133 387 978	278.3889 126 671	69
70	113.9893 921 976	157.9765 035 997	218.6064 059 016	302.0519 702 438	70
71	121.9686 496 515	169.8247 413 696	236.0949 183 737	327.7263 877 145	71
72	130.5064 551 271	182.5615 969 724	254.9825 118 436	355.5831 306 702	72
73	139.6419 069 860	196.2537 167 453	275.3811 127 911	385.8076 967 772	73
74	149.4168 404 750	210.9727 455 012	297.4116 018 144	418.6013 510 033	74
75	159.8760 193 082	226.7957 014 138	321.2045 299 596	454.1824 658 386	75
76	171.0673 406 598	243.8053 790 198	346.9008 923 563	492.7879 754 348	76
77	183.0420 545 060	262.0907 824 463	374.6529 637 448	534.6749 533 468	77
78	195.8549 983 214	281.7475 911 298	404.6252 008 444	580.1223 243 813	78
79	209.5648 482 039	302.8786 604 645	436.9952 169 120	629.4327 219 537	79
80	224.2343 875 782	325.5945 599 993	471.9548 342 649	682.9345 033 198	80
81	239.9307 947 087	350.0141 519 993	509.7112 210 061	740.9839 361 019	81
82	256.7259 503 383	376.2652 133 992	550.4881 186 866	803.9675 706 706	82
83	274.6967 668 619	404.4851 044 042	594.5271 681 815	872.3048 141 776	83
84	293.9255 405 423	434.8214 872 345	642.0893 416 361	946.4507 233 827	84
85	314.5003 283 802	467.4330 987 771	693.4564 889 669	1026.8990 348 702	85
86	336.5153 513 669	502.4905 811 854	748.9330 080 843	1114.1854 528 342	86
87	360.0714 259 625	540.1773 747 743	808.8476 487 310	1208.8912 163 251	87
88	385.2764 257 799	580.6906 778 823	873.5554 606 295	1311.6469 697 127	88
89	412.2457 755 845	624.2424 787 235	943.4398 974 799	1423.1369 621 383	89
90	441.1029 798 754	671.0606 646 278	1018.9150 892 783	1544.1036 039 201	90
91	471.9801 884 667	721.3902 144 749	1100.4282 964 205	1675.3524 102 533	91
92	505.0188 016 594	775.4944 805 605	1188.4625 601 342	1817.7573 651 248	92
93	540.3701 177 755	833.6565 666 025	1283.5395 649 449	1972.2667 411 604	93
94	578.1960 260 198	896.1808 090 977	1386.2227 301 405	2139.9094 141 591	94
95	618.6697 478 412	963.3943 697 800	1497.1205 485 517	2321.8017 143 626	95
96	661.9766 301 901	1035.6489 475 135	1616.8901 924 359	2519.1548 600 834	96
97	708.3149 943 034	1113.3226 185 770	1746.2414 078 307	2733.2830 231 905	97
98	757.8970 439 046	1196.8218 149 703	1885.9407 204 572	2965.6120 801 617	98
99	810.9498 369 780	1286.5834 510 931	2036.8159 780 938	3217.6891 069 754	99
100	867.7163 255 664	1383.0772 099 251	2199.7612 563 413	3491.1926 810 683	100

TABLE I VALEUR ACQUISE DE 1 $s = (1 + i)^n$

n	9 pour cent	9½ pour cent	10 pour cent	10½ pour cent	n
1	1.0900 000 000	1.0950 000 000	1.1000 000 000	1.1050 000 000	1
2	1.1881 000 000	1.1990 250 000	1.2100 000 000	1.2210 250 000	2
3	1.2950 290 000	1.3129 323 750	1.3310 000 000	1.3492 326 250	3
4	1.4115 816 100	1.4376 609 506	1.4641 000 000	1.4909 020 506	4
5	1.5386 239 549	1.5742 387 409	1.6105 100 000	1.6474 467 659	5
6	1.6771 001 108	1.7237 914 213	1.7715 610 000	1.8204 286 764	6
7	1.8280 391 208	1.8875 516 063	1.9487 171 000	2.0115 736 874	7
8	1.9925 626 417	2.0668 690 090	2.1435 888 100	2.2227 889 246	8
9	2.1718 932 794	2.2632 215 648	2.3579 476 910	2.4561 817 616	9
10	2.3673 636 746	2.4782 276 135	2.5937 424 601	2.7140 808 466	10
11	2.5804 264 053	2.7136 592 367	2.8531 167 061	2.9990 593 355	11
12	2.8126 647 818	2.9714 568 642	3.1384 283 767	3.3139 605 657	12
13	3.0658 046 121	3.2537 452 663	3.4522 712 144	3.6619 264 251	13
14	3.3417 270 272	3.5628 510 666	3.7974 983 358	4.0464 286 998	14
15	3.6424 824 597	3.9013 219 180	4.1772 481 694	4.4713 037 132	15
16	3.9703 058 811	4.2719 475 002	4.5949 729 864	4.9407 906 031	16
17	4.3276 334 104	4.6777 825 127	5.0544 702 850	5.4595 736 165	17
18	4.7171 204 173	5.1221 718 514	5.5599 173 135	6.0328 288 462	18
19	5.1416 612 548	5.6087 781 773	6.1159 090 448	6.6662 758 750	19
20	5.6044 107 678	6.1416 121 041	6.7274 999 493	7.3662 348 419	20
21	6.1088 077 369	6.7250 652 540	7.4002 499 443	8.1396 895 003	21
22	6.6586 004 332	7.3639 464 531	8.1402 749 387	8.9943 568 979	22
23	7.2578 744 722	8.0635 213 662	8.9543 024 326	9.9387 643 721	23
24	7.9110 831 747	8.8295 558 960	9.8497 326 758	10.9823 346 312	24
25	8.6230 806 604	9.6683 637 061	10.8347 059 434	12.1354 797 675	25
26	9.3991 579 198	10.5868 582 582	11.9181 765 377	13 4097 051 430	26
27	10.2450 821 326	11.5926 097 927	13.1099 941 915	14.8177 241 831	27
28	11.1671 395 246	12.6939 077 230	14.4209 936 106	16.3735 852 223	28
29	12.1721 820 818	13.8998 289 567	15.8630 929 717	18.0928 116 707	29
30	13.2676 784 691	15.2203 127 076	17.4494 022 689	19.9925 568 961	30
31	14.4617 695 314	16.6662 424 148	19.1943 424 958	22.0917 753 702	31
32	15.7633 287 892	18.2495 354 442	21.1137 767 454	24.4114 117 840	32
33	17.1820 283 802	19.9832 413 114	23.2251 544 199	26.9746 100 214	33
34	18.7284 109 344	21.8816 492 360	25.5476 698 619	29.8069 440 736	34
35	20.4139 679 185	23.9604 059 134	28.1024 368 481	32.9366 732 013	35
36	22.2512 250 312	26.2366 444 751	30.9126 805 329	36.3950 238 875	36
37	24.2538 352 840	28.7291 257 003	34.0039 485 862	40.2165 013 957	37
38	26.4366 804 595	31.4583 926 418	37.4043 434 448	44.4392 340 422	38
39	28.8159 817 009	34.4469 399 428	41.1447 777 893	49.1053 536 167	39
40	31.4094 200 540	37.7193 992 373	45.2592 555 682	54.2614 157 464	40
41	34.2362 678 588	41.3027 421 649	49.7851 811 250	59.9588 643 998	41
42	37.3175 319 661	45.2265 026 705	54.7636 992 375	66.2545 451 617	42
43	40.6761 098 431	49.5230 204 243	60.2400 691 612	73.2112 724 037	43
44	44.3369 597 290	54.2277 073 646	66.2640 760 774	80.8984 560 061	44
45	48.3272 861 046	59.3793 395 642	72.8904 836 851	89.3927 938 868	45
46	52.6767 418 540	65.0203 768 228	80.1795 320 536	98.7790 372 449	56
47	57.4176 486 209	71.1973 126 209	88.1974 852 590	109.1508 361 556	47
48	62.5852 369 967	77.9610 573 199	97.0172 337 849	120.6116 739 519	48
49	68.2179 083 264	85.3673 577 653	106.7189 571 634	133.2758 997 169	49
50	74.3575 200 758	93.4772 567 530	117.3908 528 797	147.2698 691 871	50

TABLE I   VALEUR ACQUISE DE 1 $s = (1 + i)^n$

n	9 pour cent	9½ pour cent	10 pour cent	10½ pour cent	n
51	81.0496 968 826	102.3575 961 446	129.1299 381 677	162.7332 054 518	51
52	88.3441 696 021	112.0815 677 783	142.0429 319 844	179.8201 920 242	52
53	96.2951 448 663	122.7293 167 173	156.2472 251 829	198.7013 121 868	53
54	104.9617 079 042	134.3886 018 054	171.8719 477 012	219.5649 499 664	54
55	114.4082 616 156	147.1555 189 769	189.0591 424 713	242.6192 697 129	55
56	124.7050 051 610	161.1352 932 797	207.9650 567 184	268.0942 930 327	56
57	135.9284 556 255	176.4431 461 413	228.7615 623 902	296.2441 938 012	57
58	148.1620 166 318	193.2052 450 247	251.6377 186 293	327.3498 341 503	58
59	161.4965 981 287	211.5597 433 021	276.8014 904 922	361.7215 667 360	59
60	176.0312 919 602	231.6579 189 157	304.4816 395 414	399.7023 312 433	60
61	191.8741 082 367	253.6654 212 127	334.9298 034 956	441.6710 760 239	61
62	209.1427 779 780	277.7636 362 280	368.4227 838 451	488.0465 390 064	62
63	227.9656 279 960	304.1511 816 696	405.2650 622 296	539.2914 256 021	63
64	248.4825 345 156	333.0455 439 282	445.7915 684 526	595.9170 252 903	64
65	270.8459 626 220	364.6848 706 014	490.3707 252 978	658.4883 129 458	65
66	295.2220 992 580	399.3299 333 085	539.4077 978 276	727.6295 858 051	66
67	321.7920 881 912	437.2662 769 728	593.3485 776 104	804.0306 923 146	67
68	350.7533 761 284	478.8065 732 853	652.6834 353 714	888.4539 150 076	68
69	382.3211 799 800	524.2931 977 474	717.9517 789 086	981.7415 760 834	69
70	416.7300 861 782	574.1010 515 334	789.7469 567 994	1084.8244 415 722	70
71	454.2357 939 342	628.6406 514 290	868.7216 524 794	1198.7310 079 373	71
72	495.1170 153 883	688.3615 133 148	955.5938 177 273	1324.5977 637 707	72
73	539.6775 467 733	753.7558 570 797	1051.1531 995 001	1463.6805 289 666	73
74	588.2485 259 829	825.3626 635 023	1156.2685 194 501	1617.3669 845 081	74
75	641.1908 933 213	903.7721 165 350	1271 8953 713 951	1787.1905 178 815	75
76	698.8980 737 203	989.6304 676 058	1399.0849 085 346	1974.8455 222 590	76
77	761.7989 003 551	1083.6453 620 284	1538.9933 993 880	2182.2043 020 962	77
78	830.3608 013 870	1186.5916 714 211	1692.8927 393 268	2411.3357 538 163	78
79	905.0932 735 119	1299.3178 802 061	1862.1820 132 595	2664.5260 079 670	79
80	986.5516 681 279	1422.7530 788 256	2048.4002 145 855	2944.3012 388 036	80
81	1075.3413 182 595	1557.9146 213 141	2253.2402 360 440	3253.4528 688 780	81
82	1172.1220 369 028	1705.9165 103 389	2478.5642 596 484	3595.0654 201 101	82
83	1277.6130 202 241	1867.9785 788 211	2726.4206 856 132	3972.5472 892 217	83
84	1392.5981 920 442	2045.4365 438 091	2999.0627 541 746	4389.6647 545 899	84
85	1517.9320 293 282	2239.7530 154 710	3298.9690 295 920	4850.5795 538 219	85
86	1654.5459 119 677	2452.5295 519 407	3628.8659 325 512	5359.8904 069 732	86
87	1803.4550 440 448	2685.5198 593 751	3991.7525 258 064	5922.6788 997 054	87
88	1965.7659 980 089	2940.6442 460 157	4390.9277 783 870	6544.5601 841 744	88
89	2142.6849 378 297	3220.0054 493 872	4830.0205 562 257	7231.7390 035 127	89
90	2335.5265 822 343	3525.9059 670 790	5313.0226 118 483	7991.0715 988 816	90
91	2545.7239 746 354	3860.8670 339 515	5844.3248 730 331	8830.1341 167 641	91
92	2774.8391 323 526	4227.6494 021 769	6428.7573 603 364	9757.2981 990 244	92
93	3024.5746 542 643	4629.2760 953 837	7071.6330 963 701	10781.8145 099 219	93
94	3296.7863 731 482	5069.0573 244 452	7778.7964 060 071	11913.9050 334 637	94
95	3593.4971 467 315	5550.6177 702 675	8556.6760 466 078	13164.8650 619 774	95
96	3916.9118 899 373	6077.9264 584 429	9412.3436 512 685	14547.1758 934 851	96
97	4269.4339 600 317	6655.3294 719 950	10353.5780 163 954	16074.6293 623 010	97
98	4653.6830 164 345	7287.5857 718 345	11388.9358 180 349	17762.4654 453 426	98
99	5072.5144 879 137	7979.9064 201 588	12527.8293 998 384	19627.5243 171 036	99
100	5529.0407 918 259	8737.9975 300 739	13780.6123 398 223	21688.4143 703 994	100

TABLE I (a)　　　　　　　　　　VALEUR ACQUISE DE 1　　　　　　　　$s = (1 + i)^n$

n	.25 de 1 pour cent	.30 de 1 pour cent	.35 de 1 pour cent	n
1	1.00250 00000 00000	1.00300 00000 00000	1.00350 00000 00000	1
2	1.00500 62500 00000	1.00600 90000 00000	1.00701 22500 00000	2
3	1.00751 87656 25000	1.00902 70270 00000	1.01053 67928 75000	3
4	1.01003 75625 39062	1.01205 41080 81000	1.01407 36716 50062	4
5	1.01256 26564 45410	1.01509 02704 05243	1.01762 29295 00838	5
6	1.01509 40630 86524	1.01813 55412 16459	1.02118 46097 54091	6
7	1.01763 17982 44240	1.02118 99478 40108	1.02475 87558 88230	7
8	1.02017 58777 39851	1.02425 35176 83628	1.02834 54115 33839	8
9	1.02272 63174 34200	1.02732 62782 36679	1.03194 46204 74207	9
10	1.02528 31332 27786	1.03040 82570 71389	1.03555 64266 45867	10
	. . . .	. . . .	. . . .	
20	1.05120 55032 81385	1.06174 11762 40898	1.07237 71127 67557	20
30	1.07778 32720 70630	1.09402 68748 71311	1.11050 70109 14389	30
40	1.10503 30101 29071	1.12729 43253 25406	1.14999 26719 87681	40
50	1.13297 17069 45265	1.16157 33809 65020	1.19088 23020 72496	50
60	1.16161 67815 55274	1.19689 48029 40687	1.23322 58212 89998	60
70	1.19098 60934 02968	1.23329 02877 95917	1.27707 49247 42484	70
80	1.22109 79534 74915	1.27079 24959 10863	1.32248 31456 25367	80
90	1.25197 11357 16798	1.30943 50808 10913	1.36950 59205 83190	90
100	1.28362 48887 38468	1.34925 27193 66507	1.41820 06573 89487	100
	. . . .	. . . .	. . . .	
200	1.64769 28549 88844	1.82048 29007 17915	2.01129 31046 19973	200

n	.40 de 1 pour cent	.45 de 1 pour cent	.50 de 1 pour cent	n
1	1.00400 00000 00000	1.00450 00000 00000	1.00500 00000 00000	1
2	1.00801 60000 00000	1.00902 02500 00000	1.01002 50000 00000	2
3	1.01204 80640 00000	1.01356 08411 25000	1.01507 51250 00000	3
4	1.01609 62562 56000	1.01812 18649 10062	1.02015 05006 25000	4
5	1.02016 06412 81024	1.02270 34133 02158	1.02525 12531 28125	5
6	1.02424 12838 46148	1.02730 55786 62017	1.03037 75093 93766	6
7	1.02833 82489 81533	1.03192 84537 65997	1.03552 93969 40734	7
8	1.03245 16019 77459	1.03657 21318 07944	1.04070 70439 25438	8
9	1.03658 14083 85369	1.04123 67064 01079	1.04591 05791 45065	9
10	1.04072 77340 18910	1.04592 22715 79884	1.05114 01320 40791	10
	. . . .	. . . .	. . . .	
20	1.08311 42163 56135	1.09395 33981 86825	1.10489 55771 86731	20
30	1.12722 70040 71988	1.14419 02232 34097	1.16140 00828 95346	30
40	1.17313 64056 72765	1.19673 40374 04502	1.22079 42364 86799	40
50	1.22091 55931 70906	1.25169 07828 79083	1.28322 58149 35370	50
60	1.27064 07187 09109	1.30917 12669 44494	1.34885 01525 49316	60
70	1.32239 10359 34291	1.36929 13854 09700	1.41783 05274 53929	70
80	1.37624 90263 14815	1.43217 23562 82480	1.49033 85678 39386	80
90	1.43230 05306 02349	1.49794 09641 76887	1.56655 46789 84175	90
100	1.49063 48856 47865	1.56672 98159 44451	1.64666 84921 16545	100
	. . . .	. . . .	. . . .	
200	2.22199 23623 10423	2.45464 23161 69334	2.71151 71229 29375	200

TABLE I (a)   VALEUR ACQUISE DE 1 $s = (1 + i)^n$

n	.55 de 1 pour cent	.60 de 1 pour cent	.65 de 1 pour cent	n
1	1.00550 00000 00000	1.00600 00000 00000	1.00650 00000 00000	1
2	1.01103 02500 00000	1.01203 60000 00000	1.01304 22500 00000	2
3	1.01659 09163 75000	1.01810 82160 00000	1.01962 70246 25000	3
4	1.02218 21664 15062	1.02421 68652 96000	1.02625 46002 85062	4
5	1.02780 41683 30345	1.03036 21664 87776	1.03292 52551 86915	5
6	1.03345 70912 56162	1.03654 43394 86703	1.03963 92693 45630	6
7	1.03914 11052 58071	1.04276 36055 23623	1.04639 69245 96377	7
8	1.04485 63813 36991	1.04902 01871 56765	1.05319 85046 06253	8
9	1.05060 30914 34344	1.05531 43082 79705	1.06004 42948 86194	9
10	1.05638 14084 37233	1.06164 61941 29383	1.06693 45828 02954	10
	. . . .	. . . .	. . . .	
20	1.11594 16800 91832	1.12709 26415 09404	1.13834 94039 80914	20
30	1.17886 00437 49221	1.19657 36132 89693	1.21454 43464 20368	30
40	1.24532 58333 66180	1.27033 78225 44647	1.29583 93655 43703	40
50	1.31553 90578 14636	1.34864 93145 63133	1.38257 58328 56015	50
60	1.38971 10027 48416	1.43178 84120 21151	1.47511 79694 21680	60
70	1.46806 48664 04091	1.52005 27184 20809	1.57385 43752 90061	70
80	1.55083 64312 49171	1.61375 81833 87475	1.67919 96612 92705	80
90	1.63827 47734 98772	1.71324 02336 38460	1.79159 61900 64195	90
100	1.73064 30126 35821	1.81885 49736 71607	1.91151 59335 97504	100
	. . . .	. . . .	. . . .	
200	2.99512 52371 85190	3.30823 34152 49943	3.65389 31643 97138	200

n	.70 de 1 pour cent	.75 de 1 pour cent	.80 de 1 pour cent	n
1	1.00700 00000 00000	1.00750 00000 00000	1.00800 00000 00000	1
2	1.01404 90000 00000	1.01505 62500 00000	1.01606 40000 00000	2
3	1.02114 73430 00000	1.02266 91718 75000	1.02419 25120 00000	3
4	1.02829 53744 01000	1.03033 91906 64062	1.03238 60520 96000	4
5	1.03549 34420 21807	1.03806 67345 94043	1.04064 51405 12768	5
6	1.04274 18961 15960	1.04585 22351 03498	1.04897 03016 36870	6
7	1.05004 10893 88771	1.05369 61268 66775	1.05736 20640 49965	7
8	1.05739 13770 14493	1.06159 88478 18275	1.06582 09605 62365	8
9	1.06479 31166 53594	1.06956 08391 76912	1.07434 75282 46864	9
10	1.07224 66684 70169	1.07758 25454 70739	1.08294 23084 72839	10
	. . . .	. . . .	. . . .	
20	1.14971 29180 45377	1.16118 41423 03198	1.17276 40434 80481	20
30	1.23277 58460 71273	1.25127 17638 23337	1.27003 58005 40692	30
40	1.32183 97939 20417	1.34834 86123 36413	1.37537 55016 80687	40
50	1.41733 83152 82462	1.45295 69298 63411	1.48945 23208 07072	50
60	1.51973 62866 56742	1.56568 10269 41565	1.61299 09346 55038	60
70	1.62953 21703 20918	1.68715 05464 06933	1.74677 61263 21088	70
80	1.74726 04407 91569	1.81804 39803 89531	1.89165 77706 23402	80
90	1.87349 41865 88480	1.95909 24601 65905	2.04855 62329 59490	90
100	2.00884 78999 67727	2.11108 38400 38109	2.21846 82159 57573	100
	. . . .	. . . .	. . . .	
200	4.03546 98852 04748	4.45667 49796 70049	4.92160 12252 13975	200

TABLE I (*a*)   V ALEUR ACQUISE DE 1 $s = (1 + i)^n$

n	.85 de 1 pour cent	.90 de 1 pour cent	.95 de 1 pour cent	n
1	1.00850 00000 00000	1.00900 00000 00000	1.00950 00000 00000	1
2	1.01707 22500 00000	1.01808 10000 00000	1.01909 02500 00000	2
3	1.02571 73641 25000	1.02724 37290 00000	1.02877 16073 75000	2
4	1.03443 59617 20062	1.03648 89225 61000	1.03854 49376 45062	4
5	1.04322 86673 94683	1.04581 73228 64049	1.04841 11145 52691	5
6	1.05209 61110 67538	1.05522 96787 69825	1.05837 10201 40941	6
7	1.06103 89280 11612	1.06472 67458 78754	1.06842 55448 32280	7
8	1.07005 77588 99711	1.07430 92865 91663	1.07857 55875 08187	8
9	1.07915 32498 50358	1.08397 80701 70988	1.08882 20555 89515	9
10	1.08832 60524 74086	1.09373 38728 02527	1.09916 58651 17615	10
	. . . .	. . . .	. . . .	
20	1.18445 35964 93827	1.19625 37845 15613	1.20816 55990 39755	20
30	1.28907 17070 10861	1.30838 32845 92941	1.32797 43858 73274	30
30	1.40293 03222 47163	1.43102 31169 67927	1.45966 41147 03090	40
50	1.52684 56195 07452	1.56515 84557 91274	1.60441 29694 18759	50
60	1.66170 58658 15896	1.71186 68194 02212	1.76351 59695 35498	60
70	1.80847 77853 16448	1.87232 67261 06925	1.93839 65563 03215	70
80	1.96821 34890 80527	2.04782 71612 96602	2.13061 93277 51954	80
90	2.14205 80169 97258	2.23977 79319 55136	2.34190 43366 24788	90
100	2.33125 75458 09095	2.44972 09917 34925	2.57414 09764 39120	100
	. . . .	. . . .	. . . .	
200	5.43476 17448 91845	6.00113 29373 46745	6.62620 17665 82945	200

TABLE II   VALEUR ACTUELLE DE 1 $v^n = (1 + i)^{-n}$

n	¼ pour cent	⁷/₂₄ pour cent	⅓ pour cent	⁵/₁₂ pour cent	n
1	0.9975 062 344	0.9970 918 155	0.9966 777 409	0.9958 506 224	1
2	0.9950 186 877	0.9941 920 886	0.9933 665 191	0.9917 184 621	2
3	0.9925 373 443	0.9913 007 946	0.9900 662 981	0.9876 034 478	3
4	0.9900 621 889	0.9884 179 091	0.9867 770 413	0.9835 055 082	4
5	0.9875 932 058	0.9855 434 075	0.9834 987 123	0.9794 245 724	5
6	0.9851 303 799	0.9826 772 654	0.9802 312 747	0.9753 605 701	6
7	0.9826 736 957	0.9798 194 587	0.9769 746 924	0.9713 134 308	7
8	0.9802 231 378	0.9769 699 630	0.9737 289 293	0.9672 830 846	8
9	0.9777 786 911	0.9741 287 541	0.9704 939 495	0.9632 694 618	9
10	0.9753 403 402	0.9712 958 080	0.9672 697 171	0.9592 724 931	10
11	0.9729 080 701	0.9684 711 006	0.9640 561 964	0.9552 921 093	11
12	0.9704 818 654	0.9656 546 080	0.9608 533 519	0.9513 282 416	12
13	0.9680 617 111	0.9628 463 063	0.9576 611 481	0.9473 808 216	13
14	0.9656 475 921	0.9600 461 716	0.9544 795 496	0.9434 497 808	14
15	0.9632 394 934	0.9572 541 802	0.9513 085 212	0.9395 350 514	15
16	0.9608 373 999	0.9544 703 085	0.9481 480 278	0.9356 365 657	16
17	0.9584 412 967	0.9516 945 328	0.9449 980 343	0.9317 542 563	17
18	0.9560 511 687	0.9489 268 295	0.9418 585 060	0.9278 880 561	18
19	0.9536 670 012	0.9461 671 753	0.9387 294 079	0.9240 378 982	19
20	0.9512 887 793	0.9434 155 466	0.9356 107 056	0.9202 037 160	20
21	0.9489 164 881	0.9406 719 202	0.9325 023 644	0.9163 854 434	21
22	0.9465 501 128	0.9379 362 727	0.9294 043 499	0.9125 830 141	22
23	0.9441 896 387	0.9352 085 810	0.9263 166 278	0.9087 963 626	23
24	0.9418 350 511	0.9324 888 219	0.9232 391 639	0.9050 254 234	24
25	0.9394 863 352	0.9297 769 724	0.9201 719 242	0.9012 701 311	25
26	0.9371 434 765	0.9270 730 095	0.9171 148 746	0.8975 304 211	26
27	0.9348 064 604	0.9243 769 102	0.9140 679 813	0.8938 062 284	27
28	0.9324 752 722	0.9216 886 516	0.9110 312 106	0.8900 974 889	28
29	0.9301 498 975	0.9190 082 110	0.9080 045 288	0.8864 041 383	29
30	0.9278 303 217	0.9163 355 656	0.9049 879 025	0.8827 261 129	30
31	0.9255 165 303	0.9136 706 927	0.9019 812 982	0.8790 633 489	31
32	0.9232 085 091	0.9110 135 698	0.8989 846 826	0.8754 157 831	32
33	0.9209 062 434	0.9083 641 743	0.8959 980 225	0.8717 833 525	33
34	0.9186 097 192	0.9057 224 837	0.8930 212 849	0.8681 659 942	34
35	0.9163 189 218	0.9030 884 757	0.8900 544 367	0.8645 636 457	35
36	0.9140 338 373	0.9004 621 278	0.8870 974 453	0.8609 762 447	36
37	0.9117 544 511	0.8978 434 178	0.8841 502 777	0.8574 037 291	37
38	0.9094 807 493	0.8952 323 236	0.8812 129 013	0.8538 460 373	38
39	0.9072 127 175	0.8926 288 228	0.8782 852 837	0.8503 031 077	39
40	0.9049 503 416	0.8900 328 936	0.8753 673 924	0.8467 748 790	40
41	0.9026 936 076	0.8874 445 137	0.8724 591 951	0.8432 612 903	41
42	0.9004 425 013	0.8848 636 614	0.8695 606 596	0.8397 622 808	42
43	0.8981 970 088	0.8822 903 146	0.8666 717 537	0.8362 777 900	43
44	0.8959 571 160	0.8797 244 516	0.8637 924 456	0.8328 077 577	44
45	0.8937 228 090	0.8771 660 507	0.8609 227 032	0.8293 521 238	45
46	0.8914 940 738	0.8746 150 900	0.8580 624 949	0.8259 108 287	46
47	0.8892 708 966	0.8720 715 480	0.8552 117 889	0.8224 838 128	47
48	0.8870 532 634	0.8695 354 030	0.8523 705 538	0.8190 710 169	48
49	0.8848 411 605	0.8670 066 337	0.8495 387 579	0.8156 723 820	49
50	0.8826 345 741	0.8644 852 185	0.8467 163 700	0.8122 878 493	50

TABLE II   VALEUR ACTUELLE DE 1 $v^n = (1 + i)^{-n}$

n	¼ pour cent	7/24 pour cent	⅓ pour cent	5/12 pour cent	n
51	0.8804 334 904	0.8619 711 360	0.8439 033 588	0.8089 173 603	51
52	0.8782 378 956	0.8594 643 649	0.8410 996 932	0.8055 608 567	52
53	0.8760 477 762	0.8569 648 840	0.8383 053 420	0.8022 182 806	53
54	0.8738 631 184	0.8544 726 721	0.8355 202 744	0.7988 895 740	54
55	0.8716 839 086	0.8519 877 079	0.8327 444 596	0.7955 746 795	55
56	0.8695 101 333	0.8495 099 705	0.8299 778 667	0.7922 735 397	56
57	0.8673 417 788	0.8470 394 388	0.8272 204 651	0.7889 860 977	57
58	0.8651 788 317	0.8445 760 919	0.8244 722 244	0.7857 122 964	58
59	0.8630 212 785	0.8421 199 088	0.8217 331 140	0.7824 520 794	59
60	0.8608 691 058	0.8396 708 688	0.8190 031 037	0.7792 053 903	60
61	0.8587 223 000	0.8372 289 510	0.8162 821 631	0.7759 721 729	61
62	0.8565 808 479	0.8347 941 348	0.8135 702 622	0.7727 523 714	62
63	0.8544 447 361	0.8323 663 994	0.8108 673 710	0.7695 459 300	63
64	0.8523 139 512	0.8299 457 244	0.8081 734 595	0.7663 527 934	64
65	0.8501 884 800	0.8275 320 891	0.8054 884 978	0.7631 729 063	65
66	0.8480 683 092	0.8251 254 732	0.8028 124 563	0.7600 062 137	66
67	0.8459 534 257	0.8227 258 561	0.8001 453 053	0.7568 526 609	67
68	0.8438 438 161	0.8203 332 176	0.7974 870 152	0.7537 121 935	68
69	0.8417 394 674	0.8179 475 372	0.7948 375 567	0.7505 847 570	69
70	0.8396 403 665	0.8155 687 949	0.7921 969 004	0.7474 702 974	70
71	0.8375 465 003	0.8131 969 704	0.7895 650 170	0.7443 687 609	71
72	0.8354 578 556	0.8108 320 436	0.7869 418 774	0.7412 800 939	72
73	0.8333 744 196	0.8084 739 945	0.7843 274 525	0.7382 042 428	73
74	0.8312 961 791	0.8061 228 030	0.7817 217 135	0.7351 411 547	74
75	0.8292 231 213	0.8037 784 492	0.7791 246 314	0.7320 907 765	75
76	0.8271 552 333	0.8014 409 132	0.7765 361 775	0.7290 530 554	76
77	0.8250 925 020	0.7991 101 751	0.7739 563 231	0.7260 279 390	77
78	0.8230 349 147	0.7967 862 154	0.7713 850 396	0.7230 153 749	78
79	0.8209 824 586	0.7944 690 141	0.7688 222 986	0.7200 153 111	79
80	0.8189 351 208	0.7921 585 516	0.7662 680 717	0.7170 276 957	80
81	0.8168 928 885	0.7898 548 084	0.7637 223 306	0.7140 524 771	81
82	0.8148 557 492	0.7875 577 649	0.7611 850 471	0.7110 896 037	82
83	0.8128 236 900	0.7852 674 017	0.7586 561 931	0.7081 390 245	83
84	0.8107 966 982	0.7829 836 992	0.7561 357 407	0.7052 006 883	84
85	0.8087 747 613	0.7807 066 382	0.7536 236 618	0.7022 745 443	85
86	0.8067 578 666	0.7784 361 993	0.7511 199 287	0.6993 605 421	86
87	0.8047 460 016	0.7761 723 632	0.7486 245 136	0.6964 586 311	87
88	0.8027 391 537	0.7739 151 108	0.7461 373 890	0.6935 687 613	88
89	0.8007 373 105	0.7716 644 229	0.7436 585 273	0.6906 908 826	89
90	0.7987 404 593	0.7694 202 804	0.7411 879 009	0.6878 249 453	90
91	0.7967 485 879	0.7671 826 643	0.7387 254 826	0.6849 708 999	91
92	0.7947 616 836	0.7649 515 556	0.7362 712 452	0.6821 286 970	92
93	0.7927 797 343	0.7627 269 354	0.7338 251 613	0.6792 982 875	93
94	0.7908 027 275	0.7605 087 848	0.7313 872 039	0.6764 796 224	94
95	0.7888 306 509	0.7582 970 850	0.7289 573 461	0.6736 726 530	95
96	0.7868 634 921	0.7560 918 172	0.7265 355 609	0.6708 773 308	96
97	0.7849 012 390	0.7538 929 627	0.7241 218 215	0.6680 936 074	97
98	0.7829 438 793	0.7517 005 029	0.7217 161 012	0.6653 214 348	98
99	0.7809 914 008	0.7495 144 192	0.7193 183 733	0.6625 607 649	99
100	0.7790 437 914	0.7473 346 930	0.7169 286 112	0.6598 115 501	100

TABLE II   VALEUR ACTUELLE DE 1 $v^n = (1 + i)^{-n}$

n	¼ pour cent	⁷⁄₂₄ pour cent	⅓ pour cent	⁵⁄₁₂ pour cent	n
101	0.7771 010 388	0.7451 613 058	0.7145 467 886	0.6570 737 429	101
102	0.7751 631 309	0.7429 942 393	0.7121 728 790	0.6543 472 958	102
103	0.7732 300 558	0.7408 334 750	0.7098 068 562	0.6516 321 618	103
104	0.7713 018 013	0.7386 789 946	0.7074 486 938	0.6489 282 939	104
105	0.7693 783 554	0.7365 307 798	0.7050 983 660	0.6462 356 454	105
106	0.7674 597 061	0.7343 888 124	0.7027 558 465	0.6435 541 697	106
107	0.7655 458 415	0.7322 530 743	0.7004 211 094	0.6408 838 204	107
108	0.7636 367 497	0.7301 235 473	0.6980 941 290	0.6382 245 514	108
109	0.7617 324 186	0.7280 002 133	0.6957 748 794	0.6355 763 168	109
110	0.7598 328 365	0.7258 830 544	0.6934 633 350	0.6329 390 707	110
111	0.7579 379 915	0.7237 720 526	0.6911 594 701	0.6303 127 675	111
112	0.7560 478 719	0.7216 671 900	0.6888 632 592	0.6276 973 618	112
113	0.7541 624 657	0.7195 684 487	0.6865 746 769	0.6250 928 084	113
114	0.7522 817 613	0.7174 758 109	0.6842 936 979	0.6224 990 623	114
115	0.7504 057 469	0.7153 892 589	0.6820 202 970	0.6199 160 787	115
116	0.7485 344 109	0.7133 087 750	0.6797 544 488	0.6173 438 128	116
117	0.7466 677 415	0.7112 343 415	0.6774 961 284	0.6147 822 202	117
118	0.7448 057 272	0.7091 659 408	0.6752 453 107	0.6122 312 566	118
119	0.7429 483 563	0.7071 035 554	0.6730 019 708	0.6096 908 780	119
120	0.7410 956 173	0.7050 471 679	0.6707 660 838	0.6071 610 403	120
121	0.7392 474 985	0.7029 967 606	0.6685 376 251	0.6046 416 999	121
122	0.7374 039 886	0.7009 523 164	0.6663 165 698	0.6021 328 132	122
123	0.7355 650 759	0.6989 138 177	0.6641 028 935	0.5996 343 368	123
124	0.7337 307 490	0.6968 812 474	0.6618 965 716	0.5971 462 275	124
125	0.7319 009 965	0.6948 545 882	0.6596 975 797	0.5946 684 423	125
126	0.7300 758 070	0.6928 338 229	0.6575 058 934	0.5922 009 384	126
127	0.7282 551 691	0.6908 189 344	0.6553 214 884	0.5897 436 731	127
128	0.7264 390 714	0.6888 099 055	0.6531 443 406	0.5872 966 039	128
129	0.7246 275 026	0.6868 067 192	0.6509 744 258	0.5848 596 885	129
130	0.7228 204 515	0.6848 093 586	0.6488 117 201	0.5824 328 848	130
131	0.7210 179 067	0.6828 178 066	0.6466 561 995	0.5800 161 509	131
132	0.7192 198 571	0.6808 320 465	0.6445 078 400	0.5776 094 449	132
133	0.7174 262 914	0.6788 520 613	0.6423 666 179	0.5752 127 252	133
134	0.7156 371 984	0.6768 778 343	0.6402 325 096	0.5728 259 504	134
135	0.7138 525 670	0.6749 093 487	0.6381 054 913	0.5704 490 792	135
136	0.7120 723 860	0.6729 465 878	0.6359 855 395	0.5680 820 706	136
137	0.7102 966 444	0.6709 895 350	0.6338 726 307	0.5657 248 836	137
138	0.7085 253 311	0.6690 381 737	0.6317 667 415	0.5633 774 774	138
139	0.7067 584 350	0.6670 924 872	0.6296 678 487	0.5610 398 115	139
140	0.7049 959 451	0.6651 524 592	0.6275 759 290	0.5587 118 455	140
141	0.7032 378 505	0.6632 180 732	0.6254 909 591	0.5563 935 391	141
142	0.7014 841 401	0.6612 893 127	0.6234 129 160	0.5540 848 522	142
143	0.6997 348 031	0.6593 661 614	0.6213 417 768	0.5517 857 449	143
144	0.6979 898 286	0.6574 486 030	0.6192 775 184	0.5494 961 775	144
145	0.6962 492 055	0.6555 366 212	0.6172 201 180	0.5472 161 104	145
146	0.6945 129 232	0.6536 301 997	0.6151 695 528	0.5449 455 041	146
147	0.6927 809 708	0.6517 293 226	0.6131 258 002	0.5426 843 195	147
148	0.6910 533 375	0.6498 339 735	0.6110 888 374	0.5404 325 173	148
149	0.6893 300 124	0.6479 441 364	0.6090 586 419	0.5381 900 588	149
150	0.6876 109 850	0.6460 597 953	0.6070 351 913	0.5359 569 050	150

TABLE II   VALEUR ACTUELLE DE 1 $v^n = (1 + i)^{-n}$

n	¼ pour cent	7/24 pour cent	⅓ pour cent	5/12 pour cent	n
151	0.6858 962 444	0.6441 809 343	0.6050 184 630	0.5337 330 174	151
152	0.6841 857 799	0.6423 075 373	0.6030 084 349	0.5315 183 576	152
153	0.6824 795 810	0.6404 395 885	0.6010 050 846	0.5293 128 872	153
154	0.6807 776 369	0.6385 770 720	0.5990 083 900	0.5271 165 682	154
155	0.6790 799 370	0.6367 199 721	0.5970 183 289	0.5249 293 625	155
156	0.6773 864 708	0.6348 682 730	0.5950 348 793	0.5227 512 324	156
157	0.6756 972 278	0.6330 219 589	0.5930 580 193	0.5205 821 401	157
158	0.6740 121 973	0.6311 810 143	0.5910 877 268	0.5184 220 483	158
159	0.6723 313 689	0.6293 454 235	0.5891 239 802	0.5162 709 194	159
160	0.6706 547 320	0.6275 151 709	0.5871 667 577	0.5141 287 164	160
161	0.6689 822 763	0.6256 902 410	0.5852 160 376	0.5119 954 023	161
162	0.6673 139 914	0.6238 706 184	0.5832 717 982	0.5098 709 400	162
163	0.6656 498 667	0.6220 562 876	0.5813 340 182	0.5077 552 930	163
164	0.6639 898 920	0.6202 472 331	0.5794 026 759	0.5056 484 245	164
165	0.6623 340 568	0.6184 434 398	0.5774 777 501	0.5035 502 983	165
166	0.6606 823 509	0.6166 448 922	0.5755 592 194	0.5014 608 780	166
167	0.6590 347 640	0.6148 515 751	0.5736 470 625	0.4993 801 274	167
168	0.6573 912 858	0.6130 634 733	0.5717 412 583	0.4973 080 107	168
169	0.6557 519 061	0.6112 805 716	0.5698 417 857	0.4952 444 920	169
170	0.6541 166 145	0.6095 028 549	0.5679 486 236	0.4931 895 356	170
171	0.6524 854 010	0.6077 303 082	0.5660 617 511	0.4911 431 060	171
172	0.6508 582 554	0.6059 629 164	0.5641 811 473	0.4891 051 678	172
173	0.6492 351 675	0.6042 006 644	0.5623 067 913	0.4870 756 858	173
174	0.6476 161 271	0.6024 435 375	0.5604 386 624	0.4850 546 248	174
175	0.6460 011 243	0.6006 915 205	0.5585 767 400	0.4830 419 500	175
176	0.6443 901 490	0.5989 445 988	0.5567 210 033	0.4810 376 266	176
177	0.6427 831 910	0.5972 027 574	0.5548 714 318	0.4790 416 198	177
178	0.6411 802 404	0.5954 659 816	0.5530 280 052	0.4770 538 953	178
179	0.6395 812 872	0.5937 342 567	0.5511 907 028	0.4750 744 185	179
180	0.6379 863 214	0.5920 075 680	0.5493 595 045	0.4731 031 554	180
181	0.6363 953 330	0.5902 859 007	0.5475 343 898	0.4711 400 718	181
182	0.6348 083 122	0.5885 692 405	0.5457 153 387	0.4691 851 337	182
183	0.6332 252 491	0.5868 575 725	0.5439 023 309	0.4672 383 074	183
184	0.6316 461 338	0.5851 508 825	0.5420 953 465	0.4652 995 593	184
185	0.6300 709 564	0.5834 491 558	0.5402 943 652	0.4633 688 557	185
186	0.6284 997 071	0.5817 523 780	0.5384 993 673	0.4614 461 633	186
187	0.6269 323 762	0.5800 605 348	0.5367 103 329	0.4595 314 490	187
188	0.6253 689 538	0.5783 736 117	0.5349 272 421	0.4576 246 795	188
189	0.6238 094 302	0.5766 915 946	0.5331 500 752	0.4557 258 219	189
190	0.6222 537 957	0.5750 144 690	0.5313 788 125	0.4538 348 434	190
191	0.6207 020 406	0.5733 422 209	0.5296 134 344	0.4519 517 112	191
192	0.6191 541 552	0.5716 748 360	0.5278 539 213	0.4500 763 929	192
193	0.6176 101 299	0.5700 123 001	0.5261 002 538	0.4482 088 560	193
194	0.6160 699 550	0.5683 545 992	0.5243 524 124	0.4463 490 683	194
195	0.6145 336 210	0.5667 017 192	0.5226 103 778	0.4444 969 974	195
196	0.6130 011 182	0.5650 536 460	0.5208 741 307	0.4426 526 115	196
197	0.6114 724 371	0.5634 103 658	0.5191 436 519	0.4408 158 787	197
198	0.6099 475 682	0.5617 718 645	0.5174 189 221	0.4389 867 672	198
199	0.6084 265 019	0.5601 381 283	0.5156 999 224	0.4371 652 453	199
200	0.6069 092 288	0.5585 091 433	0.5139 866 336	0.4353 512 817	200

TABLE II VALEUR ACTUELLE DE 1 $v^n = (1 + i)^{-n}$

n	¼ pour cent	⁷/₂₄ pour cent	⅓ pour cent	⁵/₁₂ pour cent	n
201	0.6053 957 395	0.5568 848 957	0.5122 790 368	0.4335 448 448	201
202	0.6038 860 244	0.5552 653 717	0.5105 771 131	0.4317 459 035	202
203	0.6023 800 743	0.5536 505 576	0.5088 808 436	0.4299 544 268	203
204	0.6008 778 796	0.5520 404 396	0.5071 902 096	0.4281 703 835	204
205	0.5993 794 310	0.5504 350 042	0.5055 051 923	0.4263 937 429	205
206	0.5978 847 192	0.5488 342 377	0.5038 257 730	0.4246 244 743	206
207	0.5963 937 348	0.5472 381 265	0.5021 519 333	0.4228 625 470	207
208	0.5949 064 687	0.5456 466 571	0.5004 836 544	0.4211 079 306	208
209	0.5934 229 114	0.5440 598 159	0.4988 209 180	0.4193 605 948	209
210	0.5919 430 538	0.5424 775 896	0.4971 637 057	0.4176 205 093	210
211	0.5904 668 865	0.5408 999 647	0.4955 119 990	0.4158 876 442	211
212	0.5889 944 005	0.5393 269 278	0.4938 657 797	0.4141 619 693	212
213	0.5875 255 866	0.5377 584 657	0.4922 250 296	0.4124 434 549	213
214	0.5860 604 355	0.5361 945 648	0.4905 897 305	0.4107 320 713	214
215	0.5845 989 381	0.5346 352 121	0.4889 598 643	0.4090 277 888	215
216	0.5831 410 854	0.5330 803 943	0.4873 354 129	0.4073 305 781	216
217	0.5816 868 683	0.5315 300 982	0.4857 163 584	0.4056 404 097	217
218	0.5802 362 776	0.5299 843 106	0.4841 026 828	0.4039 572 545	218
219	0.5787 893 043	0.5284 430 185	0.4824 943 682	0.4022 810 833	219
220	0.5773 459 395	0.5269 062 087	0.4808 913 969	0.4006 118 672	220
221	0.5759 061 740	0.5253 738 683	0.4792 937 511	0.3989 495 773	221
222	0.5744 699 990	0.5238 459 842	0.4777 014 130	0.3972 941 848	222
223	0.5730 374 055	0.5223 225 434	0.4761 143 652	0.3956 456 612	223
224	0.5716 083 845	0.5208 035 331	0.4745 325 899	0.3940 039 780	224
225	0.5701 829 272	0.5192 889 404	0.4729 560 696	0.3923 691 067	225
226	0.5687 610 247	0.5177 787 523	0.4713 847 870	0.3907 410 191	226
227	0.5673 426 680	0.5162 729 562	0.4698 187 246	0.3891 196 871	227
228	0.5659 278 484	0.5147 715 392	0.4682 578 650	0.3875 050 826	228
229	0.5645 165 570	0.5132 744 886	0.4667 021 911	0.3858 971 777	229
230	0.5631 087 850	0.5117 817 917	0.4651 516 855	0.3842 959 446	230
231	0.5617 045 237	0.5102 934 359	0.4636 063 310	0.3827 013 556	231
232	0.5603 037 643	0.5088 094 084	0.4620 661 106	0.3811 133 832	232
233	0.5589 064 981	0.5073 296 968	0.4605 310 073	0.3795 319 998	233
234	0.5575 127 163	0.5058 542 885	0.4590 010 039	0.3779 571 783	234
235	0.5561 224 102	0.5043 831 709	0.4574 760 837	0.3763 888 912	235
236	0.5547 355 713	0.5029 163 316	0.4559 562 296	0.3748 271 116	236
237	0.5533 521 908	0.5014 537 581	0.4544 414 248	0.3732 718 124	237
238	0.5519 722 602	0.4999 954 381	0.4529 316 526	0.3717 229 667	238
239	0.5505 957 708	0.4985 413 591	0.4514 268 963	0.3701 805 477	239
240	0.5492 227 140	0.4970 915 089	0.4499 271 392	0.3686 445 289	240
241	0.5478 530 813	0.4956 458 751	0.4484 323 646	0.3671 148 835	241
242	0.5464 868 641	0.4942 044 455	0.4469 425 561	0.3655 915 852	242
243	0.5451 240 540	0.4927 672 078	0.4454 576 971	0.3640 746 077	243
244	0.5437 646 424	0.4913 341 498	0.4439 777 712	0.3625 639 247	244
245	0.5424 086 208	0.4899 052 595	0.4425 027 620	0.3610 595 101	245
246	0.5410 559 809	0.4884 805 246	0.4410 326 532	0.3595 613 378	246
247	0.5397 067 141	0.4870 599 332	0.4395 674 284	0.3580 693 821	247
248	0.5383 608 120	0.4856 434 730	0.4381 070 715	0.3565 836 170	248
249	0.5370 182 664	0.4842 311 322	0.4366 515 663	0.3551 040 169	249
250	0.5356 790 687	0.4828 228 988	0.4352 008 966	0.3536 305 563	250

TABLE II VALEUR ACTUELLE DE 1 $v^n = (1 + i)^{-n}$

n	¼ pour cent	7/24 pour cent	⅓ pour cent	5/12 pour cent	n
251	0.5343 432 107	0.4814 187 607	0.4337 550 465	0.3521 632 096	251
252	0.5330 106 840	0.4800 187 062	0.4323 139 998	0.3507 019 514	252
253	0.5316 814 803	0.4786 227 232	0.4308 777 407	0.3492 467 566	253
254	0.5303 555 913	0.4772 308 001	0.4294 462 532	0.3477 975 999	254
255	0.5290 330 088	0.4758 429 249	0.4280 195 214	0.3463 544 564	255
256	0.5277 137 245	0.4744 590 859	0.4265 975 297	0.3449 173 010	256
257	0.5263 977 301	0.4730 792 713	0.4251 802 621	0.3434 861 088	257
258	0.5250 850 176	0.4717 034 695	0.4237 677 031	0.3420 608 553	258
259	0.5237 755 786	0.4703 316 688	0.4223 598 370	0.3406 415 156	259
260	0.5224 694 051	0.4689 638 576	0.4209 566 482	0.3392 280 654	260
261	0.5211 664 889	0.4676 000 242	0.4195 581 211	0.3378 204 800	261
262	0.5198 668 219	0.4662 401 571	0.4181 642 403	0.3364 187 353	262
263	0.5185 703 959	0.4648 842 447	0.4167 749 903	0.3350 228 069	263
264	0.5172 772 029	0.4635 322 755	0.4153 903 558	0.3336 326 708	264
265	0.5159 872 348	0.4621 842 382	0.4140 103 214	0.3322 483 029	265
266	0.5147 004 836	0.4608 401 212	0.4126 348 718	0.3308 696 792	266
267	0.5134 169 412	0.4594 999 131	0.4112 639 919	0.3294 967 760	267
268	0.5121 365 997	0.4581 636 026	0.4098 976 663	0.3281 295 694	268
269	0.5108 594 511	0.4568 311 783	0.4085 358 800	0.3267 680 359	269
270	0.5095 854 874	0.4555 026 290	0.4071 786 180	0.3254 121 520	270
271	0.5083 147 006	0.4541 779 433	0.4058 258 651	0.3240 618 941	271
272	0.5070 470 829	0.4528 571 101	0.4044 776 064	0.3227 172 389	272
273	0.5057 826 263	0.4515 401 180	0.4031 338 270	0.3213 781 632	273
274	0.5045 213 230	0.4502 269 561	0.4017 945 119	0.3200 446 439	274
275	0.5032 631 651	0.4489 176 131	0.4004 596 464	0.3187 166 578	275
276	0.5020 081 448	0.4476 120 778	0.3991 292 157	0.3173 941 821	276
277	0.5007 562 541	0.4463 103 393	0.3978 032 050	0.3160 771 938	277
278	0.4995 074 854	0.4450 123 865	0.3964 815 997	0.3147 656 701	278
279	0.4982 618 308	0.4437 182 084	0.3951 643 851	0.3134 595 885	279
280	0.4970 192 826	0.4424 277 940	0.3938 515 466	0.3121 589 263	280
281	0.4957 798 330	0.4411 411 324	0.3925 430 697	0.3108 636 611	281
282	0.4945 434 744	0.4398 582 126	0.3912 389 399	0.3095 737 704	282
283	0.4933 101 989	0.4385 790 238	0.3899 391 428	0.3082 892 319	283
284	0.4920 799 989	0.4373 035 551	0.3886 436 639	0.3070 100 235	284
285	0.4908 528 667	0.4360 317 957	0.3873 524 889	0.3057 361 229	285
286	0.4896 287 947	0.4347 637 348	0.3860 656 036	0.3044 675 083	286
287	0.4884 077 753	0.4334 993 617	0.3847 829 936	0.3032 041 577	287
288	0.4871 898 008	0.4322 386 655	0.3835 046 448	0.3019 460 491	288
289	0.4859 748 636	0.4309 816 358	0.3822 305 430	0.3006 931 610	289
290	0.4847 629 562	0.4297 282 617	0.3809 606 741	0.2994 454 715	290
291	0.4835 540 710	0.4284 785 326	0.3796 950 240	0.2982 029 592	291
292	0.4823 482 005	0.4272 324 380	0.3784 335 787	0.2969 656 025	292
293	0.4811 453 372	0.4259 899 673	0.3771 763 243	0.2957 333 801	293
294	0.4799 454 735	0.4247 511 099	0.3759 232 468	0.2945 062 706	294
295	0.4787 486 020	0.4235 158 553	0.3746 743 324	0.2932 842 529	295
296	0.4775 547 152	0.4222 841 931	0.3734 295 671	0.2920 673 058	296
297	0.4763 638 057	0.4210 561 127	0.3721 889 374	0.2908 554 083	297
298	0.4751 758 660	0.4198 316 039	0.3709 524 293	0.2896 485 393	298
299	0.4739 908 888	0.4186 106 561	0.3697 200 292	0.2884 166 782	299
300	0.4728 088 667	0.4173 932 591	0.3684 917 234	0.2872 498 040	300

TABLE II   VALEUR ACTUELLE DE 1 $v^n = (1 + i)^{-n}$

n	½ pour cent	7/12 pour cent	⅔ pour cent	¾ pour cent	n
1	0.9950 248 756	0.9942 004 971	0.9933 774 834	0.9925 558 313	1
2	0.9900 745 031	0.9884 346 284	0.9867 988 246	0.9851 670 782	2
3	0.9851 487 593	0.9827 021 989	0.9802 637 331	0.9778 333 282	3
4	0.9802 475 217	0.9770 030 147	0.9737 719 203	0.9705 541 719	4
5	0.9753 706 684	0.9713 368 829	0.9673 230 996	0.9633 292 029	5
6	0.9705 180 780	0.9657 036 118	0.9609 169 864	0.9561 580 178	6
7	0.9656 896 298	0.9601 030 109	0.9545 532 977	0.9490 402 162	7
8	0.9608 852 038	0.9545 348 907	0.9482 317 527	0.9419 754 006	8
9	0.9561 046 804	0.9489 990 628	0.9419 520 722	0.9349 631 768	9
10	0.9513 479 407	0.9434 953 400	0.9357 139 790	0.9280 031 532	10
11	0.9466 148 664	0.9380 235 361	0.9295 171 977	0.9210 949 411	11
12	0.9419 053 397	0.9325 834 658	0.9233 614 547	0.9142 381 550	12
13	0.9372 192 434	0.9271 749 453	0.9172 464 781	0.9074 324 119	13
14	0.9325 564 611	0.9217 977 916	0.9111 719 981	0.9006 773 319	14
15	0.9279 168 768	0.9164 518 226	0.9051 377 465	0.8939 725 378	15
16	0.9233 003 749	0.9111 368 576	0.8991 434 568	0.8873 176 554	16
17	0.9187 068 407	0.9058 527 167	0.8931 888 644	0.8807 123 131	17
18	0.9141 361 599	0.9005 992 213	0.8872 737 063	0.8741 561 420	18
19	0.9095 882 188	0.8953 761 935	0.8813 977 215	0.8676 487 762	19
20	0.9050 629 043	0.8901 834 567	0.8755 606 505	0.8611 898 523	20
21	0.9005 601 037	0.8850 208 351	0.8697 622 356	0.8547 790 097	21
22	0.8960 797 052	0.8798 881 542	0.8640 022 208	0.8484 158 905	22
23	0.8916 215 972	0.8747 852 403	0.8582 803 518	0.8421 001 395	23
24	0.8871 856 689	0.8697 119 208	0.8525 963 759	0.8358 314 040	24
25	0.8827 718 098	0.8646 680 240	0.8469 500 423	0.8296 093 340	25
26	0.8783 799 103	0.8596 533 793	0.8413 411 017	0.8234 335 821	26
27	0.8740 098 610	0.8546 678 170	0.8357 693 063	0.8173 038 036	27
28	0.8696 615 532	0.8497 111 685	0.8302 344 102	0.8112 196 562	28
29	0.8653 348 788	0.8447 832 661	0.8247 361 691	0.8051 808 001	29
30	0.8610 297 302	0.8398 839 431	0.8192 743 402	0.7991 868 984	30
31	0.8567 460 002	0.8350 130 338	0.8138 486 823	0.7932 376 163	31
32	0.8524 835 823	0.8301 703 732	0.8084 589 559	0.7873 326 216	32
33	0.8482 423 704	0.8253 557 978	0.8031 049 231	0.7814 715 847	33
34	0.8440 222 591	0.8205 691 444	0.7977 863 474	0.7756 541 784	34
35	0.8398 231 434	0.8158 102 513	0.7925 029 941	0.7698 800 778	35
36	0.8356 449 188	0.8110 789 574	0.7872 546 299	0.7641 489 606	36
37	0.8314 874 814	0.8063 751 026	0.7820 410 231	0.7584 605 068	37
38	0.8273 507 278	0.8016 985 279	0.7768 619 435	0.7528 143 988	38
39	0.8232 345 550	0.7970 490 749	0.7717 171 624	0.7472 103 214	39
40	0.8191 388 607	0.7924 265 865	0.7666 064 527	0.7416 479 617	40
41	0.8150 635 430	0.7878 309 062	0.7615 295 888	0.7361 270 091	41
42	0.8110 085 005	0.7832 618 786	0.7564 863 465	0.7306 471 555	42
43	0.8069 736 323	0.7787 193 490	0.7514 765 031	0.7252 080 948	43
44	0.8029 588 381	0.7742 031 639	0.7464 998 375	0.7198 095 233	44
45	0.7989 640 180	0.7697 131 704	0.7415 561 300	0.7144 511 398	45
46	0.7949 890 727	0.7652 492 167	0.7366 451 623	0.7091 326 449	46
47	0.7910 339 031	0.7608 111 516	0.7317 667 175	0.7038 537 419	47
48	0.7870 984 111	0.7563 988 251	0.7269 205 803	0.6986 141 359	48
49	0.7831 824 986	0.7520 120 880	0.7221 065 367	0.6934 135 344	49
50	0.7792 860 683	0.7476 507 917	0.7173 243 742	0.6882 516 470	50

TABLE II   VALEUR ACTUELLE DE 1 $v^n = (1 + i)^{-n}$

n	½ pour cent	7/12 pour cent	⅔ pour cent	¾ pour cent	n
51	0.7754 090 231	0.7433 147 887	0.7125 738 817	0.6831 281 856	51
52	0.7715 512 668	0.7390 039 325	0.7078 548 493	0.6780 428 641	52
53	0.7677 127 033	0.7347 180 770	0.7031 670 689	0.6729 953 986	53
54	0.7638 932 371	0.7304 570 774	0.6985 103 333	0.6679 855 073	54
55	0.7600 927 732	0.7262 207 895	0.6938 844 371	0.6630 129 105	55
56	0.7563 112 171	0.7220 090 699	0.6892 891 759	0.6580 773 305	56
57	0.7525 484 748	0.7178 217 762	0.6847 243 469	0.6531 784 918	57
58	0.7488 044 525	0.7136 587 667	0.6801 897 486	0.6483 161 209	58
59	0.7450 790 572	0.7095 199 006	0.6756 851 807	0.6434 899 463	59
60	0.7413 721 962	0.7054 050 379	0.6712 104 444	0.6386 996 986	60
61	0.7376 837 774	0.7013 140 393	0.6667 653 421	0.6339 451 103	61
62	0.7340 137 088	0.6972 467 665	0.6623 496 776	0.6292 259 159	62
63	0.7303 618 993	0.6932 030 819	0.6579 632 559	0.6245 418 520	63
64	0.7267 282 580	0.6891 828 486	0.6536 058 834	0.6198 926 571	64
65	0.7231 126 946	0.6851 859 307	0.6492 773 676	0.6152 780 715	65
66	0.7195 151 190	0.6812 121 929	0.6449 775 175	0.6106 978 378	66
67	0.7159 354 418	0.6772 615 008	0.6407 061 432	0.6061 517 000	67
68	0.7123 735 739	0.6733 337 208	0.6364 630 561	0.6016 394 045	68
69	0.7088 294 267	0.6694 287 199	0.6322 480 690	0.5971 606 992	69
70	0.7053 029 122	0.6655 463 661	0.6280 609 957	0.5927 153 342	70
71	0.7017 939 425	0.6616 865 280	0.6239 016 514	0.5883 030 613	71
72	0.6983 024 303	0.6578 490 751	0.6197 698 523	0.5839 236 340	72
73	0.6948 282 889	0.6540 338 775	0.6156 654 162	0.5795 768 079	73
74	0.6913 714 317	0.6502 408 061	0.6115 881 618	0.5752 623 404	74
75	0.6879 317 729	0.6464 697 327	0.6075 379 091	0.5709 799 905	75
76	0.6845 092 267	0.6427 205 296	0.6035 144 792	0.5667 295 191	76
77	0.6811 037 082	0.6389 930 700	0.5995 176 946	0.5625 106 889	77
78	0.6777 151 325	0.6352 872 278	0.5955 473 788	0.5583 232 644	78
79	0.6743 434 154	0.6316 028 777	0.5916 033 564	0.5541 670 118	79
80	0.6709 884 731	0.6279 398 950	0.5876 854 534	0.5500 416 991	80
81	0.6676 502 220	0.6242 981 557	0.5837 934 967	0.5459 470 959	81
82	0.6643 285 791	0.6206 775 368	0.5799 273 146	0.5418 829 736	82
83	0.6610 234 618	0.6170 779 156	0.5760 867 364	0.5378 491 053	83
84	0.6577 347 878	0.6134 991 704	0.5722 715 924	0.5338 452 658	84
85	0.6544 624 754	0.6099 411 802	0.5684 817 143	0.5298 712 316	85
86	0.6512 064 432	0.6064 038 246	0.5647 169 348	0.5259 267 807	86
87	0.6479 666 102	0.6028 869 838	0.5609 770 875	0.5220 116 930	87
88	0.6447 428 957	0.5993 905 390	0.5572 620 075	0.5181 257 499	88
89	0.6415 352 196	0.5959 143 719	0.5535 715 306	0.5142 687 344	89
90	0.6383 435 021	0.5924 583 647	0.5499 054 940	0.5104 404 311	90
91	0.6351 676 638	0.5890 224 007	0.5462 637 357	0.5066 406 264	91
92	0.6320 076 256	0.5856 063 636	0.5426 460 951	0.5028 691 081	92
93	0.6288 633 091	0.5822 101 378	0.5390 524 123	0.4991 256 656	93
94	0.6257 346 359	0.5788 336 084	0.5354 825 288	0.4954 100 900	94
95	0.6226 215 283	0.5754 766 612	0.5319 362 869	0.4917 221 737	95
96	0.6195 239 087	0.5721 391 827	0.5284 135 300	0.4880 617 108	96
97	0.6164 417 002	0.5688 210 598	0.5249 141 027	0.4844 284 971	97
98	0.6133 748 261	0.5655 221 804	0.5214 378 503	0.4808 223 296	98
99	0.6103 232 101	0.5622 424 329	0.5179 846 196	0.4772 430 071	99
100	0.6072 867 762	0.5589 817 063	0.5145 542 578	0.4736 903 296	100

Table II   Valeur actuelle de 1 $v^n = (1 + i)^{-n}$

n	½ pour cent	7/12 pour cent	⅔ pour cent	¾ pour cent	n
101	0.6042 654 489	0.5557 398 903	0.5111 466 137	0.4701 640 989	101
102	0.6012 591 532	0.5525 168 752	0.5077 615 368	0.4666 641 180	102
103	0.5982 678 141	0.5493 125 519	0.5043 988 776	0.4631 901 915	103
104	0.5952 913 573	0.5461 268 122	0.5010 584 877	0.4597 421 256	104
105	0.5923 297 088	0.5429 595 482	0.4977 402 196	0.4563 197 276	105
106	0.5893 827 948	0.5398 106 527	0.4944 439 268	0.4529 228 066	106
107	0.5864 505 421	0.5366 800 192	0.4911 694 637	0.4495 511 728	107
108	0.5835 328 777	0.5335 675 419	0.4879 166 858	0.4462 046 380	108
109	0.5806 297 290	0.5304 731 154	0.4846 854 494	0.4428 830 154	109
110	0.5777 410 239	0.5273 966 350	0.4814 756 120	0.4395 861 195	110
111	0.5748 666 905	0.5243 379 967	0.4782 870 318	0.4363 137 662	111
112	0.5720 066 572	0.5212 970 970	0.4751 195 680	0.4330 657 730	112
113	0.5691 608 529	0.5182 738 330	0.4719 730 808	0.4298 419 583	113
114	0.5663 292 069	0.5152 681 024	0.4688 474 313	0.4266 421 422	114
115	0.5635 116 486	0.5122 798 035	0.4657 424 814	0.4234 661 461	115
116	0.5607 081 081	0.5093 088 353	0.4626 580 941	0.4203 137 927	116
117	0.5579 185 155	0.5063 550 972	0.4595 941 332	0.4171 849 059	117
118	0.5551 428 015	0.5034 184 894	0.4565 504 635	0.4140 793 110	118
119	0.5523 808 970	0.5004 989 124	0.4535 269 504	0.4109 968 348	119
120	0.5496 327 334	0.4975 962 675	0.4505 234 607	0.4079 373 050	120
121	0.5468 982 422	0.4947 104 565	0.4475 398 616	0.4049 005 509	121
122	0.5441 773 554	0.4918 413 818	0.4445 760 215	0.4018 864 028	122
123	0.5414 700 053	0.4889 889 463	0.4416 318 094	0.3988 946 926	123
124	0.5387 761 247	0.4861 530 535	0.4387 070 955	0.3959 252 358	124
125	0.5360 956 465	0.4833 336 074	0.4358 017 505	0.3929 779 188	125
126	0.5334 285 040	0.4805 305 128	0.4329 156 461	0.3900 525 249	126
127	0.5307 746 308	0.4777 436 747	0.4300 486 551	0.3871 489 081	127
128	0.5281 339 610	0.4749 729 988	0.4272 006 508	0.3842 669 063	128
129	0.5255 064 289	0.4722 183 915	0.4243 715 074	0.3814 063 586	129
130	0.5228 919 690	0.4694 797 596	0.4215 611 001	0.3785 671 053	130
131	0.5202 905 164	0.4667 570 104	0.4187 693 047	0.3757 489 879	131
132	0.5177 020 064	0.4640 500 517	0.4159 959 980	0.3729 518 490	132
133	0.5151 263 745	0.4613 587 921	0.4132 410 577	0.3701 755 325	133
134	0.5125 635 568	0.4586 831 405	0.4105 043 619	0.3674 198 834	134
135	0.5100 134 893	0.4560 230 063	0.4077 857 900	0.3646 847 478	135
136	0.5074 761 088	0.4533 782 995	0.4050 852 218	0.3619 699 730	136
137	0.5049 513 520	0.4507 489 308	0.4024 025 382	0.3592 754 075	137
138	0.5024 391 562	0.4481 348 110	0.3997 376 208	0.3566 009 007	138
139	0.4999 394 589	0.4455 358 519	0.3970 903 518	0.3539 463 034	139
140	0.4974 521 979	0.4429 519 654	0.3944 606 143	0.3513 114 674	140
141	0.4949 773 114	0.4403 830 642	0.3918 482 924	0.3486 962 456	141
142	0.4925 147 377	0.4378 290 614	0.3892 532 706	0.3461 004 919	142
143	0.4900 644 156	0.4352 898 705	0.3866 754 343	0.3435 240 614	143
144	0.4876 262 842	0.4327 654 056	0.3841 146 699	0.3409 668 104	144
145	0.4852 002 828	0.4302 555 814	0.3815 708 641	0.3384 285 959	145
146	0.4827 863 510	0.4277 603 129	0.3790 439 048	0.3359 092 763	146
147	0.4803 844 289	0.4252 795 157	0.3765 336 802	0.3334 087 110	147
148	0.4779 944 566	0.4228 131 059	0.3740 400 797	0.3309 267 603	148
149	0.4756 163 747	0.4203 610 001	0.3715 629 931	0.3284 632 856	149
150	0.4732 501 241	0.4179 231 152	0.3691 023 110	0.3260 181 495	150

Table II		Valeur actuelle de 1		$v^n = (1 + i)^{-n}$	
n	½ pour cent	$\frac{7}{12}$ pour cent	⅔ pour cent	¾ pour cent	n
151	0.4708 956 459	0.4154 993 689	0.3666 579 248	0.3235 912 154	151
152	0.4685 528 815	0.4130 896 791	0.3642 297 267	0.3211 823 478	152
153	0.4662 217 726	0.4106 939 643	0.3618 176 093	0.3187 914 122	153
154	0.4639 022 613	0.4083 121 435	0.3594 214 662	0.3164 182 751	154
155	0.4615 942 898	0.4059 441 360	0.3570 411 915	0.3140 628 041	155
156	0.4592 978 008	0.4035 898 618	0.3546 766 803	0.3117 248 676	156
157	0.4570 127 372	0.4012 492 413	0.3523 278 282	0.3094 043 351	157
158	0.4547 390 419	0.3989 221 951	0.3499 945 313	0.3071 010 770	158
159	0.4524 766 587	0.3966 086 447	0.3476 766 867	0.3048 149 648	159
160	0.4502 255 310	0.3943 085 117	0.3453 741 921	0.3025 458 707	160
161	0.4479 856 030	0.3920 217 184	0.3430 869 458	0.3002 936 682	161
162	0.4457 568 189	0.3897 481 873	0.3408 148 468	0.2980 582 315	162
163	0.4435 391 233	0.3874 878 415	0.3385 577 948	0.2958 394 357	163
164	0.4413 324 610	0.3852 406 047	0.3363 156 902	0.2936 371 570	164
165	0.4391 367 771	0.3830 064 007	0.3340 884 340	0.2914 512 725	165
166	0.4369 520 170	0.3807 851 539	0.3318 759 278	0.2892 816 601	166
167	0.4347 781 264	0.3785 767 893	0.3296 780 740	0.2871 281 986	167
168	0.4326 150 511	0.3763 812 321	0.3274 947 755	0.2849 907 678	168
169	0.4304 627 374	0.3741 984 081	0.3253 259 359	0.2828 692 484	169
170	0.4283 211 318	0.3720 282 433	0.3231 714 595	0.2807 635 220	170
171	0.4261 901 809	0.3698 706 645	0.3210 312 512	0.2786 734 710	171
172	0.4240 698 317	0.3677 255 985	0.3189 052 164	0.2765 989 787	172
173	0.4219 600 315	0.3655 929 728	0.3167 932 613	0.2745 399 292	173
174	0.4198 607 279	0.3634 727 153	0.3146 952 927	0.2724 962 076	174
175	0.4177 718 686	0.3613 647 542	0.3126 112 179	0.2704 676 999	175
176	0.4156 934 016	0.3592 690 183	0.3105 409 450	0.2684 542 927	176
177	0.4136 252 752	0.3571 854 366	0.3084 843 824	0.2664 558 736	177
178	0.4115 674 380	0.3551 139 386	0.3064 414 395	0.2644 723 311	178
179	0.4095 198 388	0.3530 544 543	0.3044 120 260	0.2625 035 545	179
180	0.4074 824 267	0.3510 069 139	0.3023 960 523	0.2605 494 337	180
181	0.4054 551 509	0.3489 712 483	0 3003 934 294	0.2586 098 598	181
182	0.4034 379 611	0.3469 473 886	0.2984 040 690	0.2566 847 244	182
183	0.4014 308 071	0.3449 352 662	0.2964 278 831	0.2547 739 200	183
184	0.3994 336 389	0.3429 348 131	0.2944 647 845	0.2528 773 399	184
185	0.3974 464 068	0.3409 459 617	0.2925 146 866	0.2509 948 783	185
186	0.3954 690 615	0.3389 686 446	0.2905 775 033	0.2491 264 301	186
187	0.3935 015 538	0.3370 027 949	0.2886 531 489	0.2472 718 909	187
188	0.3915 438 346	0.3350 483 462	0.2867 415 387	0.2454 311 572	188
189	0.3895 958 553	0.3331 052 324	0.2848 425 881	0.2436 041 263	189
190	0.3876 575 675	0.3311 733 876	0.2829 562 133	0.2417 906 961	190
191	0.3857 289 229	0.3292 527 466	0.2810 823 311	0.2399 907 653	191
192	0.3838 098 735	0.3273 432 443	0.2792 208 587	0.2382 042 336	192
193	0.3819 003 716	0.3254 448 162	0.2773 717 140	0.2364 310 011	193
194	0.3800 003 698	0.3235 573 981	0.2755 348 152	0.2346 709 688	194
195	0.3781 098 207	0.3216 809 260	0.2737 100 813	0.2329 240 385	195
196	0.3762 286 773	0.3198 153 366	0.2718 974 318	0.2311 901 127	196
197	0.3743 568 928	0.3179 605 666	0.2700 967 865	0.2294 690 945	197
198	0.3724 944 207	0.3161 165 533	0.2683 080 661	0.2277 608 878	198
199	0.3706 412 147	0.3142 832 345	0.2665 311 915	0.2260 653 973	199
200	0.3687 972 285	0.3124 605 480	0.2647 660 843	0.2243 825 284	200

TABLE II VALEUR ACTUELLE DE 1 $v^n = (1 + i)^{-n}$

n	½ pour cent	7/12 pour cent	⅔ pour cent	¾ pour cent	n
201	0.3669 624 164	0.3106 484 321	0.2630 126 665	0.2227 121 870	201
202	0.3651 367 328	0.3088 468 256	0.2612 708 607	0.2210 542 799	202
203	0.3633 201 321	0.3070 556 676	0.2595 405 901	0.2194 087 145	203
204	0.3615 125 693	0.3052 748 973	0.2578 217 783	0.2177 753 990	204
205	0.3597 139 993	0.3035 044 547	0.2561 143 493	0.2161 542 422	205
206	0.3579 243 774	0.3017 442 797	0.2544 182 278	0.2145 451 535	206
207	0.3561 436 591	0.2999 943 129	0.2527 333 388	0.2129 480 432	207
208	0.3543 718 001	0.2982 544 950	0.2510 596 081	0.2113 628 220	208
209	0.3526 087 563	0.2965 247 672	0.2493 969 617	0.2097 894 015	209
210	0.3508 544 839	0.2948 050 709	0.2477 453 262	0.2082 276 938	210
211	0.3491 089 392	0.2930 953 481	0.2461 046 287	0.2066 776 117	211
212	0.3473 720 788	0.2913 955 408	0.2444 747 967	0.2051 390 687	212
213	0.3456 438 595	0.2897 055 915	0.2428 557 583	0.2036 119 789	213
214	0.3439 242 383	0.2880 254 431	0.2412 474 420	0.2020 962 570	214
215	0.3422 131 724	0.2863 550 387	0.2396 497 769	0.2005 918 183	215
216	0.3405 106 193	0.2846 943 218	0.2380 626 922	0.1990 985 790	216
217	0.3388 165 367	0.2830 432 362	0.2364 861 181	0.1976 164 556	217
218	0.3371 308 822	0.2814 017 262	0.2349 199 849	0.1961 453 653	218
219	0.3354 536 142	0.2797 697 361	0.2333 642 234	0.1946 852 261	219
220	0.3337 846 907	0.2781 472 107	0.2318 187 650	0.1932 359 565	220
221	0.3321 240 704	0.2765 340 951	0.2302 835 414	0.1917 974 754	221
222	0.3304 717 118	0.2749 303 348	0.2287 584 848	0.1903 697 026	222
223	0.3288 275 739	0.2733 358 755	0.2272 435 279	0.1889 525 584	223
224	0.3271 916 159	0.2717 506 633	0.2257 386 039	0.1875 459 637	224
225	0.3255 637 969	0.2701 746 446	0.2242 436 463	0.1861 498 399	225
226	0.3239 440 765	0.2686 077 659	0.2227 585 890	0.1847 641 091	226
227	0.3223 324 144	0.2670 499 744	0.2212 833 666	0.1833 886 939	227
228	0.3207 287 706	0.2655 012 173	0.2198 179 138	0.1820 235 175	228
229	0.3191 331 050	0.2639 614 422	0.2183 621 660	0.1806 685 037	229
230	0.3175 453 782	0.2624 305 971	0.2169 160 590	0.1793 235 769	230
231	0.3159 655 504	0.2609 086 301	0.2154 795 288	0.1779 886 619	231
232	0.3143 935 825	0.2593 954 897	0.2140 525 120	0.1766 636 843	232
233	0.3128 294 353	0.2578 911 248	0.2126 349 457	0.1753 485 700	233
234	0.3112 730 700	0.2563 954 845	0.2112 267 673	0.1740 432 457	234
235	0.3097 244 477	0.2549 085 182	0.2098 279 145	0.1727 476 384	235
236	0.3081 835 301	0.2534 301 755	0.2084 383 257	0.1714 616 758	236
237	0.3066 502 787	0.2519 604 064	0.2070 579 394	0.1701 852 862	237
238	0.3051 246 554	0.2504 991 613	0.2056 866 948	0.1689 183 982	238
239	0.3036 066 223	0.2490 463 907	0.2043 245 312	0.1676 609 411	239
240	0.3020 961 416	0.2476 020 454	0.2029 713 887	0.1664 128 448	240
241	0.3005 931 757	0.2461 660 767	0.2016 272 073	0.1651 740 395	241
242	0.2990 976 873	0.2447 384 358	0.2002 919 278	0.1639 444 561	242
243	0.2976 096 391	0.2433 190 745	0.1989 654 911	0.1627 240 259	243
244	0.2961 289 941	0.2419 079 448	0.1976 478 389	0.1615 126 808	244
245	0.2946 557 155	0.2405 049 990	0.1963 389 128	0.1603 103 531	245
246	0.2931 897 667	0.2391 101 896	0.1950 386 551	0.1591 169 758	246
247	0.2917 311 111	0.2377 234 693	0.1937 470 084	0.1579 324 822	247
248	0.2902 797 126	0.2363 447 914	0.1924 639 156	0.1567 568 061	248
249	0.2888 355 349	0.2349 741 091	0.1911 893 201	0.1555 898 820	249
250	0.2873 985 422	0.2336 113 761	0.1899 231 657	0.1544 316 447	250

TABLE II · VALEUR ACTUELLE DE 1 · $v^n = (1 + i)^{-n}$

n	½ pour cent	7/12 pour cent	⅔ pour cent	¾ pour cent	n
251	0.2859 686 987	0.2322 565 462	0.1886 653 964	0.1532 820 295	251
252	0.2845 459 689	0.2309 095 737	0.1874 159 567	0.1521 409 722	252
253	0.2831 303 173	0.2295 704 129	0.1861 747 914	0.1510 084 091	253
254	0.2817 217 087	0.2282 390 187	0.1849 418 458	0.1498 842 770	254
255	0.2803 201 082	0.2269 153 458	0.1837 170 653	0.1487 685 132	255
256	0.2789 254 808	0.2255 993 496	0.1825 003 960	0.1476 610 553	256
257	0.2775 377 918	0.2242 909 855	0.1812 917 841	0.1465 618 415	257
258	0.2761 570 068	0.2229 902 093	0.1800 911 763	0.1454 708 104	258
259	0.2747 830 913	0.2216 969 769	0.1788 985 195	0.1443 879 011	259
260	0.2734 160 113	0.2204 112 447	0.1777 137 611	0.1433 130 532	260
261	0.2720 557 326	0.2191 329 690	0.1765 368 488	0.1422 462 067	261
262	0.2707 022 215	0.2178 621 067	0.1753 677 306	0.1411 873 019	262
263	0.2693 554 443	0.2165 986 148	0.1742 063 549	0.1401 362 798	263
264	0.2680 153 674	0.2153 424 505	0.1730 526 704	0.1390 930 817	264
265	0.2666 819 577	0.2140 935 714	0.1719 066 262	0.1380 576 493	265
266	0.2653 551 817	0.2128 519 351	0.1707 681 717	0.1370 299 249	266
267	0.2640 350 067	0.2116 174 997	0.1696 372 567	0.1360 098 510	267
268	0.2627 213 997	0.2103 902 234	0.1685 138 311	0.1349 973 707	268
269	0.2614 143 281	0.2091 700 646	0.1673 978 455	0.1339 924 275	269
270	0.2601 137 593	0.2079 569 822	0.1662 892 505	0.1329 949 653	270
271	0.2588 196 610	0.2067 509 351	0.1651 879 972	0.1320 049 283	271
272	0.2575 320 010	0.2055 518 825	0.1640 940 369	0.1310 222 614	272
273	0.2562 507 472	0.2043 597 837	0.1630 073 215	0.1300 469 095	273
274	0.2549 758 679	0.2031 745 986	0.1619 278 028	0.1290 788 184	274
275	0.2537 073 312	0.2019 962 869	0.1608 554 332	0.1281 179 339	275
276	0.2524 451 057	0.2008 248 089	0.1597 901 655	0.1271 642 024	276
277	0.2511 891 599	0.1996 601 248	0.1587 319 524	0.1262 175 706	277
278	0.2499 394 626	0.1985 021 953	0.1576 807 475	0.1252 779 857	278
279	0.2486 959 827	0.1973 509 813	0.1566 365 041	0.1243 453 952	279
280	0.2474 586 892	0.1962 064 437	0.1555 991 763	0.1234 197 471	280
281	0.2462 275 515	0.1950 685 438	0.1545 687 181	0.1225 009 897	281
282	0.2450 025 388	0.1939 372 433	0.1535 450 842	0.1215 890 717	282
283	0.2437 836 207	0.1928 125 036	0.1525 282 294	0.1206 839 421	283
284	0.2425 707 668	0.1916 942 870	0.1515 181 087	0.1197 855 505	284
285	0.2413 639 471	0.1905 825 554	0.1505 146 775	0.1188 938 466	285
286	0.2401 631 315	0.1894 772 713	0.1495 178 915	0.1180 087 808	286
287	0.2389 682 900	0.1883 783 973	0.1485 277 068	0.1171 303 035	287
288	0.2377 793 930	0.1872 858 963	0.1475 440 796	0.1162 583 658	288
289	0.2365 964 110	0.1861 997 312	0.1465 669 665	0.1153 929 189	289
290	0.2354 193 144	0.1851 198 653	0.1455 963 243	0.1145 339 145	290
291	0.2342 480 740	0.1840 462 621	0.1446 321 103	0.1136 813 047	291
292	0.2330 826 607	0.1829 788 853	0.1436 742 817	0.1128 350 419	292
293	0.2319 230 455	0.1819 176 987	0.1427 227 964	0.1119 950 788	293
294	0.2307 691 995	0.1808 626 665	0.1417 776 123	0.1111 613 686	294
295	0.2296 210 940	0.1798 137 529	0.1408 386 878	0.1103 338 646	295
296	0.2284 787 005	0.1787 709 225	0.1399 059 812	0.1095 125 207	296
297	0.2273 419 906	0.1777 341 400	0.1389 794 515	0.1086 972 910	297
298	0.2262 109 359	0.1767 033 704	0.1380 590 578	0.1078 881 300	298
299	0.2250 855 084	0.1756 785 787	0.1371 447 594	0.1070 849 926	299
300	0.2239 656 800	0.1746 597 302	0.1362 365 160	0.1062 878 338	300

TABLE II   VALEUR ACTUELLE DE 1 $v^n = (1 + i)^{-n}$

n	⅞ pour cent	1 pour cent	1⅛ pour cent	1¼ pour cent	n
1	0.9913 258 984	0.9900 990 099	0.9888 751 545	0.9876 543 210	1
2	0.9827 270 368	0.9802 960 494	0.9778 740 712	0.9754 610 578	2
3	0.9742 027 626	0.9705 901 479	0.9669 953 733	0.9634 183 287	3
4	0.9657 524 289	0.9609 803 445	0.9562 376 991	0.9515 242 752	4
5	0.9573 753 942	0.9514 656 876	0.9455 997 025	0.9397 770 619	5
6	0.9490 710 227	0.9420 452 353	0.9350 800 519	0.9281 748 760	6
7	0.9408 386 843	0.9327 180 547	0.9246 774 308	0.9167 159 269	7
8	0.9326 777 539	0.9234 832 225	0.9143 905 373	0.9053 984 463	8
9	0.9245 876 123	0.9143 398 242	0.9042 180 838	0.8942 206 877	9
10	0.9165 676 454	0.9052 869 547	0.8941 587 974	0.8831 809 262	10
11	0.9086 172 445	0.8963 237 175	0.8842 114 189	0.8722 774 579	11
12	0.9007 358 062	0.8874 492 253	0.8743 747 035	0.8615 086 004	12
13	0.8929 227 323	0.8786 625 993	0.8646 474 200	0.8508 726 918	13
14	0.8851 774 298	0.8699 629 696	0.8550 283 511	0.8403 680 906	14
15	0.8774 993 108	0.8613 494 748	0.8455 162 928	0.8299 931 759	15
16	0.8698 877 926	0.8528 212 622	0.8361 100 546	0.8197 463 466	16
17	0.8623 422 975	0.8443 774 873	0.8268 084 595	0.8096 260 213	17
18	0.8548 622 528	0.8360 173 142	0.8176 103 431	0.7996 306 384	18
19	0.8474 470 908	0.8277 399 150	0.8085 145 544	0.7897 586 552	19
20	0.8400 962 486	0.8195 444 703	0.7995 199 549	0.7800 085 483	20
21	0.8328 091 684	0.8114 301 687	0.7906 254 189	0.7703 788 132	21
22	0.8255 852 970	0.8033 962 066	0.7818 298 333	0.7608 679 636	22
23	0.8184 240 863	0.7954 417 887	0.7731 320 972	0.7514 745 320	23
24	0.8113 249 926	0.7875 661 274	0.7645 311 221	0.7421 970 686	24
25	0.8042 874 772	0.7797 684 430	0.7560 258 315	0.7330 341 418	25
26	0.7973 110 059	0.7720 479 634	0.7476 151 609	0.7239 843 376	26
27	0.7903 950 492	0.7644 039 241	0.7392 980 578	0.7150 462 594	27
28	0.7835 390 822	0.7568 355 684	0.7310 734 811	0.7062 185 278	28
29	0.7767 425 846	0.7493 421 470	0.7229 404 016	0.6974 997 805	29
30	0.7700 050 405	0.7419 229 178	0.7148 978 013	0.6888 886 721	30
31	0.7633 259 385	0.7345 771 463	0.7069 446 737	0.6803 838 737	31
32	0.7567 047 718	0.7273 041 053	0.6990 800 235	0.6719 840 728	32
33	0.7501 410 377	0.7201 030 745	0.6913 028 662	0.6636 879 731	33
34	0.7436 342 381	0.7129 733 411	0.6836 122 287	0.6554 942 944	34
35	0.7371 838 792	0.7059 141 991	0.6760 071 482	0.6474 017 723	35
36	0.7307 894 713	0.6989 249 496	0.6684 866 732	0.6394 091 578	36
37	0.7244 505 292	0.6920 049 006	0.6610 498 622	0.6315 152 176	37
38	0.7181 665 717	0.6851 533 670	0.6536 957 846	0.6237 187 334	38
39	0.7119 371 218	0.6783 696 702	0.6464 235 200	0.6160 185 021	39
40	0.7057 617 069	0.6716 531 389	0.6392 321 583	0.6084 133 355	40
41	0.6996 398 582	0.6650 031 078	0.6321 207 993	0.6009 020 597	41
42	0.6935 711 109	0.6584 189 186	0.6250 885 530	0.5934 835 158	42
43	0.6875 550 046	0.6518 999 194	0.6181 345 395	0.5861 565 588	43
44	0.6815 910 827	0.6454 454 648	0.6112 578 882	0.5789 200 581	44
45	0.6756 788 924	0.6390 549 156	0.6044 577 387	0.5717 728 968	45
46	0.6698 179 850	0.6327 276 392	0.5977 332 397	0.5647 139 722	46
47	0.6640 079 157	0.6264 630 091	0.5910 835 498	0.5577 421 948	47
48	0.6582 482 436	0.6202 604 051	0.5845 078 366	0.5508 564 886	48
49	0.6525 385 314	0.6141 192 129	0.5780 052 773	0.5440 557 913	49
50	0.6468 783 459	0.6080 388 247	0.5715 750 579	0.5373 390 531	50

TABLE II   VALEUR ACTUELLE DE 1 $v^n = (1 + i)^{-n}$

n	⅞ pour cent	1 pour cent	1⅛ pour cent	1¼ pour cent	n
51	0.6412 672 574	0.6020 186 383	0.5652 163 737	0.5307 052 376	51
52	0.6357 048 401	0.5960 580 577	0.5589 284 288	0.5241 533 211	52
53	0.6301 906 717	0.5901 564 928	0.5527 104 364	0.5176 822 925	53
54	0.6247 243 338	0.5843 133 592	0.5465 616 182	0.5112 911 530	54
55	0.6193 054 114	0.5785 280 784	0.5404 812 047	0.5049 789 166	55
56	0.6139 334 934	0.5728 000 776	0.5344 684 348	0.4987 446 090	56
57	0.6086 081 719	0.5671 287 898	0.5285 225 560	0.4925 872 681	57
58	0.6033 290 427	0.5615 136 532	0.5226 428 242	0.4865 059 438	58
59	0.5980 957 053	0.5559 541 121	0.5168 285 036	0.4804 996 976	59
60	0.5929 077 624	0.5504 496 159	0.5110 788 663	0.4745 676 026	60
61	0.5877 648 202	0.5449 996 197	0.5053 931 929	0.4687 087 433	61
62	0.5826 664 884	0.5396 035 839	0.4997 707 717	0.4629 222 156	62
63	0.5776 123 801	0.5342 609 742	0.4942 108 991	0.4572 071 265	63
64	0.5726 021 116	0.5289 712 615	0.4887 128 792	0.4515 625 941	64
65	0.5676 353 027	0.5237 339 223	0.4832 760 240	0.4459 877 472	65
66	0.5627 115 764	0.5185 484 379	0.4778 996 529	0.4404 817 257	66
67	0.5578 305 590	0.5134 142 950	0.4725 830 931	0.4350 436 797	67
68	0.5529 918 801	0.5083 309 851	0.4673 256 792	0.4296 727 700	68
69	0.5481 951 723	0.5032 980 051	0.4621 267 532	0.4243 681 679	69
70	0.5434 400 717	0.4983 148 565	0.4569 856 645	0.4191 290 548	70
71	0.5387 262 173	0.4933 810 461	0.4519 017 696	0.4139 546 220	71
72	0.5340 532 514	0.4884 960 852	0.4468 744 322	0.4088 440 711	72
73	0.5294 208 192	0.4836 594 903	0.4419 030 232	0.4037 966 134	73
74	0.5248 285 692	0.4788 707 825	0.4369 869 203	0.3988 114 701	74
75	0.5202 761 529	0.4741 294 876	0.4321 255 084	0.3938 878 717	75
76	0.5157 632 247	0.4694 351 362	0.4273 181 789	0.3890 250 584	76
77	0.5112 894 420	0.4647 872 636	0.4225 643 301	0.3842 222 799	77
78	0.5068 544 655	0.4601 854 095	0.4178 633 673	0.3794 787 950	78
79	0.5024 579 583	0.4556 291 183	0.4132 147 019	0.3747 938 716	79
80	0.4980 995 869	0.4511 179 389	0.4086 177 522	0.3701 667 868	80
81	0.4937 790 205	0.4466 514 247	0.4040 719 428	0.3655 968 264	81
82	0.4894 959 311	0.4422 291 334	0.3995 767 049	0.3610 832 854	82
83	0.4852 499 937	0.4378 506 271	0.3951 314 758	0.3566 254 670	83
84	0.4810 408 859	0.4335 154 724	0.3907 356 992	0.3522 226 835	84
85	0.4768 682 884	0.4292 232 400	0.3863 888 249	0.3478 742 553	85
86	0.4727 318 844	0.4249 735 049	0.3820 903 089	0.3435 795 114	86
87	0.4686 313 600	0.4207 658 465	0.3778 396 132	0.3393 377 890	87
88	0.4645 664 040	0.4165 998 480	0.3736 362 059	0.3351 484 336	88
89	0.4605 367 078	0.4124 750 970	0.3694 795 609	0.3310 107 986	89
90	0.4565 419 656	0.4083 911 852	0.3653 691 578	0.3269 242 456	90
91	0.4525 818 742	0.4043 477 081	0.3613 044 824	0.3228 881 438	91
92	0.4486 561 330	0.4003 442 654	0.3572 850 259	0.3189 018 704	92
93	0.4447 644 441	0.3963 804 608	0.3533 102 852	0.3149 648 103	93
94	0.4409 065 122	0.3924 559 018	0.3493 797 628	0.3110 763 558	94
95	0.4370 820 443	0.3885 701 998	0.3454 929 670	0.3072 359 070	95
96	0.4332 907 502	0.3847 229 701	0.3416 494 111	0.3034 428 711	96
97	0.4295 323 422	0.3809 138 318	0.3378 486 142	0.2996 966 628	97
98	0.4258 065 350	0.3771 424 077	0.3340 901 005	0.2959 967 040	98
99	0.4221 130 459	0.3734 083 245	0.3303 733 998	0.2923 424 237	99
100	0.4184 515 944	0.3697 112 123	0.3266 980 468	0.2887 332 580	100

TABLE II VALEUR ACTUELLE DE 1 $v^n = (1 + i)^{-n}$

n	⅞ pour cent	1 pour cent	1⅛ pour cent	1¼ pour cent	n
101	0.4148 219 028	0.3660 507 053	0.3230 635 815	0.2851 686 499	101
102	0.4112 236 954	0.3624 264 409	0.3194 695 491	0.2816 480 492	102
103	0.4076 566 993	0.3588 380 603	0.3159 154 997	0.2781 709 128	103
104	0.4041 206 437	0.3552 852 082	0.3124 009 886	0.2747 367 040	104
105	0.4006 152 602	0.3517 675 329	0.3089 255 758	0.2713 448 929	105
106	0.3971 402 827	0.3482 846 860	0.3054 888 265	0.2679 949 559	106
107	0.3936 954 475	0.3448 363 228	0.3020 903 105	0.2646 863 762	107
108	0.3902 804 932	0.3414 221 017	0.2987 296 025	0.2614 186 432	108
109	0.3868 951 606	0.3380 416 849	0.2954 062 818	0.2581 912 525	109
110	0.3835 391 926	0.3346 947 375	0.2921 199 326	0.2550 037 062	110
111	0.3802 123 347	0.3313 809 282	0.2888 701 435	0.2518 555 123	111
112	0.3769 143 343	0.3280 999 290	0.2856 565 078	0.2487 461 850	112
113	0.3736 449 410	0.3248 514 148	0.2824 786 233	0.2456 752 444	113
114	0.3704 039 068	0.3216 350 642	0.2793 360 922	0.2426 422 167	114
115	0.3671 909 857	0.3184 505 586	0.2762 285 214	0.2396 466 338	115
116	0.3640 059 338	0.3152 975 828	0.2731 555 217	0.2366 880 334	116
117	0.3608 485 093	0.3121 758 245	0.2701 167 088	0.2337 659 589	117
118	0.3577 184 727	0.3090 849 748	0.2671 117 021	0.2308 799 594	118
119	0.3546 155 863	0.3060 247 275	0.2641 401 257	0.2280 295 895	119
120	0.3515 396 147	0.3029 947 797	0.2612 016 076	0.2252 144 094	120
121	0.3484 903 244	0.2999 948 314	0.2582 957 801	0.2224 339 846	121
122	0.3454 674 839	0.2970 245 855	0.2554 222 794	0.2196 878 860	122
123	0.3424 708 638	0.2940 837 480	0.2525 807 461	0.2169 756 899	123
124	0.3395 002 367	0.2911 720 278	0.2497 708 243	0.2142 969 777	124
125	0.3365 553 772	0.2882 891 364	0.2469 921 625	0.2116 513 360	125
126	0.3336 360 617	0.2854 347 885	0.2442 444 128	0.2090 383 565	126
127	0.3307 420 686	0.2826 087 015	0.2415 272 315	0.2064 576 361	127
128	0.3278 731 782	0.2798 105 955	0.2388 402 783	0.2039 087 764	128
129	0.3250 291 730	0.2770 401 936	0.2361 832 171	0.2013 913 841	129
130	0.3222 098 369	0.2742 972 214	0.2335 557 153	0.1989 050 707	130
131	0.3194 149 560	0.2715 814 073	0.2309 574 441	0.1964 494 525	131
132	0.3166 443 183	0.2688 924 825	0.2283 880 782	0.1940 241 506	132
133	0.3138 977 133	0.2662 310 807	0.2258 472 961	0.1916 287 908	133
134	0.3111 749 326	0.2635 942 383	0.2233 347 799	0.1892 630 032	134
135	0.3084 757 696	0.2609 843 944	0.2208 502 149	0.1869 264 229	135
136	0.3058 000 195	0.2584 003 905	0.2183 932 904	0.1846 186 893	136
137	0.3031 474 790	0.2558 419 707	0.2159 636 988	0.1823 394 462	137
138	0.3005 179 470	0.2533 088 819	0.2135 611 360	0.1800 883 420	138
139	0.2979 112 238	0.2508 008 732	0.2111 853 014	0.1778 650 291	139
140	0.2953 271 115	0.2483 176 962	0.2088 358 975	0.1756 691 645	140
141	0.2927 654 142	0.2458 591 052	0.2065 126 304	0.1735 004 094	141
142	0.2902 259 372	0.2434 248 566	0.2042 152 093	0.1713 584 291	142
143	0.2877 084 879	0.2410 147 095	0.2019 433 467	0.1692 428 929	143
144	0.2852 128 753	0.2386 284 253	0.1996 967 582	0.1671 534 745	144
145	0.2827 389 098	0.2362 657 676	0.1974 751 626	0.1650 898 513	145
146	0.2802 864 038	0.2339 265 026	0.1952 782 819	0.1630 517 050	146
147	0.2778 551 710	0.2316 103 986	0.1931 058 412	0.1610 387 210	147
148	0.2754 450 271	0.2293 172 263	0.1909 575 686	0.1590 505 886	148
149	0.2730 557 889	0.2270 467 587	0.1888 331 951	0.1570 870 011	149
150	0.2706 872 752	0.2247 987 710	0.1867 324 550	0.1551 476 554	150

TABLE II VALEUR ACTUELLE DE 1 $v^n = (1 + i)^{-n}$

n	⅞ pour cent	1 pour cent	1⅛ pour cent	1¼ pour cent	n
151	0.2683 393 063	0.2225 730 406	0.1846 550 853	0.1532 322 523	151
152	0.2660 117 039	0.2203 693 471	0.1826 008 260	0.1513 404 961	152
153	0.2637 042 914	0.2181 874 724	0.1805 694 200	0.1494 720 949	153
154	0.2614 168 935	0.2160 272 004	0.1785 606 131	0.1476 267 604	154
155	0.2591 493 368	0.2138 883 172	0.1765 741 539	0.1458 042 078	155
156	0.2569 014 492	0.2117 706 111	0.1746 097 937	0.1440 041 558	156
157	0.2546 730 599	0.2096 738 724	0.1726 672 867	0.1422 263 268	157
158	0.2524 639 999	0.2075 978 935	0.1707 463 898	0.1404 704 462	158
159	0.2502 741 015	0.2055 424 688	0.1688 468 626	0.1387 362 431	159
160	0.2481 031 985	0.2035 073 948	0.1669 684 674	0.1370 234 500	160
161	0.2459 511 262	0.2014 924 701	0.1651 109 690	0.1353 318 025	161
162	0.2438 177 211	0.1994 974 952	0.1632 741 350	0.1336 610 395	162
163	0.2417 028 214	0.1975 222 725	0.1614 577 354	0.1320 109 032	163
164	0.2396 062 666	0.1955 666 064	0.1596 615 431	0.1303 811 390	164
165	0.2375 278 975	0.1936 303 034	0.1578 853 331	0.1287 714 953	165
166	0.2354 675 564	0.1917 131 716	0.1561 288 831	0.1271 817 237	166
167	0.2334 250 869	0.1898 150 214	0.1543 919 734	0.1256 115 790	167
168	0.2314 003 339	0.1879 356 648	0.1526 743 866	0.1240 608 188	168
169	0.2293 931 439	0.1860 749 156	0.1509 759 076	0.1225 292 037	169
170	0.2274 033 645	0.1842 325 897	0.1492 963 240	0.1210 164 975	170
171	0.2254 308 446	0.1824 085 047	0.1476 354 255	0.1195 224 667	171
172	0.2234 754 345	0.1806 024 799	0.1459 930 042	0.1180 468 807	172
173	0.2215 369 859	0.1788 143 365	0.1443 688 545	0.1165 895 118	173
174	0.2196 153 516	0.1770 438 975	0.1427 627 733	0.1151 501 351	174
175	0.2177 103 857	0.1752 909 877	0.1411 745 595	0.1137 285 285	175
176	0.2158 219 437	0.1735 554 333	0.1396 040 144	0.1123 244 726	176
177	0.2139 498 822	0.1718 370 627	0.1380 509 413	0.1109 377 507	177
178	0.2120 940 592	0.1701 357 056	0.1365 151 459	0.1095 681 488	178
179	0.2102 543 338	0.1684 511 937	0.1349 964 360	0.1082 154 556	179
180	0.2084 305 663	0.1667 833 601	0.1334 946 215	0.1068 794 623	180
181	0.2066 226 184	0.1651 320 397	0.1320 095 145	0.1055 599 628	181
182	0.2048 303 528	0.1634 970 690	0.1305 409 290	0.1042 567 534	182
183	0.2030 536 335	0.1618 782 862	0.1290 886 814	0.1029 696 330	183
184	0.2012 923 257	0.1602 755 309	0.1276 525 897	0.1016 984 029	184
185	0.1995 462 956	0.1586 886 444	0.1262 324 744	0.1004 428 671	185
186	0.1978 154 108	0.1571 174 697	0.1248 281 576	0.0992 028 317	186
187	0.1960 995 398	0.1555 618 512	0.1234 394 636	0.0979 781 053	187
188	0.1943 985 525	0.1540 216 349	0.1220 662 187	0.0967 684 991	188
189	0.1927 123 197	0.1524 966 682	0.1207 082 509	0.0955 738 263	189
190	0.1910 407 134	0.1509 868 002	0.1193 653 902	0.0943 939 025	190
191	0.1893 836 069	0.1494 918 814	0.1180 374 687	0.0932 285 457	191
192	0.1877 408 742	0.1480 117 637	0.1167 243 201	0.0920 775 760	192
193	0.1861 123 908	0.1465 463 007	0.1154 257 801	0.0909 408 158	193
194	0.1844 980 330	0.1450 953 472	0.1141 416 861	0.0898 180 896	194
195	0.1828 976 783	0.1436 587 596	0.1128 718 775	0.0887 092 244	195
196	0.1813 112 053	0.1422 363 957	0.1116 161 953	0.0876 140 488	196
197	0.1797 384 935	0.1408 281 145	0.1103 744 824	0.0865 323 939	197
198	0.1781 794 235	0.1394 337 768	0.1091 465 833	0.0854 640 927	198
199	0.1766 338 771	0.1380 532 443	0.1079 323 444	0.0844 089 804	199
200	0.1751 017 369	0.1366 863 805	0.1067 316 138	0.0833 668 943	200

TABLE II   VALEUR ACTUELLE DE 1 $v^n = (1+i)^{-n}$

n	1⅜ pour cent	1½ pour cent	1⅝ pour cent	1¾ pour cent	n
1	0.9864 364 982	0.9852 216 749	0.9840 098 401	0.9828 009 828	1
2	0.9730 569 649	0.9706 617 486	0.9682 753 654	0.9658 977 718	2
3	0.9598 589 049	0.9563 169 937	0.9527 924 875	0.9492 852 794	3
4	0.9468 398 569	0.9421 842 303	0.9375 571 833	0.9329 585 056	4
5	0.9339 973 928	0.9282 603 254	0.9225 654 940	0.9169 125 362	5
6	0.9213 291 174	0.9145 421 925	0.9078 135 242	0.9011 425 417	6
7	0.9088 326 682	0.9010 267 907	0.8932 974 408	0.8856 437 756	7
8	0.8965 057 146	0.8877 111 238	0.8790 134 719	0.8704 115 731	8
9	0.8843 459 577	0.8745 922 402	0.8649 579 059	0.8554 413 495	9
10	0.8723 511 297	0.8616 672 317	0.8511 270 907	0.8407 285 990	10
11	0.8605 189 935	0.8489 332 332	0.8375 174 324	0.8262 688 934	11
12	0.8488 473 426	0.8363 874 219	0.8241 253 947	0.8120 578 805	12
13	0.8373 340 001	0.8240 270 166	0.8109 474 979	0.7980 912 830	13
14	0.8259 768 188	0.8118 492 775	0.7979 803 177	0.7843 648 973	14
15	0.8147 736 807	0.7998 515 049	0.7852 204 849	0.7708 745 919	15
16	0.8037 224 964	0.7880 310 393	0.7726 646 838	0.7576 163 066	16
17	0.7928 212 048	0.7763 852 604	0.7603 096 519	0.7445 860 507	17
18	0.7820 677 729	0.7649 115 866	0.7481 521 790	0.7317 799 024	18
19	0.7714 601 952	0.7536 074 745	0.7361 891 060	0.7191 940 073	19
20	0.7609 964 935	0.7424 704 182	0.7244 173 245	0.7068 245 772	20
21	0.7506 747 161	0.7314 979 490	0.7128 337 757	0.6946 678 891	21
22	0.7404 929 382	0.7206 876 345	0.7014 354 496	0.6827 202 841	22
23	0.7304 492 609	0.7100 370 783	0.6902 193 846	0.6709 781 662	23
24	0.7205 418 110	0.6995 439 195	0.6791 826 663	0.6594 380 012	24
25	0.7107 687 408	0.6892 058 320	0.6683 224 268	0.6480 963 157	25
26	0.7011 282 276	0.6790 205 242	0.6576 358 444	0.6369 496 960	26
27	0.6916 184 736	0.6689 857 381	0.6471 201 421	0.6259 947 872	27
28	0.6822 377 052	0.6590 992 494	0.6367 725 875	0.6152 282 921	28
29	0.6729 841 728	0.6493 588 664	0.6265 904 920	0.6046 469 701	29
30	0.6638 561 507	0.6397 624 299	0.6165 712 099	0.5942 476 365	30
31	0.6548 519 366	0.6303 078 127	0.6067 121 376	0.5840 271 612	31
32	0.6459 698 512	0.6209 929 189	0.5970 107 135	0.5739 824 680	32
33	0.6372 082 379	0.6118 156 837	0.5874 644 167	0.5641 105 336	33
34	0.6285 654 628	0.6027 740 726	0.5780 707 668	0.5544 083 869	34
35	0.6200 399 140	0.5938 660 814	0.5688 273 228	0.5448 731 075	35
36	0.6116 300 014	0.5850 897 353	0.5597 316 829	0.5355 018 255	36
37	0.6033 341 568	0.5764 430 890	0.5507 814 838	0.5262 917 204	37
38	0.5951 508 328	0.5679 242 256	0.5419 743 998	0.5172 400 201	38
39	0.5870 785 034	0.5595 312 568	0.5333 081 425	0.5083 440 001	39
40	0.5791 156 630	0.5512 623 219	0.5247 804 600	0.4996 009 829	40
41	0.5712 608 267	0.5431 155 881	0.5163 891 366	0.4910 083 370	41
42	0.5635 125 294	0.5350 892 494	0.5081 319 917	0.4825 634 762	42
43	0.5558 693 262	0.5271 815 265	0.5000 068 799	0.4742 638 586	43
44	0.5483 297 915	0.5193 906 665	0.4920 116 899	0.4661 069 864	44
45	0.5408 925 194	0.5117 149 423	0.4841 443 444	0.4580 904 043	45
46	0.5335 561 227	0.5041 526 526	0.4764 027 989	0.4502 116 996	46
47	0.5263 192 332	0.4967 021 207	0.4687 850 419	0.4424 685 008	47
48	0.5191 805 013	0.4893 616 953	0.4612 890 942	0.4348 584 774	48
49	0.5121 385 957	0.4821 297 491	0.4539 130 078	0.4273 793 390	49
50	0.5051 922 029	0.4750 046 789	0.4466 548 662	0.4200 288 344	50

Table II · VALEUR ACTUELLE DE 1 · $v^n = (1 + i)^{-n}$

n	1⅜ pour cent	1½ pour cent	1⅝ pour cent	1¾ pour cent	n
51	0.4983 400 275	0.4679 849 053	0.4395 127 835	0.4128 047 513	51
52	0.4915 807 916	0.4610 688 722	0.4324 849 038	0.4057 049 152	52
53	0.4849 132 346	0.4542 550 465	0.4255 694 010	0.3987 271 894	53
54	0.4783 361 131	0.4475 419 178	0.4187 644 783	0.3918 694 736	54
55	0.4718 482 003	0.4409 279 978	0.4120 683 673	0.3851 297 038	55
56	0.4654 482 864	0.4344 118 205	0.4054 793 282	0.3785 058 514	56
57	0.4591 351 777	0.4279 919 414	0.3989 956 489	0.3719 959 228	57
58	0.4529 076 969	0.4216 669 373	0.3926 156 447	0.3655 979 585	58
59	0.4467 646 825	0.4154 354 062	0.3863 376 577	0.3593 100 329	59
60	0.4407 049 889	0.4092 959 667	0.3801 600 568	0.3531 302 535	60
61	0.4347 274 859	0.4032 472 579	0.3740 812 367	0.3470 567 602	61
62	0.4288 310 589	0.3972 879 388	0.3680 996 179	0.3410 877 250	62
63	0.4230 146 080	0.3914 166 884	0.3622 136 462	0.3352 213 513	63
64	0.4172 770 486	0.3856 322 054	0.3564 217 921	0.3294 558 736	64
65	0.4116 173 106	0.3799 332 073	0.3507 225 506	0.3237 895 563	65
66	0.4060 343 384	0.3743 184 308	0.3451 144 409	0.3182 206 942	66
67	0.4005 270 909	0.3687 866 313	0.3395 960 058	0.3127 476 110	67
68	0.3950 945 410	0.3633 365 826	0.3341 658 114	0.3073 686 594	68
69	0.3897 356 755	0.3579 670 764	0.3288 224 467	0.3020 822 206	69
70	0.3844 494 949	0.3526 769 226	0.3235 645 232	0.2968 867 033	70
71	0.3792 350 135	0.3474 649 484	0.3183 906 747	0.2917 805 438	71
72	0.3740 912 587	0.3423 299 984	0.3132 995 569	0.2867 622 052	72
73	0.3690 172 712	0.3372 709 344	0.3082 898 469	0.2818 301 771	73
74	0.3640 121 047	0.3322 866 349	0.3033 602 429	0.2769 829 750	74
75	0.3590 748 259	0.3273 759 949	0.2985 094 641	0.2722 191 401	75
76	0.3542 045 138	0.3225 379 260	0.2937 362 501	0.2675 372 384	76
77	0.3494 002 602	0.3177 713 557	0.2890 393 605	0.2629 358 608	77
78	0.3446 611 692	0.3130 752 273	0.2844 175 749	0.2584 136 224	78
79	0.3399 863 568	0.3084 484 998	0.2798 696 924	0.2539 691 621	79
80	0.3353 749 512	0.3038 901 476	0.2753 945 312	0.2496 011 421	80
81	0.3308 260 924	0.2993 991 602	0.2709 909 287	0.2453 082 478	81
82	0.3263 389 321	0.2949 745 421	0.2666 577 404	0.2410 891 870	82
83	0.3219 126 334	0.2906 153 124	0.2623 938 405	0.2369 426 900	83
84	0.3175 463 708	0.2863 205 048	0.2581 981 210	0.2328 675 085	84
85	0.3132 393 300	0.2820 891 673	0.2540 694 918	0.2288 624 162	85
86	0.3089 907 078	0.2779 203 619	0.2500 068 800	0.2249 262 076	86
87	0.3047 997 117	0.2738 131 644	0.2460 092 300	0.2210 576 979	87
88	0.3006 655 603	0.2697 666 644	0.2420 755 030	0.2172 557 227	88
89	0.2965 874 824	0.2657 799 650	0.2382 046 770	0.2135 191 378	89
90	0.2925 647 175	0.2618 521 822	0.2343 957 462	0.2098 468 185	90
91	0.2885 965 154	0.2579 824 455	0.2306 477 207	0.2062 376 595	91
92	0.2846 821 361	0.2541 698 971	0.2269 596 268	0.2026 905 744	92
93	0.2808 208 494	0.2504 136 917	0.2233 305 060	0.1992 044 957	93
94	0.2770 119 353	0.2467 129 968	0.2197 594 155	0.1957 783 742	94
95	0.2732 546 834	0.2430 669 919	0.2162 454 274	0.1924 111 786	95
96	0.2695 483 930	0.2394 748 688	0.2127 876 284	0.1891 018 954	96
97	0.2658 923 729	0.2359 358 314	0.2093 851 202	0.1858 495 286	97
98	0.2622 859 412	0.2324 490 949	0.2060 370 186	0.1826 530 994	98
99	0.2587 284 253	0.2290 138 866	0.2027 424 538	0.1795 116 456	99
100	0.2552 191 618	0.2256 294 450	0.1995 005 695	0.1764 242 217	100

TABLE II   VALEUR ACTUELLE DE 1 $v^n = (1 + i)^{-n}$

n	2 pour cent	2¼ pour cent	2½ pour cent	2¾ pour cent	n
1	0.9803 921 569	0.9779 951 100	0.9756 097 561	0.9732 360 097	1
2	0.9611 687 812	0.9564 744 352	0.9518 143 962	0.9471 883 306	2
3	0.9423 223 345	0.9354 273 205	0.9285 994 109	0.9218 377 914	3
4	0.9238 454 260	0.9148 433 453	0.9059 506 448	0.8971 657 337	4
5	0.9057 308 098	0.8947 123 181	0.8838 542 876	0.8731 539 987	5
6	0.8879 713 822	0.8750 242 720	0.8622 968 660	0.8497 849 136	6
7	0.8705 601 786	0.8557 694 591	0.8412 652 351	0.8270 412 785	7
8	0.8534 902 712	0.8369 383 464	0.8207 465 708	0.8049 063 537	8
9	0.8367 552 659	0.8185 216 101	0.8007 283 618	0.7833 638 479	9
10	0.8203 482 999	0.8005 101 322	0.7811 984 017	0.7623 979 055	10
11	0.8042 630 391	0.7828 949 948	0.7621 447 822	0.7419 930 954	11
12	0.7884 931 756	0.7656 674 765	0.7435 558 850	0.7221 343 994	12
13	0.7730 325 251	0.7488 190 480	0.7254 203 757	0.7028 072 014	13
14	0.7578 750 246	0.7323 413 672	0.7077 271 958	0.6839 972 763	14
15	0.7430 147 300	0.7162 262 760	0.6904 655 568	0.6656 907 798	15
16	0.7284 458 137	0.7004 657 956	0.6736 249 335	0.6478 742 383	16
17	0.7141 625 625	0.6850 521 228	0.6571 950 571	0.6305 345 385	17
18	0.7001 593 750	0.6699 776 262	0.6411 659 093	0.6136 589 182	18
19	0.6864 307 598	0.6552 348 423	0.6255 277 164	0.5972 349 569	19
20	0.6729 713 331	0.6408 164 717	0.6102 709 429	0.5812 505 663	20
21	0.6597 758 168	0.6267 153 757	0.5953 862 857	0.5656 939 818	21
22	0.6468 390 361	0.6129 245 728	0.5808 646 690	0.5505 537 536	22
23	0.6341 559 177	0.5994 372 350	0.5666 972 380	0.5358 187 383	23
24	0.6217 214 879	0.5862 466 846	0.5528 753 542	0.5214 780 908	24
25	0.6095 308 705	0.5733 463 908	0.5393 905 894	0.5075 212 563	25
26	0.5975 792 848	0.5607 299 666	0.5262 347 214	0.4939 379 623	26
27	0.5858 620 440	0.5483 911 654	0.5133 997 282	0.4807 182 115	27
28	0.5743 745 529	0.5363 238 781	0.5008 777 836	0.4678 522 739	28
29	0.5631 123 068	0.5245 221 302	0.4886 612 523	0.4553 306 802	29
30	0.5520 708 890	0.5129 800 784	0.4767 426 852	0.4431 442 143	30
31	0.5412 459 696	0.5016 920 082	0.4651 148 148	0.4312 839 069	31
32	0.5306 333 035	0.4906 523 308	0.4537 705 510	0.4197 410 286	32
33	0.5202 287 289	0.4798 555 802	0.4427 029 766	0.4085 070 838	33
34	0.5100 281 656	0.4692 964 110	0.4319 053 430	0.3975 738 042	34
35	0.5000 276 134	0.4589 695 951	0.4213 710 664	0.3869 331 428	35
36	0.4902 231 504	0.4488 700 197	0.4110 937 233	0.3765 772 679	36
37	0.4806 109 317	0.4389 926 843	0.4010 670 471	0.3664 985 576	37
38	0.4711 871 880	0.4293 326 985	0.3912 849 240	0.3566 895 937	38
39	0.4619 482 235	0.4198 852 798	0.3817 413 893	0.3471 431 569	39
40	0.4528 904 152	0.4106 457 504	0.3724 306 237	0.3378 522 208	40
41	0.4440 102 110	0.4016 095 358	0.3633 469 499	0.3288 099 473	41
42	0.4353 041 284	0.3927 721 622	0.3544 848 292	0.3200 096 811	42
43	0.4267 687 533	0.3841 292 540	0.3458 388 578	0.3114 449 451	43
44	0.4184 007 386	0.3756 765 320	0.3374 037 637	0.3031 094 356	44
45	0.4101 968 025	0.3674 098 112	0.3291 744 036	0.2949 970 176	45
46	0.4021 537 280	0.3593 249 988	0.3211 457 596	0.2871 017 203	46
47	0.3942 683 607	0.3514 180 917	0.3133 129 362	0.2794 177 327	47
48	0.3865 376 086	0.3436 851 753	0.3056 711 573	0.2719 393 992	48
49	0.3789 584 398	0.3361 224 208	0.2982 157 632	0.2646 612 157	49
50	0.3715 278 821	0.3287 260 839	0.2909 422 080	0.2575 778 255	50

Table II		Valeur actuelle de 1		$v^n = (1 + i)^{-n}$	
n	2 pour cent	2¼ pour cent	2½ pour cent	2¾ pour cent	n
51	0.3642 430 217	0.3214 925 026	0.2838 460 566	0.2506 840 151	51
52	0.3571 010 017	0.3144 180 954	0.2769 229 820	0.2439 747 106	52
53	0.3500 990 212	0.3074 993 598	0.2701 687 630	0.2374 449 738	53
54	0.3432 343 345	0.3007 328 703	0.2635 792 809	0.2310 899 988	54
55	0.3365 042 496	0.2941 152 765	0.2571 505 180	0.2249 051 084	55
56	0.3299 061 270	0.2876 433 022	0.2508 785 541	0.2188 857 502	56
57	0.3234 373 794	0.2813 137 430	0.2447 595 650	0.2130 274 941	57
58	0.3170 954 700	0.2751 234 651	0.2387 898 195	0.2073 260 284	58
59	0.3108 779 118	0.2690 694 035	0.2329 656 776	0.2017 771 566	59
60	0.3047 822 665	0.2631 485 609	0.2272 835 879	0.1963 767 947	60
61	0.2988 061 436	0.2573 580 057	0.2217 400 857	0.1911 209 681	61
62	0.2929 471 996	0.2516 948 711	0.2163 317 910	0.1860 058 083	62
63	0.2872 031 369	0.2461 563 532	0.2110 554 058	0.1810 275 507	63
64	0.2815 717 028	0.2407 397 097	0.2059 077 130	0.1761 825 311	64
65	0.2760 506 890	0.2354 422 589	0.2008 855 736	0.1714 671 836	65
66	0.2706 379 304	0.2302 613 779	0.1959 859 255	0.1668 780 375	66
67	0.2653 313 043	0.2251 945 016	0.1912 057 810	0.1624 117 153	67
68	0.2601 287 297	0.2202 391 214	0.1865 422 253	0.1580 649 298	68
69	0.2550 281 664	0.2153 927 837	0.1819 924 150	0.1538 344 815	69
70	0.2500 276 141	0.2106 530 892	0.1775 535 756	0.1497 172 570	70
71	0.2451 251 119	0.2060 176 912	0.1732 230 006	0.1457 102 258	71
72	0.2403 187 371	0.2014 842 946	0.1689 980 493	0.1418 104 387	72
73	0.2356 066 050	0.1970 506 548	0.1648 761 457	0.1380 150 255	73
74	0.2309 868 677	0.1927 145 768	0.1608 547 763	0.1343 211 927	74
75	0.2264 577 134	0.1884 739 138	0.1569 314 891	0.1307 262 216	75
76	0.2220 173 661	0.1843 265 660	0.1531 038 918	0.1272 274 663	76
77	0.2176 640 844	0.1802 704 802	0.1493 696 505	0.1238 223 516	77
78	0.2133 961 612	0.1763 036 482	0.1457 264 883	0.1205 083 714	78
79	0.2092 119 227	0.1724 241 058	0.1421 721 837	0.1172 830 865	79
80	0.2051 097 282	0.1686 299 323	0.1387 045 695	0.1141 441 231	80
81	0.2010 879 688	0.1649 192 492	0.1353 215 312	0.1110 891 709	81
82	0.1971 450 674	0.1612 902 193	0.1320 210 060	0.1081 159 814	82
83	0.1932 794 779	0.1577 410 457	0.1288 009 815	0.1052 223 664	83
84	0.1894 896 842	0.1542 699 714	0.1256 594 941	0.1024 061 960	84
85	0.1857 742 002	0.1508 752 776	0.1225 946 284	0.0996 653 975	85
86	0.1821 315 688	0.1475 552 837	0.1196 045 155	0.0969 979 538	86
87	0.1785 603 616	0.1443 083 460	0.1166 873 322	0.0944 019 015	87
88	0.1750 591 780	0.1411 328 567	0.1138 412 997	0.0918 753 299	88
89	0.1716 266 451	0.1380 272 437	0.1110 646 827	0.0894 163 795	89
90	0.1682 614 168	0.1349 899 694	0.1083 557 880	0.0870 232 404	90
91	0.1649 621 733	0.1320 195 300	0.1057 129 639	0.0846 941 512	91
92	0.1617 276 209	0.1291 144 547	0.1031 345 989	0.0824 273 978	92
93	0.1585 564 911	0.1262 733 054	0.1006 191 209	0.0802 213 117	93
94	0.1554 475 403	0.1234 946 752	0.0981 649 960	0.0780 742 693	94
95	0.1523 995 493	0.1207 771 884	0.0957 707 278	0.0759 846 903	95
96	0.1494 113 228	0.1181 194 997	0.0934 348 564	0.0739 510 368	96
97	0.1464 816 891	0.1155 202 931	0.0911 559 574	0.0719 718 120	97
98	0.1436 094 991	0.1129 782 818	0.0889 326 414	0.0700 455 591	98
99	0.1407 936 265	0.1104 922 071	0.0867 635 526	0.0681 708 605	99
100	0.1380 329 672	0.1080 608 382	0.0846 473 684	0.0663 463 362	100

TABLE II   VALEUR ACTUELLE DE 1 $v^n = (1 + i)^{-n}$

n	3 pour cent	3½ pour cent	4 pour cent	4½ pour cent	n
1	0.9708 737 864	0.9661 835 749	0.9615 384 615	0.9569 377 990	1
2	0.9425 959 091	0.9335 107 004	0.9245 562 130	0.9157 299 512	2
3	0.9151 416 594	0.9019 427 057	0.8889 963 587	0.8762 966 041	3
4	0.8884 870 479	0.8714 422 277	0.8548 041 910	0.8385 613 436	4
5	0.8626 087 844	0.8419 731 669	0.8219 271 068	0.8024 510 465	5
6	0.8374 842 567	0.8135 006 443	0.7903 145 257	0.7678 957 383	6
7	0.8130 915 113	0.7859 909 607	0.7599 178 132	0.7348 284 577	7
8	0.7894 092 343	0.7594 115 562	0.7306 902 050	0.7031 851 270	8
9	0.7664 167 323	0.7337 309 722	0.7025 867 356	0.6729 044 277	9
10	0.7440 939 149	0.7089 188 137	0.6755 641 688	0.6439 276 820	10
11	0.7224 212 766	0.6849 457 137	0.6495 809 316	0.6161 987 388	11
12	0.7013 798 802	0.6617 832 983	0.6245 970 496	0.5896 638 649	12
13	0.6809 513 400	0.6394 041 529	0.6005 740 861	0.5642 716 410	13
14	0.6611 178 058	0.6177 817 903	0.5774 750 828	0.5399 728 622	14
15	0.6418 619 474	0.5968 906 186	0.5552 645 027	0.5167 204 423	15
16	0.6231 669 392	0.5767 059 117	0.5339 081 757	0.4944 693 228	16
17	0.6050 164 458	0.5572 037 794	0.5133 732 459	0.4731 763 854	17
18	0.5873 946 076	0.5383 611 396	0.4936 281 210	0.4528 003 688	18
19	0.5702 860 268	0.5201 556 904	0.4746 424 240	0.4333 017 884	19
20	0.5536 757 542	0.5025 658 844	0.4563 869 462	0.4146 428 597	20
21	0.5375 492 759	0.4855 709 028	0.4388 336 021	0.3967 874 255	21
22	0.5218 925 009	0.4691 506 308	0.4219 553 866	0.3797 008 857	22
23	0.5066 917 484	0.4532 856 336	0.4057 263 333	0.3633 501 298	23
24	0.4919 337 363	0.4379 571 339	0.3901 214 743	0.3477 034 735	24
25	0.4776 055 693	0.4231 469 893	0.3751 168 023	0.3327 305 967	25
26	0.4636 947 274	0.4088 376 708	0.3606 892 329	0.3184 024 849	26
27	0.4501 890 558	0.3950 122 423	0.3468 165 701	0.3046 913 731	27
28	0.4370 767 532	0.3816 543 404	0.3334 774 713	0.2915 706 919	28
29	0.4243 463 623	0.3687 481 550	0.3206 514 147	0.2790 150 162	29
30	0.4119 867 595	0.3562 784 106	0.3083 186 680	0.2670 000 155	30
31	0.3999 871 452	0.3442 303 484	0.2964 602 577	0.2555 024 072	31
32	0.3883 370 341	0.3325 897 086	0.2850 579 401	0.2444 999 112	32
33	0.3770 262 467	0.3213 427 136	0.2740 941 731	0.2339 712 069	33
34	0.3660 448 997	0.3104 760 518	0.2635 520 896	0.2238 958 917	34
35	0.3553 833 978	0.2999 768 617	0.2534 154 707	0.2142 544 419	35
36	0.3450 324 251	0.2898 327 166	0.2436 687 219	0.2050 281 740	36
37	0.3349 829 360	0.2800 316 102	0.2342 968 479	0.1961 992 096	37
38	0.3252 261 524	0.2705 619 422	0.2252 854 307	0.1877 504 398	38
39	0.3157 535 460	0.2614 125 046	0.2166 206 064	0.1796 654 926	39
40	0.3065 568 408	0.2525 724 682	0.2082 890 447	0.1719 287 011	40
41	0.2976 280 008	0.2440 313 702	0.2002 779 276	0.1645 250 728	41
42	0.2889 592 240	0.2357 791 017	0.1925 749 303	0.1574 402 611	42
43	0.2805 429 360	0.2278 058 953	0.1851 682 023	0.1506 605 369	43
44	0.2723 717 825	0.2201 023 143	0.1780 463 483	0.1441 727 626	44
45	0.2644 386 238	0.2126 592 409	0.1711 984 118	0.1379 643 661	45
46	0.2567 365 279	0.2054 678 656	0.1646 138 575	0.1320 233 169	46
47	0.2492 587 650	0.1985 196 769	0.1582 825 553	0.1263 381 023	47
48	0.2419 988 009	0.1918 064 511	0.1521 947 647	0.1208 977 055	48
49	0.2349 502 922	0.1853 202 426	0.1463 411 199	0.1156 915 842	49
50	0.2281 070 798	0.1790 533 745	0.1407 126 153	0.1107 096 500	50

TABLE II   VALEUR ACTUELLE DE 1 $v^n = (1 + i)^{-n}$

n	3 pour cent	3½ pour cent	4 pour cent	4½ pour cent	n
51	0.2214 631 843	0.1729 984 295	0.1353 005 917	0.1059 422 488	51
52	0.2150 128 003	0.1671 482 411	0.1300 967 228	0.1013 801 424	52
53	0.2087 502 915	0.1614 958 851	0.1250 930 027	0.0970 144 903	53
54	0.2026 701 859	0.1560 346 716	0.1202 817 333	0.0928 368 328	54
55	0.1967 671 708	0.1507 581 368	0.1156 555 128	0.0888 390 745	55
56	0.1910 360 882	0.1456 600 355	0.1112 072 239	0.0850 134 684	56
57	0.1854 719 303	0.1407 343 339	0.1069 300 229	0.0813 526 013	57
58	0.1800 698 352	0.1359 752 018	0.1028 173 297	0.0778 493 793	58
59	0.1748 250 827	0.1313 770 066	0.0988 628 171	0.0744 970 137	59
60	0.1697 330 900	0.1269 343 059	0.0950 604 010	0.0712 890 083	60
61	0.1647 894 078	0.1226 418 414	0.0914 042 318	0.0682 191 467	61
62	0.1599 897 163	0.1184 945 328	0.0878 886 844	0.0652 814 801	62
63	0.1553 298 216	0.1144 874 713	0.0845 083 504	0.0624 703 159	63
64	0.1508 056 521	0.1106 159 143	0.0812 580 292	0.0597 802 066	64
65	0.1464 132 544	0.1068 752 795	0.0781 327 204	0.0572 059 393	65
66	0.1421 487 907	0.1032 611 396	0.0751 276 157	0.0547 425 256	66
67	0.1380 085 347	0.0997 692 170	0.0722 380 921	0.0523 851 920	67
68	0.1339 888 686	0.0963 953 788	0.0694 597 039	0.0501 293 703	68
69	0.1300 862 802	0.0931 356 316	0.0667 881 768	0.0479 706 893	69
70	0.1262 973 594	0.0899 861 175	0.0642 194 008	0.0459 049 659	70
71	0.1226 187 956	0.0869 431 087	0.0617 494 238	0.0439 281 970	71
72	0.1190 473 743	0.0840 030 036	0.0593 744 460	0.0420 365 521	72
73	0.1155 799 751	0.0811 623 223	0.0570 908 135	0.0402 263 657	73
74	0.1122 135 680	0.0784 177 027	0.0548 950 130	0.0384 941 298	74
75	0.1089 452 117	0.0757 658 964	0.0527 836 663	0.0368 364 879	75
76	0.1057 720 502	0.0732 037 646	0.0507 535 253	0.0352 502 276	76
77	0.1026 913 109	0.0707 282 750	0.0488 014 666	0.0337 322 753	77
78	0.0997 003 018	0.0683 364 976	0.0469 244 871	0.0322 796 892	78
79	0.0967 964 095	0.0660 256 015	0.0451 196 992	0.0308 896 548	79
80	0.0939 770 966	0.0637 928 517	0.0433 843 261	0.0295 594 783	80
81	0.0912 398 996	0.0616 356 055	0.0417 156 982	0.0282 865 821	81
82	0.0885 824 268	0.0595 513 097	0.0401 112 483	0.0270 684 996	82
83	0.0860 023 561	0.0575 374 973	0.0385 685 079	0.0259 028 704	83
84	0.0834 974 332	0.0555 917 848	0.0370 851 038	0.0247 874 358	84
85	0.0810 654 691	0.0537 118 694	0.0356 587 537	0.0237 200 343	85
86	0.0787 043 389	0.0518 955 260	0.0342 872 631	0.0226 985 974	86
87	0.0764 119 795	0.0501 406 048	0.0329 685 222	0.0217 211 458	87
88	0.0741 863 879	0.0484 450 288	0.0317 005 022	0.0207 857 855	88
89	0.0720 256 193	0.0468 067 911	0.0304 812 521	0.0198 907 038	89
90	0.0699 277 857	0.0452 239 527	0.0293 088 962	0.0190 341 663	90
91	0.0678 910 541	0.0436 946 403	0.0281 816 310	0.0182 145 132	91
92	0.0659 136 448	0.0422 170 438	0.0270 977 221	0.0174 301 562	92
93	0.0639 938 299	0.0407 894 143	0.0260 555 020	0.0166 795 753	93
94	0.0621 299 319	0.0394 100 621	0.0250 533 673	0.0159 613 161	94
95	0.0603 203 223	0.0380 773 547	0.0240 897 763	0.0152 739 867	95
96	0.0585 634 197	0.0367 897 147	0.0231 632 464	0.0146 162 552	96
97	0.0568 576 890	0.0355 456 181	0.0222 723 523	0.0139 868 471	97
98	0.0552 016 398	0.0343 435 923	0.0214 157 234	0.0133 845 427	98
99	0.0535 938 250	0.0331 822 148	0.0205 920 417	0.0128 081 748	99
100	0.0520 328 399	0.0320 601 109	0.0198 000 401	0.0122 566 266	100

TABLE II VALEUR ACTUELLE DE 1 $v^n = (1 + i)^{-n}$

n	5 pour cent	5½ pour cent	6 pour cent	6½ pour cent	n
1	0.9523 809 524	0.9478 672 986	0.9433 962 264	0.9389 671 362	1
2	0.9070 294 785	0.8984 524 157	0.8899 964 400	0.8816 592 828	2
3	0.8638 375 985	0.8516 136 642	0.8396 192 830	0.8278 490 918	3
4	0.8227 024 748	0.8072 167 433	0.7920 936 632	0.7773 230 909	4
5	0.7835 261 665	0.7651 343 538	0.7472 581 729	0.7298 808 365	5
6	0.7462 153 966	0.7252 458 330	0.7049 605 404	0.6853 341 188	6
7	0.7106 813 301	0.6874 368 086	0.6650 571 136	0.6435 062 148	7
8	0.6768 393 620	0.6515 988 707	0.6274 123 713	0.6042 311 876	8
9	0.6446 089 162	0.6176 292 613	0.5918 984 635	0.5673 532 278	9
10	0.6139 132 535	0.5854 305 794	0.5583 947 769	0.5327 260 355	10
11	0.5846 792 891	0.5549 105 018	0.5267 875 254	0.5002 122 399	11
12	0.5568 374 182	0.5259 815 183	0.4969 693 636	0.4696 828 544	12
13	0.5303 213 506	0.4985 606 809	0.4688 390 222	0.4410 167 647	13
14	0.5050 679 530	0.4725 693 658	0.4423 009 644	0.4141 002 485	14
15	0.4810 170 981	0.4479 330 481	0.4172 650 607	0.3888 265 244	15
16	0.4581 115 220	0.4245 810 883	0.3936 462 837	0.3650 953 281	16
17	0.4362 966 876	0.4024 465 292	0.3713 644 186	0.3428 125 147	17
18	0.4155 206 549	0.3814 659 044	0.3503 437 911	0.3218 896 851	18
19	0.3957 339 570	0.3615 790 563	0.3305 130 1C5	0.3022 438 358	19
20	0.3768 894 829	0.3427 289 633	0.3118 047 269	0.2837 970 289	20
21	0.3589 423 646	0.3248 615 766	0.2941 554 027	0.2664 760 835	21
22	0.3418 498 711	0.3079 256 650	0.2775 050 969	0.2502 122 850	22
23	0.3255 713 058	0.2918 726 683	0.2617 972 612	0.2349 411 126	23
24	0.3100 679 103	0.2766 565 576	0.2469 785 483	0.2206 019 837	24
25	0.2953 027 717	0.2622 337 039	0.2329 986 305	0.2071 380 129	25
26	0.2812 407 350	0.2485 627 525	0.2198 100 288	0.1944 957 867	26
27	0.2678 483 190	0.2356 045 047	0.2073 679 517	0.1826 251 519	27
28	0.2550 936 371	0.2233 218 055	0.1956 301 431	0.1714 790 158	28
29	0.2429 463 211	0.2116 794 364	0.1845 567 388	0.1610 131 604	29
30	0.2313 774 487	0.2006 440 156	0.1741 101 309	0.1511 860 661	30
31	0.2203 594 749	0.1901 839 010	0.1642 548 405	0.1419 587 475	31
32	0.2098 661 666	0.1802 691 005	0.1549 573 967	0.1332 945 986	32
33	0.1998 725 396	0.1708 711 853	0.1461 862 233	0.1251 592 475	33
34	0.1903 547 996	0.1619 632 088	0.1379 115 314	0.1175 204 202	34
35	0.1812 902 854	0.1535 196 292	0.1301 052 183	0.1103 478 124	35
36	0.1726 574 146	0.1455 162 362	0.1227 407 720	0.1036 129 694	36
37	0.1644 356 330	0.1379 300 817	0.1157 931 811	0.0972 891 731	37
38	0.1566 053 647	0.1307 394 140	0.1092 388 501	0.0913 513 363	38
39	0.1491 479 664	0.1239 236 151	0.1030 555 190	0.0857 759 026	39
40	0.1420 456 823	0.1174 631 423	0.0972 221 877	0.0805 407 536	40
41	0.1352 816 022	0.1113 394 714	0.0917 190 450	0.0756 251 208	41
42	0.1288 396 211	0.1055 350 440	0.0865 274 009	0.0710 095 031	42
43	0.1227 044 011	0.1000 332 170	0.0816 296 235	0.0666 755 897	43
44	0.1168 613 344	0.0948 182 152	0.0770 090 788	0.0626 061 876	44
45	0.1112 965 089	0.0898 750 855	0.0726 500 744	0.0587 851 526	45
46	0.1059 966 752	0.0851 896 545	0.0685 378 060	0.0551 973 264	46
47	0.1009 492 144	0.0807 484 877	0.0646 583 075	0.0518 284 755	47
48	0.0961 421 090	0.0765 388 509	0.0609 984 033	0.0486 652 352	48
49	0.0915 639 133	0.0725 486 738	0.0575 456 635	0.0456 950 565	49
50	0.0872 037 270	0.0687 665 155	0.0542 883 618	0.0429 061 564	50

n	5 pour cent	5½ pour cent	6 pour cent	6½ pour cent	n
51	0.0830 511 685	0.0651 815 312	0.0512 154 357	0.0402 874 708	51
52	0.0790 963 510	0.0617 834 419	0.0483 164 488	0.0378 286 111	52
53	0.0753 298 581	0.0585 625 042	0.0455 815 554	0.0355 198 226	53
54	0.0717 427 220	0.0555 094 827	0.0430 014 674	0.0333 519 461	54
55	0.0683 264 019	0.0526 156 234	0.0405 674 221	0.0313 163 813	55
56	0.0650 727 637	0.0498 726 288	0.0382 711 529	0.0294 050 529	56
57	0.0619 740 607	0.0472 726 339	0.0361 048 612	0.0276 103 783	57
58	0.0590 229 149	0.0448 081 838	0.0340 611 898	0.0259 252 378	58
59	0.0562 122 999	0.0424 722 121	0.0321 331 979	0.0243 429 463	59
60	0.0535 355 237	0.0402 580 210	0.0303 143 377	0.0228 572 266	60
61	0.0509 862 131	0.0381 592 616	0.0285 984 318	0.0214 621 846	61
62	0.0485 582 982	0.0361 699 162	0.0269 796 526	0.0201 522 860	62
63	0.0462 459 983	0.0342 842 808	0.0254 525 025	0.0189 223 343	63
64	0.0440 438 079	0.0324 969 486	0.0240 117 948	0.0177 674 500	64
65	0.0419 464 837	0.0308 027 949	0.0226 526 366	0.0166 830 517	65
66	0.0399 490 321	0.0291 969 620	0.0213 704 119	0.0156 648 372	66
67	0.0380 466 972	0.0276 748 455	0.0201 607 659	0.0147 087 674	67
68	0.0362 349 497	0.0262 320 810	0.0190 195 905	0.0138 110 492	68
69	0.0345 094 759	0.0248 645 318	0.0179 430 099	0.0129 681 213	69
70	0.0328 661 676	0.0235 682 766	0.0169 273 678	0.0121 766 397	70
71	0.0313 011 120	0.0223 395 986	0.0159 692 149	0.0114 334 645	71
72	0.0298 105 828	0.0211 749 750	0.0150 652 971	0.0107 356 474	72
73	0.0283 910 313	0.0200 710 664	0.0142 125 444	0.0100 804 201	73
74	0.0270 390 774	0.0190 247 074	0.0134 080 608	0.0094 651 832	74
75	0.0257 515 023	0.0180 328 981	0.0126 491 140	0.0088 874 960	75
76	0.0245 252 403	0.0170 927 944	0.0119 331 264	0.0083 450 666	76
77	0.0233 573 717	0.0162 017 008	0.0112 576 664	0.0078 357 433	77
78	0.0222 451 159	0.0153 570 624	0.0106 204 400	0.0073 575 055	78
79	0.0211 858 247	0.0145 564 572	0.0100 192 830	0.0069 084 558	79
80	0.0201 769 759	0.0137 975 898	0.0094 521 538	0.0064 868 130	80
81	0.0192 161 675	0.0130 782 842	0.0089 171 262	0.0060 909 042	81
82	0.0183 011 119	0.0123 964 779	0.0084 123 832	0.0057 191 589	82
83	0.0174 296 304	0.0117 502 160	0.0079 362 106	0.0053 701 022	83
84	0.0165 996 480	0.0111 376 455	0.0074 869 911	0.0050 423 495	84
85	0.0158 091 885	0.0105 570 100	0.0070 631 992	0.0047 346 005	85
86	0.0150 563 700	0.0100 066 445	0.0066 633 954	0.0044 456 343	86
87	0.0143 394 000	0.0094 849 711	0.0062 862 221	0.0041 743 045	87
88	0.0136 565 715	0.0089 904 939	0.0059 303 982	0.0039 195 347	88
89	0.0130 062 585	0.0085 217 952	0.0055 947 153	0.0036 803 143	89
90	0.0123 869 129	0.0080 775 310	0.0052 780 333	0.0034 556 942	90
91	0.0117 970 599	0.0076 564 275	0.0049 792 767	0.0032 447 833	91
92	0.0112 352 951	0.0072 572 772	0.0046 974 308	0.0030 467 448	92
93	0.0107 002 811	0.0068 789 358	0.0044 315 385	0.0028 607 933	93
94	0.0101 907 439	0.0065 203 183	0.0041 806 967	0.0026 861 909	94
95	0.0097 054 704	0.0061 803 965	0.0039 440 535	0.0025 222 450	95
96	0.0092 433 051	0.0058 581 957	0.0037 208 052	0.0023 683 051	96
97	0.0088 031 477	0.0055 527 921	0.0035 101 936	0.0022 237 607	97
98	0.0083 839 502	0.0052 633 101	0.0033 115 034	0.0020 880 382	98
99	0.0079 847 145	0.0049 889 195	0.0031 240 598	0.0019 605 992	99
100	0.0076 044 900	0.0047 288 336	0.0029 472 262	0.0018 409 383	100

TABLE II VALEUR ACTUELLE DE 1 $v^n = (1 + i)^{-n}$

n	7 pour cent	7½ pour cent	8 pour cent	8½ pour cent	n
1	0.9345 794 393	0.9302 325 581	0.9259 259 259	0.9216 589 862	1
2	0.8734 387 283	0.8653 326 122	0.8573 388 203	0.8494 552 868	2
3	0.8162 978 769	0.8049 605 695	0.7938 322 410	0.7829 080 984	3
4	0.7628 952 120	0.7488 005 298	0.7350 298 528	0.7215 742 843	4
5	0.7129 861 795	0.6965 586 324	0.6805 831 970	0.6650 454 233	5
6	0.6663 422 238	0.6479 615 185	0.6301 696 268	0.6129 450 906	6
7	0.6227 497 419	0.6027 549 009	0.5834 903 953	0.5649 263 508	7
8	0.5820 091 046	0.5607 022 334	0.5402 688 845	0.5206 694 477	8
9	0.5439 337 426	0.5215 834 729	0.5002 489 671	0.4798 796 753	9
10	0.5083 492 921	0.4851 939 283	0.4631 934 881	0.4422 854 150	10
11	0.4750 927 964	0.4513 431 891	0.4288 828 593	0.4076 363 272	11
12	0.4440 119 592	0.4198 541 294	0.3971 137 586	0.3757 016 841	12
13	0.4149 644 479	0.3905 619 808	0.3676 979 247	0.3462 688 333	13
14	0.3878 172 410	0.3633 134 706	0.3404 610 414	0.3191 417 818	14
15	0.3624 460 196	0.3379 660 191	0.3152 417 050	0.2941 398 911	15
16	0.3387 345 978	0.3143 869 945	0.2918 904 676	0.2710 966 738	16
17	0.3165 743 905	0.2924 530 182	0.2702 689 514	0.2498 586 855	17
18	0.2958 639 163	0.2720 493 192	0.2502 490 291	0.2302 845 028	18
19	0.2765 083 330	0.2530 691 342	0.2317 120 640	0.2122 437 814	19
20	0.2584 190 028	0.2354 131 481	0.2145 482 074	0.1956 163 884	20
21	0.2415 130 867	0.2189 889 749	0.1986 557 476	0.1802 916 022	21
22	0.2257 131 652	0.2037 106 744	0.1839 405 070	0.1661 673 753	22
23	0.2109 468 833	0.1894 983 017	0.1703 152 843	0.1531 496 546	23
24	0.1971 466 199	0.1762 774 900	0.1576 993 373	0.1411 517 554	24
25	0.1842 491 775	0.1639 790 605	0.1460 179 049	0.1300 937 838	25
26	0.1721 954 930	0.1525 386 609	0.1352 017 638	0.1199 021 049	26
27	0.1609 303 673	0.1418 964 287	0.1251 868 183	0.1105 088 524	27
28	0.1504 022 124	0.1319 966 779	0.1159 137 207	0.1018 514 769	28
29	0.1405 628 154	0.1227 876 073	0.1073 275 192	0.0938 723 289	29
30	0.1313 671 172	0.1142 210 301	0.0993 773 325	0.0865 182 755	30
31	0.1227 730 067	0.1062 521 210	0.0920 160 487	0.0797 403 461	31
32	0.1147 411 277	0.0988 391 823	0.0852 000 451	0.0734 934 065	32
33	0.1072 346 988	0.0919 434 254	0.0788 889 306	0.0677 358 586	33
34	0.1002 193 447	0.0855 287 678	0.0730 453 061	0.0624 293 627	34
35	0.0936 629 390	0.0795 616 445	0.0676 345 427	0.0575 385 832	35
36	0.0875 354 570	0.0740 108 321	0.0626 245 766	0.0530 309 522	36
37	0.0818 088 383	0.0688 472 857	0.0579 857 190	0.0488 764 537	37
38	0.0764 568 582	0.0640 439 867	0.0536 904 806	0.0450 474 227	38
39	0.0714 550 077	0.0595 758 016	0.0497 134 080	0.0415 183 620	39
40	0.0667 803 810	0.0554 193 503	0.0460 309 333	0.0382 657 714	40
41	0.0624 115 710	0.0515 528 840	0.0426 212 345	0.0352 679 921	41
42	0.0583 285 711	0.0479 561 711	0.0394 641 061	0.0325 050 618	42
43	0.0545 126 832	0.0446 103 918	0.0365 408 389	0.0299 585 823	43
44	0.0509 464 329	0.0414 980 388	0.0338 341 101	0.0276 115 966	44
45	0.0476 134 887	0.0386 028 268	0.0313 278 797	0.0254 484 761	45
46	0.0444 985 876	0.0359 096 064	0.0290 072 961	0.0234 548 167	46
47	0.0415 874 650	0.0334 042 850	0.0268 586 075	0.0216 173 426	47
48	0.0388 667 898	0.0310 737 535	0.0248 690 810	0.0199 238 181	48
49	0.0363 241 026	0.0289 058 172	0.0230 269 268	0.0183 629 660	49
50	0.0339 447 594	0.0268 891 323	0.0213 212 286	0.0169 243 926	50

TABLE II		VALEUR ACTUELLE DE 1		$v^n = (1 + i)^{-n}$
n	7 pour cent	7½ pour cent	8 pour cent	8½ pour cent	*n*
51	0.0317 268 780	0.0250 131 463	0.0197 418 783	0.0155 985 185	51
52	0.0296 512 878	0.0232 680 431	0.0182 795 169	0.0143 765 148	52
53	0.0277 114 839	0.0216 446 912	0.0169 254 786	0.0132 502 440	53
54	0.0258 985 831	0.0201 345 965	0.0156 717 395	0.0122 122 065	54
55	0.0242 042 833	0.0187 298 572	0.0145 108 699	0.0112 554 898	55
56	0.0226 208 255	0.0174 231 230	0.0134 359 906	0.0103 737 233	56
57	0.0211 409 584	0.0162 075 563	0.0124 407 321	0.0095 610 353	57
58	0.0197 579 051	0.0150 767 956	0.0115 191 964	0.0088 120 141	58
59	0.0184 653 319	0.0140 249 270	0.0106 659 226	0.0081 216 720	59
60	0.0172 573 195	0.0130 464 437	0.0098 758 542	0.0074 854 120	60
61	0.0161 283 360	0.0121 362 267	0.0091 443 095	0.0068 989 972	61
62	0.0150 732 112	0.0112 895 132	0.0084 669 532	0.0063 585 228	62
63	0.0140 871 132	0.0105 018 728	0.0078 397 715	0.0058 603 897	63
64	0.0131 655 264	0.0097 691 840	0.0072 590 477	0.0054 012 808	64
65	0.0123 042 303	0.0090 876 130	0.0067 213 404	0.0049 781 390	65
66	0.0114 992 806	0.0084 535 935	0.0062 234 634	0.0045 881 465	66
67	0.0107 469 912	0.0078 638 079	0.0057 624 661	0.0042 287 065	67
68	0.0100 439 171	0.0073 151 701	0.0053 356 167	0.0038 974 253	68
69	0.0093 868 384	0.0068 048 094	0.0049 403 859	0.0035 920 971	69
70	0.0087 727 461	0.0063 300 553	0.0045 744 314	0.0033 106 886	70
71	0.0081 988 282	0.0058 884 235	0.0042 355 846	0.0030 513 259	71
72	0.0076 624 562	0.0054 776 033	0.0039 218 376	0.0028 122 819	72
73	0.0071 611 740	0.0050 954 449	0.0036 313 311	0.0025 919 649	73
74	0.0066 926 860	0.0047 399 487	0.0033 623 436	0.0023 889 077	74
75	0.0062 548 468	0.0044 092 546	0.0031 132 811	0.0022 017 583	75
76	0.0058 456 512	0.0041 016 322	0.0028 826 677	0.0020 292 703	76
77	0.0054 632 254	0.0038 154 718	0.0026 691 368	0.0018 702 952	77
78	0.0051 058 181	0.0035 492 761	0.0024 714 229	0.0017 237 744	78
79	0.0047 717 926	0.0033 016 522	0.0022 883 546	0.0015 887 321	79
80	0.0044 596 193	0.0030 713 044	0.0021 188 468	0.0014 642 693	80
81	0.0041 678 685	0.0028 570 273	0.0019 618 952	0.0013 495 569	81
82	0.0038 952 042	0.0026 576 998	0.0018 165 696	0.0012 438 313	82
83	0.0036 403 778	0.0024 722 789	0.0016 820 089	0.0011 463 883	83
84	0.0034 022 222	0.0022 997 944	0.0015 574 157	0.0010 565 790	84
85	0.0031 796 469	0.0021 393 436	0.0014 420 515	0.0009 738 056	85
86	0.0029 716 326	0.0019 900 871	0.0013 352 329	0.0008 975 167	86
87	0.0027 772 268	0.0018 512 438	0.0012 363 268	0.0008 272 043	87
88	0.0025 955 390	0.0017 220 872	0.0011 447 470	0.0007 624 003	88
89	0.0024 257 374	0.0016 019 416	0.0010 599 509	0.0007 026 731	89
90	0.0022 670 443	0.0014 901 782	0.0009 814 360	0.0006 476 249	90
91	0.0021 187 330	0.0013 862 123	0.0009 087 371	0.0005 968 893	91
92	0.0019 801 243	0.0012 894 998	0.0008 414 232	0.0005 501 284	92
93	0.0018 505 835	0.0011 995 347	0.0007 790 956	0.0005 070 308	93
94	0.0017 295 172	0.0011 158 463	0.0007 213 848	0.0004 673 095	94
95	0.0016 163 713	0.0010 379 965	0.0006 679 489	0.0004 307 000	95
96	0.0015 106 273	0.0009 655 782	0.0006 184 712	0.0003 969 585	96
97	0.0014 118 013	0.0008 982 122	0.0005 726 585	0.0003 658 604	97
98	0.0013 194 404	0.0008 355 463	0.0005 302 393	0.0003 371 985	98
99	0.0012 331 219	0.0007 772 523	0.0004 909 624	0.0003 107 820	99
100	0.0011 524 504	0.0007 230 254	0.0004 545 948	0.0002 864 351	100

TABLE II   VALEUR ACTUELLE DE 1 $v^n = (1 + i)^{-n}$

n	9 pour cent	9½ pour cent	10 pour cent	10½ pour cent	n
1	0.9174 311 927	0.9132 420 091	0.9090 909 091	0.9049 773 756	1
2	0.8416 799 933	0.8340 109 672	0.8264 462 810	0.8189 840 503	2
3	0.7721 834 801	0.7616 538 514	0.7513 148 009	0.7411 620 365	3
4	0.7084 252 111	0.6955 742 935	0.6830 134 554	0.6707 348 746	4
5	0.6499 313 863	0.6352 276 653	0.6209 213 231	0.6069 998 865	5
6	0.5962 673 269	0.5801 165 893	0.5644 739 301	0.5493 211 643	6
7	0.5470 342 448	0.5297 868 395	0.5131 581 182	0.4971 232 256	7
8	0.5018 662 797	0.4838 235 978	0.4665 073 802	0.4498 852 720	8
9	0.4604 277 795	0.4418 480 345	0.4240 976 184	0.4071 359 928	9
10	0.4224 108 069	0.4035 141 867	0.3855 432 894	0.3684 488 623	10
11	0.3875 328 504	0.3685 061 066	0.3504 938 995	0.3334 378 844	11
12	0.3555 347 251	0.3365 352 572	0.3186 308 177	0.3017 537 415	12
13	0.3261 786 469	0.3073 381 344	0.2896 643 797	0.2730 803 091	13
14	0.2992 464 650	0.2806 740 954	0.2633 312 543	0.2471 315 014	14
15	0.2745 380 413	0.2563 233 748	0.2393 920 494	0.2236 484 176	15
16	0.2518 697 627	0.2340 852 737	0.2176 291 358	0.2023 967 580	16
17	0.2310 731 768	0.2137 765 057	0.1978 446 689	0.1831 644 869	17
18	0.2119 937 402	0.1952 296 856	0.1798 587 899	0.1657 597 166	18
19	0.1944 896 699	0.1782 919 503	0.1635 079 908	0.1500 087 933	19
20	0.1784 308 898	0.1628 236 989	0.1486 436 280	0.1357 545 641	20
21	0.1636 980 640	0.1486 974 419	0.1351 305 709	0.1228 548 091	21
22	0.1501 817 101	0.1357 967 506	0.1228 459 736	0.1111 808 227	22
23	0.1377 813 854	0.1240 152 974	0.1116 781 578	0.1006 161 292	23
24	0.1264 049 408	0.1132 559 793	0.1015 255 980	0.0910 553 205	24
25	0.1159 678 356	0.1034 301 181	0.0922 959 982	0.0824 030 050	25
26	0.1063 925 097	0.0944 567 289	0.0839 054 529	0.0745 728 552	26
27	0.0976 078 070	0.0862 618 528	0.0762 776 844	0.0674 867 468	27
28	0.0895 484 468	0.0787 779 478	0.0693 433 495	0.0610 739 790	28
29	0.0821 545 384	0.0719 433 313	0.0630 394 086	0.0552 705 692	29
30	0.0753 711 361	0.0657 016 724	0.0573 085 533	0.0500 186 147	30
31	0.0691 478 313	0.0600 015 273	0.0520 986 848	0.0452 657 146	31
32	0.0634 383 773	0.0547 959 154	0.0473 624 407	0.0409 644 476	32
33	0.0582 003 462	0.0500 419 319	0.0430 567 643	0.0370 718 983	33
34	0.0533 948 130	0.0457 003 944	0.0391 425 130	0.0335 492 293	34
35	0.0489 860 670	0.0417 355 200	0.0355 841 027	0.0303 612 934	35
36	0.0449 413 459	0.0381 146 301	0.0323 491 843	0.0274 762 837	36
37	0.0412 305 925	0.0348 078 814	0.0294 083 494	0.0248 654 151	37
38	0.0378 262 317	0.0317 880 195	0.0267 348 631	0.0225 026 381	38
39	0.0347 029 648	0.0290 301 548	0.0243 044 210	0.0203 643 783	39
40	0.0318 375 824	0.0265 115 569	0.0220 949 282	0.0184 293 017	40
41	0.0292 087 912	0.0242 114 675	0.0200 862 983	0.0166 781 011	41
42	0.0267 970 562	0.0221 109 292	0.0182 602 712	0.0150 933 041	42
43	0.0245 844 552	0.0201 926 294	0.0166 002 465	0.0136 590 988	43
44	0.0225 545 461	0.0184 407 575	0.0150 911 332	0.0123 611 753	44
45	0.0206 922 441	0.0168 408 744	0.0137 192 120	0.0111 865 840	45
46	0.0189 837 102	0.0153 797 940	0.0124 720 109	0.0101 236 055	46
47	0.0174 162 479	0.0140 454 740	0.0113 381 918	0.0091 616 339	47
48	0.0159 782 090	0.0128 269 169	0.0103 074 470	0.0082 910 714	48
49	0.0146 589 074	0.0117 140 793	0.0093 704 064	0.0075 032 320	49
50	0.0134 485 389	0.0106 977 893	0.0085 185 513	0.0067 902 552	50

TABLE II   VALEUR ACTUELLE DE 1 $v^n = (1 + i)^{-n}$

n	9 pour cent	9½ pour cent	10 pour cent	10½ pour cent	n
51	0.0123 381 091	0.0097 696 706	0.0077 441 375	0.0061 450 274	51
52	0.0113 193 661	0.0089 220 736	0.0070 401 250	0.0055 611 107	52
53	0.0103 847 396	0.0081 480 124	0.0064 001 137	0.0050 326 794	53
54	0.0095 272 840	0.0074 411 073	0.0058 182 851	0.0045 544 610	54
55	0.0087 406 275	0.0067 955 317	0.0052 893 501	0.0041 216 842	55
56	0.0080 189 243	0.0062 059 651	0.0048 085 001	0.0037 300 309	56
57	0.0073 568 113	0.0056 675 480	0.0043 713 637	0.0033 755 936	57
58	0.0067 493 682	0.0051 758 429	0.0039 739 670	0.0030 548 358	58
59	0.0061 920 809	0.0047 267 972	0.0036 126 973	0.0027 645 573	59
60	0.0056 808 082	0.0043 167 098	0.0032 842 703	0.0025 018 618	60
61	0.0052 117 506	0.0039 422 007	0.0029 857 003	0.0022 641 283	61
62	0.0047 814 226	0.0036 001 833	0.0027 142 730	0.0020 489 849	62
63	0.0043 866 262	0.0032 878 386	0.0024 675 209	0.0018 542 850	63
64	0.0040 244 277	0.0030 025 923	0.0022 432 008	0.0016 780 860	64
65	0.0036 921 355	0.0027 420 935	0.0020 392 734	0.0015 186 298	65
66	0.0033 872 803	0.0025 041 949	0.0018 538 850	0.0013 743 256	66
67	0.0031 075 966	0.0022 869 360	0.0016 853 500	0.0012 437 336	67
68	0.0028 510 061	0.0020 885 260	0.0015 321 363	0.0011 225 508	68
69	0.0026 156 019	0.0019 073 297	0.0013 928 512	0.0010 185 980	69
70	0.0023 996 348	0.0017 418 536	0.0012 662 284	0.0009 218 081	70
71	0.0022 014 998	0.0015 907 339	0.0011 511 167	0.0008 342 155	71
72	0.0020 197 246	0.0014 527 250	0.0010 464 697	0.0007 549 462	72
73	0.0018 529 583	0.0013 266 895	0.0009 513 361	0.0006 832 092	73
74	0.0016 999 618	0.0012 115 886	0.0008 648 510	0.0006 182 889	74
75	0.0015 595 979	0.0011 064 736	0.0007 862 282	0.0005 595 374	75
76	0.0014 308 238	0.0010 104 782	0.0007 147 529	0.0005 063 687	76
77	0.0013 126 824	0.0009 228 111	0.0006 497 754	0.0004 582 522	77
78	0.0012 042 958	0.0008 427 499	0.0005 907 049	0.0004 147 079	78
79	0.0011 048 585	0.0007 696 346	0.0005 370 044	0.0003 753 013	79
80	0.0010 136 317	0.0007 028 627	0.0004 881 859	0.0003 396 392	80
81	0.0009 299 373	0.0006 418 837	0.0004 438 053	0.0003 073 658	81
82	0.0008 531 535	0.0005 861 952	0.0004 034 594	0.0002 781 591	82
83	0.0007 827 096	0.0005 353 380	0.0003 667 813	0.0002 517 277	83
84	0.0007 180 822	0.0004 888 932	0.0003 334 375	0.0002 278 078	84
85	0.0006 587 910	0.0004 464 778	0.0003 031 250	0.0002 061 609	85
86	0.0006 043 954	0.0004 077 423	0.0002 755 682	0.0001 865 701	86
87	0.0005 544 912	0.0003 723 674	0.0002 505 165	0.0001 688 425	87
88	0.0005 087 075	0.0003 400 615	0.0002 277 423	0.0001 527 987	88
89	0.0004 667 042	0.0003 105 585	0.0002 070 385	0.0001 382 793	89
90	0.0004 281 690	0.0002 836 151	0.0001 882 168	0.0001 251 397	90
91	0.0003 928 156	0.0002 590 092	0.0001 711 062	0.0001 132 486	91
92	0.0003 603 813	0.0002 365 381	0.0001 555 511	0.0001 024 874	92
93	0.0003 306 250	0.0002 160 165	0.0001 414 101	0.0000 927 488	93
94	0.0003 033 257	0.0001 972 753	0.0001 285 546	0.0000 839 355	94
95	0.0002 782 804	0.0001 801 601	0.0001 168 678	0.0000 759 598	95
96	0.0002 553 032	0.0001 645 298	0.0001 062 435	0.0000 687 419	96
97	0.0002 342 231	0.0001 502 555	0.0000 965 850	0.0000 622 098	97
98	0.0002 148 836	0.0001 372 197	0.0000 878 045	0.0000 562 985	98
99	0.0001 971 409	0.0001 253 148	0.0000 798 223	0.0000 509 489	99
100	0.0001 808 632	0.0001 144 427	0.0000 725 657	0.0000 461 076	100

TABLE III   VALEUR ACQUISE ACCUMULÉE DE 1 PAR PÉRIODE D'INTÉRÊT $s_{\overline{n}|} = \dfrac{[(1 + i)^n - 1]}{i}$

n	¼ pour cent	⁷/₂₄ pour cent	⅓ pour cent	⁵/₁₂ pour cent	n
1	1.0000 000 000	1.0000 000 000	1.0000 000 000	1.0000 000 000	1
2	2.0025 000 000	2.0029 166 667	2.0033 333 333	2.0041 666 667	2
3	3.0075 062 500	3.0087 585 069	3.0100 111 111	3.0125 173 611	3
4	4.0150 250 156	4.0175 340 526	4.0200 444 815	4.0250 695 168	4
5	5.0250 625 782	5.0292 518 602	5.0334 446 298	5.0418 406 398	5
6	6.0376 252 346	6.0439 205 115	6.0502 227 785	6.0628 483 091	6
7	7.0527 192 977	7.0615 486 130	7.0703 901 878	7.0881 101 771	7
8	8.0703 510 959	8.0821 447 964	8.0939 581 551	8.1176 439 695	8
9	9.0905 269 737	9.1057 177 188	9.1209 380 156	9.1514 674 860	9
10	10.1132 532 911	10.1322 760 621	10.1513 411 423	10.1895 986 005	10
11	11.1385 364 243	11.1618 285 340	11.1851 789 461	11.2320 552 614	11
12	12.1663 827 654	12.1943 838 672	12.2224 628 759	12.2788 554 916	12
13	13.1967 987 223	13.2299 508 201	13.2632 044 189	13.3300 173 895	13
14	14.2297 907 191	14.2685 381 767	14.3074 151 003	14.3855 591 286	14
15	15.2653 651 959	15.3101 547 464	15.3551 064 839	15.4454 989 583	15
16	16.3035 286 089	16.3548 093 644	16.4062 901 722	16.5098 552 040	16
17	17.3442 874 304	17.4025 108 917	17.4609 778 061	17.5786 462 673	17
18	18.3876 481 490	18.4532 682 151	18.5191 810 655	18.6518 906 268	18
19	19.4336 172 694	19.5070 902 474	19.5809 116 690	19.7296 068 377	19
20	20.4822 013 126	20.5639 859 273	20.6461 813 746	20.8118 135 329	20
21	21.5334 068 158	21.6239 642 196	21.7150 019 792	21.8985 294 226	21
22	22.5872 403 329	22.6870 341 152	22.7873 853 191	22.9897 732 952	22
23	23.6437 084 337	23.7532 046 314	23.8633 432 702	24.0855 640 173	23
24	24.7028 177 048	24.8224 848 116	24.9428 877 477	25.1859 205 340	24
25	25.7645 747 491	25.8948 837 256	26.0260 307 069	26.2908 618 696	25
26	26.8289 861 859	26.9704 104 698	27.1127 841 426	27.4004 071 273	26
27	27.8960 586 514	28.0490 741 670	28.2031 600 897	28.5145 754 904	27
28	28.9657 987 980	29.1308 839 667	29.2971 706 233	29.6333 862 216	28
29	30.0382 132 950	30.2158 490 449	30.3948 278 588	30.7568 586 642	29
30	31.1133 088 283	31.3039 786 046	31.4961 439 516	31.8850 122 419	30
31	32.1910 921 003	32.3952 818 756	32.6011 310 981	33.0178 664 596	31
32	33.2715 698 306	33.4897 681 144	33.7098 015 351	34.1554 409 032	32
33	34.3547 487 551	34.5874 466 047	34.8221 675 402	35.2977 552 403	33
34	35.4406 356 270	35.6883 266 573	35.9382 414 320	36.4448 292 205	34
35	36.5292 372 161	36.7924 176 100	37.0580 355 701	37.5966 826 755	35
36	37.6205 603 091	37.8997 288 281	38.1815 623 554	38.7533 355 200	36
37	38.7146 117 099	39.0102 697 038	39.3088 342 299	39.9148 077 514	37
38	39.8113 982 392	40.1240 496 571	40.4398 636 773	41.0811 194 503	38
39	40.9109 267 348	41.2410 781 353	41.5746 632 229	42.2522 907 814	39
40	42.0132 040 516	42.3613 646 132	42.7132 454 337	43.4283 419 930	40
41	43.1182 370 618	43.4849 185 933	43.8556 229 184	44.6092 934 179	41
42	44.2260 326 544	44.6117 496 059	45.0018 083 282	45.7951 654 738	42
43	45.3365 977 360	45.7418 672 089	46.1518 143 559	46.9859 786 633	43
44	46.4499 392 304	46.8752 809 882	47.3056 537 371	48.1817 535 744	44
45	47.5660 640 785	48.0120 005 578	48.4633 392 496	49.3825 108 810	45
46	48.6849 792 387	49.1520 355 594	49.6248 837 137	50.5882 713 430	46
47	49.8066 916 868	50.2953 956 631	50.7902 999 928	51.7990 558 069	47
48	50.9312 084 160	51.4420 905 672	51.9596 009 928	53.0148 852 061	48
49	52.0585 364 370	52.5921 299 980	53.1327 996 627	54.2357 805 611	49
50	53.1886 827 781	53.7455 237 105	54.3099 089 949	55.4617 629 801	50

TABLE III VALEUR ACQUISE ACCUMULÉE DE 1 PAR PÉRIODE D'INTÉRÊT $s_{\overline{n}|} = \dfrac{[(1 + i)^n - 1]}{i}$

n	¼ pour cent	$\frac{7}{24}$ pour cent	⅓ pour cent	$\frac{5}{12}$ pour cent	n
51	54.3216 544 850	54.9022 814 880	55.4909 420 249	56.6928 536 592	51
52	55.4574 586 213	56.0624 131 423	56.6759 118 317	57.9290 738 828	52
53	56.5961 022 678	57.2259 285 140	57.8648 315 378	59.1704 450 240	53
54	57.7375 925 235	58.3928 374 721	59.0577 143 096	60.4169 885 449	54
55	58.8819 365 048	59.5631 499 148	60.2545 733 573	61.6687 259 972	55
56	60.0291 413 461	60.7368 757 687	61.4554 219 351	62.9256 790 222	56
57	61.1792 141 994	61.9140 249 897	62.6602 733 416	64.1878 693 514	57
58	62.3321 622 349	63.0946 075 626	63.8691 409 194	65.4553 188 071	58
59	63.4879 926 405	64.2786 335 013	65.0820 380 558	66.7280 493 021	59
60	64.6467 126 221	65.4661 128 490	66.2989 781 826	68.0060 828 408	60
61	65.8083 294 037	66.6570 556 781	67.5199 747 766	69.2894 415 193	61
62	66.9728 502 272	67.8514 720 905	68.7450 413 592	70.5781 475 257	62
63	68.1402 823 527	69.0493 722 175	69.9741 914 970	71.8722 231 404	63
64	69.3106 330 586	70.2507 662 198	71.2074 388 020	73.1716 907 368	64
65	70.4839 096 413	71.4556 642 879	72.4447 969 314	74.4765 727 815	65
66	71.6601 194 154	72.6640 766 421	73.6862 795 878	75.7868 918 348	66
67	72.8392 697 139	73.8760 135 323	74.9319 005 198	77.1026 705 508	67
68	74.0213 678 882	75.0914 852 384	76.1816 735 215	78.4239 316 780	68
69	75.2064 213 079	76.3105 020 704	77.4356 124 332	79.7506 980 600	69
70	76.3944 373 612	77.5330 743 681	78.6937 311 413	81.0829 926 353	70
71	77.5854 234 546	78.7592 125 016	79.9560 435 785	82.4208 384 379	71
72	78.7793 870 132	79.9889 268 714	81.2225 637 237	83.7642 585 981	72
73	79.9763 354 808	81.2222 279 081	82.4933 056 028	85.1132 763 423	73
74	81.1762 763 195	82.4591 260 729	83.7682 832 882	86.4679 149 937	74
75	82.3792 170 103	83.6996 318 573	85.0475 108 991	87.8281 979 728	75
76	83.5851 650 528	84.9437 557 835	86.3310 026 021	89.1941 487 977	76
77	84.7941 279 654	86.1915 084 045	87.6187 726 108	90.5657 910 844	77
78	86.0061 132 853	87.4429 003 040	88.9108 351 862	91.9431 485 472	78
79	87.2211 285 685	88.6979 420 966	90.2072 046 368	93.3262 449 995	79
80	88.4391 813 900	89.9566 444 277	91.5078 953 189	94.7151 043 537	80
81	89.6602 793 434	91.2190 179 740	92.8129 216 366	96.1097 506 218	81
82	90.8844 300 418	92.4850 734 431	94.1222 980 421	97.5102 079 161	82
83	92.1116 411 169	93.7548 215 739	95.4360 390 356	98.9165 004 490	83
84	93.3419 202 197	95.0282 731 369	96.7541 591 657	100.3286 525 342	84
85	94.5752 750 202	96.3054 389 335	98.0766 730 296	101.7466 885 865	85
86	95.8117 132 078	97.5863 297 971	99.4035 952 730	103.1706 331 222	86
87	97.0512 424 908	98.8709 565 923	100.7349 405 906	104.6005 107 603	87
88	98.2938 705 970	100.1593 302 157	102.0707 237 259	106.0363 462 218	88
89	99.5396 052 735	101.4514 615 955	103.4109 594 716	107.4781 643 310	89
90	100.7884 542 867	102.7473 616 918	104.7556 626 699	108.9259 900 157	90
91	102.0404 254 224	104.0470 414 967	106.1048 482 121	110.3798 483 075	91
92	103.2955 264 860	105.3505 120 344	107.4585 310 395	111.8397 643 421	92
93	104.5537 653 022	106.6577 843 612	108.8167 261 429	113.3057 633 602	93
94	105.8151 497 155	107.9688 695 656	110.1794 485 634	114.7778 707 075	94
95	107.0796 875 897	109.2837 787 685	111.5467 133 920	116.2561 118 354	95
96	108.3473 868 087	110.6025 231 232	112.9185 357 699	117.7405 123 014	96
97	109.6182 552 757	111.9251 138 157	114.2949 308 892	119.2310 977 693	97
98	110.8923 009 139	113.2515 620 643	115.6759 139 921	120.7278 940 101	98
99	112.1695 316 662	114.5818 791 203	117.0615 003 721	122.2309 269 018	99
100	113.4499 554 954	115.9160 762 678	118.4517 053 733	123.7402 224 305	100

TABLE III   VALEUR ACQUISE ACCUMULÉE DE 1 PAR PÉRIODE D'INTÉRÊT $s_{\overline{n}|} = \dfrac{[(1+i)^n - 1]}{i}$

n	¼ pour cent	7/24 pour cent	⅓ pour cent	5/12 pour cent	n
101	114.7335 803 841	117.2541 648 235	119.8465 443 912	125.2558 066 906	101
102	116.0204 143 351	118.5961 561 376	121.2460 328 726	126.7777 058 852	102
103	117.3104 653 709	119.9420 615 930	122.6501 863 155	128.3059 463 264	103
104	118.6037 415 343	121.2918 926 060	124.0590 202 698	129.8405 544 361	104
105	119.9002 508 882	122.6456 606 261	125.4725 503 374	131.3815 567 462	105
106	121.2000 015 154	124.0033 771 363	126.8907 921 719	132.9289 798 993	106
107	122.5030 015 192	125.3650 536 529	128.3137 614 791	134.4828 506 489	107
108	123.8092 590 230	126.7307 017 261	129.7414 740 174	136.0431 958 599	108
109	125.1187 821 705	128.1003 329 394	131.1739 455 974	137.6100 425 094	109
110	126.4315 791 260	129.4739 589 105	132.6111 920 828	139.1834 176 865	110
111	127.7476 580 738	130.8515 912 906	134.0532 293 897	140.7633 485 935	111
112	129.0670 272 190	132.2332 417 652	135.5000 734 877	142.3498 625 460	112
113	130.3896 947 870	133.6189 220 537	136.9517 403 993	143.9429 869 733	113
114	131.7156 690 240	135.0086 439 097	138.4082 462 006	145.5427 494 190	114
115	133.0449 581 965	136.4024 191 211	139.8696 070 213	147.1491 775 416	115
116	134.3775 705 920	137.8002 595 102	141.3358 390 447	148.7622 991 146	116
117	135.7135 145 185	139.2021 769 338	142.8069 585 082	150.3821 420 276	117
118	137.0527 983 048	140.6081 832 832	144.2829 817 032	152.0087 342 861	118
119	138.3954 303 006	142.0182 904 844	145.7639 249 755	153.6421 040 123	119
120	139.7414 188 763	143.4325 104 983	147.2498 047 255	155.2822 794 456	120
121	141.0907 724 235	144.8508 553 206	148.7406 374 079	156.9292 889 433	121
122	142.4434 993 546	146.2733 369 820	150.2364 395 326	158.5831 609 806	122
123	143.7996 081 029	147.6999 675 482	151.7372 276 643	160.2439 241 514	123
124	145.1591 071 232	149.1307 591 202	153.2430 184 232	161.9116 071 687	124
125	146.5220 048 910	150.5657 238 343	154.7538 284 846	163.5862 388 652	125
126	147.8883 099 032	152.0048 738 621	156.2696 745 796	165.2678 481 938	126
127	149.2580 306 780	153.4482 214 109	157.7905 734 949	166.9564 642 279	127
128	150.6311 757 547	154.8957 787 234	159.3165 420 732	168.6521 161 622	128
129	152.0077 536 941	156.3475 580 780	160.8475 972 134	170.3548 333 129	129
130	153.3877 730 783	157.8035 717 890	162.3837 558 708	172.0646 451 184	130
131	154.7712 425 110	159.2638 322 067	163.9250 350 570	173.7815 811 397	131
132	156.1581 706 173	160.7283 517 173	165.4714 518 406	175.5056 710 611	132
133	157.5485 660 438	162.1971 427 432	167.0230 233 467	177.2369 446 905	133
134	158.9424 374 589	163.6702 177 429	168.5797 667 578	178.9754 319 601	134
135	160.3397 935 526	165.1475 892 113	170.1416 993 137	180.7211 629 266	135
136	161.7406 430 365	166.6292 696 798	171.7088 383 114	182.4741 677 721	136
137	163.1449 946 441	168.1152 717 164	173.2812 011 058	184.2344 768 045	137
138	164.5528 571 307	169.6056 079 255	174.8588 051 095	186.0021 204 578	138
139	165.9642 392 735	171.1002 909 487	176.4416 677 932	187.7771 292 931	139
140	167.3791 498 717	172.5993 334 639	178.0298 066 858	189.5595 339 985	140
141	168.7975 977 464	174.1027 481 865	179.6232 393 748	191.3493 653 901	141
142	170.2195 917 407	175.6105 478 687	181.2219 835 060	193.1466 544 126	142
143	171.6451 407 201	177.1227 453 000	182.8260 567 844	194.9514 321 393	143
144	173.0742 535 719	178.6393 533 071	184.4354 769 736	196.7637 297 732	144
145	174.5069 392 058	180.1603 847 543	186.0502 618 969	198.5835 786 473	145
146	175.9432 065 538	181.6858 525 432	187.6704 294 365	200.4110 102 250	146
147	177.3830 645 702	183.2157 696 131	189.2959 975 347	202.2460 561 009	147
148	178.8265 222 316	184.7501 489 411	190.9269 841 931	204.0887 480 013	148
149	180.2735 885 372	186.2890 035 422	192.5634 074 738	205.9391 177 847	149
150	181.7242 725 085	187.8323 464 692	194.2052 854 986	207.7971 974 420	150

TABLE III   Valeur acquise accumulée de 1 par période d'intérêt $s_{\overline{n}|} = \dfrac{[(1 + i)^n - 1]}{i}$

n	¼ pour cent	⁷⁄₂₄ pour cent	⅓ pour cent	⁵⁄₁₂ pour cent	n
151	183.1785 831 898	189.3801 908 131	195.8526 364 503	209.6630 190 981	151
152	184.6365 296 478	190.9325 497 029	197.5054 785 718	211.5366 150 110	152
153	186.0981 209 719	192.4894 363 062	199.1638 301 671	213.4180 175 736	153
154	187.5633 662 743	194.0508 638 288	200.8277 096 010	215.3072 593 134	154
155	189.0322 746 900	195.6168 455 150	202.4971 352 996	217.2043 728 939	155
156	190.5048 553 767	197.1873 946 477	204.1721 257 506	219.1093 911 143	156
157	191.9811 175 152	198.7625 245 488	205.8526 995 031	221.0223 469 106	157
158	193.4610 703 089	200.3422 485 787	207.5388 751 681	222.9432 733 561	158
159	194.9447 229 847	201.9265 801 370	209.2306 714 187	224.8722 036 617	159
160	196.4320 847 922	203.5155 326 624	210.9281 069 901	226.8091 711 770	160
161	197.9231 650 042	205.1091 196 327	212.6312 006 801	228.7542 093 902	161
162	199.4179 729 167	206.7073 545 650	214.3399 713 490	230.7073 519 293	162
163	200.9165 178 490	208.3102 510 158	216.0544 379 202	232.6686 325 624	163
164	202.4188 091 436	209.9178 225 812	217.7746 193 799	234.6380 851 981	164
165	203.9248 561 665	211.5300 828 971	219.5005 347 778	236.6157 438 864	165
166	205.4346 683 069	213.1470 456 389	221.2322 032 271	238.6016 428 192	166
167	206.9482 549 777	214.7687 245 220	222.9696 439 045	240.5958 163 310	167
168	208.4656 256 151	216.3951 333 019	224.7128 760 509	242.5982 988 990	168
169	209.9867 896 791	218.0262 857 740	226.4619 189 710	244.6091 251 444	169
170	211.5117 566 533	219.6621 957 742	228.2167 920 343	246.6283 298 325	170
171	213.0405 360 450	221.3028 771 785	229.9775 146 744	248.6559 478 735	171
172	214.5731 373 851	222.9483 439 036	231.7441 063 890	250.6920 143 230	172
173	216.1095 702 285	224.5986 099 067	233.5165 867 446	252.7365 643 827	173
174	217.6498 441 541	226.2536 891 856	235.2949 753 671	254.7896 334 009	174
175	219.1939 687 645	227.9135 957 790	237.0792 919 516	256.8512 568 734	175
176	220.7419 536 864	229.5783 437 667	238.8695 562 581	258.9214 704 437	176
177	222.2938 085 706	231.2479 472 694	240.6657 881 123	261.0003 099 039	177
178	223.8495 430 920	232.9224 204 489	242.4680 074 060	263.0878 111 952	178
179	225.4091 669 498	234.6017 775 085	244.2762 340 974	265.1840 104 085	179
180	226.9726 898 672	236.2860 326 929	246.0904 882 111	267.2889 437 852	180
181	228.5401 215 918	237.9752 002 883	247.9107 898 384	269.4026 477 176	181
182	230.1114 718 958	239.6692 946 225	249.7371 591 379	271.5251 587 498	182
183	231.6867 505 755	241.3683 300 651	251.5696 163 350	273.6565 135 779	183
184	233.2659 674 520	243.0723 210 278	253.4081 817 228	275.7967 490 512	184
185	234.8491 323 706	244.7812 819 641	255.2528 756 619	277.9459 021 722	185
186	236.4362 552 015	246.4952 273 699	257.1037 185 807	280.1040 100 979	186
187	238.0273 458 395	248.2141 717 830	258.9607 309 760	282.2711 101 400	187
188	239.6224 142 041	249.9381 297 841	260.8239 334 126	284.4472 397 656	188
189	241.2214 702 396	251.6671 159 959	262.6933 465 240	286.6324 365 979	189
190	242.8245 239 152	253.4011 450 842	264.5689 910 124	288.8267 384 171	190
191	244.4315 852 250	255.1402 317 574	266.4508 876 491	291.0301 831 605	191
192	246.0426 641 881	256.8843 907 667	268.3390 572 746	293.2428 089 237	192
193	247.6577 708 486	258.6336 369 064	270.2335 207 988	295.4646 539 608	193
194	249.2769 152 757	260.3879 850 141	272.1342 992 015	297.6957 566 857	194
195	250.9001 075 639	262.1474 499 704	274.0414 135 322	299.9361 556 719	195
196	252.5273 578 328	263.9120 466 994	275.9548 849 106	302.1858 896 538	196
197	254.1586 762 274	265.6817 901 690	277.8747 345 270	304.4449 975 274	197
198	255.7940 729 179	267.4566 953 903	279.8009 836 421	306.7135 183 504	198
199	257.4335 581 002	269.2367 774 185	281.7336 535 875	308.9914 913 435	199
200	259.0771 419 955	271.0220 513 527	283.6727 657 662	311.2789 558 907	200

TABLE III VALEUR ACQUISE ACCUMULÉE DE 1 PAR PÉRIODE D'INTÉRÊT $s_{\overline{n}|} = \dfrac{[(1 + i)^n - 1]}{i}$

n	¼ pour cent	⁷⁄₂₄ pour cent	⅓ pour cent	⁵⁄₁₂ pour cent	n
201	260.7248 348 505	272.8125 323 358	285.6183 416 521	313.5759 515 404	201
202	262.3766 469 376	274.6082 355 551	287.5704 027 909	315.8825 180 051	202
203	264.0325 885 549	276.4091 762 421	289.5289 708 002	318.1986 951 635	203
204	265.6926 700 263	278.2153 696 728	291.4940 673 695	320.5245 230 600	204
205	267.3569 017 014	280.0268 311 677	293.4657 142 608	322.8600 419 061	205
206	269.0252 939 556	281.8435 760 919	295.4439 333 083	325.2052 920 807	206
207	270.6978 571 905	283.6656 198 556	297.4287 464 193	327.5603 141 310	207
208	272.3746 018 335	285.4929 779 135	299.4201 755 741	329.9251 487 732	208
209	274.0555 383 381	287.3256 657 657	301.4182 428 260	332.2998 368 931	209
210	275.7406 771 839	289.1636 989 575	303.4229 703 021	334.6844 195 468	210
211	277.4300 288 769	291.0070 930 795	305.4343 802 031	337.0789 379 616	211
212	279.1236 039 491	292.8558 637 676	307.4524 948 037	339.4834 335 364	212
213	280.8214 129 590	294.7100 267 036	309.4773 364 531	341.8979 478 428	213
214	282.5234 664 913	296.5695 976 148	311.5089 275 746	344.3225 226 255	214
215	284.2297 751 576	298.4345 922 745	313.5472 906 665	346.7571 998 031	215
216	285.9403 495 955	300.3050 265 020	315.5924 483 021	349.2020 214 690	216
217	287.6552 004 695	302.1809 161 626	317.6444 231 297	351.6570 298 918	217
218	289.3743 384 706	304.0622 771 681	319.7032 378 735	354.1222 675 163	218
219	291.0977 743 168	305.9491 254 765	321.7689 153 331	356.5977 769 643	219
220	292.8255 187 526	307.8414 770 925	323.8414 783 842	359.0836 010 350	220
221	294.5575 825 495	309.7393 480 674	325.9209 499 788	361.5797 827 059	221
222	296.2939 765 059	311.6427 544 992	328.0073 531 454	364.0863 651 339	222
223	298.0347 114 471	313.5517 125 332	330.1007 109 892	366.6033 916 553	223
224	299.7797 982 257	315.4662 383 614	332.2010 466 925	369.1309 057 872	224
225	301.5292 477 213	317.3863 482 233	334.3083 835 148	371.6689 512 280	225
226	303.2830 708 406	319.3120 584 056	336.4227 447 932	374.2175 718 581	226
227	305.0412 785 177	321.2433 852 426	338.5441 539 425	376.7768 117 408	227
228	306.8038 817 140	323.1803 451 162	340.6726 344 557	379.3467 151 231	228
229	308.5708 914 183	325.1229 544 562	342.8082 099 038	381.9273 264 361	229
230	310.3423 186 468	327.0712 297 400	344.9509 039 368	384.5186 902 962	230
231	312.1181 744 434	329.0251 874 934	347.1007 402 833	387.1208 515 058	231
232	313.8984 698 795	330.9848 442 902	349.2577 427 509	389.7338 550 537	232
233	315.6832 160 542	332.9502 167 528	351.4219 352 268	392.3577 461 165	233
234	317.4724 240 944	334.9213 215 516	353.5933 416 775	394.9925 700 586	234
235	319.2661 051 546	336.8981 754 061	355.7719 861 498	397.6383 724 339	235
236	321.0642 704 175	338.8807 950 844	357.9578 927 703	400.2951 989 857	236
237	322.8669 310 935	340.8691 974 034	360.1510 857 462	402.9630 956 481	237
238	324.6740 984 213	342.8633 992 292	362.3515 893 653	405.6421 085 466	238
239	326.4857 836 673	344.8634 174 769	364.5594 279 965	408.3322 839 989	239
240	328.3019 981 265	346.8692 691 112	366.7746 260 899	411.0336 685 156	240
241	330.1227 531 218	348.8809 711 461	368.9972 081 768	413.7463 088 010	241
242	331.9480 600 046	350.8985 406 453	371.2271 988 707	416.4702 517 544	242
243	333.7779 301 546	352.9219 947 222	373.4646 228 670	419.2055 444 700	243
244	335.6123 749 800	354.9513 505 401	375.7095 049 432	421.9522 342 387	244
245	337.4514 059 175	356.9866 253 125	377.9618 699 597	424.7103 685 480	245
246	339.2950 344 323	359.0278 363 030	380.2217 428 595	427.4799 950 836	246
247	341.1432 720 183	361.0750 008 256	382.4891 486 691	430.2611 617 298	247
248	342.9961 301 984	363.1281 362 447	384.7641 124 980	433.0539 165 703	248
249	344.8536 205 239	365.1872 599 754	387.0466 595 396	435.8583 078 894	249
250	346.7157 545 749	367.2523 894 834	389.3368 150 713	438.6743 841 721	250

TABLE III VALEUR ACQUISE ACCUMULÉE DE 1 PAR PÉRIODE D'INTÉRÊT $s_{\overline{n}|} = \dfrac{[(1+i)^n - 1]}{i}$

n	¼ pour cent	7/24 pour cent	⅓ pour cent	5/12 pour cent	n
251	348.5825 439 613	369.3235 422 861	391.6346 044 549	441.5021 941 062	251
252	350.4540 003 212	371.4007 359 511	393.9400 531 364	444.3417 865 816	252
253	352 3301 353 221	373.4839 880 976	396.2531 866 469	447.1932 106 924	253
254	354 2109 606 603	375.5733 163 962	398.5740 306 024	450.0565 157 369	254
255	356.0964 880 620	377.6687 385 691	400.9026 107 044	452.9317 512 192	255
256	357.9867 292 821	379.7702 723 900	403.2389 527 400	455.8189 668 492	256
257	359.8816 961 053	381.8779 356 844	405.5830 825 825	458.7182 125 445	257
258	361.7814 003 456	383.9917 463 301	407.9350 261 911	461.6295 384 301	258
259	363.6858 538 465	386.1117 222 569	410.2948 096 118	464.5529 948 402	259
260	365.5950 684 811	388.2378 814 468	412.6624 589 771	467.4886 323 187	260
261	367.5090 561 523	390.3702 419 344	415.0380 005 071	470.4365 016 200	261
262	369.4278 287 927	392.5088 218 067	417.4214 605 087	473.3966 537 101	262
263	371.3513 983 647	394.6536 392 036	419.8128 653 771	476.3691 397 672	263
264	373.2797 768 606	396 8047 123 180	422.2122 415 950	479.3540 111 829	264
265	375.2129 763 027	398.9620 593 955	424.6196 157 337	482.3513 195 628	265
266	377.1510 087 435	401.1256 987 354	427.0350 144 528	485.3611 167 277	266
267	379.0938 862 653	403.2956 486 901	429.4584 645 010	488.3834 547 140	267
268	381.0416 209 810	405.4719 276 654	431.8899 927 160	491.4183 857 754	268
269	382.9942 250 334	407.6545 541 211	434.3296 260 250	494.4659 623 828	269
270	384.9517 105 960	409.8435 465 706	436.7773 914 451	497.5262 372 260	270
271	386.9140 898 725	412.0389 235 815	439.2333 160 833	500.5992 632 145	271
272	388.8813 750 972	414.2407 037 753	441.6974 271 369	503.6850 934 778	272
273	390.8535 785 349	416.4489 058 279	444.1697 518 940	506.7837 813 673	273
274	392.8307 124 813	418.6635 484 700	446.6503 177 336	509.8953 804 564	274
275	394.8127 892 625	420.8846 504 863	449.1391 521 261	513.0199 445 416	275
276	396.7998 212 356	423.1122 307 169	451.6362 826 332	516 1575 276 439	276
277	398.7918 207 887	425.3463 080 565	454.1417 369 086	519.3081 840 090	277
278	400.7888 003 407	427.5869 014 550	456.6555 426 983	522.4719 681 091	278
279	402.7907 723 416	429.8340 299 176	459.1777 278 406	525.6489 346 429	279
280	404.7977 492 724	432.0877 125 048	461.7083 202 668	528.8391 385 372	280
281	406.8097 436 456	434.3479 683 330	464.2473 480 010	532.0426 349 478	281
282	408.8267 680 047	436.6148 165 739	466.7948 391 610	535.2594 792 601	282
283	410.8488 349 247	438.8882 764 556	469.3508 219 582	538.4897 270 903	283
284	412.8759 570 120	441.1683 672 619	471.9153 246 981	541.7334 342 865	284
285	414.9081 469 046	443.4551 083 331	474.4883 757 804	544.9906 569 294	285
286	416.9454 172 718	445.7485 190 657	477.0700 036 997	548.2614 513 333	286
287	418.9877 808 150	448.0486 189 130	479.6602 370 453	551.5458 740 471	287
288	421.0352 502 670	450.3554 273 848	482.2591 045 021	554.8439 818 557	288
289	423.0878 383 927	452.6689 640 481	484.8666 348 505	558.1558 317 801	289
290	425.1455 579 887	454.9892 485 265	487.4828 569 666	561.4814 810 792	290
291	427.2084 218 837	457.3163 005 014	490.1077 998 232	564.8209 872 503	291
292	429.2764 429 384	459.6501 397 112	492.7414 924 893	568.1744 080 305	292
293	431.3496 340 457	461.9907 859 520	495.3839 641 309	571.5418 013 973	293
294	433.4280 081 308	464.3382 590 777	498.0352 440 113	574.9232 255 698	294
295	435.5115 781 512	466.6925 790 000	500.6953 614 914	578.3187 390 097	295
296	437.6003 570 965	469.0537 656 888	503.3643 460 297	581.7284 004 222	296
297	439.6943 579 893	471.4218 391 720	506.0422 271 831	585.1522 687 573	297
298	441.7935 938 842	473.7968 195 363	508.7290 346 071	588.5904 032 105	298
299	443.8980 778 690	476.1787 269 266	511.4247 980 558	592.0428 632 238	299
300	446.0078 230 636	478.5675 815 467	514.1295 473 825	595.5097 084 872	300

TABLE III   VALEUR ACQUISE ACCUMULÉE DE 1 PAR PÉRIODE D'INTÉRÊT $s_{\overline{n}|} = \dfrac{[(1+i)^n - 1]}{i}$

n	½ pour cent	7/12 pour cent	⅔ pour cent	¾ pour cent	n
1	1.0000 000 000	1.0000 000 000	1.0000 000 000	1.0000 000 000	1
2	2.0050 000 000	2.0058 333 333	2.0066 666 667	2.0075 000 000	2
3	3.0150 250 000	3.0175 340 278	3.0200 444 444	3.0225 562 500	3
4	4.0301 001 250	4.0351 363 096	4.0401 780 741	4.0452 254 219	4
5	5.0502 506 256	5.0586 746 047	5.0671 125 946	5.0755 646 125	5
6	6.0755 018 788	6.0881 835 399	6.1008 933 452	6.1136 313 471	6
7	7.1058 793 881	7.1236 999 439	7.1415 659 675	7.1594 835 822	7
8	8.1414 087 851	8.1652 528 486	8.1891 764 074	8.2131 797 091	8
9	9.1821 158 290	9.2128 834 902	9.2437 709 168	9.2747 785 569	9
10	10.2280 264 082	10.2666 253 106	10.3053 960 562	10.3443 393 961	10
11	11.2791 665 402	11.3265 139 582	11.3740 986 966	11.4219 219 416	11
12	12.3355 623 729	12.3925 852 896	12.4499 260 212	12.5075 863 561	12
13	13.3972 401 848	13.4648 753 705	13.5329 255 280	13.6013 932 538	13
14	14.4642 263 857	14.5434 204 768	14.6231 450 316	14.7034 037 032	14
15	15.5365 475 176	15.6282 570 963	15.7206 326 651	15.8136 792 310	15
16	16.6142 302 552	16.7194 219 293	16.8254 368 829	16.9322 818 252	16
17	17.6973 014 065	17.8169 518 906	17.9376 064 621	18.0592 739 389	17
18	18.7857 879 135	18.9208 841 100	19.0571 905 052	19.1947 184 934	18
19	19.8797 168 531	20.0312 559 339	20.1842 384 419	20.3386 788 821	19
20	20.9791 154 373	21.1481 049 269	21.3188 000 315	21.4912 189 738	20
21	22.0840 110 145	22.2714 688 723	22.4609 253 650	22.6524 031 161	21
22	23.1944 310 696	23.4013 857 740	23.6106 648 674	23.8222 961 394	22
23	24.3104 032 250	24.5378 938 577	24.7680 692 999	25.0009 633 605	23
24	25.4319 552 411	25.6810 315 719	25.9331 897 619	26.1884 705 857	24
25	26.5591 150 173	26.8308 375 894	27.1060 776 936	27.3848 841 151	25
26	27.6919 105 924	27.9873 508 087	28.2867 848 783	28.5902 707 459	26
27	28.8303 701 453	29.1506 103 550	29.4753 634 441	29.8046 977 765	27
28	29.9745 219 961	30.3206 555 821	30.6718 658 671	31.0282 330 099	28
29	31.1243 946 060	31.4975 260 730	31.8763 449 730	32.2609 447 574	29
30	32.2800 165 791	32.6812 616 418	33.0888 539 394	33.5029 018 431	30
31	33.4414 166 620	33.8719 023 347	34.3094 462 990	34.7541 736 069	31
32	34.6086 237 453	35.0694 884 316	35.5381 759 410	36.0148 299 090	32
33	35.7816 668 640	36.2740 604 475	36.7750 971 140	37.2849 411 333	33
34	36.9605 751 983	37.4856 591 334	38.0202 644 281	38.5645 781 918	34
35	38.1453 780 743	38.7043 254 784	39.2737 328 576	39.8538 125 282	35
36	39.3361 049 647	39.9301 007 103	40.5355 577 433	41.1527 161 222	36
37	40.5327 854 895	41.1630 262 978	41.8057 947 949	42.4613 614 931	37
38	41.7354 494 170	42.4031 439 512	43.0845 000 935	43.7798 217 043	38
39	42.9441 266 640	43.6504 956 243	44.3717 300 942	45.1081 703 671	39
40	44.1588 472 974	44.9051 235 154	45.6675 416 281	46.4464 816 449	40
41	45.3796 415 338	46.1670 700 692	46.9719 919 056	47.7948 302 572	41
42	46.6065 397 415	47.4363 779 780	48.2851 385 184	49.1532 914 841	42
43	47.8395 724 402	48.7130 901 828	49.6070 394 418	50.5219 411 703	43
44	49.0787 703 024	49.9972 498 756	50.9377 530 381	51.9008 557 290	44
45	50.3241 641 539	51.2889 004 999	52.2773 380 583	53.2901 121 470	45
46	51.5757 849 747	52.5880 857 528	53.6258 536 454	54.6897 879 881	46
47	52.8336 638 996	53.8948 495 863	54.9833 593 364	56.0999 613 980	47
48	54.0978 322 191	55.2092 362 089	56.3499 150 653	57.5207 111 085	48
49	55.3683 213 802	56.5312 900 868	57.7255 811 657	58.9521 164 418	49
50	56.6451 629 871	57.8610 559 456	59.1104 183 735	60.3942 573 151	50

TABLE III — Valeur acquise accumulée de 1 par période d'intérêt $s_{\overline{n}|} = \dfrac{[(1 + i)^n - 1]}{i}$

n	½ pour cent	⁷/₁₂ pour cent	⅔ pour cent	¾ pour cent	n
51	57.9283 888 020	59.1985 787 720	60.5044 878 293	61.8472 142 450	51
52	59.2180 307 460	60.5439 038 148	61.9078 510 815	63.3110 683 518	52
53	60.5141 208 997	61.8970 765 871	63.3205 700 887	64.7859 013 645	53
54	61.8166 915 042	63.2581 428 672	64.7427 072 226	66.2717 956 247	54
55	63.1257 749 618	64.6271 487 006	66.1743 252 708	67.7688 340 919	55
56	64.4414 038 366	66.0041 404 013	67.6154 874 392	69.2771 003 476	56
57	65.7636 108 558	67.3891 645 537	69.0662 573 555	70.7966 786 002	57
58	67.0924 289 100	68.7822 680 136	70.5266 990 712	72.3276 536 897	58
59	68.4278 910 546	70.1834 979 103	71.9968 770 650	73.8701 110 923	59
60	69.7700 305 099	71.5929 016 481	73.4768 562 454	75.4241 369 255	60
61	71.1188 806 624	73.0105 269 077	74.9667 019 537	76.9898 179 525	61
62	72.4744 750 657	74.4364 216 480	76.4664 799 668	78.5672 415 871	62
63	73.8368 474 411	75.8706 341 076	77.9762 564 999	80.1564 958 990	63
64	75.2060 316 783	77.3132 128 066	79.4960 982 099	81.7576 696 183	64
65	76.5820 618 366	78.7642 065 480	81.0260 721 979	83.3708 521 404	65
66	77.9649 721 458	80.2236 644 195	82.5662 460 126	84.9961 335 315	66
67	79.3547 970 066	81.6916 357 953	84.1166 876 527	86.6336 045 329	67
68	80.7515 709 916	83.1681 703 374	85.6774 655 704	88.2833 565 669	68
69	82.1553 288 466	84.6533 179 977	87.2486 486 742	89.9454 817 412	69
70	83.5661 054 908	86.1471 290 194	88.8303 063 320	91.6200 728 543	70
71	84.9839 360 182	87.6496 539 386	90.4225 083 742	93.3072 234 007	71
72	86.4088 556 983	89.1609 435 866	92.0253 250 967	95.0070 275 762	72
73	87.8408 999 768	90.6810 490 909	93.6388 272 640	96.7195 802 830	73
74	89.2801 044 767	92.2100 218 772	95.2630 861 124	98.4449 771 351	74
75	90.7265 049 991	93.7479 136 715	96.8981 733 532	100.1833 144 636	75
76	92.1801 375 241	95.2947 765 013	98.5441 611 755	101.9346 893 221	76
77	93.6410 382 117	96.8506 626 975	100.2011 222 500	103.6991 994 920	77
78	95.1092 434 028	98.4156 248 966	101.8691 297 317	105.4769 434 882	78
79	96.5847 896 198	99.9897 160 418	103.5482 572 632	107.2680 205 644	79
80	98.0677 135 679	101.5729 893 854	105.2385 789 783	109.0725 307 186	80
81	99.5580 521 357	103.1654 984 902	106.9401 695 048	110.8905 746 990	81
82	101.0558 423 964	104.7672 972 313	108.6531 039 690	112.7222 540 092	82
83	102.5611 216 084	106.3784 397 985	110.3774 579 947	114.5676 709 143	83
84	104.0739 272 164	107.9989 806 974	112.1133 077 146	116.4269 284 462	84
85	105.5942 968 525	109.6289 747 514	113.8607 297 660	118.3001 304 095	85
86	107.1222 683 368	111.2684 771 041	115.6198 012 978	120.1873 813 876	86
87	108.6578 796 784	112.9175 432 206	117.3905 999 731	122.0887 867 480	87
88	110.2011 690 768	114.5762 288 894	119.1732 039 730	124.0044 526 486	88
89	111.7521 749 222	116.2445 902 246	120.9676 919 994	125.9344 860 435	89
90	113.3109 357 968	117.9226 836 675	122.7741 432 794	127.8789 946 888	90
91	114.8774 904 758	119.6105 659 889	124.5926 375 680	129.8380 871 490	91
92	116.4518 779 282	121.3082 942 905	126.4232 551 517	131.8118 728 026	92
93	118.0341 373 178	123.0159 260 072	128.2660 768 528	133.8004 618 486	93
94	119.6243 080 044	124.7335 189 089	130.1211 840 318	135.8039 653 125	94
95	121.2224 295 444	126.4611 311 026	131.9886 585 920	137.8224 950 523	95
96	122.8285 416 922	128.1988 210 340	133.8685 829 826	139.8561 637 652	96
97	124.4426 844 006	129.9466 474 900	135.7610 402 025	141.9050 849 934	97
98	126.0648 978 226	131.7046 696 004	137.6661 138 038	143.9693 731 309	98
99	127.6952 223 117	133.4729 468 397	139.5838 878 958	146.0491 434 294	99
100	129 3336 984 233	135.2515 390 296	141.5144 471 485	148.1445 120 051	100

TABLE III VALEUR ACQUISE ACCUMULÉE DE 1 PAR PÉRIODE D'INTÉRÊT $s_{\overline{n}|} = \dfrac{[(1 + i)^n - 1]}{i}$

n	½ pour cent	7/12 pour cent	⅔ pour cent	¾ pour cent	n
101	130.9803 669 154	137.0405 063 406	143.4578 767 961	150.2555 958 451	101
102	132.6352 687 500	138.8399 092 943	145.4142 626 414	152.3825 128 140	102
103	134.2984 450 937	140.6498 087 652	147.3836 910 591	154.5253 816 601	103
104	135.9699 373 192	142.4702 659 830	149.3662 489 994	156.6843 220 225	104
105	137.6497 870 058	144.3013 425 345	151.3620 239 928	158.8594 544 377	105
106	139.3380 359 408	146.1431 003 660	153.3711 041 527	161.0509 003 460	106
107	141.0347 261 205	147.9956 017 848	155.3935 781 804	163.2587 820 986	107
108	142.7398 997 512	149.8589 094 619	157.4295 353 683	165.4832 229 643	108
109	144.4535 992 499	151.7330 864 337	159.4790 656 041	167.7243 471 365	109
110	146.1758 672 462	153.6181 961 046	161.5422 593 748	169.9822 797 401	110
111	147.9067 465 824	155.5143 022 485	163.6192 077 706	172.2571 468 381	111
112	149.6462 803 153	157.4214 690 116	165.7100 024 891	174.5490 754 394	112
113	151.3945 117 169	159.3397 609 142	167.8147 358 390	176.8581 935 052	113
114	153.1514 842 755	161.2692 428 529	169.9335 007 446	179.1846 299 565	114
115	154.9172 416 968	163.2099 801 028	172.0663 907 495	181.5285 146 811	115
116	156.6918 279 053	165.1620 383 201	174.2135 000 212	183.8899 785 413	116
117	158.4752 870 448	167.1254 835 436	176.3749 233 547	186.2691 533 803	117
118	160.2676 634 801	169.1003 821 977	178.5507 561 770	188.6661 720 307	118
119	162.0690 017 975	171.0868 010 938	180.7410 945 515	191.0811 683 209	119
120	163.8793 468 065	173.0848 074 335	182.9460 351 819	193.5142 770 833	120
121	165.6987 435 405	175.0944 688 102	185.1656 754 164	195.9656 341 614	121
122	167.5272 372 582	177.1158 532 116	187.4001 132 525	198.4353 764 176	122
123	169.3648 734 445	179.1490 290 220	189.6494 473 409	200.9236 417 408	123
124	171.2116 978 117	181.1940 650 246	191.9137 769 898	203.4305 690 538	124
125	173.0677 563 008	183.2510 304 039	194.1932 021 698	205.9562 983 217	125
126	174.9330 950 823	185.3199 947 480	196.4878 235 175	208.5009 705 591	126
127	176.8077 605 577	187.4010 280 507	198.7977 423 410	211.0647 278 383	127
128	178.6917 993 605	189.4942 007 143	201.1230 606 233	213.6477 132 971	128
129	180.5852 583 573	191.5995 835 518	203.4638 810 274	216.2500 711 468	129
130	182.4881 846 491	193.7172 477 892	205.8203 069 009	218.8719 466 805	130
131	184.4006 255 723	195.8472 650 680	208.1924 422 803	221.5134 862 806	131
132	186.3226 287 002	197.9897 074 475	210.5803 918 955	224.1748 374 277	132
133	188.2542 418 437	200.1446 474 076	212.9842 611 748	226.8561 487 084	133
134	190.1955 130 529	202.3121 578 508	215.4041 562 493	229.5575 698 237	134
135	192.1464 906 181	204.4923 121 050	217.8401 839 576	232.2792 515 974	135
136	194.1072 230 712	206.6851 839 256	220.2924 518 506	235.0213 459 843	136
137	196.0777 591 866	208.8908 474 985	222.7610 681 963	237.7840 060 792	137
138	198.0581 479 825	211.1093 774 422	225.2461 419 843	240.5673 861 248	138
139	200.0484 387 224	213.3408 488 106	227.7477 829 309	243.3716 415 207	139
140	202.0486 809 161	215.5853 370 954	230.2661 014 837	246.1969 288 322	140
141	204.0589 243 206	217.8429 182 284	232.8012 088 269	249.0434 057 984	141
142	206.0792 189 422	220.1136 685 847	235.3532 168 858	251.9112 313 419	142
143	208.1096 150 369	222.3976 649 848	237.9222 383 317	254.8005 655 769	143
144	210.1501 631 121	224.6949 846 972	240.5083 865 872	257.7115 698 188	144
145	212.2009 139 277	227.0057 054 413	243.1117 758 311	260.6444 065 924	145
146	214.2619 184 973	229.3299 053 897	245.7325 210 034	263.5992 396 419	146
147	216.3332 280 898	231.6676 631 711	248.3707 378 100	266.5762 339 392	147
148	218.4148 942 303	234.0190 578 730	251.0265 427 288	269.5755 556 937	148
149	220.5069 687 014	236.3841 690 439	253.7000 530 136	272.5973 723 614	149
150	222.6095 035 449	238.7630 766 967	256.3913 867 004	275.6418 526 541	150

TABLE III VALEUR ACQUISE ACCUMULÉE DE 1 PAR PÉRIODE D'INTÉRÊT $s_{\overline{n}|} = \dfrac{[(1+i)^n - 1]}{i}$

n	½ pour cent	7/12 pour cent	⅔ pour cent	¾ pour cent	n
151	224.7225 510 626	241.1558 613 107	259.1006 626 117	278.7091 665 490	151
152	226.8461 638 180	243.5626 038 350	261.8280 003 625	281.7994 852 982	152
153	228.9803 946 371	245.9833 856 907	264.5735 203 649	284.9129 814 379	153
154	231.1252 966 102	248.4182 887 739	267.3373 438 340	288.0498 287 987	154
155	233.2809 230 933	250.8673 954 584	270.1195 927 929	291.2102 025 147	155
156	235.4473 277 088	253.3307 885 986	272.9203 900 782	294.3942 790 335	156
157	237.6245 643 473	255.8085 515 321	275.7398 593 453	297.6022 361 263	157
158	239.8126 871 690	258.3007 680 827	278.5781 250 743	300.8342 528 972	158
159	242.0117 506 049	260.8075 225 632	281.4353 125 748	304.0905 097 939	159
160	244.2218 093 579	263.3288 997 782	284.3115 479 920	307.3711 886 174	160
161	246.4429 184 047	265.8649 850 269	287.2069 583 119	310.6764 725 320	161
162	248.6751 329 967	268.4158 641 062	290.1216 713 673	314.0065 460 760	162
163	250.9185 086 617	270.9816 233 135	293.0558 158 431	317.3615 951 715	163
164	253.1731 012 050	273.5623 494 495	296.0095 212 820	320.7418 071 354	164
165	255.4389 667 110	276.1581 298 212	298.9829 180 906	324.1473 706 889	165
166	257.7161 615 446	278.7690 522 452	301.9761 375 445	327.5784 759 691	166
167	260.0047 423 523	281.3952 050 500	304.9893 117 948	331.0353 145 388	167
168	262.3047 660 641	284.0366 770 794	308.0225 738 735	334.5180 793 979	168
169	264.6162 898 944	286.6935 576 957	311.0760 576 993	338.0269 649 934	169
170	266.9393 713 439	289.3659 367 823	314.1498 980 839	341.5621 672 308	170
171	269.2740 682 006	292.0539 047 468	317.2442 307 378	345.1238 834 850	171
172	271.6204 385 416	294.7575 525 245	320.3591 922 761	348.7123 126 112	172
173	273.9785 407 343	297.4769 715 809	323.4949 202 246	352.3276 549 558	173
174	276.3484 334 380	300.2122 539 151	326.6515 530 261	355.9701 123 679	174
175	278.7301 756 052	302.9634 920 630	329.8292 300 462	359.6398 882 107	175
176	281.1238 264 832	305.7307 791 000	333.0280 915 799	363.3371 873 723	176
177	283.5294 456 156	308.5142 086 448	336.2482 788 571	367.0622 162 776	177
178	285.9470 928 437	311.3138 748 619	339.4899 340 495	370.8151 828 996	178
179	288.3768 283 079	314.1298 724 652	342.7532 002 765	374.5962 967 714	179
180	290.8187 124 494	316.9622 967 213	346.0382 216 116	378.4057 689 972	180
181	293.2728 060 117	319.8112 434 521	349.3451 430 890	382.2438 122 647	181
182	295.7391 700 417	322.6768 090 389	352.6741 107 096	386.1106 408 566	182
183	298.2178 658 919	325.5590 904 250	356.0252 714 477	390.0064 706 631	183
184	300.7089 552 214	328.4581 851 192	359.3987 732 573	393.9315 191 930	184
185	303.2124 999 975	331.3741 911 990	362.7947 650 791	397.8860 055 870	185
186	305.7285 624 975	334.3072 073 143	366.2133 968 463	401.8701 506 289	186
187	308.2572 053 100	337.2573 326 903	369.6548 194 919	405.8841 767 586	187
188	310.7984 913 365	340.2246 671 310	373.1191 849 552	409.9283 080 843	188
189	313.3524 837 932	343.2093 110 226	376.6066 461 882	414.0027 703 949	189
190	315.9192 462 122	346.2113 653 369	380.1173 571 628	418.1077 911 729	190
191	318.4988 424 432	349.2309 316 347	383.6514 728 772	422.2435 996 067	191
192	321.0913 366 555	352.2681 120 693	387.2091 493 630	426.4104 266 037	192
193	323.6967 933 387	355.3230 093 897	390.7905 436 921	430.6085 048 033	193
194	326.3152 773 054	358.3957 269 444	394.3958 139 834	434.8380 685 893	194
195	328.9468 536 920	361.4863 686 850	398.0251 194 100	439.0993 541 037	195
196	331.5915 879 604	364.5950 391 689	401.6786 202 060	443.3925 992 595	196
197	334.2495 459 002	367.7218 435 641	405.3564 776 741	447.7180 437 539	197
198	336.9207 936 297	370.8668 876 516	409.0588 541 919	452.0759 290 821	198
199	339.6053 975 979	374.0302 778 295	412.7859 132 198	456.4664 985 502	199
200	342.3034 245 859	377.2121 211 169	416.5378 193 077	460.8899 972 893	200

TABLE III   VALEUR ACQUISE ACCUMULÉE DE 1 PAR PÉRIODE D'INTÉRÊT $s_{\overline{n}|} = \dfrac{[(1+i)^n - 1]}{i}$

n	½ pour cent	7/12 pour cent	⅔ pour cent	¾ pour cent	n
201	345.0149 417 088	380.4125 251 567	420.3147 381 031	465.3466.722 690	201
202	347.7400 164 173	383.6315 982 201	424.1168 363 571	469.8367 723 110	202
203	350.4787 164 994	386.8694 492 097	427.9442 819 328	474.3605 481 033	203
204	353.2311 100 819	390.1261 876 635	431.7972 438 123	478.9182 522 141	204
205	355.9972 656 323	393 4019 237 582	435.6758 921 044	483.5101 391 057	205
206	358.7772 519 605	396.6967 683 134	439.5803 980 518	488.1364 651 490	206
207	361.5711 382 203	400.0108 327 952	443.5109 340 388	492.7974 886 376	207
208	364.3789 939 114	403.3442 293 199	447.4676 735 990	497.4934 698 024	208
209	367.2008 888 809	406.6970 706 576	451.4507 914 230	502.2246 708 259	209
210	370.0368 933 254	410.0694 702 364	455.4604 633 658	506.9913 558 571	210
211	372.8870 777 920	413.4615 421 461	459.4968 664 549	511.7937 910 261	211
212	375.7515 131 809	416.8734 011 420	463.5601 788 980	516.6322 444 587	212
213	378.6302 707 469	420.3051 626 486	467.6505 800 906	521.5069 862 922	213
214	381.5234 221 006	423.7569 427 641	471.7682 506 246	526.4182 886 894	214
215	384.4310 392 111	427.2288 582 636	475.9133 722 954	531.3664 258 546	215
216	387.3531 944 071	430.7210 266 034	480.0861 281 107	536.3516 740 485	216
217	390.2899 603 792	434.2335 659 253	484.2867 022 981	541.3743 116 038	217
218	393.2414 101 811	437.7665 950 598	488.5152 803 134	546.4346 189 409	218
219	396.2076 172 320	441.3202 335 310	492.7720 488 488	551.5328 785 829	219
220	399.1886 553 181	444.8946 015 599	497.0571 958 411	556.6693 751 723	220
221	402.1845 985 947	448.4898 200 690	501.3709 104 800	561.8443 954 861	221
222	405.1955 215 877	452.1060 106 861	505.7133 832 165	567.0582 284 522	222
223	408.2214 991 956	455.7432 957 485	510.0848 057 713	572.3111 651 656	223
224	411.2626 066 916	459.4017 983 070	514.4853 711 431	577.6034 989 043	224
225	414.3189 197 251	463.0816 421 304	518.9152 736 174	582.9355 251 461	225
226	417.3905 143 237	466.7829 517 095	523.3747 087 749	588.3075 415 847	226
227	420.4774 668 953	470.5058 522 612	527.8638 735 000	593.7198 481 466	227
228	423.5798 542 298	474.2504 697 327	532.3829 659 900	599.1727 470 077	228
229	426.6977 535 009	478.0169 308 061	536.9321 857 633	604.6665 426 103	229
230	429.8312 422 684	481.8053 629 025	541.5117 336 684	610.2015 416 798	230
231	432.9803 984 798	485.6158 941 861	546.1218 118 928	615.7780 532 424	231
232	436.1453 004 722	489.4486 535 689	550.7626 239 721	621.3963 886 418	232
233	439.3260 269 745	493.3037 707 147	555.4343 747 986	627.0568 615 566	233
234	442.5226 571 094	497.1813 760 438	560.1372 706 306	632.7597 880 183	234
235	445.7352 703 950	501.0816 007 374	564.8715 191 015	638.5054 864 284	235
236	448.9639 467 469	505.0045 767 417	569.6373 292 288	644.2942 775 766	236
237	452.2087 664 807	508.9504 367 727	574.4349 114 237	650.1264 846 584	237
238	455.4698 103 131	512.9193 143 206	579.2644 775 000	656.0024 332 934	238
239	458.7471 593 646	516.9113 436 541	584.1262 406 832	661.9224 515 431	239
240	462.0408 951 615	520.9266 598 254	589.0204 156 211	667.8868 699 296	240
241	465.3510 996 373	524.9653 986 744	593.9472 183 919	673.8960 214 541	241
242	468.6778 551 355	529.0276 968 333	598.9068 665 145	679.9502 416 150	242
243	472.0212 444 111	533.1136 917 315	603.8995 789 579	686.0498 684 271	243
244	475.3813 506 332	537.2235 216 000	608.9255 761 510	692.1952 424 403	244
245	478.7582 573 864	541.3573 254 760	613.9850 799 920	698.3867 067 586	245
246	482.1520 486 733	545.5152 432 079	619.0783 138 586	704.6246 070 593	246
247	485.5628 089 167	549.6974 154 599	624.2055 026 176	710.9092 916 123	247
248	488.9906 229 612	553.9039 837 168	629.3668 726 351	717.2411 112 994	248
249	492.4355 760 760	558.1350 902 885	634.5626 517 860	723.6204 196 341	249
250	495.8977 539 564	562.3908 783 152	639.7930 694 646	730.0475 727 814	250

TABLE III — VALEUR ACQUISE ACCUMULÉE DE 1 PAR PÉRIODE D'INTÉRÊT $s_{\overline{n}|} = \dfrac{[(1+i)^n - 1]}{i}$

n	½ pour cent	7/12 pour cent	⅔ pour cent	¾ pour cent	n
251	499.3772 427 262	566.6714 917 720	645.0583 565 943	736.5229 295 772	251
252	502.8741 289 398	570.9770 754 740	650.3587 456 383	743.0468 515 490	252
253	506.3884 995 845	575.3077 750 809	655.6944 706 092	749.6197 029 357	253
254	509.9204 420 825	579.6637 371 022	661.0657 670 799	756.2418 507 077	254
255	513.4700 442 929	584.0451 089 020	666.4728 721 938	762.9136 645 880	255
256	517.0373 945 143	588.4520 387 039	671.9160 246 751	769.6355 170 724	256
257	520.6225 814 869	592.8846 755 964	677.3954 648 396	776.4077 834 504	257
258	524.2256 943 943	597.3431 695 373	682.9114 346 052	783.2308 418 263	258
259	527.8468 228 663	601.8276 713 596	688.4641 775 026	790.1050 731 400	259
260	531.4860 569 806	606.3383 327 759	694.0539 386 859	797.0308 611 886	260
261	535.1434 872 655	610.8753 063 838	699.6809 649 438	804.0085 926 475	261
262	538.8192 047 019	615.4387 456 710	705.3455 047 101	811.0386 570 923	262
263	542.5133 007 254	620.0288 050 207	711.0478 080 749	818.1214 470 205	263
264	546.2258 672 290	624.6456 397 167	716.7881 267 954	825.2573 578 732	264
265	549.9569 965 652	629.2894 059 484	722.5667 143 073	832.4467 880 572	265
266	553.7067 815 480	633.9602 608 164	728.3838 257 360	839.6901 389 677	266
267	557.4753 154 557	638.6583 623 378	734.2397 179 076	846.9878 150 099	267
268	561.2626 920 330	643.3838 694 515	740.1346 493 603	854.3402 236 225	268
269	565.0690 054 932	648.1369 420 233	746.0688 803 561	861.7477 752 997	269
270	568.8943 505 206	652.9177 408 517	752.0426 728 918	869.2108 836 144	270
271	572.7388 222 732	657.7264 276 734	758.0562 907 111	876.7299 652 415	271
272	576.6025 163 846	662.5631 651 681	764.1099 993 158	884.3054 399 808	272
273	580.4855 289 665	667.4281 169 649	770.2040 659 779	891.9377 307 807	273
274	584.3879 566 114	672.3214 476 472	776.3387 597 511	899.6272 637 615	274
275	588.3098 963 944	677.2433 227 585	782.5143 514 828	907.3744 682 397	275
276	592.2514 458 764	682.1939 088 079	788.7311 138 260	915.1797 767 515	276
277	596.2127 031 058	687.1733 732 760	794.9893 212 515	923.0436 250 772	277
278	600.1937 666 213	692.1818 846 201	801.2892 500 598	930.9664 522 653	278
279	604.1947 354 544	697.2196 122 804	807.6311 783 936	938.9487 006 572	279
280	608.2157 091 317	702.2867 266 853	814.0153 862 495	946.9908 159 122	280
281	612.2567 876 773	707.3833 992 577	820.4421 554 912	955.0932 470 315	281
282	616.3180 716 157	712.5098 024 200	826.9117 698 611	963.2564 463 843	282
283	620.3996 619 738	717.6661 096 008	833.4245 149 935	971.4808 697 321	283
284	624.5016 602 837	722.8524 952 401	839.9806 784 268	979.7669 762 551	284
285	628.6241 685 851	728.0691 347 957	846.5805 496 163	988.1152 285 770	285
286	632.7672 894 280	733.3162 047 487	853.2244 199 471	996.5260 927 914	286
287	636.9311 258 751	738.5938 826 097	859.9125 827 468	1005.0000 384 873	287
288	641.1157 815 045	743.9023 469 249	866.6453 332 984	1013.5375 387 760	288
289	645.3213 604 120	749.2417 772 820	873.4229 688 537	1022.1390 703 168	289
290	649.5479 672 141	754.6123 543 161	880.2457 886 461	1030.8051 133 441	290
291	653.7957 070 502	760.0142 597 163	887.1140 939 037	1039.5361 516 942	291
292	658.0646 855 854	765.4476 762 313	894.0281 878 631	1048.3326 728 319	292
293	662.3550 090 134	770.9127 876 760	900.9883 757 823	1057.1951 678 782	293
294	666.6667 840 584	776.4097 789 374	907.9949 649 541	1066.1241 316 373	294
295	671.0001 179 787	781.9388 359 812	915.0482 647 205	1075.1200 626 245	295
296	675.3551 185 686	787.5001 458 578	922.1485 864 853	1084.1834 630 942	296
297	679.7318 941 614	793.0938 967 086	929.2962 437 285	1093.3148 390 674	297
298	684.1305 536 323	798.7202 777 728	936.4915 520 201	1102.5147 003 604	298
299	688.5512 064 004	804.3794 793 931	943.7348 290 335	1111.7835 606 131	299
300	692.9939 624 324	810.0716 930 227	951.0263 945 604	1121.1219 373 177	300

TABLE III VALEUR ACQUISE ACCUMULÉE DE 1 PAR PÉRIODE D'INTÉRÊT $s_{\overline{n}|} = \dfrac{[(1+i)^n - 1]}{i}$

n	⅞ pour cent	1 pour cent	1⅛ pour cent	1¼ pour cent	n
1	1.0000 000 000	1.0000 000 000	1.0000 000 000	1.0000 000 000	1
2	2.0087 500 000	2.0100 000 000	2.0112 500 000	2.0125 000 000	2
3	3.0263 265 625	3.0301 000 000	3.0338 765 625	3.0376 562 500	3
4	4.0528 069 199	4.0604 010 000	4.0680 076 738	4.0756 269 531	4
5	5.0882 689 805	5.1010 050 100	5.1137 727 602	5.1265 722 900	5
6	6.1327 913 341	6.1520 150 601	6.1713 027 037	6.1906 544 437	6
7	7.1864 532 582	7.2135 352 107	7.2407 298 591	7.2680 376 242	7
8	8.2493 347 242	8.2856 705 628	8.3221 880 700	8.3588 880 945	8
9	9.3215 164 031	9.3685 272 684	9.4158 126 858	9.4633 741 957	9
10	10.4030 796 716	10.4622 125 411	10.5217 405 785	10.5816 663 731	10
11	11.4941 066 187	11.5668 346 665	11.6401 101 601	11.7139 372 028	11
12	12.5946 800 516	12.6825 030 132	12.7710 613 994	12.8603 614 178	12
13	13.7048 835 021	13.8093 280 433	13.9147 358 401	14.0211 159 356	13
14	14.8248 012 327	14.9474 213 238	15.0712 766 183	15.1963 798 848	14
15	15.9545 182 435	16.0968 955 370	16.2408 284 803	16.3863 346 333	15
16	17.0941 202 781	17.2578 644 924	17.4235 378 007	17.5911 638 162	16
17	18.2436 938 306	18.4304 431 373	18.6195 526 009	18.8110 533 639	17
18	19.4033 261 516	19.6147 475 687	19.8290 225 677	20.0461 915 310	18
19	20.5731 052 554	20.8108 950 444	21.0520 990 716	21.2967 689 251	19
20	21.7531 199 264	22.0190 039 948	22.2889 351 861	22.5629 785 367	20
21	22.9434 597 258	23.2391 940 347	23.5396 857 070	23.8450 157 684	21
22	24.1442 149 984	24.4715 859 751	24.8045 071 712	25.1430 784 655	22
23	25.3554 768 796	25.7163 018 348	26.0835 578 768	26.4573 669 463	23
24	26.5773 373 023	26.9734 648 532	27.3769 979 030	27.7880 840 331	24
25	27.8098 890 037	28.2431 995 017	28.6849 891 294	29.1354 350 836	25
26	29.0532 255 325	29.5256 314 967	30.0076 952 571	30.4996 280 221	26
27	30.3074 412 559	30.8208 878 117	31.3452 818 287	31.8808 733 724	27
28	31.5726 313 669	32.1290 966 898	32.6979 162 493	33.2793 842 895	28
29	32.8488 918 913	33.4503 876 567	34.0657 678 071	34.6953 765 932	29
30	34.1363 196 954	34.7848 915 333	35.4490 076 949	36.1290 688 006	30
31	35.4350 124 927	36.1327 404 486	36.8478 090 315	37.5806 821 606	31
32	36.7450 688 520	37.4940 678 531	38.2623 468 831	39.0504 406 876	32
33	38.0665 882 045	38.8690 085 316	39.6927 982 855	40.5385 711 962	33
34	39.3996 708 513	40.2576 986 170	41.1393 422 662	42.0453 033 361	34
35	40.7444 179 712	41.6602 756 031	42.6021 598 667	43.5708 696 278	35
36	42.1009 316 285	43.0768 783 592	44.0814 341 652	45.1155 054 982	36
37	43.4693 147 802	44.5076 471 427	45.5773 502 996	46.6794 493 169	37
38	44.8496 712 845	45.9527 236 142	47.0900 954 905	48.2629 424 334	38
39	46.2421 059 083	47.4122 508 503	48.6198 590 647	49.8662 292 138	39
40	47.6467 243 350	48.8863 733 588	50.1668 324 792	51.4895 570 790	40
41	49.0636 331 729	50.3752 370 924	51.7312 093 446	53.1331 765 424	41
42	50.4929 399 632	51.8789 894 633	53.3131 854 497	54.7973 412 492	42
43	51.9347 531 879	53.3977 793 580	54.9129 587 860	56.4823 080 148	43
44	53.3891 822 783	54.9317 571 515	56.5307 295 724	58.1883 368 650	44
45	54.8563 376 232	56.4810 747 231	58.1667 002 801	59.9156 910 758	45
46	56.3363 305 774	58.0458 854 703	59.8210 756 582	61.6646 372 143	46
47	57.8292 734 699	59.6263 443 250	61.4940 627 594	63.4354 451 795	47
48	59.3352 796 128	61.2226 077 682	63.1858 709 654	65.2283 882 442	48
49	60.8544 633 094	62.8348 338 459	64.8967 120 138	67.0437 430 973	49
50	62.3869 398 634	64.4631 821 844	66.6268 000 239	68.8817 898 860	50

Table III		Valeur acquise accumulée de 1 par période d'intérêt	$s_{\overline{n}\|} = \dfrac{[(1+i)^n - 1]}{i}$	

n	⅞ pour cent	1 pour cent	1⅛ pour cent	1¼ pour cent	n
51	63.9328 255 872	66.1078 140 062	68.3763 515 242	70.7428 122 596	51
52	65.4922 378 111	67.7688 921 463	70.1455 854 788	72.6270 974 128	52
53	67.0652 948 919	69.4465 810 678	71.9347 233 155	74.5349 361 305	53
54	68.6521 162 222	71.1410 468 784	73.7439 889 528	76.4666 228 321	54
55	70.2528 222 392	72.8524 573 472	75.5736 088 285	78.4224 556 175	55
56	71.8675 344 338	74.5809 819 207	77.4238 119 278	80.4027 363 127	56
57	73.4963 753 601	76.3267 917 399	79.2948 298 120	82.4077 705 166	57
58	75.1394 686 445	78.0900 596 573	81.1868 966 474	84.4378 676 481	58
59	76.7969 389 951	79.8709 602 539	83.1002 492 347	86.4933 409 937	59
60	78.4689 122 113	81.6696 698 564	85.0351 270 386	88.5745 077 561	60
61	80.1555 151 931	83.4863 665 550	86.9917 722 178	90.6816 891 030	61
62	81.8568 759 511	85.3212 302 205	88.9704 296 552	92.8152 102 168	62
63	83.5731 236 157	87.1744 425 227	90.9713 469 888	94.9754 003 445	63
64	85.3043 884 473	89.0461 869 480	92.9947 746 424	97.1625 928 489	64
65	87.0508 018 462	90.9366 488 174	95.0409 658 572	99.3771 252 595	65
66	88.8124 963 624	92.8460 153 056	97.1101 767 231	101.6193 393 252	66
67	90.5896 057 055	94.7744 754 587	99.2026 662 112	103.8895 810 668	67
68	92.3822 647 555	96.7222 202 133	101.3186 962 061	106.1882 008 301	68
69	94.1906 095 721	98.6894 424 154	103.4585 315 384	108.5155 533 405	69
70	96.0147 774 058	100.6763 368 395	105.6224 400 182	110.8719 977 572	70
71	97.8549 067 081	102.6831 002 079	107.8106 924 684	113.2578 977 292	71
72	99.7111 371 418	104.7099 312 100	110.0235 627 587	115.6736 214 508	72
73	101.5836 095 918	106.7570 305 221	112.2613 278 397	118.1195 417 190	73
74	103.4724 661 757	108.8246 008 273	114.5242 677 779	120.5960 359 904	74
75	105.3778 502 548	110.9128 468 356	116.8126 657 904	123.1034 864 403	75
76	107.2999 064 445	113.0219 753 040	119.1268 082 805	125.6422 800 208	76
77	109.2387 806 259	115.1521 950 570	121.4669 848 737	128.2128 085 211	77
78	111.1946 199 564	117.3037 170 076	123.8334 884 535	130.8154 686 276	78
79	113.1675 728 810	119.4767 541 776	126.2266 151 986	133.4506 619 854	79
80	115.1577 891 437	121.6715 217 194	128.6466 646 196	136.1187 952 603	80
81	117.1654 197 987	123.8882 369 366	131.0939 395 966	138.8202 802 010	81
82	119.1906 172 219	126.1271 193 060	133.5687 464 171	141.5555 337 035	82
83	121.2335 351 226	128.3883 904 990	136.0713 948 142	144.3249 778 748	83
84	123.2943 285 550	130.6722 744 040	138.6021 980 059	147.1290 400 983	84
85	125.3731 539 298	132.9789 971 481	141.1614 727 335	149.9681 530 995	85
86	127.4701 690 267	135.3087 871 196	143.7495 393 017	152.8427 550 132	86
87	129.5855 330 057	137.6618 749 908	146.3667 216 189	155.7532 894 509	87
88	131.7194 064 195	140.0384 937 407	149.0133 472 371	158.7002 055 690	88
89	133.8719 512 257	142.4388 786 781	151.6897 473 935	161.6839 581 386	89
90	136.0433 307 989	144.8632 674 648	154.3962 570 517	164.7050 076 154	90
91	138.2337 099 434	147.3119 001 395	157.1332 149 435	167.7638 202 106	91
92	140.4432 549 054	149.7850 191 409	159.9009 636 116	170.8608 679 632	92
93	142.6721 333 858	152.2828 693 323	162.6998 494 522	173.9966 288 127	93
94	144.9205 145 529	154.8056 980 256	165.5302 227 586	177.1715 866 729	94
95	147.1885 690 553	157.3537 550 059	168.3924 377 646	180.3862 315 063	95
96	149.4764 690 345	159.9272 925 559	171.2868 526 895	183.6410 594 001	96
97	151.7843 881 385	162.5265 654 815	174.2138 297 822	186.9365 726 426	97
98	154.1125 015 348	165.1518 311 363	177.1737 353 673	190.2732 798 007	98
99	156.4609 859 232	167.8033 494 477	180.1669 398 902	193.6516 957 982	99
100	158.8300 195 500	170.4813 829 421	183.1938 179 639	197.0723 419 957	100

TABLE III $\qquad$ VALEUR ACQUISE ACCUMULÉE DE 1 PAR PÉRIODE D'INTÉRÊT $s_{\overline{n}|} = \dfrac{[(1 + i)^n - 1]}{i}$

n	⅞ pour cent	1 pour cent	1⅛ pour cent	1¼ pour cent	n
101	161.2197 822 211	173.1861 967 716	186.2547 484 160	200.5357 462 706	101
102	163.6304 553 155	175.9180 587 393	189.3501 143 357	204.0424 430 990	102
103	166.0622 217 995	178.6772 393 267	192.4803 031 220	207.5929 736 377	103
104	168.5152 662 403	181.4640 117 199	195.6457 065 321	211.1878 858 082	104
105	170.9897 748 199	184.2786 518 371	198.8467 207 306	214.8277 343 808	105
106	173.4859 353 495	187.1214 383 555	202.0837 463 388	218.5130 810 606	106
107	176.0039 372 839	189.9926 527 391	205.3571 884 851	222.2444 945 738	107
108	178.5439 717 351	192.8925 792 665	208.6674 568 556	226.0225 507 560	108
109	181.1062 314 878	195.8215 050 591	212.0149 657 452	229.8478 326 404	109
110	183.6909 110 133	198.7797 201 097	215.4001 341 098	233.7209 305 484	110
111	186.2982 064 847	201.7675 173 108	218.8233 856 186	237.6424 421 803	111
112	188.9283 157 914	204.7851 924 839	222.2851 487 068	241.6129 727 076	112
113	191.5814 385 546	207.8330 444 088	225.7858 566 297	245.6331 348 664	113
114	194.2577 761 419	210.9113 748 529	229.3259 475 168	249.7035 490 522	114
115	196.9575 316 832	214.0204 886 014	232.9058 644 264	253.8248 434 154	115
116	199.6809 100 854	217.1606 934 874	236.5260 554 012	257.9976 539 581	116
117	202.4281 180 486	220.3323 004 223	240.1869 735 244	262.2226 246 326	117
118	205.1993 640 816	223.5356 234 265	243.8890 769 766	266.5004 074 405	118
119	207.9948 585 173	226.7709 796 608	247.6328 290 926	270.8316 625 335	119
120	210.8148 135 293	230.0386 894 574	251.4186 984 199	275.2170 583 152	120
121	213.6594 431 477	233.3390 763 519	255.2471 587 771	279.6572 715 441	121
122	216.5289 632 752	236.6724 671 155	259.1186 893 133	284.1529 874 384	122
123	219.4235 917 039	240.0391 917 866	263.0337 745 681	288.7048 997 814	123
124	222.3435 481 313	243.4395 837 045	266.9929 045 320	293.3137 110 286	124
125	225.2890 541 774	246.8739 795 415	270.9965 747 080	297.9801 324 165	125
126	228.2603 334 015	250.3427 193 369	275.0452 861 734	302.7048 840 717	126
127	231.2576 113 188	253.8461 465 303	279.1395 456 429	307.4886 951 226	127
128	234.2811 154 178	257.3846 079 956	283.2798 655 314	312.3323 038 116	128
129	237.3310 751 777	260.9584 540 756	287.4667 640 186	317.2364 576 093	129
130	240.4077 220 855	264.5680 386 163	291.7007 651 138	322.2019 133 294	130
131	243.5112 896 538	268.2137 190 025	295.9823 987 214	327.2294 372 460	131
132	246.6420 134 382	271.8958 561 925	300.3122 007 070	332.3198 052 116	132
133	249.8001 310 558	275.6148 147 544	304.6907 129 649	337.4738 027 767	133
134	252.9858 822 026	279.3709 629 020	309.1184 834 858	342.6922 253 114	134
135	256.1995 086 718	283.1646 725 310	313.5960 664 250	347.9758 781 278	135
136	259.4412 543 727	286.9963 192 563	318.1240 221 723	353.3255 766 044	136
137	262.7113 653 485	290.8662 824 489	322.7029 174 217	358.7421 463 120	137
138	266.0100 897 953	294.7749 452 734	327.3333 252 427	364.2264 231 409	138
139	269.3376 780 810	298.7226 947 261	332.0158 251 517	369.7792 534 301	139
140	272.6943 827 642	302.7099 216 734	336.7510 031 846	375.4014 940 980	140
141	276.0804 586 134	306.7370 208 901	341.5394 519 705	381.0940 127 742	141
142	279.4961 626 262	310.8043 910 990	346.3817 708 051	386.8576 879 339	142
143	282.9417 540 492	314.9124 350 100	351.2785 657 267	392.6934 090 331	143
144	286.4174 943 971	319.0615 593 601	356.2304 495 911	398.6020 766 460	144
145	289.9236 474 731	323.2521 749 537	361.2380 421 490	404.5846 026 041	145
146	293.4604 793 885	327.4846 967 032	366.3019 701 232	410.6419 101 366	146
147	297.0282 585 832	331.7595 436 702	371.4228 672 871	416.7749 340 133	147
148	300.6272 558 458	336.0771 391 069	376.6013 745 441	422.9846 206 885	148
149	304.2577 443 344	340.4379 104 980	381.8381 400 077	429.2719 284 471	149
150	307.9199 995 973	344.8422 896 030	387.1338 190 828	435.6378 275 527	150

TABLE III — VALEUR ACQUISE ACCUMULÉE DE 1 PAR PÉRIODE D'INTÉRÊT $s_{\overline{n}|} = \dfrac{[(1 + i)^n - 1]}{i}$

n	⅞ pour cent	1 pour cent	1⅛ pour cent	1¼ pour cent	n
151	311.6142 995 938	349.2907 124 990	392.4890 745 475	442.0833 003 971	151
152	315.3409 247 153	353.7836 196 240	397.9045 766 361	448.6093 416 521	152
153	319.1001 578 065	358.3214 558 203	403.3810 031 233	455.2169 584 227	153
154	322.8922 841 873	362.9046 703 785	408.9190 394 084	461.9071 704 030	154
155	326.7175 916 740	367.5337 170 822	414.5193 786 017	468.6810 100 330	155
156	330.5763 706 011	372.2090 542 531	420.1827 216 110	475.5395 226 584	156
157	334.4689 138 439	376.9311 447 956	425.9097 772 291	482.4837 666 917	157
158	338.3955 168 400	381.7004 562 436	431.7012 622 230	489.5148 137 753	158
159	342.3564 776 124	386.5174 608 060	437.5579 014 230	496.6337 489 475	159
160	346.3520 967 915	391.3826 354 140	443.4804 278 140	503.8416 708 094	160
161	350.3826 776 384	396.2964 617 682	449.4695 826 269	511.1396 916 945	161
162	354.4485 260 677	401.2594 263 859	455.5261 154 314	518.5289 378 407	162
163	358.5499 506 708	406.2720 206 497	461.6507 842 300	526.0105 495 637	163
164	362.6872 627 392	411.3347 408 562	467.8443 555 526	533.5856 814 332	164
165	366.8607 762 882	416.4480 882 648	474.1076 045 526	541.2555 024 511	165
166	371.0708 080 807	421.6125 691 474	480.4413 151 038	549.0211 962 318	166
167	375.3176 776 514	426.8286 948 389	486.8462 798 987	556.8839 611 847	167
168	379.6017 073 308	432.0969 817 873	493.3233 005 476	564.8450 106 995	168
169	383.9232 222 700	437.4179 516 052	499.8731 876 788	572.9055 733 332	169
170	388.2825 504 648	442.7921 311 212	506.4967 610 401	581.0668 929 999	170
171	392.6800 227 814	448.2200 524 324	513.1948 496 018	589.3302 291 624	171
172	397.1159 729 807	453.7022 529 568	519.9682 916 599	597.6968 570 269	172
173	401.5907 377 443	459.2392 754 863	526.8179 349 410	606.1680 677 398	173
174	406.1046 566 996	464.8316 682 412	533.7446 367 091	614.7451 685 865	174
175	410.6580 724 457	470.4799 849 236	540.7492 638 721	623.4294 831 938	175
176	415.2513 305 796	476.1847 847 728	547.8326 930 907	632.2223 517 338	176
177	419.8847 797 222	481.9466 326 206	554.9958 108 879	641.1251 311 304	177
178	424.5587 715 448	487.7660 989 468	562.2395 137 604	650.1391 952 696	178
179	429.2736 607 958	493.6437 599 362	569.5647 082 902	659.2659 352 104	179
180	434.0298 053 277	499.5801 975 356	576.9723 112 585	668.5067 594 006	180
181	438.8275 661 243	505.5759 995 110	584.4632 497 602	677.8630 938 931	181
182	443.6673 073 279	511.6317 595 061	592.0384 613 200	687.3363 825 667	182
183	448.5493 962 671	517.7480 771 011	599.6988 940 098	696.9280 873 488	183
184	453.4742 034 844	523.9255 578 721	607.4455 065 674	706.6396 884 407	184
185	458.4421 027 649	530.1648 134 509	615.2792 685 163	716.4726 845 462	185
186	463.4534 711 641	536.4664 615 854	623.2011 602 871	726.4285 931 030	186
187	468.5086 890 368	542.8311 262 012	631.2121 733 403	736.5089 505 168	187
188	473.6081 400 658	549.2594 374 632	639.3133 102 904	746.7153 123 983	188
189	478.7522 112 914	555.7520 318 379	647.5055 850 312	757.0492 538 032	189
190	483.9412 931 402	562.3095 521 562	655.7900 228 628	767.5123 694 758	190
191	489.1757 794 552	568.9326 476 778	664.1676 606 200	778.1062 740 942	191
192	494.4560 675 254	575.6219 741 546	672.6395 468 020	788.8326 025 204	192
193	499.7825 581 163	582.3781 938 961	681.2067 417 035	799.6930 100 519	193
194	505.1556 554 998	589.2019 758 351	689.8703 175 476	810.6891 726 775	194
195	510.5757 674 854	596.0939 955 934	698.6313 586 201	821.8227 873 360	195
196	516.0433 054 509	603.0549 355 494	707.4909 614 045	833.0955 721 777	196
197	521.5586 843 736	610.0854 849 049	716.4502 347 203	844.5092 668 299	197
198	527.1223 228 619	617.1863 397 539	725.5102 998 609	856.0656 326 653	198
199	532.7346 431 869	624.3582 031 515	734.6722 907 344	867.7664 530 736	199
200	538.3960 713 148	631.6017 851 830	743.9373 540 051	879.6135 337 370	200

TABLE III VALEUR ACQUISE ACCUMULÉE DE 1 PAR PÉRIODE D'INTÉRÊT $s_{\overline{n}|} = \dfrac{[(1 + i)^n - 1]}{i}$

n	1⅜ pour cent	1½ pour cent	1⅝ pour cent	1¾ pour cent	n
1	1.0000 000 000	1.0000 000 000	1.0000 000 000	1.0000 000 000	1
2	2.0137 500 000	2.0150 000 000	2.0162 500 000	2.0175 000 000	2
3	3.0414 390 625	3.0452 250 000	3.0490 140 625	3.0528 062 500	3
4	4.0832 588 496	4.0909 033 750	4.0985 605 410	4.1062 303 594	4
5	5.1394 036 588	5.1522 669 256	5.1651 621 498	5.1780 893 907	5
6	6.2100 704 591	6.2295 509 295	6.2490 960 347	6.2687 059 550	6
7	7.2954 589 279	7.3229 941 935	7.3506 438 453	7.3784 083 092	7
8	8.3957 714 882	8.4328 391 064	8.4700 918 078	8.5075 304 546	8
9	9.5112 133 461	9.5593 316 929	9.6077 307 997	9.6564 122 376	9
10	10.6419 925 296	10.7027 216 683	10.7638 564 252	10.8253 994 517	10
11	11.7883 199 269	11.8632 624 934	11.9387 690 921	12.0148 439 421	11
12	12.9504 093 259	13.0412 114 308	13.1327 740 898	13.2251 037 111	12
13	14.1284 774 542	14.2368 296 022	14.3461 816 688	14.4565 430 261	13
14	15.3227 440 191	15.4503 820 463	15.5793 071 209	15.7095 325 290	14
15	16.5334 317 494	16.6821 377 770	16.8324 708 616	16.9844 493 483	15
16	17.7607 664 360	17.9323 698 436	18.1059 985 131	18.2816 772 119	16
17	19.0049 769 745	19.2013 553 913	19.4002 209 889	19.6016 065 631	17
18	20.2662 954 079	20.4893 757 221	20.7154 745 800	20.9446 346 779	18
19	21.5449 569 697	21.7967 163 580	22.0521 010 419	22.3111 657 848	19
20	22.8412 001 280	23.1236 671 033	23.4104 476 839	23.7016 111 860	20
21	24.1552 666 298	24.4705 221 099	24.7908 674 587	25.1163 893 818	21
22	25.4874 015 460	25.8375 799 415	26.1937 190 549	26.5559 261 960	22
23	26.8378 533 172	27.2251 436 407	27.6193 669 896	28.0206 549 044	23
24	28.2068 738 003	28.6335 207 953	29.0681 817 032	29.5110 163 652	24
25	29.5947 183 151	30.0630 236 072	30.5405 396 558	31.0274 591 516	25
26	31.0016 456 919	31.5139 689 613	32.0368 234 253	32.5704 396 868	26
27	32.4279 183 202	32.9866 784 957	33.5574 218 059	34.1404 223 813	27
28	33.8738 021 971	34.4814 786 732	35.1027 299 103	35.7378 797 730	28
29	35.3395 669 773	35.9987 008 533	36.6731 492 713	37.3632 926 690	29
30	36.8254 860 232	37.5386 813 661	38.2690 879 470	39.0171 502 907	30
31	38.3318 364 561	39.1017 615 865	39.8909 606 261	40.6999 504 208	31
32	39.8588 992 073	40.6882 880 103	41.5391 887 363	42.4121 995 532	32
33	41.4069 590 714	42.2986 123 305	43.2142 005 532	44.1544 130 453	33
34	42.9763 047 587	43.9330 915 155	44.9164 313 122	45.9271 152 736	34
35	44.5672 289 491	45.5920 878 882	46.6463 233 210	47.7308 397 909	35
36	46.1800 283 471	47.2759 692 065	48.4043 260 750	49.5661 294 873	36
37	47.8150 037 369	48.9851 087 446	50.1908 963 737	51.4335 367 533	37
38	49.4724 600 383	50.7198 853 758	52.0064 984 398	53.3336 236 465	38
39	51.1527 063 638	52.4806 836 564	53.8516 040 395	55.2669 620 603	39
40	52.8560 560 763	54.2678 939 113	55.7266 926 051	57.2341 338 963	40
41	54.5828 268 474	56.0819 123 199	57.6322 513 599	59.2357 312 395	41
42	56.3333 407 165	57.9231 410 047	59.5687 754 445	61.2723 565 362	42
43	58.1079 241 514	59.7919 881 198	61.5367 680 455	63.3446 227 756	43
44	59.9069 081 085	61.6888 679 416	63.5367 405 262	65.4531 536 742	44
45	61.7306 280 950	63.6142 009 607	65.5692 125 598	67.5985 838 635	45
46	63.5794 242 313	65.5684 139 751	67.6347 122 639	69.7815 590 811	46
47	65.4536 413 144	67.5519 401 848	69.7337 763 382	72.0027 363 650	47
48	67.3536 288 825	69.5652 192 875	71.8669 502 037	74.2627 842 514	48
49	69.2797 412 797	71.6086 975 768	74.0347 881 445	76.5623 829 758	49
50	71.2323 377 222	73.6828 280 405	76.2378 534 518	78.9022 246 779	50

TABLE III   VALEUR ACQUISE ACCUMULÉE DE 1 PAR PÉRIODE D'INTÉRÊT $s_{\overline{n}|} = \dfrac{[(1+i)^n - 1]}{i}$

n	1⅜ pour cent	1½ pour cent	1⅝ pour cent	1¾ pour cent	n
51	73.2117 823 659	75.7880 704 611	78.4767 185 704	81.2830 136 097	51
52	75.2184 443 735	77.9248 915 180	80.7519 652 472	83.7054 663 479	52
53	77.2526 979 836	80.0937 648 908	83.0641 846 825	86.1703 120 090	53
54	79.3149 225 809	82.2951 713 642	85.4139 776 835	88.6782 924 691	54
55	81.4055 027 664	84.5295 989 346	87.8019 548 209	91.2301 625 874	55
56	83.5248 284 294	86.7975 429 186	90.2287 365 867	93.8266 904 326	56
57	85.6732 948 203	89.0995 060 624	92.6949 535 563	96.4686 575 152	57
58	87.8513 026 241	91.4359 986 534	95.2012 465 516	99.1568 590 217	58
59	90.0592 580 352	93.8075 386 332	97.7482 668 080	101.8921 040 546	59
60	92.2975 728 331	96.2146 517 126	100.3366 761 437	104.6752 158 756	60
61	94.5666 644 596	98.6578 714 883	102.9671 471 310	107.5070 321 534	61
62	96.8669 560 959	101.1377 395 607	105.6403 632 719	110.3884 052 161	62
63	99.1988 767 422	103.6548 056 541	108.3570 191 750	113.3202 023 073	63
64	101.5628 612 974	106.2096 277 389	111.1178 207 366	116.3033 058 477	64
65	103.9593 506 403	108.8027 721 550	113.9234 853 236	119.3386 137 001	65
66	106.3887 917 116	111.4348 137 373	116.7747 419 601	122.4270 394 398	66
67	108.8516 375 976	114.1063 359 434	119.6723 315 170	125.5695 126 300	67
68	111.3483 476 146	116.8179 309 825	122.6170 069 041	128.7669 791 010	68
69	113.8793 873 943	119.5701 999 472	125.6095 332 663	132.0204 012 353	69
70	116.4452 289 710	122.3637 529 464	128.6506 881 819	135.3307 582 569	70
71	119.0463 508 693	125.1992 092 406	131.7412 618 648	138.6990 465 264	71
72	121.6832 381 938	128.0771 973 793	134.8820 573 701	142.1262 798 406	72
73	124.3563 827 189	130.9983 553 399	138.0738 908 024	145.6134 897 378	73
74	127.0662 829 813	133.9633 306 700	141.3175 915 280	149.1617 258 083	74
75	129.8134 443 723	136.9727 806 301	144.6140 023 903	152.7720 560 099	75
76	132.5983 792 324	140.0273 723 395	147.9639 799 291	156.4455 669 901	76
77	135.4216 069 469	143.1277 829 246	151.3683 946 030	160.1833 644 124	77
78	138.2836 540 424	146.2746 996 685	154.8281 310 153	163.9865 732 896	78
79	141.1850 542 855	149.4688 201 635	158.3440 881 443	167.8563 383 222	79
80	144.1263 487 819	152.7108 524 660	161.9171 795 766	171.7938 242 428	80
81	147.1080 860 776	156.0015 152 530	165.5483 337 447	175.8002 161 671	81
82	150.1308 222 612	159.3415 379 818	169.2384 941 681	179.8767 199 500	82
83	153.1951 210 673	162.7316 610 515	172.9886 196 983	184.0245 625 491	83
84	156.3015 539 820	166.1726 359 673	176.7996 847 684	188.2449 923 937	84
85	159.4507 003 492	169.6652 255 068	180.6726 796 459	192.5392 797 606	85
86	162.6431 474 790	173.2102 038 894	184.6086 106 901	196.9087 171 564	86
87	165.8794 907 569	176.8083 569 477	188.6085 006 139	201.3546 197 067	87
88	169.1603 337 548	180.4604 823 019	192.6733 887 488	205.8783 255 515	88
89	172.4862 883 439	184.1673 895 365	196.8043 313 160	210.4811 962 487	89
90	175.8579 748 086	187.9299 003 795	201.0024 016 999	215.1646 171 830	90
91	179.2760 219 623	191.7488 488 852	205.2686 907 275	219.9299 979 837	91
92	182.7410 672 642	195.6250 816 185	209.6043 069 518	224.7787 729 485	92
93	186.2537 569 391	199.5594 578 428	214.0103 769 398	229.7124 014 751	93
94	189.8147 460 970	203.5528 497 104	218.4880 455 651	234.7323 685 009	94
95	193.4246 988 559	207.6061 424 561	223.0384 763 055	239.8401 849 496	95
96	197.0842 884 651	211.7202 345 929	227.6628 515 455	245.0373 881 862	96
97	200.7941 974 315	215.8960 381 118	232.3623 728 831	250.3255 440 795	97
98	204.5551 176 462	220.1344 786 835	237.1382 614 424	255.7062 394 729	98
99	208.3677 505 138	224.4364 958 637	241.9917 581 909	261.1810 986 637	99
100	212.2328 070 834	228.8030 433 017	246.9241 242 615	266.7517 678 903	100

TABLE III — VALEUR ACQUISE ACCUMULÉE DE 1 PAR PÉRIODE D'INTÉRÊT $s_{\overline{n}|} = \dfrac{[(1+i)^n - 1]}{i}$

n	2 pour cent	2¼ pour cent	2½ pour cent	2¾ pour cent	n
1	1.0000 000 000	1.0000 000 000	1.0000 000 000	1.0000 000 000	1
2	2.0200 000 000	2.0225 000 000	2.0250 000 000	2.0275 000 000	2
3	3.0604 000 000	3.0680 062 500	3.0756 250 000	3.0832 562 500	3
4	4.1216 080 000	4.1370 363 906	4.1525 156 250	4.1680 457 969	4
5	5.2040 401 600	5.2301 197 094	5.2563 285 156	5.2826 670 563	5
6	6.3081 209 632	6.3477 974 029	6.3877 367 285	6.4279 404 003	6
7	7.4342 833 825	7.4906 228 444	7.5474 301 467	7.6047 087 613	7
8	8.5829 690 501	8.6591 618 584	8.7361 159 004	8.8138 382 523	8
9	9.7546 284 311	9.8539 930 003	9.9545 187 979	10.0562 188 042	9
10	10.9497 209 997	11.0757 078 428	11.2033 817 679	11.3327 648 213	10
11	12.1687 154 197	12.3249 112 692	12.4834 663 121	12.6444 158 539	11
12	13.4120 897 281	13.6022 217 728	13.7955 529 699	13.9921 372 899	12
13	14.6803 315 227	14.9082 717 627	15.1404 417 941	15.3769 210 654	13
14	15.9739 381 531	16.2437 078 773	16.5189 528 390	16.7997 863 947	14
15	17.2934 169 162	17.6091 913 046	17.9319 266 599	18.2617 805 205	15
16	18.6392 852 545	19.0053 981 089	19.3802 248 264	19.7639 794 848	16
17	20.0120 709 596	20.4330 195 664	20.8647 304 471	21.3074 889 207	17
18	21.4123 123 788	21.8927 625 066	22.3863 487 083	22.8934 448 660	18
19	22.8405 586 264	23.3853 496 630	23.9460 074 260	24.5230 145 998	19
20	24.2973 697 989	24.9115 200 304	25.5446 576 116	26.1973 975 013	20
21	25.7833 171 949	26.4720 292 311	27.1832 740 519	27.9178 259 326	21
22	27.2989 835 388	28.0676 498 888	28.8628 559 032	29.6855 661 457	22
23	28.8449 632 096	29.6991 720 113	30.5844 273 008	31.5019 192 147	23
24	30.4218 624 738	31.3674 033 816	32.3490 379 833	33.3682 219 932	24
25	32.0302 997 232	33.0731 699 577	34.1577 639 329	35.2858 480 980	25
26	33.6709 057 177	34.8173 162 817	36.0117 080 312	37.2562 089 207	26
27	35.3443 238 321	36.6007 058 980	37.9120 007 320	39.2807 546 660	27
28	37.0512 103 087	38.4242 217 807	39.8598 007 503	41.3609 754 193	28
29	38.7922 345 149	40.2887 667 708	41.8562 957 690	43.4984 022 433	29
30	40.5680 792 052	42.1952 640 232	43.9027 031 633	45.6946 083 050	30
31	42.3794 407 893	44.1446 574 637	46.0002 707 424	47.9512 100 334	31
32	44.2270 296 051	46.1379 122 566	48.1502 775 109	50.2698 683 093	32
33	46.1115 701 972	48.1760 152 824	50.3540 344 487	52.6522 896 878	33
34	48.0338 016 011	50.2599 756 262	52.6128 853 099	55.1002 276 542	34
35	49.9944 776 331	52.3908 250 778	54.9282 074 426	57.6154 839 147	35
36	51.9943 671 858	54.5696 186 421	57.3014 126 287	60.1999 097 224	36
37	54.0342 545 295	56.7974 350 615	59.7339 479 444	62.8554 072 398	37
38	56.1149 396 201	59.0753 773 504	62.2272 966 430	65.5839 309 388	38
39	58.2372 384 125	61.4045 733 408	64.7829 790 591	68.3874 890 397	39
40	60.4019 831 807	63.7861 762 410	67.4025 535 356	71.2681 449 883	40
41	62.6100 228 444	66.2213 652 064	70.0876 173 740	74.2280 189 754	41
42	64.8622 233 012	68.7113 459 235	72.8398 078 083	77.2692 894 973	42
43	67.1594 677 673	71.2573 512 068	75.6608 030 035	80.3941 949 584	43
44	69.5026 571 226	73.8606 416 090	78.5523 230 786	83.6050 353 198	44
45	71.8927 102 651	76.5225 060 452	81.5161 311 556	86.9041 737 911	45
46	74.3305 644 704	79.2442 624 312	84.5540 344 345	90.2940 385 703	46
47	76.8171 757 598	82.0272 583 359	87.6678 852 954	93.7771 246 310	47
48	79.3535 192 750	84.8728 716 484	90.8595 824 277	97.3559 955 584	48
49	81.9405 896 605	87.7825 112 605	94.1310 719 884	101.0332 854 362	49
50	84.5794 014 537	90.7576 177 639	97.4843 487 881	104.8117 007 857	50

TABLE III   VALEUR ACQUISE ACCUMULÉE DE 1 PAR PÉRIODE D'INTÉRÊT $s_{\overline{n}|} = \dfrac{[(1 + i)^n - 1]}{i}$

n	2 pour cent	2¼ pour cent	2½ pour cent	2¾ pour cent	n
51	87.2709 894 828	93.7996 641 636	100.9214 575 078	108.6940 225 573	51
52	90.0164 092 724	96.9101 566 073	104.4444 939 455	112.6831 081 777	52
53	92.8167 374 579	100.0906 351 309	108.0556 062 942	116.7818 936 525	53
54	95.6730 722 070	103.3426 744 214	111.7569 964 515	120.9933 957 280	54
55	98.5865 336 512	106.6678 845 958	115.5509 213 628	125.3207 141 105	55
56	101.5582 643 242	110.0679 119 993	119.4396 943 969	129.7670 337 485	56
57	104.5894 296 107	113.5444 400 192	123.4256 867 568	134.3356 271 766	57
58	107.6812 182 029	117.0991 899 197	127.5113 289 257	139.0298 569 240	58
59	110.8348 425 669	120.7339 216 929	131.6991 121 489	143.8531 779 894	59
60	114.0515 394 183	124.4504 349 309	135.9915 899 526	148.8091 403 841	60
61	117.3325 702 066	128.2505 697 169	140.3913 797 014	153.9013 917 447	61
62	120.6792 216 108	132.1362 075 355	144.9011 641 940	159.1336 800 177	62
63	124.0928 060 430	136.1092 722 051	149.5236 932 988	164.5098 562 181	63
64	127.5746 621 638	140.1717 308 297	154.2617 856 313	170.0338 772 641	64
65	131.1261 554 071	144.3255 947 734	159.1183 302 721	175.7098 088 889	65
66	134.7486 785 153	148.5729 206 558	164.0962 885 289	181.5418 286 333	66
67	138.4436 520 856	152.9158 113 705	169.1986 957 421	187.5342 289 208	67
68	142.2125 251 273	157.3564 171 263	174.4286 631 356	193.6914 202 161	68
69	146.0567 756 298	161.8969 365 117	179.7893 797 140	200.0179 342 720	69
70	149.9779 111 424	166.5396 175 832	185.2841 142 069	206.5184 274 645	70
71	153.9774 693 653	171.2867 589 788	190.9162 170 620	213.1976 842 198	71
72	158.0570 187 526	176.1407 110 558	196.6891 224 886	220.0606 205 358	72
73	162.2181 591 276	181.1038 770 546	202.6063 505 508	227.1122 876 006	73
74	166.4625 223 102	186.1787 142 883	208.6715 093 146	234.3578 755 096	74
75	170.7917 727 564	191.3677 353 598	214.8882 970 474	241.8027 170 861	75
76	175.2076 082 115	196.6735 094 054	221.2605 044 736	249.4522 918 060	76
77	179.7117 603 757	202.0986 633 670	227.7920 170 855	257.3122 298 306	77
78	184.3059 955 833	207.6458 832 928	234.4868 175 126	265.3883 161 510	78
79	188.9921 154 949	213.3179 156 669	241.3489 879 504	273.6864 948 451	79
80	193.7719 578 048	219 1175 687 694	248.3827 126 492	282.2128 734 533	80
81	198.6473 969 609	225.0477 140 667	255.5922 804 654	290.9737 274 733	81
82	203.6203 449 001	231.1112 876 332	262.9820 874 770	299.9755 049 788	82
83	208.6927 517 981	237.3112 916 049	270.5566 396 640	309.2248 313 657	83
84	213.8666 068 341	243.6507 956 661	278.3205 556 556	318.7285 142 283	84
85	219.1439 389 708	250.1329 385 685	286.2785 695 470	328.4935 483 696	85
86	224.5268 177 502	256.7609 296 863	294.4355 337 856	338.5271 209 497	86
87	230.0173 541 052	263.5380 506 043	302.7964 221 303	348.8366 167 759	87
88	235.6177 011 873	270.4676 567 429	311.3663 326 835	359.4296 237 372	88
89	241.3300 552 110	277.5531 790 196	320.1504 910 006	370.3139 383 900	89
90	247.1566 563 153	284.7981 255 475	329.1542 532 756	381.4975 716 957	90
91	253.0997 894 416	292.2060 833 724	338.3831 096 075	392.9887 549 173	91
92	259.1617 852 304	299.7807 202 482	347.8426 873 477	404.7959 456 776	92
93	265.3450 209 350	307.5257 864 538	357.5387 545 314	416.9278 341 837	93
94	271.6519 213 537	315.4451 166 490	367.4772 233 947	429.3933 496 237	94
95	278.0849 597 808	323.5426 317 736	377.6641 539 796	442.2016 667 384	95
96	284.6466 589 764	331.8223 409 885	388.1057 578 290	455.3622 125 737	96
97	291.3395 921 559	340.2883 436 608	398.8084 017 748	468.8846 734 195	97
98	298.1663 839 991	348.9448 313 932	409.7786 118 191	482.7790 019 385	98
99	305.1297 116 790	357.7960 900 995	421.0230 771 146	497.0554 244 918	99
100	312.2323 059 126	366.8465 021 268	432.5486 540 425	511.7244 486 653	100

94

TABLE III   VALEUR ACQUISE ACCUMULÉE DE 1 PAR PÉRIODE D'INTÉRÊT $s_{\overline{n}|} = \dfrac{[(1+i)^n - 1]}{i}$

n	3 pour cent	3½ pour cent	4 pour cent	4½ pour cent	n
1	1.0000 000 000	1.0000 000 000	1.0000 000 000	1.0000 000 000	1
2	2.0300 000 000	2.0350 000 000	2.0400 000 000	2.0450 000 000	2
3	3.0909 000 000	3.1062 250 000	3.1216 000 000	3.1370 250 000	3
4	4.1836 270 000	4.2149 428 750	4.2464 640 000	4.2781 911 250	4
5	5.3091 358 100	5.3624 658 756	5.4163 225 600	5.4707 097 256	5
6	6.4684 098 843	6.5501 521 813	6.6329 754 624	6.7168 916 633	6
7	7.6624 621 808	7.7794 075 076	7.8982 944 809	8.0191 517 881	7
8	8.8923 360 463	9.0516 867 704	9.2142 262 601	9.3800 136 186	8
9	10.1591 061 276	10.3684 958 073	10.5827 953 105	10.8021 142 314	9
10	11.4638 793 115	11.7313 931 606	12.0061 071 230	12.2882 093 718	10
11	12.8077 956 908	13.1419 919 212	13.4863 514 079	13.8411 787 936	11
12	14.1920 295 615	14.6019 616 385	15.0258 054 642	15.4640 318 393	12
13	15.6177 904 484	16.1130 302 958	16.6268 376 828	17.1599 132 721	13
14	17.0863 241 618	17.6769 863 562	18.2919 111 901	18.9321 093 693	14
15	18.5989 138 867	19.2956 808 786	20.0235 876 377	20.7840 542 909	15
16	20.1568 813 033	20.9710 297 094	21.8245 311 432	22.7193 367 340	16
17	21.7615 877 424	22.7050 157 492	23.6975 123 889	24.7417 068 870	17
18	23.4144 353 747	24.4996 913 004	25.6454 128 845	26.8550 836 970	18
19	25.1168 684 359	26.3571 804 960	27.6712 293 998	29.0635 624 633	19
20	26.8703 744 890	28.2796 818 133	29.7780 785 758	31.3714 227 742	20
21	28.6764 857 236	30.2694 706 768	31.9692 017 189	33.7831 367 990	21
22	30.5367 802 954	32.3289 021 505	34.2479 697 876	36.3033 779 550	22
23	32.4528 837 042	34.4604 137 257	36.6178 885 791	38.9370 299 629	23
24	34.4264 702 153	36.6665 282 061	39.0826 041 223	41.6891 963 113	24
25	36.4592 643 218	38.9498 566 933	41.6459 082 872	44.5652 101 453	25
26	38.5530 422 515	41.3131 016 776	44.3117 446 187	47.5706 446 018	26
27	40.7096 335 190	43.7590 602 363	47.0842 144 034	50.7113 236 089	27
28	42.9309 225 246	46.2906 273 446	49.9675 829 796	53.9933 331 713	28
29	45.2188 502 003	48.9107 993 017	52.9662 862 987	57.4230 331 640	29
30	47.5754 157 063	51.6226 772 772	56.0849 377 507	61.0070 696 564	30
31	50.0026 781 775	54.4294 709 819	59.3283 352 607	64.7523 877 909	31
32	52.5027 585 228	57.3345 024 663	62.7014 686 711	68.6662 452 415	32
33	55.0778 412 785	60.3412 100 526	66.2095 274 180	72.7562 262 774	33
34	57.7301 765 169	63.4531 524 044	69.8579 085 147	77.0302 564 599	34
35	60.4620 818 124	66.6740 127 386	73.6522 248 553	81.4966 180 005	35
36	63.2759 442 668	70.0076 031 844	77.5983 138 495	86.1639 658 106	36
37	66.1742 225 948	73.4578 692 959	81.7022 464 035	91.0413 442 720	37
38	69.1594 492 726	77.0288 947 212	85.9703 362 596	96.1382 047 643	38
39	72.2342 327 508	80.7249 060 365	90.4091 497 100	101.4644 239 787	39
40	75.4012 597 333	84.5502 777 478	95.0255 156 984	107.0303 230 577	40
41	78.6632 975 253	88.5095 374 689	99.8265 363 264	112.8466 875 953	41
42	82.0231 964 511	92.6073 712 804	104.8195 977 794	118.9247 885 371	42
43	85.4838 923 446	96.8486 292 752	110.0123 816 906	125.2764 040 213	43
44	89.0484 091 149	101.2383 312 998	115.4128 769 582	131.9138 422 022	44
45	92.7198 613 884	105.7816 728 953	121.0293 920 365	138.8499 651 013	45
46	96.5014 572 300	110.4840 314 466	126.8705 677 180	146.0982 135 309	46
47	100.3965 009 469	115.3509 725 473	132.9453 904 267	153.6726 331 398	47
48	104.4083 959 753	120.3882 565 864	139.2632 060 438	161.5879 016 311	48
49	108.5406 478 546	125.6018 455 669	145.8337 342 855	169.8593 572 045	49
50	112.7968 672 902	130.9979 101 618	152.6670 836 570	178.5030 282 787	50

TABLE III   VALEUR ACQUISE ACCUMULÉE DE 1 PAR PÉRIODE D'INTÉRÊT $s_{\overline{n}|} = \dfrac{[(1 + i)^n - 1]}{i}$

n	3 pour cent	3½ pour cent	4 pour cent	4½ pour cent	n
51	117.1807 733 089	136.5828 370 175	159.7737 670 032	187.5356 645 512	51
52	121.6961 965 082	142.3632 363 131	167.1647 176 834	196.9747 694 560	52
53	126.3470 824 035	148.3459 495 840	174.8513 063 907	206.8386 340 815	53
54	131.1374 948 756	154.5380 578 195	182.8453 586 463	217.1463 726 152	54
55	136.0716 197 218	160.9468 898 431	191.1591 729 922	227.9179 593 829	55
56	141.1537 683 135	167.5800 309 877	199.8055 399 119	239.1742 675 551	56
57	146.3883 813 629	174.4453 320 722	208.7977 615 083	250.9371 095 951	57
58	151.7800 328 038	181.5509 186 948	218.1496 719 687	263.2292 795 269	58
59	157.3334 337 879	188.9052 008 491	227.8756 588 474	276.0745 971 056	59
60	163.0534 368 015	196.5168 828 788	237.9906 852 013	289.4979 539 753	60
61	168.9450 399 056	204.3949 737 795	248.5103 126 094	303.5253 619 042	61
62	175.0133 911 027	212.5487 978 618	259.4507 251 137	318.1840 031 899	62
63	181.2637 928 358	220.9880 057 870	270.8287 541 183	333.5022 833 335	63
64	187.7017 066 209	229.7225 859 895	282.6619 042 830	349.5098 860 835	64
65	194.3327 578 195	238.7628 764 992	294.9683 804 543	366.2378 309 572	65
66	201.1627 405 541	248.1195 771 766	307.7671 156 725	383.7185 333 503	66
67	208.1976 227 707	257.8037 623 778	321.0778 002 994	401.9858 673 511	67
68	215.4435 514 538	267.8268 940 611	334.9209 123 114	421.0752 313 819	68
69	222.9068 579 975	278.2008 353 532	349.3177 488 039	441.0236 167 941	69
70	230.5940 637 374	288.9378 645 906	364.2904 587 560	461.8696 795 498	70
71	238.5118 856 495	300.0506 898 512	379.8620 771 063	483.6538 151 295	71
72	246.6672 422 190	311.5524 639 960	396.0565 601 905	506.4182 368 104	72
73	255.0672 594 856	323.4568 002 359	412.8988 225 981	530.2070 574 668	73
74	263.7192 772 701	335.7777 882 441	430.4147 755 020	555.0663 750 528	74
75	272.6308 555 882	348.5300 108 327	448.6313 665 221	581.0443 619 302	75
76	281.8097 812 559	361.7285 612 118	467.5766 211 830	608.1913 582 171	76
77	291.2640 746 936	375.3890 608 542	487.2796 860 303	636.5599 693 368	77
78	301.0019 969 344	389.5276 779 841	507.7708 734 715	666.2051 679 570	78
79	311.0320 568 424	404.1611 467 136	529.0817 084 104	697.1844 005 151	79
80	321.3630 185 477	419.3067 868 486	551.2449 767 468	729.5576 985 382	80
81	332.0039 091 041	434.9825 243 883	574.2947 758 167	763.3877 949 725	81
82	342.9640 263 772	451.2069 127 419	598.2665 668 494	798.7402 457 462	82
83	354.2529 471 685	467.9991 546 878	623.1972 295 233	835.6835 568 048	83
84	365.8805 355 836	485.3791 251 019	649.1251 187 043	874.2893 168 610	84
85	377.8569 516 511	503.3673 944 805	676.0901 234 524	914.6323 361 198	85
86	390.1926 602 006	521.9852 532 873	704.1337 283 905	956.7907 912 452	86
87	402.8984 400 067	541.2547 371 523	733.2990 775 262	1000.8463 768 512	87
88	415.9853 932 069	561.1986 529 527	763.6310 406 272	1046.8844 638 095	88
89	429.4649 550 031	581.8406 058 060	795.1762 822 523	1094.9942 646 809	89
90	443.3489 036 532	603.2050 270 092	827.9833 335 424	1145.2690 065 916	90
91	457.6493 707 627	625.3172 029 545	862.1026 668 841	1197.8061 118 882	91
92	472.3788 518 856	648.2033 050 580	897.5867 735 595	1252.7073 869 231	92
93	487.5502 174 422	671.8904 207 350	934.4902 445 018	1310.0792 193 347	93
94	503.1767 239 655	696.4065 854 607	972.8698 542 819	1370.0327 842 047	94
95	519.2720 256 844	721.7808 159 518	1012.7846 484 532	1432.6842 594 940	95
96	535.8501 864 550	748.0431 445 101	1054.2960 343 913	1498.1550 511 712	96
97	552.9256 920 486	775.2246 545 680	1097.4678 757 670	1566.5720 284 739	97
98	570.5134 628 101	803.3575 174 779	1142.3665 907 976	1638.0677 697 552	98
99	588.6288 666 944	832.4750 305 896	1189.0612 544 295	1712.7808 193 942	99
100	607.2877 326 952	862.6116 566 602	1237.6237 046 067	1790.8559 562 669	100

TABLE III $\qquad$ VALEUR ACQUISE ACCUMULÉE DE 1 PAR PÉRIODE D'INTÉRÊT $s_{\overline{n}|} = \dfrac{[(1 + i)^n - 1]}{i}$

n	5 pour cent	5½ pour cent	6 pour cent	6½ pour cent	n
1	1.0000 000 000	1.0000 000 000	1.0000 000 000	1.0000 000 000	1
2	2.0500 000 000	2.0550 000 000	2.0600 000 000	2.0650 000 000	2
3	3.1525 000 000	3.1680 250 000	3.1836 000 000	3.1992 250 000	3
4	4.3101 250 000	4.3422 663 750	4.3746 160 000	4.4071 746 250	4
5	5.5256 312 500	5.5810 910 256	5.6370 929 600	5.6936 409 756	5
6	6.8019 128 125	6.8880 510 320	6.9753 185 376	7.0637 276 390	6
7	8.1420 084 531	8.2668 938 388	8.3938 376 499	8.5228 699 356	7
8	9.5491 088 758	9.7215 729 999	9.8974 679 088	10.0768 564 814	8
9	11.0265 643 196	11.2562 595 149	11.4913 159 834	11.7318 521 527	9
10	12.5778 925 355	12.8753 537 882	13.1807 949 424	13.4944 225 426	10
11	14.2067 871 623	14.5834 982 466	14.9716 426 389	15.3715 600 079	11
12	15.9171 265 204	16.3855 906 501	16.8699 411 973	17.3707 114 084	12
13	17.7129 828 465	18.2867 981 359	18.8821 376 691	19.4998 076 499	13
14	19.5986 319 888	20.2925 720 334	21.0150 659 292	21.7672 951 472	14
15	21.5785 635 882	22.4086 634 952	23.2759 698 850	24.1821 693 317	15
16	23.6574 917 676	24.6411 399 875	25.6725 280 781	26.7540 103 383	16
17	25.8403 663 560	26.9964 026 868	28.2128 797 628	29.4930 210 103	17
18	28.1323 846 738	29.4812 048 345	30.9056 525 485	32.4100 673 760	18
19	30.5390 039 075	32.1026 711 004	33.7599 917 015	35.5167 217 554	19
20	33.0659 541 029	34.8683 180 110	36.7855 912 035	38.8253 086 695	20
21	35.7192 518 080	37.7860 755 016	39.9927 266 758	42.3489 537 330	21
22	38.5052 143 984	40.8643 096 542	43.3922 902 763	46.1016 357 257	22
23	41.4304 751 184	44.1118 466 851	46.9958 276 929	50.0982 420 478	23
24	44.5019 988 743	47.5379 982 528	50.8155 773 545	54.3546 277 809	24
25	47.7270 988 180	51.1525 881 567	54.8645 119 957	58.8876 785 867	25
26	51.1134 537 589	54.9659 805 053	59.1563 827 155	63.7153 776 948	26
27	54.6691 264 468	58.9891 094 331	63.7057 656 784	68.8568 772 450	27
28	58.4025 827 692	63.2335 104 520	68.5281 116 191	74.3325 742 659	28
29	62.3227 119 076	67.7113 535 268	73.6397 983 162	80.1641 915 932	29
30	66.4388 475 030	72.4354 779 708	79.0581 862 152	86.3748 640 468	30
31	70.7607 898 782	77.4194 292 592	84.8016 773 881	92.9892 302 098	31
32	75.2988 293 721	82.6774 978 685	90.8897 780 314	100.0335 301 735	32
33	80.0637 708 407	88.2247 602 512	97.3431 647 133	107.5357 096 347	33
34	85.0669 593 827	94.0771 220 650	104.1837 545 961	115.5255 307 610	34
35	90.3203 073 518	100.2513 637 786	111.4347 798 719	124.0346 902 605	35
36	95.8363 227 194	106.7651 887 864	119.1208 666 642	133.0969 451 274	36
37	101.6281 388 554	113.6372 741 697	127.2681 186 640	142.7482 465 607	37
38	107.7095 457 982	120.8873 242 490	135.9042 057 839	153.0268 825 871	38
39	114.0950 230 881	128.5361 270 827	145.0584 580 309	163.9736 299 553	39
40	120.7997 742 425	136.6056 140 723	154.7619 656 188	175.6319 159 024	40
41	127.8397 629 546	145.1189 228 463	165.0476 835 559	188.0479 904 360	41
42	135.2317 511 023	154.1004 636 028	175.9505 445 692	201.2711 098 144	42
43	142.9933 386 575	163.5759 891 010	187.5075 772 434	215.3537 319 523	43
44	151.1430 055 903	173.5726 685 015	199.7580 318 780	230.3517 245 292	44
45	159.7001 558 699	184.1191 652 691	212.7435 137 907	246.3245 866 236	45
46	168.6851 636 633	195.2457 193 589	226.5081 246 181	263.3356 847 541	46
47	178.1194 218 465	206.9842 339 236	241.0986 120 952	281.4525 042 631	47
48	188.0253 929 388	219.3683 667 894	256.5645 288 209	300.7469 170 402	48
49	198.4266 625 858	232.4336 269 629	272.9584 005 502	321.2954 666 479	49
50	209.3479 957 151	246.2174 764 458	290.3359 045 832	343.1796 719 800	50

Table III   Valeur acquise accumulée de 1 par période d'intérêt $s_{\overline{n}|} = \dfrac{[(1+i)^n - 1]}{i}$

n	5 pour cent	5½ pour cent	6 pour cent	6½ pour cent	n
51	220.8153 955 008	260.7594 376 503	308.7560 588 582	366.4863 506 587	51
52	232.8561 652 759	276.1012 067 211	328.2814 223 897	391.3079 634 515	52
53	245.4989 735 397	292.2867 730 908	348.9783 077 331	417.7429 810 758	53
54	258.7739 222 166	309.3625 456 108	370.9170 061 970	445.8962 748 458	54
55	272.7126 183 275	327.3774 856 193	394.1720 265 689	475.8795 327 107	55
56	287.3482 492 438	346.3832 473 284	418.8223 481 630	507.8117 023 369	56
57	302.7156 617 060	366.4343 259 315	444.9516 890 528	541.8194 629 888	57
58	318.8514 447 913	387.5882 138 577	472.6487 903 959	578.0377 280 831	58
59	335.7940 170 309	409.9055 656 199	502.0077 178 197	616.6101 804 085	59
60	353.5837 178 825	433.4503 717 290	533.1281 808 889	657.6898 421 351	60
61	372.2629 037 766	458.2901 421 741	566.1158 717 422	701.4396 818 738	61
62	391.8760 489 654	484.4960 999 936	601.0828 240 467	748.0332 611 956	62
63	412.4698 514 137	512.1433 854 933	638.1477 934 895	797.6554 231 734	63
64	434.0933 439 844	541.3112 716 954	677.4366 610 989	850.5030 256 796	64
65	456.7980 111 836	572.0833 916 387	719.0828 607 648	906.7857 223 488	65
66	480.6379 117 428	604.5479 781 788	763.2278 324 107	966.7267 943 015	66
67	505.6698 073 299	638.7981 169 786	810.0215 023 554	1030.5640 359 311	67
68	531.9532 976 964	674.9320 134 125	859.6227 924 967	1098.5506 982 666	68
69	559.5509 625 812	713.0532 741 502	912.2001 600 465	1170.9564 936 539	69
70	588.5285 107 103	753.2712 042 284	967.9321 696 493	1248.0686 657 414	70
71	618.9549 362 458	795.7011 204 610	1027.0080 998 283	1330.1931 290 146	71
72	650.9026 830 581	840.4646 820 863	1089.6285 858 180	1417.6556 824 006	72
73	684.4478 172 110	887.6902 396 011	1156.0063 009 670	1510.8033 017 566	73
74	719.6702 080 715	937.5132 027 791	1226.3666 790 250	1610.0055 163 708	74
75	756.6537 184 751	990.0764 289 320	1300.9486 797 666	1715.6558 749 349	75
76	795.4864 043 989	1045.5306 325 233	1380.0056 005 525	1828.1735 068 057	76
77	836.2607 246 188	1104.0348 173 120	1463.8059 365 857	1948.0047 847 480	77
78	879.0737 608 497	1165.7567 322 642	1552.6342 927 808	2075.6250 957 566	78
79	924.0274 488 922	1230.8733 525 387	1646.7923 503 477	2211.5407 269 808	79
80	971.2288 213 368	1299.5713 869 284	1746.5998 913 686	2356.2908 742 346	80
81	1020.7902 624 037	1372.0478 132 094	1852.3958 848 507	2510.4497 810 598	81
82	1072.8297 755 239	1448.5104 429 359	1964.5396 379 417	2674.6290 168 287	82
83	1127.4712 643 001	1529.1785 172 974	2083.4120 162 182	2849.4799 029 226	83
84	1184.8448 275 151	1614.2833 357 488	2209.4167 371 913	3035.6960 966 126	84
85	1245.0870 688 908	1704.0689 192 150	2342.9817 414 228	3234.0163 428 924	85
86	1308.3414 223 354	1798.7927 097 718	2484.5606 459 081	3445.2274 051 804	86
87	1374.7584 934 521	1898.7263 088 092	2634.6342 846 626	3670.1671 865 171	87
88	1444.4964 181 247	2004.1562 557 937	2793.7123 417 424	3909.7280 536 407	88
89	1517.7212 390 310	2115.3848 498 624	2962.3350 822 469	4164.8603 771 274	89
90	1594.6073 009 825	2232.7310 166 048	3141.0751 871 817	4436.5763 016 406	90
91	1675.3376 660 316	2356.5312 225 181	3330.5396 984 127	4725.9537 612 473	91
92	1760.1045 493 332	2487.1404 397 566	3531.3720 803 174	5034.1407 557 284	92
93	1849.1097 767 999	2624.9331 639 432	3744.2544 051 365	5362.3599 048 507	93
94	1942.5652 656 399	2770.3044 879 601	3969.9096 694 446	5711.9132 986 660	94
95	2040.6935 289 219	2923.6712 347 979	4209.1042 496 113	6084.1876 630 793	95
96	2143.7282 053 680	3085.4731 527 118	4462.6505 045 880	6480.6598 611 794	96
97	2251.9146 156 364	3256.1741 761 109	4731.4095 348 633	6902.9027 521 561	97
98	2365.5103 464 182	3436.2637 557 970	5016.2941 069 551	7352.5914 310 462	98
99	2484.7858 637 391	3626.2582 623 659	5318.2717 533 724	7831.5098 740 642	99
100	2610.0251 569 260	3826.7024 667 960	5638.3680 585 747	8341.5580 158 784	100

TABLE III   VALEUR ACQUISE ACCUMULÉE DE 1 PAR PÉRIODE D'INTÉRÊT $s_{n\rceil} = \dfrac{[(1+i)^n - 1]}{i}$

n	7 pour cent	7½ pour cent	8 pour cent	8½ pour cent	n
1	1.0000 000 000	1.0000 000 000	1.0000 000 000	1.0000 000 000	1
2	2.0700 000 000	2.0750 000 000	2.0800 000 000	2.0850 000 000	2
3	3.2149 000 000	3.2306 250 000	3.2464 000 000	3.2622 250 000	3
4	4.4399 430 000	4.4729 218 750	4.5061 120 000	4.5395 141 250	4
5	5.7507 390 100	5.8083 910 156	5.8666 009 600	5.9253 728 256	5
6	7.1532 907 407	7.2440 203 418	7.3359 290 368	7.4290 295 158	6
7	8.6540 210 925	8.7873 218 674	8.9228 033 597	9.0604 970 246	7
8	10.2598 025 690	10.4463 710 075	10.6366 276 285	10.8306 392 717	8
9	11.9779 887 489	12.2298 488 331	12.4875 578 388	12.7512 436 098	9
10	13.8164 479 613	14.1470 874 955	14.4865 624 659	14.8350 993 167	10
11	15.7835 993 186	16.2081 190 577	16.6454 874 632	17.0960 827 586	11
12	17.8884 512 709	18.4237 279 870	18.9771 264 602	19.5492 497 931	12
13	20.1406 428 598	20.8055 075 860	21.4952 965 771	22.2109 360 255	13
14	22.5504 878 600	23.3659 206 550	24.2149 203 032	25.0988 655 877	14
15	25.1290 220 102	26.1183 647 041	27.1521 139 275	28.2322 691 626	15
16	27.8880 535 509	29.0772 420 569	30.3242 830 417	31.6320 120 414	16
17	30.8402 172 995	32.2580 352 112	33.7502 256 850	35.3207 330 649	17
18	33.9990 325 105	35.6773 878 520	37.4502 437 398	39.3229 953 755	18
19	37.3789 647 862	39.3531 919 410	41.4462 632 390	43.6654 499 824	19
20	40.9954 923 212	43.3046 813 365	45.7619 642 981	48.3770 132 309	20
21	44.8651 767 837	47.5525 324 368	50.4229 214 420	53.4890 593 555	21
22	49.0057 391 586	52.1189 723 695	55.4567 551 573	59.0356 294 007	22
23	53.4361 408 997	57.0278 952 972	60.8932 955 699	65.0536 578 998	23
24	58.1766 707 627	62.3049 874 445	66.7647 592 155	71.5832 188 213	24
25	63.2490 377 160	67.9778 615 029	73.1059 399 527	78.6677 924 211	25
26	68.6764 703 562	74.0762 011 156	79.9544 151 490	86.3545 547 769	26
27	74.4838 232 811	80.6319 161 992	87.3507 683 609	94.6946 919 329	27
28	80.6976 909 108	87.6793 099 142	95.3388 298 297	103.7437 407 472	28
29	87.3465 292 745	95.2552 581 578	103.9659 362 161	113.5619 587 107	29
30	94.4607 863 237	103.3994 025 196	113.2832 111 134	124.2147 252 011	30
31	102.0730 413 664	112.1543 577 086	123.3458 680 025	135.7729 768 432	31
32	110.2181 542 621	121.5659 345 367	134.2135 374 427	148.3136 798 749	32
33	118.9334 250 604	131.6833 796 269	145.9506 204 381	161.9203 426 642	33
34	128.2587 648 146	142.5596 330 990	158.6266 700 732	176.6835 717 907	34
35	138.2368 783 516	154.2516 055 814	172.3168 036 790	192.7016 753 929	35
36	148.9134 598 363	166.8204 760 000	187.1021 479 733	210.0813 178 013	36
37	160.3374 020 248	180.3320 117 000	203.0703 198 112	228.9382 298 144	37
38	172.5610 201 665	194.8569 125 775	220.3159 453 961	249.3979 793 487	38
39	185.6402 915 782	210.4711 810 208	238.9412 210 278	271.5968 075 933	39
40	199.6351 119 887	227.2565 195 974	259.0565 187 100	295.6825 362 387	40
41	214.6095 698 279	245.3007 585 672	280.7810 402 068	321.8155 518 190	41
42	230.6322 397 158	264.6983 154 597	304.2435 234 233	350.1698 737 236	42
43	247.7764 964 959	285.5506 891 192	329.5830 052 972	380.9343 129 901	43
44	266.1208 512 507	307.9669 908 031	356.9496 457 210	414.3137 295 943	44
45	285.7493 108 382	332.0645 151 134	386.5056 173 787	450.5303 966 098	45
46	306.7517 625 969	357.9693 537 469	418.4260 667 690	489.8254 803 216	46
47	329.2243 859 787	385.8170 552 779	452.9001 521 105	532.4606 461 490	47
48	353.2700 929 972	415.7533 344 237	490.1321 642 793	578.7198 010 717	48
49	378.9989 995 070	447.9348 345 055	530.3427 374 217	628.9109 841 627	49
50	406.5289 294 724	482.5299 470 934	573.7701 564 154	683.3684 178 166	50

TABLE III   VALEUR ACQUISE ACCUMULÉE DE 1 PAR PÉRIODE D'INTÉRÊT $s_{\overline{n}|} = \dfrac{[(1+i)^n - 1]}{i}$

n	7 pour cent	7½ pour cent	8 pour cent	8½ pour cent	n
51	435.9859 545 355	519.7196 931 254	620.6717 689 286	742.4547 333 310	51
52	467.5049 713 530	559.6986 701 098	671.3255 104 429	806.5633 856 641	52
53	501.2303 193 477	602.6760 703 681	726.0315 512 783	876.1212 734 456	53
54	537.3164 417 021	648.8767 756 457	785.1140 753 806	951.5915 816 884	54
55	575.9285 926 212	698.5425 338 191	848.9232 014 111	1033.4768 661 320	55
56	617.2435 941 047	751.9332 238 555	917.8370 575 239	1122.3223 997 532	56
57	661.4506 456 920	809.3282 156 447	992.2640 221 259	1218.7198 037 322	57
58	708.7521 908 904	871.0278 318 180	1072.6451 438 959	1323.3109 870 494	58
59	759.3648 442 528	937.3549 192 044	1159.4567 554 076	1436.7924 209 486	59
60	813.5203 833 505	1008.6565 381 447	1253.2132 958 402	1559.9197 767 293	60
61	871.4668 101 850	1085.3057 785 056	1354.4703 595 074	1693.5129 577 513	61
62	933.4694 868 980	1167.7037 118 935	1463 8279 882 680	1838.4615 591 601	62
63	999.8123 509 808	1256.2814 902 855	1581.9342 273 295	1995.7307 916 887	63
64	1070.7992 155 495	1351.5026 020 569	1709.4889 655 158	2166.3679 089 823	64
65	1146.7551 606 379	1453.8652 972 112	1847.2480 827 571	2351.5091 812 458	65
66	1228.0280 218 826	1563 9051 945 020	1996.0279 293 776	2552.3874 616 516	66
67	1314.9899 834 144	1682.1980 840 897	2156.7101 637 279	2770.3403 958 920	67
68	1408.0392 822 534	1809.3629 403 964	2330.2469 768 261	3006.8193 295 429	68
69	1507.6020 320 111	1946.0651 609 261	2517 6667 349 722	3263 3989 725 540	69
70	1614.1341 742 519	2093.0200 479 956	2720.0800 737 699	3541.7878 852 211	70
71	1728.1235 664 495	2250.9965 515 952	2938.6864 796 715	3843 8398 554 649	71
72	1850.0922 161 010	2420.8212 929 649	3174.7813 980 453	4171.5662 431 794	72
73	1980.5986 712 281	2603.3828 899 372	3429.7639 098 889	4527.1493 738 496	73
74	2120.2405 782 140	2799.6366 066 825	3705 1450 226 800	4912.9570 706 269	74
75	2269.6574 186 890	3010.6093 521 837	4002.5566 244 944	5331.5584 216 301	75
76	2429.5334 379 972	3237.4050 535 975	4323.7611 544 540	5785.7408 874 687	76
77	2600.6007 786 570	3481.2104 326 173	4670.6620 468 103	6278.5288 629 036	77
78	2783.6428 331 630	3743.3012 150 636	5045.3150 105 551	6813.2038 162 504	78
79	2979.4978 314 845	4025.0488 061 934	5449.9402 113 995	7393.3261 406 316	79
80	3189.0626 796 884	4327.9274 666 579	5886.9354 283 115	8022.7588 625 853	80
81	3413.2970 672 665	4653.5220 266 572	6358.8902 625 764	8705.6933 659 051	81
82	3653.2278 619 752	5003.5361 786 565	6868.6014 835 825	9446.6773 020 070	82
83	3909.9538 123 135	5379.8013 920 557	7419.0896 022 691	10250.6448 726 776	83
84	4184.6505 791 754	5784.2864 964 599	8013.6167 704 506	11122.9496 868 552	84
85	4478.5761 197 178	6219.1079 836 944	8655.7061 120 867	12069.4004 102 379	85
86	4793.0764 480 980	6686.5410 824 715	9349.1626 010 536	13096.2994 451 081	86
87	5129.5917 994 649	7189.0316 636 568	10098.0956 091 379	14210.4848 979 423	87
88	5489.6632 254 274	7729.2090 384 311	10906.9432 578 689	15419.3761 142 674	88
89	5874.9396 512 073	8309.8997 163 134	11780.4987 184 984	16731.0230 839 802	89
90	6287.1854 267 918	8934.1421 950 369	12723.9386 159 783	18154.1600 461 185	90
91	6728.2884 066 673	9605.2028 596 647	13742.8537 052 565	19698.2636 500 386	91
92	7200.2685 951 340	10326.5930 741 396	14843.2820 016 771	21373.6160 602 919	92
93	7705.2873 967 933	11102.0875 547 000	16031.7445 618 112	23191.3734 254 167	93
94	8245.6575 145 689	11935.7441 213 025	17315.2841 267 561	25163.6401 665 771	94
95	8823.8535 405 887	12831.9249 304 002	18701.5068 568 966	27303.5495 807 363	95
96	9442.5232 884 299	13795.3193 001 802	20198.6274 054 483	29625.3512 950 987	96
97	10104.4999 186 200	14830.9682 476 937	21815.5175 978 842	32144.5061 551 822	97
98	10812.8149 129 233	15944.2908 662 708	23561.7590 057 150	34877.7891 783 726	98
99	11570.7119 568 280	17141.1126 812 411	25447.6997 261 721	37843.4012 585 343	99
100	12381.6617 938 059	18427.6961 323 345	27484 5157 042 661	41061.0903 655 098	100

TABLE III   VALEUR ACQUISE ACCUMULÉE DE 1 PAR PÉRIODE D'INTÉRÊT $s_{\overline{n}|} = \dfrac{[(1 + i)^n - 1]}{i}$

n	9 pour cent	9½ pour cent	10 pour cent	10½ pour cent	n
1	1.0000 000 000	1.0000 000 000	1.0000 000 000	1.0000 000 000	1
2	2.0900 000 000	2.0950 000 000	2.1000 000 000	2.1050 000 000	2
3	3.2781 000 000	3.2940 250 000	3.3100 000 000	3.3260 250 000	3
4	4.5731 290 000	4.6069 573 750	4.6410 000 000	4.6752 576 250	4
5	5.9847 106 100	6.0446 183 256	6.1051 000 000	6.1661 596 756	5
6	7.5233 345 649	7.6188 570 666	7.7156 100 000	7.8136 064 416	6
7	9.2004 346 757	9.3426 484 879	9.4871 710 000	9.6340 351 179	7
8	11.0284 737 966	11.2302 000 942	11.4358 881 000	11.6456 088 053	8
9	13.0210 364 382	13.2970 691 032	13.5794 769 100	13.8683 977 299	9
10	15.1929 297 177	15.5602 906 680	15.9374 246 010	16.3245 794 915	10
11	17.5602 933 923	18.0385 182 814	18.5311 670 611	19.0386 603 381	11
12	20.1407 197 976	20.7521 775 182	21.3842 837 672	22.0377 196 736	12
13	22.9533 845 794	23.7236 343 824	24.5227 121 439	25.3516 802 393	13
14	26.0191 891 915	26.9773 796 487	27.9749 833 583	29.0136 066 645	14
15	29.3609 162 188	30.5402 307 154	31.7724 816 942	33.0600 353 642	15
16	33.0033 986 784	34.4415 526 333	35.9497 298 636	37.5313 390 775	16
17	36.9737 045 595	38.7135 001 335	40.5447 028 499	42.4721 296 806	17
18	41.3013 379 699	43.3912 826 462	45.5991 731 349	47.9317 032 971	18
19	46.0184 583 871	48.5134 544 976	51.1590 904 484	53.9645 321 433	19
20	51.1601 196 420	54.1222 326 748	57.2749 994 932	60.6308 080 183	20
21	56.7645 304 098	60.2638 447 789	64.0024 994 426	67.9970 428 603	21
22	62.8733 381 466	66.9889 100 329	71.4027 493 868	76.1367 323 606	22
23	69.5319 385 798	74.3528 564 861	79.5430 243 255	85.1310 892 585	23
24	76.7898 130 520	82.4163 778 522	88.4973 267 581	95.0698 536 306	24
25	84.7008 962 267	91.2459 337 482	98.3470 594 339	106.0521 882 618	25
26	93.3239 768 871	100.9142 974 543	109.1817 653 773	118.1876 680 293	26
27	102.7231 348 069	111.5011 557 124	121.0999 419 150	131.5973 731 724	27
28	112.9682 169 396	123.0937 655 051	134.2099 361 065	146.4150 973 555	28
29	124.1353 564 641	135.7876 732 281	148.6309 297 171	162.7886 825 778	29
30	136.3075 385 459	149.6875 021 848	164.4940 226 889	180.8814 942 485	30
31	149.5752 170 150	164.9078 148 923	181.9434 249 578	200.8740 511 446	31
32	164.0369 865 464	181.5740 573 071	201.1377 674 535	222.9658 265 147	32
33	179.8003 153 356	199.8235 927 513	222.2515 441 989	247.3772 382 988	33
34	196.9823 437 158	219.8068 340 627	245.4766 986 188	274.3518 483 201	34
35	215.7107 546 502	241.6884 832 986	271.0243 684 806	304.1587 923 938	35
36	236.1247 225 687	265.6488 892 120	299.1268 053 287	337.0954 655 951	36
37	258.3759 475 999	291.8855 336 871	330.0394 858 616	373.4904 894 826	37
38	282.6297 828 839	320.6146 593 874	364.0434 344 477	413.7069 908 783	38
39	309.0664 633 434	352.0730 520 292	401.4477 778 925	458.1462 249 205	39
40	337.8824 450 443	386.5199 919 720	442.5925 556 818	507.2515 785 371	40
41	369.2918 650 983	424.2393 912 093	487.8518 112 499	561.5129 942 835	41
42	403.5281 329 572	465.5421 333 742	537.6369 923 749	621.4718 586 833	42
43	440.8456 649 233	510.7686 360 447	592.4006 916 124	687.7264 038 450	43
44	481.5217 747 664	560.2916 564 690	652.6407 607 737	760.9376 762 488	44
45	525.8587 344 954	614.5193 638 335	718.9048 368 510	841.8361 322 549	45
46	574.1860 206 000	673.8987 033 977	791.7953 205 361	931.2289 261 417	46
47	626.8627 624 540	738.9190 802 205	871.9748 525 897	1030.0079 633 865	47
48	684.2804 110 748	810.1163 928 415	960.1723 378 487	1139.1587 995 422	48
49	746.8656 480 716	888.0774 501 614	1057.1895 716 336	1259.7704 734 942	49
50	815.0835 563 980	973.4448 079 267	1163.9085 287 970	1393.0463 732 109	50

TABLE III — VALEUR ACQUISE ACCUMULÉE DE 1 PAR PÉRIODE D'INTÉRÊT $s_{\overline{n}|} = \dfrac{[(1+i)^n - 1]}{i}$

n	9 pour cent	9½ pour cent	10 pour cent	10½ pour cent	n
51	889.4410 764 738	1066.9220 646 798	1281.2993 816 767	1540.3162 423 981	51
52	970.4907 733 565	1169.2796 608 244	1410.4293 198 443	1703.0494 478 499	52
53	1058.8349 429 585	1281.3612 286 027	1552.4722 518 287	1882.8696 398 742	53
54	1155.1300 878 248	1404.0905 453 199	1708.7194 770 116	2081.5709 520 610	54
55	1260.0917 957 290	1538.4791 471 253	1880.5914 247 128	2301.1359 020 274	55
56	1374.5000 573 446	1685.6346 661 022	2069.6505 671 841	2543.7551 717 402	56
57	1499.2050 625 057	1846.7699 593 819	2277.6156 239 025	2811.8494 647 730	57
58	1635.1335 181 312	2023.2131 055 232	2506.3771 862 927	3108.0936 585 741	58
59	1783.2955 347 630	2216.4183 505 479	2758.0149 049 220	3435.4434 927 244	59
60	1944.7921 328 916	2427.9780 938 500	3034.8163 954 142	3797.1650 594 603	60
61	2120.8234 248 519	2659.6360 127 657	3339.2980 349 556	4196.8673 907 038	61
62	2312.6975 330 886	2913.3014 339 785	3674.2278 384 512	4638.5384 667 277	62
63	2521.8403 110 665	3191.0650 702 064	4042.6506 222 963	5126.5850 057 340	63
64	2749.8059 390 625	3495.2162 518 760	4447.9156 845 259	5665.8764 313 361	64
65	2998.2884 735 782	3828.2617 958 042	4893.7072 529 785	6261.7934 566 264	65
66	3269.1344 362 002	4192.9466 664 056	5384.0779 782 763	6920.2817 695 722	66
67	3564.3565 354 582	4592.2765 997 142	5923.4857 761 040	7647.9113 553 772	67
68	3886.1486 236 494	5029.5428 766 870	6516.8343 537 144	8451.9420 476 918	68
69	4236.9019 997 779	5508.3494 499 723	7169.5177 890 858	9340.3959 626 994	69
70	4619.2231 797 579	6032.6426 477 197	7887.4695 679 944	10322.1375 387 829	70
71	5035.9532 659 361	6606.7436 992 530	8677.2165 247 938	11406.9619 803 551	71
72	5490.1890 598 704	7235.3843 506 821	9545.9381 772 732	12605.6929 882 924	72
73	5985.3060 752 587	7923.7458 639 969	10501.5319 950 005	13930.2907 520 631	73
74	6524.9836 220 320	8677.5017 210 766	11552.6851 945 006	15393.9712 810 297	74
75	7113.2321 480 148	9502.8643 845 788	12708.9537 139 506	17011.3382 655 378	75
76	7754.4230 413 362	10406.6365 011 138	13980.8490 853 457	18798.5287 834 192	76
77	8453.3211 150 564	11396.2669 687 197	15379.9339 938 803	20773.3743 056 782	77
78	9215.1200 154 115	12479.9123 307 480	16918.9273 932 683	22955.5786 077 744	78
79	10045.4808 167 986	13666.5040 021 691	18611.8201 325 951	25366.9143 615 907	79
80	10950.5740 903 105	14965.8218 823 753	20474.0021 458 546	28031.4403 695 576	80
81	11937.1257 584 384	16388.5749 612 008	22522.4023 604 401	30975.7416 083 613	81
82	13012.4670 766 978	17946.4895 825 149	24775.6425 964 841	34229.1944 772 392	82
83	14184.5891 136 006	19652.4060 928 538	27254.2068 561 325	37824.2598 973 493	83
84	15462.2021 338 247	21520.3846 716 749	29980.6275 417 457	41796.8071 865 710	84
85	16854.8003 258 689	23565.8212 154 841	32979.6902 959 203	46186.4719 411 609	85
86	18372.7323 551 971	25805.5742 309 550	36278.6593 255 123	51037.0514 949 828	86
87	20027.2782 671 648	28258.1037 828 958	39907.5252 580 636	56396.9419 019 560	87
88	21830.7333 112 097	30943.6236 422 709	43899.2777 838 699	62319.6208 016 613	88
89	23796.4993 092 185	33884.2678 882 866	48290.2055 622 569	68864.1809 858 357	89
90	25939.1842 470 482	37104.2733 376 740	53120.2261 184 826	76095.9199 893 484	90
91	28274.7108 292 825	40630.1793 047 529	58433.2487 303 309	84086.9915 882 301	91
92	30820.4348 039 180	44491.0463 387 044	64277.5736 033 640	92917.1257 049 942	92
93	33595.2739 362 706	48718.6957 408 813	70706.3309 637 004	102674.4239 040 186	93
94	36619.8485 905 349	53347.9718 362 650	77777.9640 600 704	113456.2384 139 405	94
95	39916.6349 636 833	58417.0291 607 101	85556.7604 660 775	125370.1434 474 043	95
96	43510.1321 104 146	63967.6469 309 776	94113.4365 126 852	138535.0085 093 817	96
97	47427.0440 003 519	70045.5733 894 204	103525.7801 639 538	153082.1844 028 668	97
98	51696.4779 603 836	76700.9028 614 154	113879.3581 803 492	169156.8137 651 677	98
99	56350.1609 768 181	83988.4886 332 498	125268.2939 983 841	186919.2792 105 103	99
100	61422.6754 647 320	91968.3950 534 091	137796.1233 982 224	206546.8035 276 138	100

TABLE IV VALEUR ACTUELLE ACCUMULÉE DE 1 PAR PÉRIODE D'INTÉRÊT $a_{\overline{n}|} = \dfrac{(1 - v^n)}{i}$

n	¼ pour cent	7/24 pour cent	⅓ pour cent	5/12 pour cent	n
1	0.9975 062 344	0.9970 918 155	0.9966 777 409	0.9958 506 224	1
2	1.9925 249 221	1.9912 839 042	1.9900 442 600	1.9875 690 846	2
3	2.9850 622 664	2.9825 846 988	2.9801 105 581	2.9751 725 323	3
4	3.9751 244 553	3.9710 026 078	3.9668 875 995	3.9586 780 405	4
5	4.9627 176 612	4.9565 460 153	4.9503 863 119	4.9381 026 129	5
6	5.9478 480 410	5.9392 232 807	5.9306 175 866	5.9134 631 830	6
7	6.9305 217 367	6.9190 427 394	6.9075 922 790	6.8847 766 138	7
8	7.9107 448 745	7.8960 127 023	7.8813 212 083	7.8520 596 984	8
9	8.8885 235 656	8.8701 414 564	8.8518 151 578	8.8153 291 602	9
10	9.8638 639 058	9.8414 372 644	9.8190 848 748	9.7746 016 533	10
11	10.8367 719 759	10.8099 083 650	10.7831 410 713	10.7298 937 626	11
12	11.8072 538 413	11.7755 629 730	11.7439 944 232	11.6812 220 043	12
13	12.7753 155 524	12.7384 092 793	12.7016 555 713	12.6286 028 259	13
14	13.7409 631 446	13.6984 554 509	13.6561 351 209	13.5720 526 067	14
15	14.7042 026 380	14.6557 096 311	14.6074 436 421	14.5115 876 581	15
16	15.6650 400 379	15.6101 799 396	15.5555 916 699	15.4472 242 238	16
17	16.6234 813 345	16.5618 744 724	16.5005 897 042	16.3789 784 802	17
18	17.5795 325 033	17.5108 013 020	17.4424 482 101	17.3068 665 363	18
19	18.5331 995 045	18.4569 684 772	18.3811 776 181	18.2309 044 344	19
20	19.4844 882 838	19.4003 840 238	19.3167 883 237	19.1511 081 505	20
21	20.4334 047 719	20.3410 559 440	20.2492 906 880	20.0674 935 938	21
22	21.3799 548 847	21.2789 922 167	21.1786 950 379	20.9800 766 080	22
23	22.3241 445 234	22.2142 007 977	22.1050 116 657	21.8888 729 706	23
24	23.2659 795 744	23.1466 896 196	23.0282 508 296	22.7938 983 940	24
25	24.2054 659 096	24.0764 665 921	23.9484 227 538	23.6951 685 251	25
26	25.1426 093 862	25.0035 396 016	24.8655 376 283	24.5926 989 462	26
27	26.0774 158 466	25.9279 165 117	25.7796 056 096	25.4865 051 746	27
28	27.0098 911 188	26.8496 051 634	26.6906 368 202	26.3766 026 635	28
29	27.9400 410 162	27.7686 133 744	27.5986 413 491	27.2630 068 018	29
30	28.8678 713 379	28.6849 489 399	28.5036 292 516	28.1457 329 147	30
31	29.7933 878 682	29.5986 196 327	29.4056 105 497	29.0247 962 636	31
32	30.7165 963 773	30.5096 332 025	30.3045 952 323	29.9002 120 467	32
33	31.6375 026 207	31.4179 973 768	31.2005 932 548	30.7719 953 992	33
34	32.5561 123 399	32.3237 198 606	32.0936 145 396	31.6401 613 934	34
35	33.4724 312 617	33.2268 083 363	32.9836 689 764	32.5047 250 391	35
36	34.3864 650 990	34.1272 704 641	33.8707 664 216	33.3657 012 837	36
37	35.2982 195 501	35.0251 138 819	34.7549 166 993	34.2231 050 129	37
38	36.2077 002 993	35.9203 462 055	35.6361 296 006	35.0769 510 501	38
39	37.1149 130 168	36.8129 750 283	36.5144 148 844	35.9272 541 578	39
40	38.0198 633 584	37.7030 079 219	37.3897 822 768	36.7740 290 368	40
41	38.9225 569 660	38.5904 524 356	38.2622 414 719	37.6172 903 271	41
42	39.8229 994 673	39.4753 160 970	39.1318 021 314	38.4570 526 079	42
43	40.7211 964 761	40.3576 064 116	39.9984 738 851	39.2933 303 979	43
44	41.6171 535 921	41.2373 308 633	40.8622 663 307	40.1261 381 556	44
45	42.5108 764 011	42.1144 969 139	41.7231 890 339	40.9554 902 795	45
46	43.4023 704 750	42.9891 120 039	42.5812 515 288	41.7814 011 082	46
47	44.2916 413 715	43.8611 835 519	43.4364 633 178	42.6038 849 210	47
48	45.1786 946 349	44.7307 189 549	44.2888 338 715	43.4229 559 379	48
49	46.0635 357 955	45.5977 255 886	45.1383 726 294	44.2386 283 199	49
50	46.9461 703 695	46.4622 108 071	45.9850 889 994	45.0509 161 692	50

TABLE IV VALEUR ACTUELLE ACCUMULÉE DE 1 PAR PÉRIODE D'INTÉRÊT $a_{\overline{n}|} = \dfrac{(1 - v^n)}{i}$

n	¼ pour cent	⁷⁄₂₄ pour cent	⅓ pour cent	⁵⁄₁₂ pour cent	n
51	47.8266 038 599	47.3241 819 431	46.8289 923 583	45.8598 335 295	51
52	48.7048 417 555	48.1836 463 081	47.6700 920 514	46.6653 943 862	52
53	49.5808 895 317	49.0406 111 921	48.5083 973 934	47.4676 126 668	53
54	50.4547 526 500	49.8950 838 641	49.3439 176 679	48.2665 022 408	54
55	51.3264 365 586	50.7470 715 721	50.1766 621 275	49.0620 769 203	55
56	52.1959 466 919	51.5965 815 426	51.0066 399 941	49.8543 504 600	56
57	53.0632 884 707	52.4436 209 814	51.8338 604 593	50.6433 365 577	57
58	53.9284 673 025	53.2881 970 732	52.6583 326 837	51.4290 488 542	58
59	54.7914 885 810	54.1303 169 820	53.4800 657 977	52.2115 009 336	59
60	55.6523 576 868	54.9699 878 508	54.2990 689 013	52.9907 063 239	60
61	56.5110 799 868	55.8072 168 018	55.1153 510 645	53.7666 784 969	61
62	57.3676 608 348	56.6420 109 366	55.9289 213 267	54.5394 308 682	62
63	58.2221 055 708	57.4743 773 360	56.7397 886 977	55.3089 767 982	63
64	59.0744 195 220	58.3043 230 604	57.5479 621 572	56.0753 295 916	64
65	59.9246 080 020	59.1318 551 496	58.3534 506 550	56.8385 024 979	65
66	60.7726 763 112	59.9569 806 227	59.1562 631 113	57.5985 087 116	66
67	61.6186 297 369	60.7797 064 788	59.9564 084 166	58.3553 613 725	67
68	62.4624 735 530	61.6000 396 964	60.7538 954 318	59.1090 735 660	68
69	63.3042 130 205	62.4179 872 336	61.5487 329 885	59.8596 583 230	69
70	64.1438 533 870	63.2335 560 286	62.3409 298 889	60.6071 286 204	70
71	64.9813 998 873	64.0467 529 990	63.1304 949 059	61.3514 973 813	71
72	65.8168 577 429	64.8575 850 426	63.9174 367 832	62.0927 774 752	72
73	66.6502 321 625	65.6660 590 371	64.7017 642 358	62.8309 817 180	73
74	67.4815 283 417	66.4721 818 400	65.4834 859 493	63.5661 228 727	74
75	68.3107 514 630	67.2759 602 892	66.2626 105 807	64.2982 136 492	75
76	69.1379 066 963	68.0774 012 024	67.0391 467 582	65.0272 667 046	76
77	69.9629 991 983	68.8765 113 775	67.8131 030 812	65.7532 946 435	77
78	70.7860 341 130	69.6732 975 929	68.5844 881 208	66.4763 100 185	78
79	71.6070 165 716	70.4677 666 069	69.3533 104 194	67.1963 253 296	79
80	72.4259 516 923	71.2599 251 585	70.1195 784 911	67.9133 530 253	80
81	73.2428 445 809	72.0497 799 670	70.8833 008 217	68.6274 055 024	81
82	74.0577 003 300	72.8373 377 319	71.6444 858 688	69.3384 951 061	82
83	74.8705 240 200	73.6226 051 336	72.4031 420 620	70.0466 341 306	83
84	75.6813 207 182	74.4055 888 329	73.1592 778 026	70.7518 348 188	84
85	76.4900 954 795	75.1862 954 711	73.9129 014 644	71.4541 093 632	85
86	77.2968 533 461	75.9647 316 704	74.6640 213 931	72.1534 699 052	86
87	78.1015 993 478	76.7409 040 336	75.4126 459 067	72.8499 285 363	87
88	78.9043 385 015	77.5148 191 444	76.1587 832 957	73.5434 972 976	88
89	79.7050 758 120	78.2864 835 674	76.9024 418 230	74.2341 881 802	89
90	80.5038 162 713	79.0559 038 478	77.6436 297 239	74.9220 131 255	90
91	81.3005 648 592	79.8230 865 121	78.3823 552 066	75.6069 840 254	91
92	82.0953 265 428	80.5880 380 678	79.1186 264 517	76.2891 127 224	92
93	82.8881 062 771	81.3507 650 032	79.8524 516 130	76.9684 110 098	93
94	83.6789 090 046	82.1112 737 880	80.5838 388 170	77.6448 906 322	94
95	84.4677 396 555	82.8695 708 729	81.3127 961 631	78.3185 632 852	95
96	85.2546 031 476	83.6256 626 901	82.0393 317 240	78.9894 406 159	96
97	86.0395 043 866	84.3795 556 527	82.7634 535 455	79.6575 342 233	97
98	86.8224 482 660	85.1312 561 556	83.4851 696 467	80.3228 556 581	98
99	87.6034 396 668	85.8807 705 748	84.2044 880 200	80.9854 164 230	99
100	88.3824 834 581	86.6281 052 678	84.9214 166 312	81.6452 279 731	100

TABLE IV VALEUR ACTUELLE ACCUMULÉE DE 1 PAR PÉRIODE D'INTÉRÊT $a_{\overline{n}|} = \dfrac{(1 - v^n)}{i}$

n	¼ pour cent	⁷⁄₂₄ pour cent	⅓ pour cent	⁵⁄₁₂ pour cent	n
101	89.1595 844 969	87.3732 665 736	85.6359 634 198	82.3023 017 160	101
102	89.9347 476 278	88.1162 608 129	86.3481 362 988	82.9566 490 117	102
103	90.7079 776 836	88.8570 942 879	87.0579 431 550	83.6082 811 735	103
104	91.4792 794 849	89.5957 732 825	87.7653 918 488	84.2572 094 674	104
105	92.2486 578 403	90.3323 040 623	88.4704 902 147	84.9034 451 128	105
106	93.0161 175 464	91.0666 928 747	89.1732 460 612	85.5469 992 824	106
107	93.7816 633 880	91.7989 459 490	89.8736 671 706	86.1878 831 028	107
108	94.5453 001 376	92.5290 694 963	90.5717 612 996	86.8261 076 543	108
109	95.3070 325 562	93.2570 697 097	91.2675 361 790	87.4616 839 711	109
110	96.0668 653 928	93.9829 527 641	91.9609 995 140	88.0946 230 417	110
111	96.8248 033 843	94.7067 248 168	92.6521 589 840	88.7249 358 092	111
112	97.5808 512 562	95.4283 920 067	93.3410 222 432	89.3526 331 710	112
113	98.3350 137 218	96.1479 604 554	94.0275 969 202	89.9777 259 794	113
114	99.0872 954 831	96.8654 362 663	94.7118 906 181	90.6002 250 417	114
115	99.8377 012 301	97.5808 255 252	95.3939 109 151	91.2201 411 204	115
116	100.5862 356 410	98.2941 343 001	96.0736 653 638	91.8374 849 331	116
117	101.3329 033 825	99.0053 686 416	96.7511 614 922	92.4522 671 533	117
118	102.0777 091 097	99.7145 345 824	97.4264 068 029	93.0644 984 100	118
119	102.8206 574 661	100.4216 381 378	98.0994 087 736	93.6741 892 879	119
120	103.5617 530 834	101.1266 853 057	98.7701 748 574	94.2813 503 282	120
121	104.3010 005 819	101.8296 820 663	99.4387 124 825	94.8859 920 281	121
122	105.0384 045 705	102.5306 343 827	100.1050 290 523	95.4881 248 413	122
123	105.7739 696 464	103.2295 482 005	100.7691 319 458	96.0877 591 780	123
124	106.5077 003 954	103.9264 294 479	101.4310 285 174	96.6849 054 055	124
125	107.2396 013 919	104.6212 840 361	102.0907 260 971	97.2795 738 478	125
126	107.9696 771 989	105.3141 178 590	102.7482 319 905	97.8717 747 862	126
127	108.6979 323 680	106.0049 367 934	103.4035 534 789	98.4615 184 593	127
128	109.4243 714 394	106.6937 466 989	104.0566 978 195	99.0488 150 632	128
129	110.1489 989 420	107.3805 534 181	104.7076 722 453	99.6336 747 517	129
130	110.8718 193 935	108.0653 627 766	105.3564 839 655	100.2161 076 366	130
131	111.5928 373 003	108.7481 805 833	106.0031 401 649	100.7961 237 875	131
132	112.3120 571 574	109.4290 126 298	106.6476 480 049	101.3737 332 323	132
133	113.0294 834 488	110.1078 646 911	107.2900 146 228	101.9489 459 575	133
134	113.7451 206 472	110.7847 425 254	107.9302 471 324	102.5217 719 079	134
135	114.4589 732 141	111.4596 518 741	108.5683 526 236	103.0922 209 871	135
136	115.1710 456 001	112.1325 984 619	109.2043 381 631	103.6603 030 577	136
137	115.8813 422 445	112.8035 879 969	109.8382 107 938	104.2260 279 413	137
138	116.5898 675 756	113.4726 261 706	110.4699 775 353	104.7894 054 187	138
139	117.2966 260 105	114.1397 186 578	111.0996 453 840	105.3504 452 302	139
140	118.0016 219 557	114.8048 711 171	111.7272 213 130	105.9091 570 758	140
141	118.7048 598 061	115.4680 891 903	112.3527 122 721	106.4655 506 149	141
142	119.4063 439 463	116.1293 785 030	112.9761 251 881	107.0196 354 671	142
143	120.1060 787 494	116.7887 446 644	113.5974 669 649	107.5714 212 120	143
144	120.8040 685 780	117.4461 932 673	114.2167 444 833	108.1209 173 896	144
145	121.5003 177 835	118.1017 298 885	114.8339 646 013	108.6681 335 000	145
146	122.1948 307 067	118.7553 600 882	115.4491 341 541	109.2130 790 041	146
147	122.8876 116 775	119.4070 894 108	116.0622 599 543	109.7557 633 236	147
148	123.5786 650 150	120.0569 233 842	116.6733 487 916	110.2961 958 410	148
149	124.2679 950 274	120.7048 675 206	117.2824 074 335	110.8343 858 997	149
150	124.9556 060 124	121.3509 273 160	117.8894 426 248	111.3703 428 047	150

TABLE IV VALEUR ACTUELLE ACCUMULÉE DE 1 PAR PÉRIODE D'INTÉRÊT $a_{\overline{n}|} = \dfrac{(1 - v^n)}{i}$

n	¼ pour cent	$\frac{7}{24}$ pour cent	⅓ pour cent	$\frac{5}{12}$ pour cent	n
151	125.6415 022 568	121.9951 082 502	118.4944 610 878	111.9040 758 221	151
152	126.3256 880 367	122.6374 157 875	119.0974 695 227	112.4355 941 797	152
153	127.0081 676 176	123.2778 553 760	119.6984 746 074	112.9649 070 669	153
154	127.6889 452 545	123.9164 324 480	120.2974 829 974	113.4920 236 351	154
155	128.3680 251 915	124.5531 524 201	120.8945 013 263	114.0169 529 976	155
156	129.0454 116 623	125.1880 206 931	121.4895 362 056	114.5397 042 300	156
157	129.7211 088 901	125.8210 426 521	122.0825 942 249	115.0602 863 701	157
158	130.3951 210 874	126.4522 236 664	122.6736 819 517	115.5787 084 184	158
159	131.0674 524 563	127.0815 690 898	123.2628 059 319	116.0949 793 378	159
160	131.7381 071 883	127.7090 842 608	123.8499 726 896	116.6091 080 542	160
161	132.4070 894 646	128.3347 745 018	124.4351 887 272	117.1211 034 565	161
162	133.0744 034 560	128.9586 451 202	125.0184 605 254	117.6309 743 965	162
163	133.7400 533 227	129.5807 014 077	125.5997 945 436	118.1387 296 895	163
164	134.4040 432 146	130.2009 486 409	126.1791 972 196	118.6443 781 140	164
165	135.0663 772 715	130.8193 920 806	126.7566 749 697	119.1479 284 123	165
166	135.7270 596 224	131.4360 369 728	127.3322 341 890	119.6493 892 902	166
167	136.3860 943 864	132.0508 885 479	127.9058 812 515	120.1487 694 177	167
168	137.0434 856 723	132.6639 520 211	128.4776 225 098	120.6460 774 284	168
169	137.6992 375 783	133.2752 325 928	129.0474 642 955	121.1413 219 204	169
170	138.3533 541 929	133.8847 354 477	129.6154 129 191	121.6345 114 560	170
171	139.0058 395 939	134.4924 657 559	130.1814 746 702	122.1256 545 620	171
172	139.6566 978 492	135.0984 286 723	130.7456 558 175	122.6147 597 298	172
173	140.3059 330 167	135.7026 293 367	131.3079 626 088	123.1018 354 155	173
174	140.9535 491 438	136.3050 728 742	131.8684 012 712	123.5868 900 404	174
175	141.5995 502 682	136.9057 643 947	132.4269 780 112	124.0699 319 904	175
176	142.2439 404 171	137.5047 089 935	132.9836 990 145	124.5509 696 170	176
177	142.8867 236 081	138.1019 117 508	133.5385 704 463	125.0300 112 368	177
178	143.5279 038 485	138.6973 777 325	134.0915 984 515	125.5070 651 321	178
179	144.1674 851 356	139.2911 119 892	134.6427 891 543	125.9821 395 507	179
180	144.8054 714 570	139.8831 195 571	135.1921 486 588	126.4552 427 060	180
181	145.4418 667 900	140.4734 054 579	135.7396 830 486	126.9263 827 778	181
182	146.0766 751 023	141.0619 746 983	136.2853 983 873	127.3955 679 115	182
183	146.7099 003 514	141.6488 322 709	136.8293 007 183	127.8628 062 189	183
184	147.3415 464 852	142.2339 831 533	137.3713 960 647	128.3281 057 782	184
185	147.9716 174 416	142.8174 323 091	137.9116 904 300	128.7914 746 339	185
186	148.6001 171 487	143.3991 846 871	138.4501 897 973	129.2529 207 972	186
187	149.2270 495 249	143.9792 452 219	138.9869 001 302	129.7124 522 462	187
188	149.8524 184 787	144.5576 188 336	139.5218 273 723	130.1700 769 257	188
189	150.4762 279 089	145.1343 104 282	140.0549 774 475	130.6258 027 476	189
190	151.0984 817 047	145.7093 248 972	140.5863 562 599	131.0796 375 909	190
191	151.7191 837 453	146.2826 671 181	141.1159 696 943	131.5315 893 022	191
192	152.3383 379 005	146.8543 419 541	141.6438 236 156	131.9816 656 951	192
193	152.9559 480 305	147.4243 542 542	142.1699 238 693	132.4298 745 511	193
194	153.5720 179 855	147.9927 088 534	142.6942 762 817	132.8762 236 194	194
195	154.1865 516 065	148.5594 105 725	143.2168 866 595	133.3207 206 168	195
196	154.7995 527 246	149.1244 642 186	143.7377 607 902	133.7633 732 284	196
197	155.4110 251 618	149.6878 745 844	144.2569 044 421	134.2041 891 071	197
198	156.0209 727 299	150.2496 464 489	144.7743 233 642	134.6431 758 743	198
199	156.6293 992 319	150.8097 845 772	145.2900 232 866	135.0803 411 196	199
200	157.2363 084 607	151.3682 937 205	145.8040 099 202	135.5156 924 013	200

TABLE IV VALEUR ACTUELLE ACCUMULÉE DE 1 PAR PÉRIODE D'INTÉRÊT $\qquad a_{\overline{n}|} = \dfrac{(1 - v^n)}{i}$

n	¼ pour cent	7/24 pour cent	⅓ pour cent	5/12 pour cent	n
201	157.8417 042 002	151.9251 786 162	146.3162 889 570	135.9492 372 461	201
202	158.4455 902 246	152.4804 439 879	146.8268 660 701	136.3809 831 496	202
203	159.0479 702 989	153.0340 945 455	147.3357 469 137	136.8109 375 764	203
204	159.6488 481 785	153.5861 349 851	147.8429 371 233	137.2391 079 599	204
205	160.2482 276 094	154.1365 699 893	148.3484 423 156	137.6655 017 028	205
206	160.8461 123 286	154.6854 042 270	148.8522 680 886	138.0901 261 771	206
207	161.4425 060 634	155.2326 423 535	149.3544 200 219	138.5129 887 241	207
208	162.0374 125 321	155.7782 890 105	149.8549 036 763	138.9340 966 547	208
209	162.6308 354 435	156.3223 488 264	150.3537 245 943	139.3534 572 495	209
210	163.2227 784 973	156.8648 264 161	150.8508 883 000	139.7710 777 588	210
211	163.8132 453 838	157.4057 263 808	151.3464 002 990	140.1869 654 029	211
212	164.4022 397 843	157.9450 533 086	151.8402 660 787	140.6011 273 722	212
213	164.9897 653 709	158.4828 117 743	152.3324 911 084	141.0135 708 271	213
214	165.5758 258 064	159.0190 063 391	152.8230 808 389	141.4243 028 984	214
215	166.1604 247 445	159.5536 415 513	153.3120 407 032	141.8333 306 872	215
216	166.7435 658 300	160.0867 219 456	153.7993 761 162	142.2406 612 652	216
217	167.3252 526 982	160.6182 520 438	154.2850 924 746	142.6463 016 749	217
218	167.9054 889 758	161.1482 363 544	154.7691 951 574	143.0502 589 294	218
219	168.4842 782 801	161.6766 793 729	155.2516 895 257	143.4525 400 127	219
220	169.0616 242 195	162.2035 855 817	155.7325 809 226	143.8531 518 798	220
221	169.6375 303 935	162.7289 594 499	156.2118 746 737	144.2521 014 571	221
222	170.2120 003 926	163.2528 054 341	156.6895 760 867	144.6493 956 419	222
223	170.7850 377 981	163.7751 279 775	157.1656 904 519	145.0450 413 032	223
224	171.3566 461 826	164.2959 315 106	157.6402 230 417	145.4390 452 812	224
225	171.9268 291 098	164.8152 204 509	158.1131 791 114	145.8314 143 879	225
226	172.4955 901 345	165.3329 992 033	158.5845 638 984	146.2221 554 070	226
227	173.0629 328 025	165.8492 721 595	159.0543 826 230	146.6112 750 941	227
228	173.6288 606 509	166.3640 436 987	159.5226 404 880	146.9987 801 767	228
229	174.1933 772 079	166.8773 181 873	159.9893 426 791	147.3846 773 544	229
230	174.7564 859 929	167.3890 999 790	160.4544 943 645	147.7689 732 990	230
231	175.3181 905 166	167.8993 934 149	160.9181 006 955	148.1516 746 546	231
232	175.8784 942 809	168.4082 028 233	161.3801 668 062	148.5327 880 378	232
233	176.4374 007 789	168.9155 325 201	161.8406 978 135	148.9123 200 376	233
234	176.9949 134 952	169.4213 868 086	162.2996 988 174	149.2902 772 159	234
235	177.5510 359 054	169.9257 699 795	162.7571 749 011	149.6666 661 071	235
236	178.1057 714 767	170.4286 863 111	163.2131 311 306	150.0414 932 187	236
237	178.6591 236 676	170.9301 400 692	163.6675 725 555	150.4147 650 311	237
238	179.2110 959 277	171.4301 355 073	164.1205 042 081	150.7864 879 997	238
239	179.7616 916 985	171.9286 768 665	164.5719 311 044	151.1566 685 455	239
240	180.3109 144 125	172.4257 683 754	165.0218 582 436	151.5253 130 743	240
241	180.8587 674 937	172.9214 142 505	165.4702 906 082	151.8924 279 578	241
242	181.4052 543 578	173.4156 186 959	165.9172 331 644	152.2580 195 431	242
243	181.9503 784 118	173.9083 859 037	166.3626 908 615	152.6220 941 508	243
244	182.4941 430 542	174.3997 200 536	166.8066 686 327	152.9846 580 755	244
245	183.0365 516 750	174.8896 253 131	167.2491 713 947	153.3457 175 855	245
246	183.5776 076 558	175.3781 058 377	167.6902 040 479	153.7052 789 233	246
247	184.1173 143 699	175.8651 657 709	168.1297 714 763	154.0633 483 054	247
248	184.6556 751 820	176.3508 092 439	168.5678 785 478	154.4199 319 224	248
249	185.1926 934 483	176.8350 403 762	169.0045 301 141	154.7750 359 393	249
250	185.7283 725 171	177.3178 632 749	169.4397 310 107	155.1286 664 956	250

TABLE IV VALEUR ACTUELLE ACCUMULÉE DE 1 PAR PÉRIODE D'INTÉRÊT $a_{\overline{n}|} = \dfrac{(1 - v^n)}{i}$

n	¼ pour cent	⁷⁄₂₄ pour cent	⅓ pour cent	⁵⁄₁₂ pour cent	n
251	186.2627 157 277	177.7992 820 357	169.8734 860 572	155.4808 297 051	251
252	186.7957 264 117	178.2793 007 418	170.3058 000 570	155.8315 316 566	252
253	187.3274 078 920	178.7579 234 651	170.7366 777 977	156.1807 784 132	253
254	187.8577 634 833	179.2351 542 651	171.1661 240 509	156.5285 760 131	254
255	188.3867 964 920	179.7109 971 900	171.5941 435 723	156.8749 304 695	255
256	188.9145 102 165	180.1854 562 759	172.0207 411 020	157.2198 477 705	256
257	189.4409 079 466	180.6585 355 472	172.4459 213 641	157.5633 338 793	257
258	189.9659 929 642	181.1302 390 167	172.8696 890 672	157.9053 947 346	258
259	190.4897 685 429	181.6005 706 855	173.2920 489 042	158.2460 362 502	259
260	191.0122 379 480	182.0695 345 431	173.7130 055 523	158.5852 643 155	260
261	191.5334 044 369	182.5371 345 673	174.1325 636 734	158.9230 847 956	261
262	192.0532 712 588	183.0033 747 244	174.5507 279 137	159.2595 035 309	262
263	192.5718 416 546	183.4682 589 690	174.9675 029 040	159 5945 263 378	263
264	193.0891 188 575	183.9317 912 446	175.3828 932 598	159.9281 590 086	264
265	193.6051 060 922	184.3939 754 827	175.7969 035 812	160.2604 073 114	265
266	194.1198 065 758	184.8548 156 039	176.2095 384 531	160.5912 769 906	266
267	194.6332 235 170	185.3143 155 170	176.6208 024 449	160.9207 737 666	267
268	195.1453 601 167	185.7724 791 195	177.0307 001 112	161.2489 033 361	268
269	195.6562 195 678	186.2293 102 978	177.4392 359 912	161.5756 713 720	269
270	196.1658 050 552	186.6848 129 268	177.8464 146 092	161.9010 835 240	270
271	196.6741 197 558	187.1389 908 701	178.2522 404 743	162.2251 454 181	271
272	197.1811 668 387	187.5918 479 802	178.6567 180 807	162.5478 626 570	272
273	197.6869 494 650	188.0433 880 982	179.0598 519 077	162.8692 408 203	273
274	198.1914 707 880	188.4936 150 543	179.4616 464 196	163.1892 854 642	274
275	198.6947 339 532	188.9425 326 673	179.8621 060 660	163.5080 021 220	275
276	199.1967 420 979	189.3901 447 452	180.2612 352 818	163.8253 963 040	276
277	199.6974 983 520	189.8364 550 845	180.6590 384 868	164.1414 734 978	277
278	200.1970 058 374	190.2814 674 711	181.0555 200 865	164.4562 391 679	278
279	200.6952 676 683	190.7251 856 795	181.4506 844 716	164.7696 987 565	279
280	201.1922 869 509	191.1676 134 735	181.8445 360 182	165.0818 576 828	280
281	201.6880 667 839	191.6087 546 059	182.2370 790 879	165.3927 213 438	281
282	202.1826 102 583	192.0486 128 185	182.6283 180 278	165.7022 951 142	282
283	202.6759 204 571	192.4871 918 423	183.0182 571 706	166.0105 843 461	283
284	203.1680 004 560	192.9244 953 974	183.4069 008 345	166.3175 943 696	284
285	203.6588 533 227	193.3605 271 931	183.7942 533 234	166.6233 304 925	285
286	204.1484 821 174	193.7952 909 279	184.1803 189 270	166.9277 980 008	286
287	204.6368 898 927	194.2287 902 896	184.5651 019 206	167.2310 021 585	287
288	205.1240 796 934	194.6610 289 551	184.9486 065 654	167.5329 482 076	288
289	205.6100 545 570	195.0920 105 908	185.3308 371 083	167.8336 413 686	289
290	206.0948 175 133	195.5217 388 526	185.7117 977 824	168.1330 868 401	290
291	206.5783 715 843	195.9502 173 852	186.0914 928 064	168.4312 897 993	291
292	207.0607 197 848	196.3774 498 232	186.4699 263 851	168.7282 554 018	292
293	207.5418 651 220	196.8034 397 905	186.8471 027 094	169.0239 887 818	293
294	208.0218 105 855	197.2281 909 004	187.2230 259 562	169.3184 950 525	294
295	208.5005 591 975	197.6517 067 556	187.5977 002 886	169.6117 793 054	295
296	208.9781 139 128	198.0739 909 487	187.9711 298 557	169.9038 466 111	296
297	209.4544 777 185	198.4950 470 615	188.3433 187 931	170.1947 020 194	297
298	209.9296 535 845	198.9148 786 653	188.7142 712 224	170.4843 505 587	298
299	210.4036 444 733	199.3334 893 215	189.0839 912 515	170.7727 972 369	299
300	210.8764 533 400	199.7508 825 806	189.4524 829 749	171.0600 470 409	300

TABLE IV VALEUR ACTUELLE ACCUMULÉE DE 1 PAR PÉRIODE D'INTÉRÊT $a_{\overline{n}|} = \dfrac{(1 - v^n)}{i}$

n	½ pour cent	⁷⁄₁₂ pour cent	⅔ pour cent	¾ pour cent	n
1	0.9950 248 756	0.9942 004 971	0.9933 774 834	0.9925 558 313	1
2	1.9850 993 787	1.9826 351 255	1.9801 763 081	1.9777 229 094	2
3	2.9702 481 380	2.9653 373 245	2.9604 400 411	2.9555 562 377	3
4	3.9504 956 597	3.9423 403 392	3.9342 119 614	3.9261 104 096	4
5	4.9258 663 281	4.9136 772 220	4.9015 350 610	4.8894 396 125	5
6	5.8963 844 061	5.8793 808 338	5.8624 520 473	5.8455 976 303	6
7	6.8620 740 359	6.8394 838 447	6.8170 053 450	6.7946 378 464	7
8	7.8229 592 397	7.7940 187 355	7.7652 370 977	7.7366 132 471	8
9	8.7790 639 201	8.7430 177 983	8.7071 891 699	8.6715 764 239	9
10	9.7304 118 608	9.6865 131 383	9.6429 031 489	9.5995 795 771	10
11	10.6770 267 272	10.6245 366 744	10.5724 203 466	10.5206 745 182	11
12	11.6189 320 668	11.5571 201 402	11.4957 818 013	11.4349 126 731	12
13	12.5561 513 103	12.4842 950 856	12.4130 282 794	12.3423 450 850	13
14	13.4887 077 714	13.4060 928 771	13.3242 002 775	13.2430 224 169	14
15	14.4166 246 482	14.3225 446 997	14.2293 380 240	14.1369 949 547	15
16	15.3399 250 231	15.2336 815 573	15.1284 814 808	15.0243 126 101	16
17	16.2586 311 077	16.1395 342 740	16.0216 703 452	15.9050 249 232	17
18	17.1727 680 236	17.0401 334 953	16.9089 440 515	16.7791 810 652	18
19	18.0823 562 424	17.9355 096 888	17.7903 417 730	17.6468 298 414	19
20	18.9874 191 467	18.8256 931 454	18.6659 024 236	18.5080 196 937	20
21	19.8879 792 504	19.7107 139 805	19.5356 646 592	19.3627 987 034	21
22	20.7840 589 556	20.5906 021 348	20.3996 668 800	20.2112 145 940	22
23	21.6756 805 529	21.4653 873 751	21.2579 472 317	21.0533 147 335	23
24	22.5628 662 218	22.3350 992 958	22.1105 436 077	21.8891 461 374	24
25	23.4456 380 316	23.1997 673 198	22.9574 936 500	22.7187 554 714	25
26	24.3240 179 419	24.0594 206 991	23.7988 347 517	23.5421 890 535	26
27	25.1980 278 029	24.9140 885 161	24.6346 040 580	24.3594 928 571	27
28	26.0676 893 561	25.7637 996 846	25.4648 384 682	25.1707 125 132	28
29	26.9330 242 349	26.6085 829 507	26.2895 746 373	25.9758 933 134	29
30	27.7940 539 651	27.4484 668 938	27.1088 489 774	26.7750 802 118	30
31	28.6507 999 653	28.2834 799 276	27.9226 976 597	27.5683 178 281	31
32	29.5032 835 475	29.1136 503 008	28.7311 566 156	28.3556 504 497	32
33	30.3515 259 179	29.9390 060 986	29.5342 615 387	29.1371 220 344	33
34	31.1955 481 771	30.7595 752 430	30.3320 478 861	29.9127 762 128	34
35	32.0353 713 205	31.5753 854 943	31.1245 508 802	30.6826 562 907	35
36	32.8710 162 393	32.3864 644 516	31.9118 055 101	31.4468 052 513	36
37	33.7025 037 207	33.1928 395 542	32.6938 465 333	32.2052 657 581	37
38	34.5298 544 484	33.9945 380 821	33.4707 084 767	32.9580 801 569	38
39	35.3530 890 034	34.7915 871 570	34.2424 256 392	33.7052 904 783	39
40	36.1722 278 641	35.5840 137 435	35.0090 320 919	34.4469 384 400	40
41	36.9872 914 070	36.3718 446 497	35.7705 616 807	35.1830 654 492	41
42	37.7982 999 075	37.1551 065 283	36.5270 480 272	35.9137 126 046	42
43	38.6052 735 398	37.9338 258 773	37.2785 245 303	36.6389 206 994	43
44	39.4082 323 779	38.7080 290 413	38.0250 243 678	37.3587 302 227	44
45	40.2071 963 959	39.4777 422 117	38.7665 804 978	38.0731 813 625	45
46	41.0021 854 686	40.2429 914 284	39.5032 256 601	38.7823 140 074	46
47	41.7932 193 717	41.0038 025 800	40.2349 923 776	39.4861 677 493	47
48	42.5803 177 828	41.7602 014 051	40.9619 129 579	40.1847 818 852	48
49	43.3635 002 814	42.5122 134 931	41.6840 194 946	40.8781 954 195	49
50	44.1427 863 497	43.2598 642 848	42.4013 438 688	41.5664 470 665	50

TABLE IV VALEUR ACTUELLE ACCUMULÉE DE 1 PAR PÉRIODE D'INTÉRÊT $a_{\overline{n}|} = \dfrac{(1 - v^n)}{i}$

n	½ pour cent	$^7/_{12}$ pour cent	⅔ pour cent	¾ pour cent	n
51	44.9181 953 728	44.0031 790 735	43.1139 177 505	42.2495 752 521	51
52	45.6897 466 396	44.7421 830 060	43.8217 725 998	42.9276 181 163	52
53	46.4574 593 429	45.4769 010 830	44.5249 396 687	43.6006 135 149	53
54	47.2213 525 800	46.2073 581 604	45.2234 500 020	44.2685 990 222	54
55	47.9814 453 532	46.9335 789 498	45.9173 344 391	44.9316 119 327	55
56	48.7377 565 704	47.6555 880 197	46.6066 236 150	45.5896 892 633	56
57	49.4903 050 452	48.3734 097 959	47.2913 479 619	46.2428 677 551	57
58	50.2391 094 977	49.0870 685 626	47.9715 377 105	46.8911 838 760	58
59	50.9841 885 549	49.7965 884 633	48.6472 228 912	47.5346 738 224	59
60	51.7255 607 511	50.5019 935 012	49.3184 333 356	48.1733 735 210	60
61	52.4632 445 285	51.2033 075 405	49.9851 986 778	48.8073 186 312	61
62	53.1972 582 373	51.9005 543 071	50.6475 483 554	49.4365 445 471	62
63	53.9276 201 366	52.5937 573 890	51.3055 116 113	50.0610 863 991	63
64	54.6543 483 946	53.2829 402 376	51.9591 174 947	50.6809 790 562	64
65	55.3774 610 892	53.9681 261 683	52.6083 948 623	51.2962 571 278	65
66	56.0969 762 082	54.6493 383 611	53.2533 723 798	51.9069 549 655	66
67	56.8129 116 499	55.3265 998 619	53.8940 785 229	52.5131 066 655	67
68	57.5252 852 238	55.9999 335 827	54.5305 415 791	53.1147 460 700	68
69	58.2341 146 505	56.6693 623 026	55.1627 896 481	53.7119 067 692	69
70	58.9394 175 627	57.3349 086 687	55.7908 506 438	54.3046 221 034	70
71	59.6412 115 052	57.9965 951 967	56.4147 522 952	54.8929 251 647	71
72	60.3395 139 355	58.6544 442 718	57.0345 221 475	55.4768 487 987	72
73	61.0343 422 244	59.3084 781 493	57.6501 875 637	56.0564 256 067	73
74	61.7257 136 561	59.9587 189 554	58.2617 757 256	56.6316 879 471	74
75	62.4136 454 290	60.6051 886 880	58.8693 136 347	57.2026 679 375	75
76	63.0981 546 557	61.2479 092 176	59.4728 281 139	57.7693 974 566	76
77	63.7792 583 639	61.8869 022 876	60.0723 458 085	58.3319 081 455	77
78	64.4569 734 946	62.5221 895 154	60.6678 931 873	58.8902 314 099	78
79	65.1313 169 118	63.1537 923 931	61.2594 965 437	59.4443 984 218	79
80	65.8023 053 849	63.7817 322 881	61.8471 819 970	59.9944 401 209	80
81	66.4699 556 069	64.4060 304 438	62.4309 754 937	60.5403 872 168	81
82	67.1342 841 859	65.0267 079 806	63.0109 028 083	61.0822 701 903	82
83	67.7953 076 477	65.6437 858 962	63.5869 895 447	61.6201 192 956	83
84	68.4530 424 355	66.2572 850 667	64.1592 611 371	62.1539 645 614	84
85	69.1075 049 110	66.8672 262 469	64.7277 428 514	62.6838 357 930	85
86	69.7587 113 542	67.4736 300 715	65.2924 597 862	63.2097 625 736	86
87	70.4066 779 644	68.0765 170 553	65.8534 368 737	63.7317 742 666	87
88	71.0514 208 601	68.6759 075 944	66.4106 988 812	64.2499 000 165	88
89	71.6929 560 797	69.2718 219 662	66.9642 704 118	64.7641 687 509	89
90	72.3312 995 818	69.8642 803 310	67.5141 759 057	65.2746 091 820	90
91	72.9664 672 455	70.4533 027 317	68.0604 396 414	65.7812 498 085	91
92	73.5984 748 712	71.0389 090 953	68.6030 857 365	66.2841 189 166	92
93	74.2273 381 803	71.6211 192 331	69.1421 381 489	66.7832 445 822	93
94	74.8530 728 162	72.1999 528 415	69.6776 206 777	67.2786 546 722	94
95	75.4756 943 445	72.7754 295 028	70.2095 569 646	67.7703 768 458	95
96	76.0952 182 532	73.3475 686 854	70.7379 704 946	68.2584 385 567	96
97	76.7116 599 535	73.9163 897 453	71.2628 845 973	68.7428 670 538	97
98	77.3250 347 796	74.4819 119 257	71.7843 224 477	69.2236 893 834	98
99	77.9353 579 896	75.0441 543 586	72.3023 070 672	69.7009 323 905	99
100	78.5426 447 658	75.6031 360 649	72.8168 613 250	70.1746 227 201	100

TABLE IV   VALEUR ACTUELLE ACCUMULÉE DE 1 PAR PÉRIODE D'INTÉRÊT $a_{\overline{n}|} = \dfrac{(1 - v^n)}{i}$

n	½ pour cent	7/12 pour cent	⅔ pour cent	¾ pour cent	n
101	79.1469 102 147	76.1588 759 551	73.3280 079 388	70.6447 868 189	101
102	79.7481 693 679	76.7113 928 303	73.8357 694 756	71.1114 509 369	102
103	80.3464 371 820	77.2607 053 822	74.3401 683 533	71.5746 411 284	103
104	80.9417 285 393	77.8068 321 944	74.8412 268 410	72.0343 832 540	104
105	81.5340 582 480	78.3497 917 426	75.3389 670 606	72.4907 029 817	105
106	82.1234 410 428	78.8896 023 953	75.8334 109 873	72.9436 257 882	106
107	82.7098 915 849	79.4262 824 145	76.3245 804 510	73.3931 769 610	107
108	83.2934 244 626	79.9598 499 565	76.8124 971 368	73.8393 815 990	108
109	83.8740 541 916	80.4903 230 719	77.2971 825 862	74.2822 646 144	109
110	84.4517 952 155	81.0177 197 069	77.7786 581 982	74.7218 507 339	110
111	85.0266 619 060	81.5420 577 037	78.2569 452 300	75.1581 645 002	111
112	85.5986 685 632	82.0633 548 007	78.7320 647 980	75.5912 302 731	112
113	86.1678 294 161	82.5816 286 336	79.2040 378 788	76.0210 722 314	113
114	86.7341 586 230	83.0968 967 360	79.6728 853 101	76.4477 143 736	114
115	87.2976 702 716	83.6091 765 395	80.1386 277 915	76.8711 805 197	115
116	87.8583 783 797	84.1184 853 748	80.6012 858 856	77.2914 943 124	116
117	88.4162 968 953	84.6248 404 721	81.0608 800 188	77.7086 792 182	117
118	88.9714 396 968	85.1282 589 615	81.5174 304 822	78.1227 585 292	118
119	89.5238 205 938	85.6287 578 739	81.9709 574 327	78.5337 553 640	119
120	90.0734 533 272	86.1263 541 414	82.4214 808 934	78.9416 926 690	120
121	90.6203 515 693	86.6210 645 979	82.8690 207 550	79.3465 932 199	121
122	91.1645 289 247	87.1129 059 797	83.3135 967 765	79.7484 796 227	122
123	91.7059 989 300	87.6018 949 259	83.7552 285 859	80.1473 743 153	123
124	92.2447 750 548	88.0880 479 794	84.1939 356 814	80.5432 995 686	124
125	92.7808 707 013	88.5713 815 868	84.6297 374 318	80.9362 774 874	125
126	93.3142 992 052	89.0519 120 996	85.0626 530 780	81.3263 300 123	126
127	93.8450 738 361	89.5296 557 742	85.4927 017 331	81.7134 789 204	127
128	94.3732 077 971	90.0046 287 730	85.9199 023 839	82.0977 458 267	128
129	94.8987 142 259	90.4768 471 646	86.3442 738 913	82.4791 521 853	129
130	95.4216 061 950	90.9463 269 242	86.7658 349 913	82.8577 192 906	130
131	95.9418 967 114	91.4130 839 346	87.1846 042 960	83.2334 682 785	131
132	96.4595 987 178	91.8771 339 863	87.6006 002 941	83.6064 201 276	132
133	96.9747 250 924	92.3384 927 784	88.0138 413 517	83.9765 956 601	133
134	97.4872 886 491	92.7971 759 189	88.4243 457 136	84.3440 155 436	134
135	97.9973 021 384	93.2531 989 252	88.8321 315 036	84.7087 002 914	135
136	98.5047 782 472	93.7065 772 247	89.2372 167 254	85.0706 702 644	136
137	99.0097 295 992	94.1573 261 555	89.6396 192 637	85.4299 456 719	137
138	99.5121 687 554	94.6054 609 665	90.0393 568 844	85.7865 465 726	138
139	100.0121 082 143	95.0509 968 184	90.4364 472 362	86.1404 928 760	139
140	100.5095 604 123	95.4939 487 838	90.8309 078 505	86.4918 043 434	140
141	101.0045 377 237	95.9343 318 480	91.2227 561 429	86.8405 005 890	141
142	101.4970 524 614	96.3721 609 094	91.6120 094 135	87.1866 010 809	142
143	101.9871 168 770	96.8074 507 798	91.9986 848 478	87.5301 251 423	143
144	102.4747 431 612	97.2402 161 854	92.3827 995 177	87.8710 919 527	144
145	102.9599 434 439	97.6704 717 668	92.7643 703 818	88.2095 205 486	145
146	103.4427 297 950	98.0982 320 797	93.1434 142 866	88.5454 298 248	146
147	103.9231 142 239	98.5235 115 953	93.5199 479 668	88.8788 385 359	147
148	104.4011 086 805	98.9463 247 013	93.8939 880 465	89.2097 652 961	148
149	104.8767 250 552	99.3666 857 013	94.2655 510 396	89.5382 285 818	149
150	105.3499 751 793	99.7846 088 166	94.6346 533 506	89.8642 467 313	150

TABLE IV VALEUR ACTUELLE ACCUMULÉE DE 1 PAR PÉRIODE D'INTÉRÊT $\quad a_{\overline{n}|} = \dfrac{(1 - v^n)}{i}$

n	½ pour cent	7/12 pour cent	⅔ pour cent	¾ pour cent	n
151	105.8208 708 252	100.2001 081 855	95.0013 112 754	90.1878 379 467	151
152	106.2894 237 066	100.6131 978 646	95.3655 410 021	90.5090 202 945	152
153	106.7556 454 792	101.0238 918 289	95.7273 586 113	90.8278 117 067	153
154	107.2195 477 405	101.4322 039 724	96.0867 800 775	91.1442 299 818	154
155	107.6811 420 304	101.8381 481 085	96.4438 212 690	91.4582 927 859	155
156	108.1404 398 312	102.2417 379 703	96.7984 979 493	91.7700 176 535	156
157	108.5974 525 684	102.6429 872 116	97.1508 257 775	92.0794 219 886	157
158	109.0521 916 103	103.0419 094 067	97.5008 203 088	92.3865 230 656	158
159	109.5046 682 690	103.4385 180 514	97.8484 969 955	92.6913 380 304	159
160	109.9548 938 000	103.8328 265 631	98.1938 711 875	92.9938 839 011	160
161	110.4028 794 030	104.2248 482 815	98.5369 581 333	93.2941 775 694	161
162	110.8486 362 219	104.6145 964 687	98.8777 729 801	93.5922 358 008	162
163	111.2921 753 451	105.0020 843 103	99.2163 307 750	93.8880 752 366	163
164	111.7335 078 061	105.3873 249 149	99.5526 464 652	94.1817 123 936	164
165	112.1726 445 832	105.7703 313 156	99.8867 348 992	94.4731 636 661	165
166	112.6095 966 002	106.1511 164 695	100.2186 108 270	94.7624 453 262	166
167	113.0443 747 265	106.5296 932 588	100.5482 889 010	95.0495 735 247	167
168	113.4769 897 777	106.9060 744 910	100.8757 836 765	95.3345 642 925	168
169	113.9074 525 151	107.2802 728 991	101.2011 096 124	95.6174 335 410	169
170	114.3357 736 468	107.6523 011 424	101.5242 810 719	95.8981 970 630	170
171	114.7619 638 277	108.0221 718 069	101.8453 123 231	96.1768 705 340	171
172	115.1860 336 594	108.3898 974 053	102.1642 175 395	96.4534 695 127	172
173	115.6079 936 910	108.7554 903 781	102.4810 108 008	96.7280 094 419	173
174	116.0278 544 189	109.1189 630 934	102.7957 060 936	97.0005 056 495	174
175	116.4456 262 874	109.4803 278 476	103.1083 173 115	97.2709 733 494	175
176	116.8613 196 890	109.8395 968 659	103.4188 582 564	97.5394 276 420	176
177	117.2749 449 642	110.1967 823 025	103.7273 426 388	97.8058 835 157	177
178	117.6865 124 021	110.5518 962 411	104.0337 840 783	98.0703 558 468	178
179	118.0960 322 409	110.9049 506 954	104.3381 961 043	98.3328 594 013	179
180	118.5035 146 676	111.2559 576 093	104.6405 921 566	98.5934 088 351	180
181	118.9089 698 185	111.6049 288 576	104.9409 855 860	98.8520 186 948	181
182	119.3124 077 796	111.9518 762 462	105.2393 896 550	99.1087 034 192	182
183	119.7138 385 867	112.2968 115 124	105.5358 175 381	99.3634 773 392	183
184	120.1132 722 256	112.6397 463 255	105.8302 823 226	99.6163 546 791	184
185	120.5107 186 324	112.9806 922 871	106.1227 970 092	99.8673 495 574	185
186	120.9061 876 939	113.3196 609 317	106.4133 745 124	100.1164 759 875	186
187	121.2996 892 477	113.6566 637 266	106.7020 276 614	100.3637 478 784	187
188	121.6912 330 823	113.9917 120 729	106.9887 692 000	100.6091 790 356	188
189	122.0808 289 376	114.3248 173 053	107.2736 117 881	100.8527 831 619	189
190	122.4684 865 051	114.6559 906 929	107.5565 680 014	101.0945 738 580	190
191	122.8542 154 279	114.9852 434 395	107.8376 503 325	101.3345 646 233	191
192	123.2380 253 014	115.3125 866 838	108.1168 711 913	101.5727 688 569	192
193	123.6199 256 730	115.6380 315 001	108.3942 429 052	101.8091 998 579	193
194	123.9999 260 428	115.9615 888 982	108.6697 777 204	102.0438 708 267	194
195	124.3780 358 635	116.2832 698 242	108.9434 878 017	102.2767 948 652	195
196	124.7542 645 408	116.6030 851 608	109.2153 852 335	102.5079 849 779	196
197	125.1286 214 336	116.9210 457 273	109.4854 820 201	102.7374 540 724	197
198	125.5011 158 544	117.2371 622 807	109.7537 900 861	102.9652 149 602	198
199	125.8717 570 690	117.5514 455 152	110.0203 212 776	103.1912 803 575	199
200	126.2405 542 975	117.8639 060 632	110.2850 873 619	103.4156 628 858	200

TABLE IV VALEUR ACTUELLE ACCUMULÉE DE 1 PAR PÉRIODE D'INTÉRÊT $a_{\overline{n}|} = \dfrac{(1 - v^n)}{i}$

n	½ pour cent	7/12 pour cent	⅔ pour cent	¾ pour cent	n
201	126.6075 167 140	118.1745 544 953	110.5481 000 284	103.6383 750 728	201
202	126.9726 534 467	118.4834 013 209	110.8093 708 891	103.8594 293 527	202
203	127.3359 735 788	118.7904 569 885	111.0689 114 792	104.0788 380 672	203
204	127.6974 861 481	119.0957 318 858	111.3267 332 575	104.2966 134 662	204
205	128.0572 001 474	119.3992 363 405	111.5828 476 068	104.5127 677 083	205
206	128.4151 245 247	119.7009 806 202	111.8372 658 346	104.7273 128 619	206
207	128.7712 681 838	120.0009 749 331	112.0899 991 734	104.9402 609 051	207
208	129.1256 399 839	120.2992 294 281	112.3410 587 815	105.1516 237 271	208
209	129.4782 487 402	120.5957 541 953	112.5904 557 433	105.3614 131 287	209
210	129.8291 032 241	120.8905 592 662	112.8382 010 695	105.5696 408 225	210
211	130.1782 121 633	121.1836 546 143	113.0843 056 981	105.7763 184 342	211
212	130.5255 842 421	121.4750 501 551	113.3287 804 948	105.9814 575 030	212
213	130.8712 281 015	121.7647 557 466	113.5716 362 532	106.1850 694 819	213
214	131.2151 523 398	122.0527 811 896	113.8128 836 952	106.3871 657 388	214
215	131.5573 655 123	122.3391 362 283	114.0525 334 720	106.5877 575 571	215
216	131.8978 761 316	122.6238 305 501	114.2905 961 643	106.7868 561 361	216
217	132.2366 926 683	122.9068 737 863	114.5270 822 824	106.9844 725 917	217
218	132.5738 235 505	123.1882 755 125	114.7620 022 673	107.1806 179 570	218
219	132.9092 771 647	123.4680 452 486	114.9953 664 907	107.3753 031 831	219
220	133.2430 618 554	123.7461 924 592	115.2271 852 556	107.5685 391 396	220
221	133.5751 859 258	124.0227 265 543	115.4574 687 970	107.7603 366 150	221
222	133.9056 576 376	124.2976 568 891	115.6862 272 818	107.9507 063 176	222
223	134.2344 852 116	124.5709 927 647	115.9134 708 097	108.1396 588 760	223
224	134.5616 768 274	124.8427 434 280	116.1392 094 136	108.3272 048 397	224
225	134.8872 406 243	125.1129 180 726	116.3634 530 599	108.5133 546 796	225
226	135.2111 847 008	125.3815 258 385	116.5862 116 489	108.6981 187 887	226
227	135.5335 171 152	125.6485 758 129	116.8074 950 154	108.8815 074 826	227
228	135.8542 458 858	125.9140 770 303	117.0273 129 292	109.0635 310 001	228
229	136.1733 789 908	126.1780 384 725	117.2456 750 953	109.2441 995 038	229
230	136.4909 243 690	126.4404 690 696	117.4625 911 543	109.4235 230 807	230
231	136.8068 899 194	126.7013 776 997	117.6780 706 830	109.6015 117 426	231
232	137.1212 835 019	126.9607 731 894	117.8921 231 951	109.7781 754 269	232
233	137.4341 129 372	127.2186 643 143	118.1047 581 409	109.9535 239 970	233
234	137.7453 860 072	127.4750 597 988	118.3159 849 081	110.1275 672 426	234
235	138.0551 104 549	127.7299 683 169	118.5258 128 226	110.30C3 148 810	235
236	138.3632 939 850	127.9833 984 924	118.7342 511 483	110.4717 765 569	236
237	138.6699 442 636	128.2353 588 988	118.9413 090 877	110.6419 618 430	237
238	138.9750 689 191	128.4858 580 601	119.1469 957 825	110.8108 802 412	238
239	139.2786 755 413	128.7349 044 508	119.3513 203 137	110.9785 411 824	239
240	139.5807 716 829	128.9825 064 963	119.5542 917 024	111.1449 540 271	240
241	139.8813 648 586	129.2286 725 729	119.7559 189 096	111.3101 280 666	241
242	140.1804 625 459	129.4734 110 087	119.9562 108 374	111.4740 725 227	242
243	140.4780 721 850	129.7167 300 832	120.1551 763 285	111.6367 965 486	243
244	140.7742 011 791	129.9586 380 280	120.3528 241 674	111.7983 092 294	244
245	141.0688 568 946	130.1991 430 271	120.5491 630 802	111.9586 195 825	245
246	141.3620 466 613	130.4382 532 166	120.7442 017 353	112.1177 365 583	246
247	141.6537 777 724	130.6759 766 860	120.9379 487 437	112.2756 690 405	247
248	141.9440 574 850	130.9123 214 773	121.1304 126 593	112.4324 258 467	248
249	142.2328 930 199	131.1472 955 864	121.3216 019 794	112.5880 157 287	249
250	142.5202 915 621	131.3809 069 625	121.5115 251 451	112.7424 473 734	250

TABLE IV · VALEUR ACTUELLE ACCUMULÉE DE 1 PAR PÉRIODE D'INTÉRÊT · $a_{\overline{n}|} = \dfrac{(1 - v^n)}{i}$

n	½ pour cent	7/12 pour cent	⅔ pour cent	¾ pour cent	n
251	142.8062 602 608	131.6131 635 087	121.7001 905 415	112.8957 294 029	251
252	143.0908 062 297	131.8440 730 824	121.8876 064 982	113.0478 703 751	252
253	143.3739 365 469	132.0736 434 953	122.0737 812 896	113.1988 787 842	253
254	143.6556 582 556	132.3018 825 140	122.2587 231 354	113.3487 630 612	254
255	143.9359 783 638	132.5287 978 598	122.4424 402 007	113.4975 315 744	255
256	144.2149 038 446	132.7543 972 094	122.6249 405 967	113.6451 926 297	256
257	144.4924 416 364	132.9786 881 949	122.8062 323 808	113.7917 544 712	257
258	144.7685 986 432	133.2016 784 042	122.9863 235 571	113.9372 252 816	258
259	145.0433 817 345	133.4233 753 812	123.1652 220 766	114.0816 131 827	259
260	145.3167 977 458	133.6437 866 259	123.3429 358 377	114.2249 262 359	260
261	145.5888 534 784	133.8629 195 949	123.5194 726 866	114.3671 724 426	261
262	145.8595 556 999	134.0807 817 016	123.6948 404 170	114.5083 597 445	262
263	146.1289 111 442	134.2973 803 165	123.8690 467 719	114.6484 960 243	263
264	146.3969 265 116	134.5127 227 670	124.0420 994 423	114.7875 891 060	264
265	146.6636 084 693	134.7268 163 383	124.2140 060 685	114.9256 467 554	265
266	146.9289 636 510	134.9396 682 734	124.3847 742 402	115.0626 766 803	266
267	147.1929 986 577	135.1512 857 731	124.5544 114 969	115.1986 865 313	267
268	147.4557 200 575	135.3616 759 964	124.7229 253 280	115.3336 839 020	268
269	147.7171 343 855	135.5708 460 611	124.8903 231 735	115.4676 763 296	269
270	147.9772 481 448	135.7788 030 433	125.0566 124 240	115.6006 712 948	270
271	148.2360 678 058	135.9855 539 784	125.2218 004 212	115.7326 762 232	271
272	148.4935 998 067	136.1911 058 609	125.3858 944 582	115.8636 984 845	272
273	148.7498 505 540	136.3954 656 447	125.5489 017 797	115.9937 453 941	273
274	149.0048 264 219	136.5986 402 432	125.7108 295 824	116.1228 242 125	274
275	149.2585 337 531	136.8006 365 301	125.8716 850 157	116.2509 421 464	275
276	149.5109 788 588	137.0014 613 390	126.0314 751 811	116.3781 063 488	276
277	149.7621 680 187	137.2011 214 638	126.1902 071 336	116.5043 239 194	277
278	150.0121 074 813	137.3996 236 591	126.3478 878 810	116.6296 019 051	278
279	150.2608 034 640	137.5969 746 404	126.5045 243 851	116.7539 473 003	279
280	150.5082 621 532	137.7931 810 841	126.6601 235 614	116.8773 670 475	280
281	150.7544 897 047	137.9882 496 279	126.8146 922 795	116.9998 680 372	281
282	150.9994 922 435	138.1821 868 711	126.9682 373 638	117.1214 571 089	282
283	151.2432 758 642	138.3749 993 748	127.1207 655 931	117.2421 410 510	283
284	151.4858 466 310	138.5666 936 618	127.2722 837 018	117.3619 266 015	284
285	151.7272 105 781	138.7572 762 172	127.4227 983 793	117.4808 204 481	285
286	151.9673 737 096	138.9467 534 885	127.5723 162 708	117.5988 292 289	286
287	152.2063 419 996	139.1351 318 858	127.7208 439 776	117.7159 595 324	287
288	152.4441 213 926	139.3224 177 821	127.8683 880 572	117.8322 178 982	288
289	152.6807 178 036	139.5086 175 133	128.0149 550 237	117.9476 108 171	289
290	152.9161 371 180	139.6937 373 786	128.1605 513 481	118.0621 447 316	290
291	153.1503 851 920	139.8777 836 406	128.3051 834 584	118.1758 260 363	291
292	153.3834 678 528	140.0607 625 259	128.4488 577 401	118.2886 610 782	292
293	153.6153 908 983	140.2426 802 246	128.5915 805 365	118.4006 561 570	293
294	153.8461 600 978	140.4235 428 911	128.7333 581 489	118.5118 175 256	294
295	154.0757 811 918	140.6033 566 440	128.8741 968 366	118.6221 513 902	295
296	154.3042 598 924	140.7821 275 665	129.0141 028 178	118.7316 639 108	296
297	154.5316 018 830	140.9598 617 066	129.1530 822 694	118.8403 612 018	297
298	154.7578 128 189	141.1365 650 769	129.2911 413 272	118.9482 493 318	298
299	154.9828 983 272	141.3122 436 556	129.4282 860 866	119.0553 343 244	299
300	155.2068 640 072	141.4869 033 859	129.5645 226 026	119.1616 221 582	300

TABLE IV　　　　VALEUR ACTUELLE ACCUMULÉE DE 1 PAR PÉRIODE D'INTÉRÊT　　　$a_{\overline{n}|} = \dfrac{(1 - v^n)}{i}$

n	⅞ pour cent	1 pour cent	1⅛ pour cent	1¼ pour cent	n
1	0.9913 258 984	0.9900 990 099	0.9888 751 545	0.9876 543 210	1
2	1.9740 529 352	1.9703 950 593	1.9667 492 257	1.9631 153 788	2
3	2.9482 556 978	2.9409 852 072	2.9337 445 990	2.9265 337 074	3
4	3.9140 081 267	3.9019 655 517	3.8899 822 981	3.8780 579 826	4
5	4.8713 835 209	4.8534 312 393	4.8355 820 006	4.8178 350 446	5
6	5.8204 545 437	5.7954 764 746	5.7706 620 525	5.7460 099 206	6
7	6.7612 932 279	6.7281 945 293	6.6953 394 833	6.6627 258 475	7
8	7.6939 709 818	7.6516 777 518	7.6097 300 206	7.5681 242 938	8
9	8.6185 585 941	8.5660 175 760	8.5139 481 044	8.4623 449 815	9
10	9.5351 262 395	9.4713 045 307	9.4081 069 018	9.3455 259 077	10
11	10.4437 434 841	10.3676 282 482	10.2923 183 207	10.2178 033 656	11
12	11.3444 792 903	11.2550 774 735	11.1666 930 242	11.0793 119 660	12
13	12.2374 020 226	12.1337 400 728	12.0313 404 442	11.9301 846 578	13
14	13.1225 794 524	13.0037 030 423	12.8863 687 952	12.7705 527 485	14
15	14.0000 787 632	13.8650 525 172	13.7318 850 880	13.6005 459 244	15
16	14.8699 665 558	14.7178 737 794	14.5679 951 426	14.4202 922 710	16
17	15.7323 088 534	15.5622 512 667	15.3948 036 021	15.2299 182 924	17
18	16.5871 711 062	16.3982 685 809	16.2124 139 452	16.0295 489 307	18
19	17.4346 181 969	17.2260 084 959	17.0209 284 996	16.8193 075 859	19
20	18.2747 144 455	18.0455 529 663	17.8204 484 545	17.5993 161 342	20
21	19.1075 236 139	18.8569 831 349	18.6110 738 734	18.3696 949 474	21
22	19.9331 089 110	19.6603 793 415	19.3929 037 067	19.1305 629 110	22
23	20.7515 329 972	20.4558 211 302	20.1660 358 039	19.8820 374 430	23
24	21.5628 579 898	21.2433 872 576	20.9305 669 260	20.6242 345 116	24
25	22.3671 454 670	22.0231 557 006	21.6865 927 575	21.3572 686 534	25
26	23.1644 564 728	22.7952 036 640	22.4342 079 184	22.0812 529 910	26
27	23.9548 515 220	23.5596 075 881	23.1735 059 762	22.7962 992 504	27
28	24.7383 906 042	24.3164 431 565	23.9045 794 573	23.5025 177 782	28
29	25.5151 331 888	25.0657 853 035	24.6275 198 589	24.2000 175 587	29
30	26.2851 382 293	25.8077 082 213	25.3424 176 602	24.8889 062 308	30
31	27.0484 641 679	26.5422 853 676	26.0493 623 339	25.5692 901 045	31
32	27.8051 689 396	27.2695 894 729	26.7484 423 574	26.2412 741 773	32
33	28.5553 099 773	27.9896 925 474	27.4397 452 236	26.9049 621 504	33
34	29.2989 442 155	28.7026 658 885	28.1233 574 523	27.5604 564 448	34
35	30.0361 280 946	29.4085 800 876	28.7993 646 005	28.2078 582 171	35
36	30.7669 175 659	30.1075 050 373	29.4678 512 737	28.8472 673 749	36
37	31.4913 680 951	30.7995 099 379	30.1289 011 359	29.4787 825 925	37
38	32.2095 346 668	31.4846 633 048	30.7825 969 206	30.1025 013 259	38
39	32.9214 717 886	32.1630 329 751	31.4290 204 406	30.7185 198 281	39
40	33.6272 334 955	32.8346 861 140	32.0682 525 989	31.3269 331 635	40
41	34.3268 733 537	33.4996 892 217	32.7003 733 982	31.9278 352 233	41
42	35.0204 444 646	34.1581 081 403	33.3254 619 512	32.5213 187 390	42
43	35.7079 994 693	34.8100 080 597	33.9435 964 907	33.1074 752 978	43
44	36.3895 905 519	35.4554 535 245	34.5548 543 789	33.6863 953 558	44
45	37.0652 694 443	36.0945 084 401	35.1593 121 176	34.2581 682 527	45
46	37.7350 874 293	36.7272 360 793	35.7570 453 573	34.8228 822 249	46
47	38.3990 953 450	37.3536 990 884	36.3481 289 071	35.3806 244 196	47
48	39.0573 435 886	37.9739 594 935	36.9326 367 438	35.9314 809 083	48
49	39.7098 821 201	38.5880 787 064	37.5106 420 210	36.4755 366 995	49
50	40.3567 604 660	39.1961 175 311	38.0822 170 789	37.0128 757 526	50

Table IV — Valeur actuelle accumulée de 1 par période d'intérêt — $a_{\overline{n}|} = \dfrac{(1 - v^n)}{i}$

n	⅞ pour cent	1 pour cent	1⅛ pour cent	1¼ pour cent	n
51	40.9980 277 234	39.7981 361 694	38.6474 334 525	37.5435 809 902	51
52	41.6337 325 635	40.3941 942 271	39.2063 618 814	38.0677 343 114	52
53	42.2639 232 352	40.9843 507 199	39.7590 723 178	38.5854 166 038	53
54	42.8886 475 689	41.5686 640 791	40.3056 339 360	39.0967 077 568	54
55	43.5079 529 804	42.1471 921 576	40.8461 151 407	39.6016 866 734	55
56	44.1218 864 737	42.7199 922 352	41.3805 835 755	40.1004 312 824	56
57	44.7304 946 456	43.2871 210 250	41.9091 061 315	40.5930 185 505	57
58	45.3338 236 883	43.8486 346 782	42.4317 489 557	41.0795 244 943	58
59	45.9319 193 936	44.4045 887 903	42.9485 774 593	41.5600 241 919	59
60	46.5248 271 560	44.9550 384 062	43.4596 563 256	42.0345 917 945	60
61	47.1125 919 762	45.5000 380 260	43.9650 495 186	42.5033 005 378	61
62	47.6952 584 646	46.0396 416 099	44.4648 202 903	42.9662 227 534	62
63	48.2728 708 447	46.5739 025 840	44.9590 311 894	43.4234 298 799	63
64	48.8454 729 564	47.1028 738 456	45.4477 440 686	43.8749 924 739	64
65	49.4131 082 591	47.6266 077 679	45.9310 200 926	44.3209 802 212	65
66	49.9758 198 355	48.1451 562 058	46.4089 197 455	44.7614 619 468	66
67	50.5336 503 946	48.6585 705 008	46.8815 028 385	45.1965 056 265	67
68	51.0866 422 747	49.1669 014 860	47.3488 285 177	45.6261 783 966	68
69	51.6348 374 470	49.6701 994 911	47.8109 552 709	46.0505 465 645	69
70	52.1782 775 187	50.1685 143 476	48.2679 409 354	46.4696 756 193	70
71	52.7170 037 360	50.6618 953 936	48.7198 427 050	46.8836 302 412	71
72	53.2510 569 874	51.1503 914 789	49.1667 171 372	47.2924 743 123	72
73	53.7804 778 066	51.6340 509 692	49.6086 201 604	47.6962 709 258	73
74	54.3053 063 758	52.1129 217 516	50.0456 070 807	48.0950 823 958	74
75	54.8255 825 287	52.5870 512 393	50.4777 325 891	48.4889 702 675	75
76	55.3413 457 533	53.0564 863 755	50.9050 507 679	48.8779 953 259	76
77	55.8526 351 954	53.5212 736 391	51.3276 150 981	49.2622 176 058	77
78	56.3594 896 608	53.9814 590 486	51.7454 784 653	49.6416 964 008	78
79	56.8619 476 192	54.4370 881 670	52.1586 931 672	50.0164 902 724	79
80	57.3600 472 061	54.8882 061 059	52.5673 109 194	50.3866 570 592	80
81	57.8538 262 266	55.3348 575 306	52.9713 828 622	50.7522 538 856	81
82	58.3433 221 578	55.7770 866 639	53.3709 595 670	51.1133 371 710	82
83	58.8285 721 514	56.2149 372 910	53.7660 910 428	51.4699 626 380	83
84	59.3096 130 374	56.6484 527 634	54.1568 267 420	51.8221 853 215	84
85	59.7864 813 258	57.0776 760 034	54.5432 155 668	52.1700 595 768	85
86	60.2592 132 102	57.5026 495 083	54.9253 058 757	52.5136 390 882	86
87	60.7278 445 702	57.9234 153 547	55.3031 454 890	52.8529 768 772	87
88	61.1924 109 742	58.3400 152 027	55.6767 816 949	53.1881 253 108	88
89	61.6529 476 819	58.7524 902 997	56.0462 612 558	53.5191 361 095	89
90	62.1094 896 475	59.1608 814 849	56.4116 304 136	53.8460 603 550	90
91	62.5620 715 217	59.5652 291 929	56.7729 348 961	54.1689 484 988	91
92	63.0107 276 547	59.9655 734 584	57.1302 199 219	54.4878 503 692	92
93	63.4554 920 989	60.3619 539 192	57.4835 302 071	54.8028 151 794	93
94	63.8963 986 110	60.7544 098 210	57.8329 099 699	55.1138 915 352	94
95	64.3334 806 553	61.1429 800 207	58.1784 029 369	55.4211 274 422	95
96	64.7667 714 055	61.5277 029 908	58.5200 523 480	55.7245 703 133	96
97	65.1963 037 477	61.9086 168 226	58.8579 009 622	56.0242 669 761	97
98	65.6221 102 827	62.2857 592 303	59.1919 910 627	56.3202 636 801	98
99	66.0442 233 286	62.6591 675 548	59.5223 644 625	56.6126 061 038	99
100	66.4626 749 230	63.0288 787 671	59.8490 625 093	56.9013 393 618	100

TABLE IV VALEUR ACTUELLE ACCUMULÉE DE 1 PAR PÉRIODE D'INTÉRÊT $a_{\overline{n}|} = \dfrac{(1 - v^n)}{i}$

n	⅞ pour cent	1 pour cent	1⅛ pour cent	1¼ pour cent	n
101	66.8774 968 258	63.3949 294 724	60.1721 260 908	57.1865 080 116	101
102	67.2887 205 212	63.7573 559 132	60.4915 956 398	57.4681 560 609	102
103	67.6963 772 206	64.1161 939 735	60.8075 111 395	57.7463 269 737	103
104	68.1004 978 642	64.4714 791 817	61.1199 121 280	58.0210 636 777	104
105	68.5011 131 244	64.8232 467 145	61.4288 377 039	58.2924 085 706	105
106	68.8982 534 071	65.1715 314 005	61.7343 265 304	58.5604 035 265	106
107	69.2919 488 546	65.5163 677 233	62.0364 168 410	58.8250 899 027	107
108	69.6822 293 478	65.8577 898 250	62.3351 464 435	59.0865 085 459	108
109	70.0691 245 084	66.1958 315 099	62.6305 527 253	59.3446 997 984	109
110	70.4526 637 010	66.5305 262 475	62.9226 726 579	59.5997 035 046	110
111	70.8328 760 357	66.8619 071 757	63.2115 428 014	59.8515 590 169	111
112	71.2097 903 699	67.1900 071 047	63.4971 993 092	60.1003 052 018	112
113	71.5834 353 110	67.5148 585 195	63.7796 779 324	60.3459 804 463	113
114	71.9538 392 178	67.8364 935 836	64.0590 140 246	60.5886 226 630	114
115	72.3210 302 035	68.1549 441 422	64.3352 425 460	60.8282 692 968	115
116	72.6850 361 373	68.4702 417 250	64.6083 980 677	61.0649 573 302	116
117	73.0458 846 467	68.7824 175 495	64.8785 147 765	61.2987 232 891	117
118	73.4036 031 194	69.0915 025 242	65.1456 264 786	61.5296 032 485	118
119	73.7582 187 057	69.3975 272 517	65.4097 666 043	61.7576 328 380	119
120	74.1097 583 204	69.7005 220 314	65.6709 682 119	61.9828 472 474	120
121	74.4582 486 448	70.0005 168 628	65.9292 639 920	62.2052 812 320	121
122	74.8037 161 286	70.2975 414 483	66.1846 862 715	62.4249 691 180	122
123	75.1461 869 924	70.5916 251 963	66.4372 670 175	62.6419 448 079	123
124	75.4856 872 292	70.8827 972 241	66.6870 378 418	62.8562 417 856	124
125	75.8222 426 064	71.1710 863 605	66.9340 300 043	63.0678 931 216	125
126	76.1558 786 680	71.4565 211 490	67.1782 744 171	63.2769 314 781	126
127	76.4866 207 366	71.7391 298 505	67.4198 016 485	63.4833 891 142	127
128	76.8144 939 148	72.0189 404 460	67.6586 419 268	63.6872 978 905	128
129	77.1395 230 878	72.2959 806 396	67.8948 251 440	63.8886 892 746	129
130	77.4617 329 247	72.5702 778 610	68.1283 808 593	64.0875 943 453	130
131	77.7811 478 808	72.8418 592 683	68.3593 383 034	64.2840 437 978	131
132	78.0977 921 990	73.1107 517 508	68.5877 263 816	64.4780 679 485	132
133	78.4116 899 123	73.3769 819 315	68.8135 736 777	64.6696 967 392	133
134	78.7228 648 449	73.6405 761 698	69.0369 084 576	64.8589 597 424	134
135	79.0313 406 145	73.9015 605 642	69.2577 586 725	65.0458 861 654	135
136	79.3371 406 340	74.1599 609 546	69.4761 519 629	65.2305 048 547	136
137	79.6402 881 130	74.4158 029 254	69.6921 156 617	65.4128 443 009	137
138	79.9408 060 600	74.6691 118 073	69.9056 767 978	65.5929 326 429	138
139	80.2387 172 837	74.9199 126 805	70.1168 620 991	65.7707 976 720	139
140	80.5340 443 953	75.1682 303 767	70.3256 979 967	65.9464 668 365	140
141	80.8268 098 094	75.4140 894 819	70.5322 106 271	66.1199 672 460	141
142	81.1170 357 467	75.6575 143 385	70.7364 258 365	66.2913 256 750	142
143	81.4047 442 346	75.8985 290 480	70.9383 691 832	66.4605 685 679	143
144	81.6899 571 099	76.1371 574 733	71.1380 659 413	66.6277 220 424	144
145	81.9726 960 197	76.3734 232 409	71.3355 411 039	66.7928 118 937	145
146	82.2529 824 235	76.6073 497 435	71.5308 193 858	66.9558 635 987	146
147	82.5308 375 946	76.8389 601 420	71.7239 252 270	67.1169 023 198	147
148	82.8062 826 216	77.0682 773 684	71.9148 827 955	67.2759 529 084	148
149	83.0793 384 105	77.2953 241 271	72.1037 159 907	67.4330 399 095	149
150	83.3500 256 858	77.5201 228 981	72.2904 484 456	67.5881 875 650	150

TABLE IV VALEUR ACTUELLE ACCUMULÉE DE 1 PAR PÉRIODE D'INTÉRÊT $a_{\overline{n}|} = \dfrac{(1 - v^n)}{i}$

n	⅞ pour cent	1 pour cent	1⅛ pour cent	1¼ pour cent	n
151	83.6183 649 921	77.7426 959 387	72.4751 035 309	67.7414 198 173	151
152	83.8843 766 960	77.9630 652 859	72.6577 043 569	67.8927 603 134	152
153	84.1480 809 874	78.1812 527 583	72.8382 737 769	68.0422 324 083	153
154	84.4094 978 809	78.3972 799 587	73.0168 343 900	68.1898 591 687	154
155	84.6686 472 178	78.6111 682 759	73.1934 085 439	68.3356 633 765	155
156	84.9255 486 669	78.8229 388 871	73.3680 183 376	68.4796 675 323	156
157	85.1802 217 268	79.0326 127 595	73.5406 856 243	68.6218 938 591	157
158	85.4326 857 267	79.2402 106 529	73.7114 320 142	68.7623 643 053	158
159	85.6829 598 282	79.4457 531 217	73.8802 788 768	68.9011 005 484	159
160	85.9310 630 267	79.6492 605 166	74.0472 473 442	69.0381 239 985	160
161	86.1770 141 529	79.8507 529 867	74.2123 583 132	69.1734 558 010	161
162	86.4208 318 740	80.0502 504 819	74.3756 324 481	69.3071 168 404	162
163	86.6625 346 954	80.2477 727 543	74.5370 901 836	69.4391 277 437	163
164	86.9021 409 620	80.4433 393 607	74.6967 517 266	69.5695 088 826	164
165	87.1396 688 595	80.6369 696 641	74.8546 370 597	69.6982 803 779	165
166	87.3751 364 158	80.8286 828 357	75.0107 659 429	69.8254 621 016	166
167	87.6085 615 027	81.0184 978 571	75.1651 579 163	69.9510 736 806	167
168	87.8399 618 366	81.2064 335 219	75.3178 323 029	70.0751 344 994	168
169	88.0693 549 805	81.3925 084 376	75.4688 082 105	70.1976 637 031	169
170	88.2967 583 450	81.5767 410 273	75.6181 045 345	70.3186 802 006	170
171	88.5221 891 896	81.7591 495 320	75.7657 399 600	70.4382 026 672	171
172	88.7456 646 241	81.9397 520 118	75.9117 329 641	70.5562 495 479	172
173	88.9672 016 100	82.1185 663 484	76.0561 018 187	70.6728 390 597	173
174	89.1868 169 616	82.2956 102 459	76.1988 645 920	70.7879 891 947	174
175	89.4045 273 473	82.4709 012 336	76.3400 391 515	70.9017 177 232	175
176	89.6203 492 910	82.6444 566 669	76.4796 431 659	71.0140 421 957	176
177	89.8342 991 733	82.8162 937 296	76.6176 941 072	71.1249 799 464	177
178	90.0463 932 325	82.9864 294 352	76.7542 092 531	71.2345 480 952	178
179	90.2566 475 663	83.1548 806 290	76.8892 056 891	71.3427 635 508	179
180	90.4650 781 326	83.3216 639 891	77.0227 003 106	71.4496 430 132	180
181	90.6717 007 511	83.4867 960 288	77.1547 098 251	71.5552 029 760	181
182	90.8765 311 039	83.6502 930 978	77.2852 507 541	71.6594 597 294	182
183	91.0795 847 374	83.8121 713 840	77.4143 394 355	71.7624 293 623	183
184	91.2808 770 631	83.9724 469 148	77.5419 920 252	71.8641 277 653	184
185	91.4804 233 588	84.1311 355 592	77.6682 244 996	71.9645 706 324	185
186	91.6782 387 695	84.2882 530 289	77.7930 526 572	72.0637 734 641	186
187	91.8743 383 093	84.4438 148 801	77.9164 921 208	72.1617 515 693	187
188	92.0687 368 618	84.5978 365 150	78.0385 583 395	72.2585 200 685	188
189	92.2614 491 814	84.7503 331 831	78.1592 665 903	72.3540 938 948	189
190	92.4524 898 949	84.9013 199 833	78.2786 319 806	72.4484 877 973	190
191	92.6418 735 017	85.0508 118 647	78.3966 694 493	72.5417 163 431	191
192	92.8296 143 759	85.1988 236 284	78.5133 937 694	72.6337 939 191	192
193	93.0157 267 667	85.3453 699 291	78.6288 195 494	72.7247 347 349	193
194	93.2002 247 997	85.4904 652 763	78.7429 612 355	72.8145 528 246	194
195	93.3831 224 780	85.6341 240 360	78.8558 331 130	72.9032 620 490	195
196	93.5644 336 833	85.7763 604 317	78.9674 493 083	72.9908 760 977	196
197	93.7441 721 768	85.9171 885 462	79.0778 237 906	73.0774 084 916	197
198	93.9223 516 003	86.0566 223 230	79.1869 703 739	73.1628 725 843	198
199	94.0989 854 773	86.1946 755 673	79.2949 027 183	73.2472 815 647	199
200	94.2740 872 142	86.3313 619 478	79.4016 343 321	73.3306 484 590	200

TABLE IV   Valeur actuelle accumulée de 1 par période d'intérêt $a_{\overline{n}|} = \dfrac{(1 - v^n)}{i}$

n	1⅜ pour cent	1½ pour cent	1⅝ pour cent	1¾ pour cent	n
1	0.9864 364 982	0.9852 216 749	0.9840 098 401	0.9828 009 828	1
2	1.9594 934 630	1.9558 834 235	1.9522 852 055	1.9486 987 546	2
3	2.9193 523 680	2.9122 004 173	2.9050 776 930	2.8979 840 340	3
4	3.8661 922 249	3.8543 846 476	3.8426 348 763	3.8309 425 396	4
5	4.8001 896 176	4.7826 449 730	4.7652 003 702	4.7478 550 757	5
6	5.7215 187 350	5.6971 871 655	5.6730 138 945	5.6489 976 174	6
7	6.6303 514 032	6.5982 139 561	6.5663 113 353	6.5346 413 930	7
8	7.5268 571 179	7.4859 250 799	7.4453 248 071	7.4050 529 661	8
9	8.4112 030 756	8.3605 173 201	8.3102 827 131	8.2604 943 156	9
10	9.2835 542 053	9.2221 845 519	9.1614 098 037	9.1012 229 146	10
11	10.1440 731 988	10.0711 177 851	9.9989 272 362	9.9274 918 080	11
12	10.9929 205 413	10.9075 052 070	10.8230 526 309	10.7395 496 884	12
13	11.8302 545 414	11.7315 322 236	11.6340 001 288	11.5376 409 714	13
14	12.6562 313 602	12.5433 815 011	12.4319 804 466	12.3220 058 688	14
15	13.4710 050 409	13.3432 330 060	13.2172 009 314	13.0928 804 608	15
16	14.2747 275 372	14.1312 640 453	13.9898 656 152	13.8504 967 673	16
17	15.0675 487 420	14.9076 493 057	14.7501 752 671	14.5950 828 180	17
18	15.8496 165 149	15.6725 608 924	15.4983 274 461	15.3268 627 204	18
19	16.6210 767 102	16.4261 683 669	16.2345 165 521	16.0460 567 277	19
20	17.3820 732 036	17.1686 387 851	16.9589 338 766	16.7528 813 049	20
21	18.1327 479 197	17.9001 367 341	17.6717 676 523	17.4475 491 940	21
22	18.8732 408 579	18.6208 243 685	18.3732 031 019	18.1302 694 781	22
23	19.6036 901 188	19.3308 614 468	19.0634 224 865	18.8012 476 443	23
24	20.3242 319 298	20.0304 053 663	19.7426 051 527	19.4606 856 455	24
25	21.0350 006 706	20.7196 111 984	20.4109 275 796	20.1087 819 612	25
26	21.7361 288 982	21.3986 317 225	21.0685 634 239	20.7457 316 572	26
27	22.4277 473 718	22.0676 174 606	21.7156 835 660	21.3717 264 444	27
28	23.1099 850 770	22.7267 167 100	22.3524 561 535	21.9869 547 365	28
29	23.7829 692 498	23.3760 755 763	22.9790 466 455	22.5916 017 067	29
30	24.4468 254 006	24.0158 380 062	23.5956 178 553	23.1858 493 432	30
31	25.1016 773 372	24.6461 458 189	24.2023 299 930	23.7698 765 043	31
32	25.7476 471 884	25.2671 387 379	24.7993 407 065	24.3438 589 723	32
33	26.3848 554 263	25.8789 544 216	25.3868 051 232	24.9079 695 060	33
34	27.0134 208 890	26.4817 284 941	25.9648 758 900	25.4623 778 929	34
35	27.6334 608 030	27.0755 945 755	26.5337 032 128	26.0072 510 004	35
36	28.2450 908 044	27.6606 843 109	27.0934 348 957	26.5427 528 259	36
37	28.8484 249 612	28.2371 273 999	27.6442 163 796	27.0690 445 463	37
38	29.4435 757 940	28.8050 516 255	28.1861 907 794	27.5862 845 664	38
39	30.0306 542 975	29.3645 828 822	28.7194 989 219	28.0946 285 665	39
40	30.6097 699 605	29.9158 452 042	29.2442 793 820	28.5942 295 494	40
41	31.1810 307 872	30.4589 607 923	29.7606 685 185	29.0852 378 864	41
42	31.7445 433 166	30.9940 500 417	30.2688 005 103	29.5678 013 626	42
43	32.3004 126 427	31.5212 315 681	30.7688 073 902	30.0420 652 212	43
44	32.8487 424 343	32.0406 222 346	31.2608 190 801	30.5081 722 076	44
45	33.3896 349 536	32.5523 371 770	31.7449 634 245	30.9662 626 118	45
46	33.9231 910 763	33.0564 898 295	32.2213 662 233	31.4164 743 114	46
47	34.4495 103 096	33.5531 919 503	32.6901 512 653	31.8589 428 122	47
48	34.9686 908 109	34.0425 536 456	33.1514 403 594	32.2938 012 896	48
49	35.4808 294 066	34.5246 833 947	33.6053 533 672	32.7211 806 286	49
50	35.9860 216 095	34.9996 880 736	34.0520 082 334	33.1412 094 630	50

TABLE IV   VALEUR ACTUELLE ACCUMULÉE DE 1 PAR PÉRIODE D'INTÉRÊT $a_{\overline{n}|} = \dfrac{(1-v^n)}{i}$

n	1⅜ pour cent	1½ pour cent	1⅝ pour cent	1¾ pour cent	n
51	36.4843 616 370	35.4676 729 789	34.4915 210 169	33.5540 142 143	51
52	36.9759 424 286	35.9287 418 511	34.9240 059 207	33.9597 191 295	52
53	37.4608 556 632	36.3829 968 977	35.3495 753 217	34.3584 463 189	53
54	37.9391 917 763	36.8305 388 154	35.7683 398 000	34.7503 157 926	54
55	38.4110 399 766	37.2714 668 132	36.1804 081 672	35.1354 454 964	55
56	38.8764 882 630	37.7058 786 337	36.5858 874 954	35.5139 513 478	56
57	39.3356 234 407	38.1338 705 751	36.9848 831 443	35.8859 472 706	57
58	39.7885 311 375	38.5555 375 124	37.3774 987 890	36.2515 452 291	58
59	40.2352 958 200	38.9709 729 186	37.7638 364 468	36.6108 552 620	59
60	40.6760 008 089	39.3802 688 853	38.1439 965 036	36.9639 855 155	60
61	41.1107 282 948	39.7835 161 432	38.5180 777 403	37.3110 422 756	61
62	41.5395 593 537	40.1808 040 820	38.8861 773 582	37.6521 300 006	62
63	41.9625 739 617	40.5722 207 704	39.2483 910 044	37.9873 513 520	63
64	42.3798 510 103	40.9578 529 758	39.6048 127 965	38.3168 072 255	64
65	42.7914 683 209	41.3377 861 830	39.9555 353 471	38.6405 967 818	65
66	43.1975 026 594	41.7121 046 138	40.3006 497 880	38.9588 174 760	66
67	43.5980 297 503	42.0808 912 451	40.6402 457 939	39.2715 650 870	67
68	43.9931 242 913	42.4442 278 277	40.9744 116 053	39.5789 337 464	68
69	44.3828 599 668	42.8021 949 042	41.3032 340 519	39.8810 159 670	69
70	44.7673 094 617	43.1548 718 268	41.6267 985 751	40.1779 026 703	70
71	45.1465 444 751	43.5023 367 751	41.9451 892 498	40.4696 832 140	71
72	45.5206 357 338	43.8446 667 735	42.2584 888 067	40.7564 454 192	72
73	45.8896 530 050	44.1819 377 079	42.5667 786 536	41.0382 755 963	73
74	46.2536 651 097	44.5142 243 428	42.8701 388 965	41.3152 585 713	74
75	46.6127 399 356	44.8416 003 377	43.1686 483 606	41.5874 777 113	75
76	46.9669 444 494	45.1641 382 637	43.4623 846 107	41.8550 149 497	76
77	47.3163 447 097	45.4819 096 194	43.7514 239 712	42.1179 508 105	77
78	47.6610 058 788	45.7949 848 467	44.0358 415 461	42.3763 644 330	78
79	48.0009 922 356	46.1034 333 465	44.3157 112 384	42.6303 335 950	79
80	48.3363 671 868	46.4073 234 941	44.5911 057 697	42.8799 347 371	80
81	48.6671 932 792	46.7067 226 543	44.8620 966 983	43.1252 429 849	81
82	48.9935 322 113	47.0016 971 964	45.1287 544 387	43.3663 321 719	82
83	49.3154 448 447	47.2923 125 087	45.3911 482 792	43.6032 748 619	83
84	49.6329 912 154	47.5786 330 135	45.6493 464 002	43.8361 423 704	84
85	49.9462 305 454	47.8607 221 808	45.9034 158 919	44.0650 047 866	85
86	50.2552 212 532	48.1386 425 426	46.1534 227 719	44.2899 309 942	86
87	50.5600 209 649	48.4124 557 071	46.3994 320 018	44.5109 886 921	87
88	50.8606 865 252	48.6822 223 715	46.6415 075 049	44.7282 444 149	88
89	51.1572 740 076	48.9480 023 365	46.8797 121 819	44.9417 635 527	89
90	51.4498 387 251	49.2098 545 187	47.1141 079 281	45.1516 103 712	90
91	51.7384 352 406	49.4678 369 642	47.3447 556 488	45.3578 480 307	91
92	52.0231 173 767	49.7220 068 613	47.5717 152 756	45.5605 386 051	92
93	52.3039 382 261	49.9724 205 530	47.7950 457 816	45.7597 431 008	93
94	52.5809 501 613	50.2191 335 498	48.0148 051 972	45.9555 214 750	94
95	52.8542 048 447	50.4622 005 416	48.2310 506 245	46.1479 326 536	95
96	53.1237 532 377	50.7016 754 105	48.4438 382 529	46.3370 345 490	96
97	53.3896 456 106	50.9376 112 418	48.6532 233 731	46.5228 840 776	97
98	53.6519 315 517	51.1700 603 368	48.8592 603 917	46.7055 371 770	98
99	53.9106 599 770	51.3990 742 234	49.0620 028 455	46.8850 488 226	99
100	54.1658 791 389	51.6247 036 684	49.2615 034 150	47.0614 730 444	100

TABLE IV VALEUR ACTUELLE ACCUMULÉE DE 1 PAR PÉRIODE D'INTÉRÊT $a_{\overline{n}|} = \dfrac{(1 - v^n)}{i}$

n	2 pour cent	2¼ pour cent	2½ pour cent	2¾ pour cent	n
1	0.9803 921 569	0.9779 951 100	0.9756 097 561	0.9732 360 097	1
2	1.9415 609 381	1.9344 695 453	1.9274 241 523	1.9204 243 404	2
3	2.8838 832 726	2.8698 968 658	2.8560 235 632	2.8422 621 317	3
4	3.8077 286 987	3.7847 402 110	3.7619 742 080	3.7394 278 654	4
5	4.7134 595 085	4.6794 525 291	4.6458 284 956	4.6125 818 642	5
6	5.6014 308 907	5.5544 768 011	5.5081 253 616	5.4623 667 778	6
7	6.4719 910 693	6.4102 462 602	6.3493 905 967	6.2894 080 562	7
8	7.3254 814 405	7.2471 846 066	7.1701 371 675	7.0943 144 100	8
9	8.1622 367 064	8.0657 062 167	7.9708 655 292	7.8776 782 579	9
10	8.9825 850 062	8.8662 163 489	8.7520 639 310	8.6400 761 634	10
11	9.7868 480 453	9.6491 113 436	9.5142 087 131	9.3820 692 588	11
12	10.5753 412 209	10.4147 788 202	10.2577 645 982	10.1042 036 582	12
13	11.3483 737 460	11.1635 978 681	10.9831 849 738	10.8070 108 595	13
14	12.1062 487 706	11.8959 392 354	11.6909 121 696	11.4910 081 358	14
15	12.8492 635 006	12.6121 655 113	12.3813 777 264	12.1566 989 156	15
16	13.5777 093 143	13.3126 313 069	13.0550 026 599	12.8045 731 539	16
17	14.2918 718 768	13.9976 834 298	13.7121 977 170	13.4351 076 923	17
18	14.9920 312 517	14.6676 610 560	14.3533 636 264	14.0487 666 106	18
19	15.6784 620 115	15.3228 958 983	14.9788 913 428	14.6460 015 675	19
20	16.3514 333 446	15.9637 123 700	15.5891 622 856	15.2272 521 338	20
21	17.0112 091 614	16.5904 277 457	16.1845 485 714	15.7929 461 156	21
22	17.6580 481 974	17.2033 523 185	16.7654 132 404	16.3434 998 692	22
23	18.2922 041 151	17.8027 895 536	17.3321 104 784	16.8793 186 075	23
24	18.9139 256 031	18.3890 362 382	17.8849 858 326	17.4007 966 983	24
25	19.5234 564 736	18.9623 826 291	18.4243 764 220	17.9083 179 545	25
26	20.1210 357 584	19.5231 125 957	18.9506 111 434	18.4022 559 168	26
27	20.7068 978 024	20.0715 037 610	19.4640 108 717	18.8829 741 283	27
28	21.2812 723 553	20.6078 276 392	19.9648 886 553	19.3508 264 022	28
29	21.8443 846 620	21.1323 497 693	20.4535 499 076	19.8061 570 825	29
30	22.3964 555 510	21.6453 298 478	20.9302 925 928	20.2493 012 968	30
31	22.9377 015 206	22.1470 218 560	21.3954 074 076	20.6805 852 037	31
32	23.4683 348 241	22.6376 741 868	21.8491 779 586	21.1003 262 323	32
33	23.9885 635 530	23.1175 297 670	22.2918 809 352	21.5088 333 161	33
34	24.4985 917 187	23.5868 261 780	22.7237 862 783	21.9064 071 203	34
35	24.9986 193 320	24.0457 957 731	23.1451 573 447	22.2933 402 631	35
36	25.4888 424 824	24.4946 657 928	23.5562 510 680	22.6699 175 310	36
37	25.9694 534 141	24.9336 584 771	23.9573 181 151	23.0364 160 885	37
38	26.4406 406 021	25.3629 911 756	24.3486 030 391	23.3931 056 823	38
39	26.9025 888 256	25.7828 764 554	24.7303 444 284	23.7402 488 392	39
40	27.3554 792 407	26.1935 222 057	25.1027 750 521	24.0781 010 600	40
41	27.7994 894 517	26.5951 317 416	25.4661 220 020	24.4069 110 073	41
42	28.2347 935 801	26.9879 039 037	25.8206 068 313	24.7269 206 884	42
43	28.6615 623 334	27.3720 331 577	26.1664 456 890	25.0383 656 335	43
44	29.0799 630 720	27.7477 096 897	26.5038 494 527	25.3414 750 691	44
45	29.4901 598 745	28.1151 195 009	26.8330 238 563	25.6364 720 867	45
46	29.8923 136 025	28.4744 444 997	27.1541 696 159	25.9235 738 070	46
47	30.2865 819 632	28.8258 625 913	27.4674 825 521	26.2029 915 397	47
48	30.6731 195 718	29.1695 477 666	27.7731 537 094	26.4749 309 389	48
49	31.0520 780 115	29.5056 701 874	28.0713 694 726	26.7395 921 546	49
50	31.4236 058 937	29.8343 962 713	28.3623 116 805	26.9971 699 802	50

TABLE IV   VALEUR ACTUELLE ACCUMULÉE DE 1 PAR PÉRIODE D'INTÉRÊT $a_{\overline{n}|} = \dfrac{(1 - v^n)}{i}$

n	2 pour cent	2¼ pour cent	2½ pour cent	2¾ pour cent	n
51	31.7878 489 153	30.1558 887 739	28.6461 577 371	27.2478 539 953	51
52	32.1449 499 170	30.4703 068 693	28.9230 807 191	27.4918 287 059	52
53	32.4950 489 382	30.7778 062 292	29.1932 494 821	27.7292 736 797	53
54	32.8382 832 728	31.0785 390 994	29.4568 287 630	27.9603 636 785	54
55	33.1747 875 223	31.3726 543 760	29.7139 792 810	28.1852 687 869	55
56	33.5046 936 494	31.6602 976 782	29.9648 578 351	28.4041 545 371	56
57	33.8281 310 288	31.9416 114 212	30.2096 174 001	28.6171 820 312	57
58	34.1452 264 988	32.2167 348 863	30.4484 072 196	28.8245 080 596	58
59	34.4561 044 106	32.4858 042 898	30.6813 728 972	29.0262 852 162	59
60	34.7608 866 770	32.7489 528 506	30.9086 564 851	29.2226 620 109	60
61	35.0596 928 206	33.0063 108 564	31.1303 965 708	29.4137 829 789	61
62	35.3526 400 202	33.2580 057 275	31.3467 283 617	29.5997 887 873	62
63	35.6398 431 571	33.5041 620 807	31.5577 837 676	29.7808 163 380	63
64	35.9214 148 599	33.7449 017 904	31.7636 914 805	29.9569 988 691	64
65	36.1974 655 489	33.9803 440 493	31.9645 770 542	30.1284 660 527	65
66	36.4681 034 793	34.2106 054 272	32.1605 629 797	30.2953 440 902	66
67	36.7334 347 837	34.4357 999 288	32.3517 687 607	30.4577 558 055	67
68	36.9935 635 134	34.6560 390 501	32.5383 109 860	30.6158 207 353	68
69	37.2485 916 798	34.8714 318 339	32.7203 034 010	30.7696 552 168	69
70	37.4986 192 939	35.0820 849 231	32.8978 569 766	30.9193 724 738	70
71	37.7437 444 058	35.2881 026 143	33.0710 799 772	31.0650 826 996	71
72	37.9840 631 429	35.4895 869 088	33.2400 780 265	31.2068 931 383	72
73	38.2196 697 480	35.6866 375 637	33.4049 541 722	31.3449 081 638	73
74	38.4506 566 157	35.8793 521 405	33.5658 089 485	31.4792 293 565	74
75	38.6771 143 291	36.0678 260 543	33.7227 404 375	31.6099 555 781	75
76	38.8991 316 952	36.2521 526 203	33.8758 443 293	31.7371 830 443	76
77	39.1167 957 796	36.4324 231 006	34.0252 139 798	31.8610 053 960	77
78	39.3301 919 408	36.6087 267 487	34.1709 404 681	31.9815 137 674	78
79	39.5394 038 635	36.7811 508 545	34.3131 126 518	32.0987 968 539	79
80	39.7445 135 917	36.9497 807 868	34.4518 172 213	32.2129 409 770	80
81	39.9456 015 605	37.1147 000 360	34.5871 387 525	32.3240 301 479	81
82	40.1427 466 279	37.2759 902 552	34.7191 597 585	32.4321 461 294	82
83	40.3360 261 058	37.4337 313 010	34.8479 607 400	32.5373 684 957	83
84	40.5255 157 900	37.5880 012 723	34.9736 202 342	32.6397 746 917	84
85	40.7112 899 902	37.7388 765 500	35.0962 148 626	32.7394 400 893	85
86	40.8934 215 590	37.8864 318 337	35.2158 193 781	32.8364 380 431	86
87	41.0719 819 206	38.0307 401 797	35.3325 067 104	32.9308 399 446	87
88	41.2470 410 986	38.1718 730 363	35.4463 480 101	33.0227 152 746	88
89	41.4186 677 437	38.3099 002 800	35.5574 126 928	33.1121 316 541	89
90	41.5869 291 605	38.4448 902 494	35.6657 684 808	33.1991 548 945	90
91	41.7518 913 339	38.5769 097 794	35.7714 814 447	33.2838 490 457	91
92	41.9136 189 548	38.7060 242 341	35.8746 160 436	33.3662 764 435	92
93	42.0721 754 458	38.8322 975 395	35.9752 351 645	33.4464 977 552	93
94	42.2276 229 861	38.9557 922 147	36.0734 001 605	33.5245 720 246	94
95	42.3800 225 354	39.0765 694 031	36.1691 708 882	33.6005 567 149	95
96	42.5294 338 583	39.1946 889 028	36.2626 057 446	33.6745 077 517	96
97	42.6759 155 473	39.3102 091 959	36.3537 617 021	33.7464 795 637	97
98	42.8195 250 464	39.4231 874 776	36.4426 943 435	33.8165 251 229	98
99	42.9603 186 729	39.5336 796 847	36.5294 578 961	33.8846 959 833	99
100	43.0983 516 401	39.6417 405 229	36.6141 052 645	33.9510 423 195	100

TABLE IV VALEUR ACTUELLE ACCUMULÉE DE 1 PAR PÉRIODE D'INTÉRÊT $a_{\overline{n}|} = \dfrac{(1 - v^{n'})}{i}$

n	3 pour cent	3½ pour cent	4 pour cent	4½ pour cent	n
1	0.9708 737 864	0.9661 835 749	0.9615 384 615	0.9569 377 990	1
2	1.9134 696 955	1.8996 942 752	1.8860 946 746	1.8726 677 503	2
3	2.8286 113 549	2.8016 369 809	2.7750 910 332	2.7489 643 543	3
4	3.7170 984 028	3.6730 792 086	3.6298 952 243	3.5875 256 979	4
5	4.5797 071 872	4.5150 523 755	4.4518 223 310	4.3899 767 444	5
6	5.4171 914 439	5.3285 530 198	5.2421 368 567	5.1578 724 827	6
7	6.2302 829 552	6.1145 439 805	6.0020 546 699	5.8927 009 404	7
8	7.0196 921 895	6.8739 555 367	6.7327 448 750	6.5958 860 674	8
9	7.7861 089 219	7.6076 865 089	7.4353 316 105	7.2687 904 951	9
10	8.5302 028 368	8.3166 053 226	8.1108 957 794	7.9127 181 771	10
11	9.2526 241 134	9.0015 510 363	8.7604 767 109	8.5289 169 159	11
12	9.9540 039 936	9.6633 343 346	9.3850 737 605	9.1185 807 808	12
13	10.6349 553 336	10.3027 384 875	9.9856 478 466	9.6828 524 218	13
14	11.2960 731 394	10.9205 202 778	10.5631 229 295	10.2228 252 840	14
15	11.9379 350 868	11.5174 108 964	11.1183 874 322	10.7395 457 263	15
16	12.5611 020 260	12.0941 168 081	11.6522 956 079	11.2340 150 491	16
17	13.1661 184 718	12.6513 205 876	12.1656 688 537	11.7071 914 346	17
18	13.7535 130 795	13.1896 817 271	12.6592 969 747	12.1599 918 034	18
19	14.3237 991 063	13.7098 374 175	13.1339 393 988	12.5932 935 918	19
20	14.8774 748 605	14.2124 033 020	13.5903 263 450	13.0079 364 515	20
21	15.4150 241 364	14.6979 742 048	14.0291 599 471	13.4047 238 770	21
22	15.9369 166 372	15.1671 248 355	14.4511 153 337	13.7844 247 627	22
23	16.4436 083 857	15.6204 104 691	14.8568 416 671	14.1477 748 925	23
24	16.9355 421 220	16.0583 676 030	15.2469 631 414	14.4954 783 660	24
25	17.4131 476 913	16.4815 145 923	15.6220 799 437	14.8282 089 627	25
26	17.8768 424 187	16.8903 522 631	15.9827 691 766	15.1466 114 476	26
27	18.3270 314 745	17.2853 645 054	16.3295 857 467	15.4513 028 206	27
28	18.7641 082 277	17.6670 188 458	16.6630 632 180	15.7428 735 126	28
29	19.1884 545 900	18.0357 670 008	16.9837 146 326	16.0218 885 288	29
30	19.6004 413 495	18.3920 454 114	17.2920 333 007	16.2888 885 443	30
31	20.0004 284 946	18.7362 757 598	17.5884 935 583	16.5443 909 515	31
32	20.3887 655 288	19.0688 654 684	17.8735 514 984	16.7888 908 627	32
33	20.7657 917 755	19.3902 081 820	18.1476 456 715	17.0228 620 695	33
34	21.1318 366 752	19.7006 842 338	18.4111 977 611	17.2467 579 613	34
35	21.4872 200 731	20.0006 610 955	18.6646 132 318	17.4610 124 031	35
36	21.8322 524 981	20.2904 938 121	18.9082 819 537	17.6660 405 772	36
37	22.1672 354 351	20.5705 254 223	19.1425 788 016	17.8622 397 868	37
38	22.4924 615 874	20.8410 873 645	19.3678 642 323	18.0499 902 266	38
39	22.8082 151 334	21.1024 998 691	19.5844 848 388	18.2296 557 192	39
40	23.1147 719 742	21.3550 723 373	19.7927 738 834	18.4015 844 203	40
41	23.4123 999 750	21.5991 037 075	19.9930 518 110	18.5661 094 931	41
42	23.7013 591 990	21.8348 828 092	20.1856 267 413	18.7235 497 542	42
43	23.9819 021 349	22.0626 887 046	20.3707 949 436	18.8742 102 911	43
44	24.2542 739 174	22.2827 910 189	20.5488 412 919	19.0183 830 536	44
45	24.5187 125 412	22.4954 502 598	20.7200 397 038	19.1563 474 198	45
46	24.7754 490 691	22.7009 181 254	20.8846 535 613	19.2883 707 366	46
47	25.0247 078 341	22.8994 378 023	21.0429 361 166	19.4147 088 389	47
48	25.2667 066 350	23.0912 442 535	21.1951 308 814	19.5356 065 444	48
49	25.5016 569 272	23.2765 644 961	21.3414 720 013	19.6512 981 286	49
50	25.7297 640 070	23.4556 178 706	21.4821 846 167	19.7620 077 785	50

TABLE IV VALEUR ACTUELLE ACCUMULÉE DE 1 PAR PÉRIODE D'INTÉRÊT $a_{\overline{n}|} = \dfrac{(1 - v^n)}{i}$

n	3 pour cent	3½ pour cent	4 pour cent	4½ pour cent	n
51	25.9512 271 913	23.6286 163 001	21.6174 852 083	19.8679 500 273	51
52	26.1662 399 915	23.7957 645 412	21.7475 819 311	19.9693 301 697	52
53	26.3749 902 830	23.9572 604 263	21.8726 749 337	20.0663 446 600	53
54	26.5776 604 690	24.1132 950 978	21.9929 566 671	20.1591 814 928	54
55	26.7744 276 398	24.2640 532 346	22.1086 121 799	20.2480 205 673	55
56	26.9654 637 279	24.4097 132 702	22.2198 194 037	20.3330 340 357	56
57	27.1509 356 582	24.5504 476 040	22.3267 494 267	20.4143 866 370	57
58	27.3310 054 934	24.6864 228 058	22.4295 667 564	20.4922 360 163	58
59	27.5058 305 761	24.8177 998 124	22.5284 295 735	20.5667 330 299	59
60	27.6755 636 661	24.9447 341 182	22.6234 899 745	20.6380 220 382	60
61	27.8403 530 739	25.0673 759 597	22.7148 942 062	20.7062 411 849	61
62	28.0003 427 902	25.1858 704 924	22.8027 828 906	20.7715 226 650	62
63	28.1556 726 119	25.3003 579 637	22.8872 912 410	20.8339 929 808	63
64	28.3064 782 639	25.4109 738 780	22.9685 492 702	20.8937 731 874	64
65	28.4528 915 184	25.5178 491 575	23.0466 819 905	20.9509 791 267	65
66	28.5950 403 091	25.6211 102 971	23.1218 096 063	21.0057 216 523	66
67	28.7330 488 438	25.7208 795 141	23.1940 476 984	21.0581 068 443	67
68	28.8670 377 124	25.8172 748 928	23.2635 074 023	21.1082 362 147	68
69	28.9971 239 926	25.9104 105 245	23.3302 955 791	21.1562 069 040	69
70	29.1234 213 521	26.0003 966 420	23.3945 149 799	21.2021 118 699	70
71	29.2460 401 476	26.0873 397 507	23.4562 644 038	21.2460 400 668	71
72	29.3650 875 220	26.1713 427 543	23.5156 388 498	21.2880 766 190	72
73	29.4806 674 971	26.2525 050 766	23.5727 296 632	21.3283 029 847	73
74	29.5928 810 651	26.3309 227 794	23.6276 246 762	21.3667 971 145	74
75	29.7018 262 768	26.4066 886 757	23.6804 083 425	21.4036 336 024	75
76	29.8075 983 270	26.4798 924 403	23.7311 618 678	21.4388 838 301	76
77	29.9102 896 379	26.5506 207 153	23.7799 633 344	21.4726 161 053	77
78	30.0099 899 397	26.6189 572 128	23.8268 878 215	21.5048 957 946	78
79	30.1067 863 492	26.6849 828 143	23.8720 075 207	21.5357 854 494	79
80	30.2007 634 458	26.7487 756 660	23.9153 918 468	21.5653 449 276	80
81	30.2920 033 455	26.8104 112 715	23.9571 075 450	21.5936 315 097	81
82	30.3805 857 723	26.8699 625 812	23.9972 187 933	21.6207 000 093	82
83	30.4665 881 284	26.9275 000 784	24.0357 873 013	21.6466 028 797	83
84	30.5500 855 616	26.9830 918 632	24.0728 724 050	21.6713 903 155	84
85	30.6311 510 307	27.0368 037 326	24.1085 311 587	21.6951 103 497	85
86	30.7098 553 696	27.0886 992 585	24.1428 184 218	21.7178 089 471	86
87	30.7862 673 491	27.1388 398 633	24.1757 869 441	21.7395 300 929	87
88	30.8604 537 370	27.1872 848 921	24.2074 874 462	21.7603 158 784	88
89	30.9324 793 563	27.2340 916 832	24.2379 686 983	21.7802 065 822	89
90	31.0024 071 421	27.2793 156 360	24.2672 775 945	21.7992 407 485	90
91	31.0702 981 962	27.3230 102 762	24.2954 592 255	21.8174 552 617	91
92	31.1362 118 409	27.3652 273 200	24.3225 569 476	21.8348 854 179	92
93	31.2002 056 708	27.4060 167 343	24.3486 124 496	21.8515 649 932	93
94	31.2623 356 027	27.4454 267 965	24.3736 658 169	21.8675 263 093	94
95	31.3226 559 250	27.4835 041 512	24.3977 555 932	21.8828 002 960	95
96	31.3812 193 446	27.5202 938 659	24.4209 188 396	21.8974 165 512	96
97	31.4380 770 336	27.5558 394 839	24.4431 911 919	21.9114 033 983	97
98	31.4932 786 734	27.5901 830 763	24.4646 069 153	21.9247 879 409	98
99	31.5468 724 985	27.6233 652 911	24.4851 989 570	21.9375 961 157	99
100	31.5989 053 383	27.6554 254 020	24.5049 989 972	21.9498 527 423	100

TABLE IV   VALEUR ACTUELLE ACCUMULÉE DE 1 PAR PÉRIODE D'INTÉRÊT $a_{\overline{n}|} = \dfrac{(1-v^n)}{i}$

n	5 pour cent	5½ pour cent	6 pour cent	6½ pour cent	n
1	0.9523 809 524	0.9478 672 986	0.9433 962 264	0.9389 671 362	1
2	1.8594 104 308	1.8463 197 143	1.8333 926 664	1.8206 264 189	2
3	2.7232 480 294	2.6979 333 785	2.6730 119 495	2.6484 755 107	3
4	3.5459 505 042	3.5051 501 218	3.4651 056 127	3.4257 986 016	4
5	4.3294 766 706	4.2702 844 756	4.2123 637 856	4.1556 794 381	5
6	5.0756 920 673	4.9955 303 086	4.9173 243 260	4.8410 135 569	6
7	5.7863 733 974	5.6829 671 172	5.5823 814 396	5.4845 197 718	7
8	6.4632 127 594	6.3345 659 879	6.2097 938 110	6.0887 509 594	8
9	7.1078 216 756	6.9521 952 492	6.8016 922 745	6.6561 041 872	9
10	7.7217 349 292	7.5376 258 286	7.3600 870 514	7.1888 302 228	10
11	8.3064 142 183	8.0925 363 304	7.8868 745 768	7.6890 424 627	11
12	8.8632 516 364	8.6185 178 487	8.3838 439 404	8.1587 253 171	12
13	9.3935 729 871	9.1170 785 296	8.8526 829 626	8.5997 420 818	13
14	9.8986 409 401	9.5896 478 954	9.2949 839 270	9.0138 423 303	14
15	10.3796 580 382	10.0375 809 435	9.7122 489 877	9.4026 688 547	15
16	10.8377 695 602	10.4621 620 317	10.1058 952 715	9.7677 641 828	16
17	11.2740 662 478	10.8646 085 609	10.4772 596 901	10.1105 766 975	17
18	11.6895 869 027	11.2460 744 653	10.8276 034 812	10.4324 663 826	18
19	12.0853 208 597	11.6076 535 216	11.1581 164 917	10.7347 102 184	19
20	12.4622 103 425	11.9503 824 849	11.4699 212 186	11.0185 072 474	20
21	12.8211 527 072	12.2752 440 615	11.7640 766 213	11.2849 833 309	21
22	13.1630 025 783	12.5831 697 266	12.0415 817 182	11.5351 956 158	22
23	13.4885 738 841	12.8750 423 949	12.3033 789 794	11.7701 367 285	23
24	13.7986 417 943	13.1516 989 525	12.5503 575 278	11.9907 387 122	24
25	14.0939 445 660	13.4139 326 564	12.7833 561 583	12.1978 767 251	25
26	14.3751 853 010	13.6624 954 089	13.0031 661 870	12.3923 725 118	26
27	14.6430 336 200	13.8980 999 136	13.2105 341 387	12.5749 976 637	27
28	14.8981 272 571	14.1214 217 191	13.4061 642 818	12.7464 766 795	28
29	15.1410 735 782	14.3331 011 555	13.5907 210 206	12.9074 898 399	29
30	15.3724 510 269	14.5337 451 711	13.7648 311 515	13.0586 759 060	30
31	15.5928 105 018	14.7239 290 722	13.9290 859 920	13.2006 346 535	31
32	15.8026 766 684	14.9041 981 727	14.0840 433 887	13.3339 292 521	32
33	16.0025 492 080	15.0750 693 580	14.2302 296 119	13.4590 884 997	33
34	16.1929 040 076	15.2370 325 668	14.3681 411 433	13.5766 089 199	34
35	16.3741 942 929	15.3905 521 960	14.4982 463 616	13.6869 567 323	35
36	16.5468 517 076	15.5360 684 322	14.6209 871 336	13.7905 697 017	36
37	16.7112 873 405	15.6739 985 140	14.7367 803 147	13.8878 588 748	37
38	16.8678 927 053	15.8047 379 279	14.8460 191 648	13.9792 102 111	38
39	17.0170 406 717	15.9286 615 431	14.9490 746 838	14.0649 861 137	39
40	17.1590 863 540	16.0461 246 854	15.0462 968 715	14.1455 268 673	40
41	17.2943 679 562	16.1574 641 568	15.1380 159 165	14.2211 519 881	41
42	17.4232 075 773	16.2629 992 007	15.2245 433 175	14.2921 614 912	42
43	17.5459 119 784	16.3630 324 177	15.3061 729 410	14.3588 370 809	43
44	17.6627 733 128	16.4578 506 329	15.3831 820 198	14.4214 432 685	44
45	17.7740 698 217	16.5477 257 184	15.4558 320 942	14.4802 284 211	45
46	17.8800 664 968	16.6329 153 729	15.5243 699 002	14.5354 257 475	46
47	17.9810 157 113	16.7136 638 606	15.5890 282 077	14.5872 542 230	47
48	18.0771 578 203	16.7902 027 114	15.6500 266 110	14.6359 194 582	48
49	18.1687 217 336	16.8627 513 853	15.7075 722 746	14.6816 145 148	49
50	18.2559 254 606	16.9315 179 007	15.7618 606 364	14.7245 206 711	50

TABLE IV | VALEUR ACTUELLE ACCUMULÉE DE 1 PAR PÉRIODE D'INTÉRÊT | $a_{\overline{n}|} = \dfrac{(1 - v^n)}{i}$

n	5 pour cent	5½ pour cent	6 pour cent	6½ pour cent	n
51	18.3389 766 291	16.9966 994 320	15.8130 760 721	14.7648 081 419	51
52	18.4180 729 801	17.0584 828 739	15.8613 925 208	14.8026 367 530	52
53	18.4934 028 382	17.1170 453 781	15.9069 740 762	14.8381 565 756	53
54	18.5651 455 602	17.1725 548 608	15.9499 755 436	14.8715 085 216	54
55	18.6334 719 621	17.2251 704 841	15.9905 429 657	14.9028 249 030	55
56	18.6985 447 258	17.2750 431 129	16.0288 141 186	14.9322 299 558	56
57	18.7605 187 865	17.3223 157 468	16.0649 189 798	14.9598 403 341	57
58	18.8195 417 014	17.3671 239 307	16.0989 801 696	14.9857 655 719	58
59	18.8757 540 013	17.4095 961 428	16.1311 133 676	15.0101 085 182	59
60	18.9292 895 251	17.4498 541 638	16.1614 277 052	15.0329 657 448	60
61	18.9802 757 382	17.4880 134 254	16.1900 261 370	15.0544 279 294	61
62	19.0288 340 363	17.5241 833 416	16.2170 057 896	15.0745 802 154	62
63	19.0750 800 346	17.5584 676 224	16.2424 582 921	15.0935 025 497	63
64	19.1191 238 425	17.5909 645 710	16.2664 700 869	15.1112 699 997	64
65	19.1610 703 262	17.6217 673 659	16.2891 227 235	15.1279 530 514	65
66	19.2010 193 583	17.6509 643 278	16.3104 931 354	15.1436 178 886	66
67	19.2390 660 555	17.6786 391 733	16.3306 539 013	15.1583 266 560	67
68	19.2753 010 052	17.7048 712 543	16.3496 734 918	15.1721 377 051	68
69	19.3098 104 812	17.7297 357 861	16.3676 165 017	15.1851 058 264	69
70	19.3426 766 487	17.7533 040 626	16.3845 438 695	15.1972 824 661	70
71	19.3739 777 607	17.7756 436 613	16.4005 130 844	15.2087 159 306	71
72	19.4037 883 435	17.7968 186 363	16.4155 783 816	15.2194 515 781	72
73	19.4321 793 748	17.8168 897 026	16.4297 909 260	15.2295 319 982	73
74	19.4592 184 522	17.8359 144 101	16.4431 989 868	15.2389 971 814	74
75	19.4849 699 545	17.8539 473 081	16.4558 481 007	15.2478 846 774	75
76	19.5094 951 947	17.8710 401 025	16.4677 812 271	15.2562 297 440	76
77	19.5328 525 664	17.8872 418 033	16.4790 388 935	15.2640 654 873	77
78	19.5550 976 823	17.9025 988 657	16.4896 593 335	15.2714 229 928	78
79	19.5762 835 069	17.9171 553 229	16.4996 786 165	15.2783 314 486	79
80	19.5964 604 828	17.9309 529 127	16.5091 307 703	15.2848 182 616	80
81	19.6156 766 503	17.9440 311 969	16.5180 478 965	15.2909 091 658	81
82	19.6339 777 622	17.9564 276 748	16.5264 602 797	15.2966 283 247	82
83	19.6514 073 925	17.9681 778 908	16.5343 964 903	15.3019 984 270	83
84	19.6680 070 405	17.9793 155 363	16.5418 834 814	15.3070 407 765	84
85	19.6838 162 291	17.9898 725 463	16.5489 466 806	15.3117 753 770	85
86	19.6988 725 991	17.9998 791 908	16.5556 100 760	15.3162 210 113	86
87	19.7132 119 992	18.0093 641 619	16.5618 962 981	15.3203 953 157	87
88	19.7268 685 706	18.0183 546 558	16.5678 266 963	15.3243 148 505	88
89	19.7398 748 292	18.0268 764 510	16.5734 214 116	15.3279 951 648	89
90	19.7522 617 421	18.0349 539 820	16.5786 994 450	15.3314 508 589	90
91	19.7640 588 020	18.0426 104 095	16.5836 787 217	15.3346 956 422	91
92	19.7752 940 971	18.0498 676 867	16.5883 761 525	15.3377 423 870	92
93	19.7859 943 782	18.0567 466 225	16.5928 076 910	15.3406 031 803	93
94	19.7961 851 221	18.0632 669 407	16.5969 883 878	15.3432 893 712	94
95	19.8058 905 925	18.0694 473 372	16.6009 324 413	15.3458 116 161	95
96	19.8151 338 976	18.0753 055 329	16.6046 532 465	15.3481 799 213	96
97	19.8239 370 453	18.0808 583 250	16.6081 634 401	15.3504 036 819	97
98	19.8323 209 955	18.0861 216 351	16.6114 749 435	15.3524 917 201	98
99	19.8403 057 100	18.0911 105 546	16.6145 990 033	15.3544 523 194	99
100	19.8479 102 000	18.0958 393 882	16.6175 462 295	15.3562 932 576	100

TABLE IV Valeur actuelle accumulée de 1 par période d'intérêt $\quad a_{\overline{n}|} = \dfrac{(1-v^n)}{i}$

n	7 pour cent	7½ pour cent	8 pour cent	8½ pour cent	n
1	0.9345 794 393	0.9302 325 581	0.9259 259 259	0.9216 589 862	1
2	1.8080 181 675	1.7955 651 704	1.7832 647 462	1.7711 142 730	2
3	2.6243 160 444	2.6005 257 399	2.5770 969 872	2.5540 223 714	3
4	3.3872 112 565	3.3493 262 696	3.3121 268 400	3.2755 966 557	4
5	4.1001 974 359	4.0458 849 020	3.9927 100 371	3.9406 420 790	5
6	4.7665 396 598	4.6938 464 205	4.6228 796 640	4.5535 871 695	6
7	5.3892 894 016	5.2966 013 214	5.2063 700 592	5.1185 135 203	7
8	5.9712 985 062	5.8573 035 548	5.7466 389 437	5.6391 829 680	8
9	6.5152 322 488	6.3788 870 277	6.2468 879 109	6.1190 626 434	9
10	7.0235 815 409	6.8640 809 560	6.7100 813 989	6.5613 480 584	10
11	7.4986 743 373	7.3154 241 451	7.1389 642 583	6.9689 843 856	11
12	7.9426 862 966	7.7352 782 745	7.5360 780 169	7.3446 860 697	12
13	8.3576 507 444	8.1258 402 554	7.9037 759 416	7.6909 549 029	13
14	8.7454 679 855	8.4891 537 259	8.2442 369 830	8.0100 966 847	14
15	9.1079 140 051	8.8271 197 450	8.5594 786 879	8.3042 365 758	15
16	9.4466 486 029	9.1415 067 396	8.8513 691 555	8.5753 332 496	16
17	9.7632 229 934	9.4339 597 577	9.1216 381 069	8.8251 919 351	17
18	10.0590 869 097	9.7060 090 770	9.3718 871 360	9.0554 764 379	18
19	10.3355 952 427	9.9590 782 111	9.6035 992 000	9.2677 202 192	19
20	10.5940 142 455	10.1944 913 592	9.8181 474 074	9.4633 366 076	20
21	10.8355 273 323	10.4134 803 341	10.0168 031 550	9.6436 282 098	21
22	11.0612 404 974	10.6171 910 085	10.2007 436 621	9.8097 955 850	22
23	11.2721 873 808	10.8066 893 102	10.3710 589 464	9.9629 452 397	23
24	11.4693 340 007	10.9829 668 002	10.5287 582 837	10.1040 969 951	24
25	11.6535 831 783	11.1469 458 607	10.6747 761 886	10.2341 907 789	25
26	11.8257 786 713	11.2994 845 215	10.8099 779 524	10.3540 928 838	26
27	11.9867 090 386	11.4413 809 503	10.9351 647 707	10.4646 017 362	27
28	12.1371 112 510	11.5733 776 282	11.0510 784 914	10.5664 532 131	28
29	12.2776 740 664	11.6961 652 355	11.1584 060 106	10.6603 255 420	29
30	12.4090 411 835	11.8103 862 656	11.2577 833 431	10.7468 438 175	30
31	12.5318 141 902	11.9166 383 866	11.3497 993 918	10.8265 841 636	31
32	12.6465 553 179	12.0154 775 689	11.4349 994 368	10.9000 775 701	32
33	12.7537 900 168	12.1074 209 943	11.5138 883 674	10.9678 134 287	33
34	12.8540 093 615	12.1929 497 622	11.5869 336 736	11.0302 427 914	34
35	12.9476 723 004	12.2725 114 067	11.6545 682 163	11.0877 813 746	35
36	13.0352 077 574	12.3465 222 388	11.7171 927 928	11.1408 123 268	36
37	13.1170 165 957	12.4153 695 244	11.7751 785 119	11.1896 887 805	37
38	13.1934 734 539	12.4794 135 111	11.8288 689 925	11.2347 362 032	38
39	13.2649 284 616	12.5389 893 127	11.8785 824 004	11.2762 545 652	39
40	13.3317 088 426	12.5944 086 629	11.9246 133 337	11.3145 203 366	40
41	13.3941 204 137	12.6459 615 469	11.9672 345 683	11.3497 883 286	41
42	13.4524 489 847	12.6939 177 181	12.0066 986 743	11.3822 933 904	42
43	13.5069 616 680	12.7385 281 098	12.0432 395 133	11.4122 519 728	43
44	13.5579 081 009	12.7800 261 487	12.0770 736 234	11.4398 635 694	44
45	13.6055 215 896	12.8186 289 755	12.1084 015 032	11.4653 120 455	45
46	13.6500 201 772	12.8545 385 819	12.1374 087 992	11.4887 668 622	46
47	13.6916 076 423	12.8879 428 669	12.1642 674 067	11.5103 842 048	47
48	13.7304 744 320	12.9190 166 203	12.1891 364 877	11.5303 080 229	48
49	13.7667 985 346	12.9479 224 375	12.2121 634 145	11.5486 709 888	49
50	13.8007 462 940	12.9748 115 698	12.2334 846 431	11.5655 953 814	50

TABLE IV   Valeur actuelle accumulée de 1 par période d'intérêt $a_{\overline{n}|} = \dfrac{(1 - v^n)}{i}$

n	7 pour cent	7½ pour cent	8 pour cent	8½ pour cent	n
51	13.8324 731 720	12.9998 247 161	12.2532 265 214	11.5811 938 999	51
52	13.8621 244 598	13.0230 927 591	12.2715 060 383	11.5955 704 146	52
53	13.8898 359 437	13.0447 374 504	12.2884 315 169	11.6088 206 587	53
54	13.9157 345 269	13.0648 720 469	12.3041 032 564	11.6210 328 651	54
55	13.9399 388 102	13.0836 019 040	12.3186 141 263	11.6322 883 550	55
56	13.9625 596 357	13.1010 250 270	12.3320 501 170	11.6426 620 783	56
57	13.9837 005 941	13.1172 325 833	12.3444 908 490	11.6522 231 136	57
58	14.0034 584 991	13.1323 093 798	12.3560 100 454	11.6610 351 278	58
59	14.0219 238 310	13.1463 343 068	12.3666 759 680	11.6691 567 998	59
60	14.0391 811 504	13.1593 807 505	12.3765 518 222	11.6766 422 118	60
61	14.0553 094 864	13.1715 169 772	12.3856 961 317	11.6835 412 090	61
62	14.0703 826 976	13.1828 064 904	12.3941 630 849	11.6898 997 318	62
63	14.0844 698 108	13.1933 083 632	12.4020 028 564	11.6957 601 215	63
64	14.0976 353 372	13.2030 775 471	12.4092 619 040	11.7011 614 023	64
65	14.1099 395 675	13.2121 651 601	12.4159 832 445	11.7061 395 413	65
66	14.1214 388 481	13.2206 187 536	12.4222 067 079	11.7107 276 878	66
67	14.1321 858 394	13.2284 825 615	12.4279 691 739	11.7149 563 943	67
68	14.1422 297 564	13.2357 977 316	12.4333 047 907	11.7188 538 196	68
69	14.1516 165 948	13.2426 025 411	12.4382 451 766	11.7224 459 167	69
70	14.1603 893 409	13.2489 325 963	12.4428 196 079	11.7257 566 053	70
71	14.1685 881 691	13.2548 210 198	12.4470 551 925	11.7288 079 311	71
72	14.1762 506 253	13.2602 986 231	12.4509 770 301	11.7316 202 130	72
73	14.1834 117 993	13.2653 940 680	12.4546 083 612	11.7342 121 779	73
74	14.1901 044 854	13.2701 340 168	12.4579 707 048	11.7366 010 856	74
75	14.1963 593 321	13.2745 432 714	12.4610 839 860	11.7388 028 439	75
76	14.2022 049 833	13.2786 449 036	12.4639 666 537	11.7408 321 142	76
77	14.2076 682 087	13.2824 603 755	12.4666 357 904	11.7427 024 094	77
78	14.2127 740 268	13.2860 096 516	12.4691 072 134	11.7444 261 838	78
79	14.2175 458 194	13.2893 113 038	12.4713 955 679	11.7460 149 159	79
80	14.2220 054 387	13.2923 826 082	12.4735 144 147	11.7474 791 852	80
81	14.2261 733 072	13.2952 396 355	12.4754 763 099	11.7488 287 421	81
82	14.2300 685 114	13.2978 973 354	12.4772 928 796	11.7500 725 734	82
83	14.2337 088 892	13.3003 696 143	12.4789 748 885	11.7512 189 616	83
84	14.2371 111 114	13.3026 694 087	12.4805 323 042	11.7522 755 407	84
85	14.2402 907 583	13.3048 087 522	12.4819 743 557	11.7532 493 462	85
86	14.2432 623 909	13.3067 988 393	12.4833 095 886	11.7541 468 629	86
87	14.2460 396 177	13.3086 500 831	12.4845 459 154	11.7549 740 672	87
88	14.2486 351 567	13.3103 721 703	12.4856 906 624	11.7557 364 674	88
89	14.2510 608 941	13.3119 741 119	12.4867 506 133	11.7564 391 405	89
90	14.2533 279 384	13.3134 642 901	12.4877 320 494	11.7570 867 654	90
91	14.2554 466 714	13.3148 505 025	12.4886 407 865	11.7576 836 548	91
92	14.2574 267 957	13.3161 400 023	12.4894 822 097	11.7582 337 832	92
93	14.2592 773 792	13.3173 395 370	12.4902 613 053	11.7587 408 140	93
94	14.2610 068 965	13.3184 553 833	12.4909 826 901	11.7592 081 235	94
95	14.2626 232 677	13.3194 933 798	12.4916 506 389	11.7596 388 235	95
96	14.2641 338 951	13.3204 589 579	12.4922 691 101	11.7600 357 820	96
97	14.2655 456 963	13.3213 571 702	12.4928 417 686	11.7604 016 424	97
98	14.2668 651 367	13.3221 927 164	12.4933 720 080	11.7607 388 410	98
99	14.2680 982 586	13.3229 699 688	12.4938 629 704	11.7610 496 230	99
100	14.2692 507 090	13.3236 929 942	12.4943 175 652	11.7613 360 581	100

TABLE IV   VALEUR ACTUELLE ACCUMULÉE DE 1 PAR PÉRIODE D'INTÉRÊT $a_{\overline{n}|} = \dfrac{(1 - v^n)}{i}$

n	9 pour cent	9½ pour cent	10 pour cent	10½ pour cent	n
1	0.9174 311 927	0.9132 420 091	0.9090 909 091	0.9049 773 756	1
2	1.7591 111 859	1.7472 529 764	1.7355 371 901	1.7239 614 259	2
3	2.5312 946 660	2.5089 068 277	2.4868 519 910	2.4651 234 623	3
4	3.2397 198 771	3.2044 811 212	3.1698 654 463	3.1358 583 369	4
5	3.8896 512 634	3.8397 087 865	3.7907 867 694	3.7428 582 235	5
6	4.4859 185 902	4.4198 253 758	4.3552 606 995	4.2921 793 878	6
7	5.0329 528 351	4.9496 122 153	4.8684 188 177	4.7893 026 134	7
8	5.5348 191 147	5.4334 358 131	5.3349 261 979	5.2391 878 854	8
9	5.9952 468 943	5.8752 838 476	5.7590 238 163	5.6463 238 782	9
10	6.4176 577 012	6.2787 980 343	6.1445 671 057	6.0147 727 404	10
11	6.8051 905 515	6.6473 041 409	6.4950 610 052	6.3482 106 248	11
12	7.1607 252 766	6.9838 393 981	6.8136 918 229	6.6499 643 664	12
13	7.4869 039 235	7.2911 775 325	7.1033 562 026	6.9230 446 754	13
14	7.7861 503 885	7.5718 516 279	7.3666 874 569	7.1701 761 769	14
15	8.0606 884 299	7.8281 750 026	7.6060 795 063	7.3938 245 944	15
16	8.3125 581 925	8.0622 602 764	7.8237 086 421	7.5962 213 524	16
17	8.5436 313 693	8.2760 367 821	8.0215 533 110	7.7793 858 393	17
18	8.7556 251 094	8.4712 664 676	8.2014 121 009	7.9451 455 559	18
19	8.9501 147 793	8.6495 584 179	8.3649 200 917	8.0951 543 493	19
20	9.1285 456 691	8.8123 821 168	8.5135 637 198	8.2309 089 134	20
21	9.2922 437 331	8.9610 795 588	8.6486 942 907	8.3537 637 225	21
22	9.4424 254 432	9.0968 763 094	8.7715 402 643	8.4649 445 453	22
23	9.5802 068 286	9.2208 916 067	8.8832 184 221	8.5655 606 744	23
24	9.7066 117 694	9.3341 475 861	8.9847 440 201	8.6566 159 950	24
25	9.8225 796 049	9.4375 777 042	9.0770 400 182	8.7390 190 000	25
26	9.9289 721 146	9.5320 344 330	9.1609 454 711	8.8135 918 552	26
27	10.0265 799 217	9.6182 962 859	9.2372 231 556	8.8810 786 020	27
28	10.1161 283 685	9.6970 742 337	9.3065 665 051	8.9421 525 810	28
29	10.1982 829 069	9.7690 175 650	9.3696 059 137	8.9974 231 502	29
30	10.2736 540 430	9.8347 192 374	9.4269 144 670	9.0474 417 649	30
31	10.3428 018 743	9.8947 207 648	9.4790 131 518	9.0927 074 795	31
32	10.4062 402 517	9.9495 166 802	9.5263 755 926	9.1336 719 272	32
33	10.4644 405 979	9.9995 586 120	9.5694 323 569	9.1707 438 255	33
34	10.5178 354 109	10.0452 590 064	9.6085 748 699	9.2042 930 548	34
35	10.5668 214 779	10.0869 945 264	9.6441 589 726	9.2346 543 482	35
36	10.6117 628 237	10.1251 091 565	9.6765 081 569	9.2621 306 318	36
37	10.6529 934 163	10.1599 170 379	9.7059 165 063	9.2869 960 469	37
38	10.6908 196 480	10.1917 050 575	9.7326 513 694	9.3094 986 850	38
39	10.7255 226 128	10.2207 352 123	9.7569 557 903	9.3298 630 633	39
40	10.7573 601 952	10.2472 467 692	9.7790 507 185	9.3482 923 650	40
41	10.7865 689 865	10.2714 582 367	9.7991 370 168	9.3649 704 661	41
42	10.8133 660 426	10.2935 691 660	9.8173 972 880	9.3800 637 702	42
43	10.8379 504 978	10.3137 617 954	9.8339 975 345	9.3937 228 690	43
44	10.8605 050 439	10.3322 025 529	9.8490 886 678	9.4060 840 443	44
45	10.8811 972 880	10.3490 434 273	9.8628 078 798	9.4172 706 283	45
46	10.9001 809 981	10.3644 232 213	9.8752 798 907	9.4273 942 338	46
47	10.9175 972 460	10.3784 686 952	9.8866 180 825	9.4365 558 677	47
48	10.9335 754 550	10.3912 956 121	9.8969 255 295	9.4448 469 391	48
49	10.9482 343 624	10.4030 096 914	9.9062 95 8359	9.4523 501 711	49
50	10 9616 829 013	10.4137 074 807	9.9148 144 872	9.4591 404 263	50

TABLE IV   Valeur actuelle accumulée de 1 par période d'intérêt $a_{\overline{n}|} = \dfrac{(1 - v^n)}{i}$

n	9 pour cent	9½ pour cent	10 pour cent	10½ pour cent	n
51	10.9740 210 104	10.4234 771 513	9.9225 586 247	9.4652 854 537	51
52	10.9853 403 765	10.4323 992 250	9.9295 987 498	9.4708 465 644	52
53	10.9957 251 160	10.4405 472 374	9.9359 988 634	9.4758 792 438	53
54	11.0052 524 000	10.4479 883 447	9.9418 171 486	9.4804 337 048	54
55	11.0139 930 276	10.4547 838 764	9.9471 064 987	9.4845 553 890	55
56	11.0220 119 519	10.4609 898 415	9.9519 149 988	9.4882 854 199	56
57	11.0293 687 632	10.4666 573 895	9.9562 863 626	9.4916 610 135	57
58	11.0361 181 314	10.4718 332 324	9.9602 603 296	9.4947 158 493	58
59	11.0423 102 123	10.4765 600 296	9.9638 730 269	9.4974 804 066	59
60	11.0479 910 204	10.4808 767 393	9.9671 572 972	9.4999 822 684	60
61	11.0532 027 710	10.4848 189 400	9.9701 429 974	9.5022 463 968	61
62	11.0579 841 936	10.4884 191 233	9.9728 572 704	9.5042 953 817	62
63	11.0623 708 198	10.4917 069 619	9.9753 247 913	9.5061 496 667	63
64	11.0663 952 475	10.4947 095 543	9.9775 679 921	9.5078 277 527	64
65	11.0700 873 831	10.4974 516 478	9.9796 072 655	9.5093 463 825	65
66	11.0734 746 634	10.4999 588 427	9.9814 611 505	9.5107 207 081	66
67	11.0765 822 600	10.5022 427 787	9.9831 465 004	9.5119 644 418	67
68	11.0794 332 660	10.5043 313 048	9.9846 786 368	9.5130 899 925	68
69	11.0820 488 679	10.5062 386 345	9.9860 714 880	9.5141 085 905	69
70	11.0844 485 027	10.5079 804 881	9.9873 377 163	9.5150 303 987	70
71	11.0866 500 025	10.5095 712 220	9.9884 888 330	9.5158 646 142	71
72	11.0886 697 270	10.5110 239 471	9.9895 353 027	9.5166 195 603	72
73	11.0905 226 853	10.5123 506 366	9.9904 866 389	9.5173 027 695	73
74	11.0922 226 471	10.5135 622 252	9.9913 514 899	9.5179 210 584	74
75	11.0937 822 450	10.5146 686 988	9.9921 377 181	9.5184 805 958	75
76	11.0952 130 689	10.5156 791 770	9.9928 524 710	9.5189 869 646	76
77	11.0965 257 512	10.5166 019 881	9.9935 022 463	9.5194 452 168	77
78	11.0977 300 470	10.5174 447 380	9.9940 929 512	9.5198 599 247	78
79	11.0988 349 055	10.5182 143 726	9.9946 299 556	9.5202 352 260	79
80	11.0998 485 372	10.5189 172 353	9.9951 181 415	9.5205 748 651	80
81	11.1007 784 745	10.5195 591 190	9.9955 619 468	9.5208 822 309	81
82	11.1016 316 280	10.5201 453 141	9.9959 654 062	9.5211 603 900	82
83	11.1024 143 376	10.5206 806 522	9.9963 321 875	9.5214 121 176	83
84	11.1031 324 198	10.5211 695 454	9.9966 656 250	9.5216 399 254	84
85	11.1037 912 108	10.5216 160 232	9.9969 687 500	9.5218 460 864	85
86	11.1043 956 063	10.5220 237 654	9.9972 443 181	9.5220 326 573	86
87	11.1049 500 975	10.5223 961 328	9.9974 948 347	9.5222 014 999	87
88	11.1054 588 050	10.5227 361 944	9.9977 225 770	9.5223 542 985	88
89	11.1059 255 092	10.5230 467 528	9.9979 296 154	9.5224 925 778	89
90	11.1063 536 782	10.5233 303 679	9.9981 178 322	9.5226 177 175	90
91	11.1067 464 937	10.5235 893 771	9.9982 889 384	9.5227 309 661	91
92	11.1071 068 750	10.5238 259 151	9.9984 444 894	9.5228 334 535	92
93	11.1074 375 000	10.5240 419 316	9.9985 858 995	9.5229 262 022	93
94	11.1077 408 257	10.5242 392 070	9.9987 144 541	9.5230 101 378	94
95	11.1080 191 061	10.5244 193 671	9.9988 313 219	9.5230 860 975	95
96	11.1082 744 093	10.5245 838 969	9.9989 375 654	9.5231 548 394	96
97	11.1085 086 324	10.5247 341 524	9.9990 341 503	9.5232 170 492	97
98	11.1087 235 159	10.5248 713 721	9.9991 219 548	9.5232 733 477	98
99	11.1089 206 568	10.5249 966 868	9.9992 017 771	9.5233 242 966	99
100	11.1091 015 200	10.5251 111 295	9.9992 743 428	9.5233 704 041	100

TABLE V FACTEUR D'ACCUMULATION (TERME DU *Sinking Fund*) $\dfrac{1}{s_{\overline{n}|}} = \dfrac{i}{(1+i)^n - 1}$

n	¼ pour cent	⁷⁄₂₄ pour cent	⅓ pour cent	⁵⁄₁₂ pour cent	n
1	1.0000 000 000	1.0000 000 000	1.0000 000 000	1.0000 000 000	1
2	0.4993 757 803	0.4992 718 951	0.4991 680 532	0.4989 604 990	2
3	0.3325 013 872	0.3323 629 988	0.3322 246 872	0.3319 482 944	3
4	0.2490 644 507	0.2489 089 046	0.2487 534 664	0.2484 429 140	4
5	0.1990 024 969	0.1988 367 312	0.1986 711 037	0.1983 402 633	5
6	0.1656 280 344	0.1654 555 182	0.1652 831 700	0.1649 389 774	6
7	0.1417 892 815	0.1416 119 968	0.1414 349 100	0.1410 813 284	7
8	0.1239 103 464	0.1237 295 328	0.1235 489 461	0.1231 884 527	8
9	0.1100 046 238	0.1098 211 070	0.1096 378 463	0.1092 720 923	9
10	0.0988 801 498	0.0986 945 079	0.0985 091 513	0.0981 392 927	10
11	0.0897 784 019	0.0895 910 556	0.0894 040 234	0.0890 309 010	11
12	0.0821 936 988	0.0820 049 632	0.0818 165 709	0.0814 408 151	12
13	0.0757 759 530	0.0755 860 708	0.0753 965 610	0.0750 186 568	13
14	0.0702 751 024	0.0700 842 642	0.0698 938 273	0.0695 141 559	14
15	0.0655 077 679	0.0653 161 262	0.0651 249 147	0.0647 437 809	15
16	0.0613 364 152	0.0611 440 939	0.0609 522 317	0.0605 698 831	16
17	0.0576 558 711	0.0574 629 722	0.0572 705 613	0.0568 872 019	17
18	0.0543 843 341	0.0541 909 427	0.0539 980 681	0.0536 138 679	18
19	0.0514 572 242	0.0512 634 118	0.0510 701 451	0.0506 852 472	19
20	0.0488 228 772	0.0486 287 047	0.0484 351 068	0.0480 496 329	20
21	0.0464 394 700	0.0462 449 896	0.0460 511 126	0.0456 651 669	21
22	0.0442 727 835	0.0440 780 401	0.0438 839 291	0.0434 976 016	22
23	0.0422 945 496	0.0420 995 826	0.0419 052 766	0.0415 186 457	23
24	0.0404 812 120	0.0402 860 555	0.0400 915 889	0.0397 047 231	24
25	0.0388 129 829	0.0386 176 671	0.0384 230 700	0.0380 360 296	25
26	0.0372 731 192	0.0370 776 707	0.0368 829 699	0.0364 958 081	26
27	0.0358 473 580	0.0356 518 006	0.0354 570 196	0.0350 697 839	27
28	0.0345 234 739	0.0343 278 289	0.0341 329 889	0.0337 457 215	28
29	0.0332 909 281	0.0330 952 143	0.0329 003 344	0.0325 130 733	29
30	0.0321 405 867	0.0319 448 212	0.0317 499 184	0.0313 626 977	30
31	0.0310 644 944	0.0308 686 926	0.0306 737 824	0.0302 866 329	31
32	0.0300 556 903	0.0298 598 663	0.0296 649 626	0.0292 779 122	32
33	0.0291 080 574	0.0289 122 239	0.0287 173 393	0.0283 304 135	33
34	0.0282 161 982	0.0280 203 667	0.0278 255 129	0.0274 387 347	34
35	0.0273 753 321	0.0271 795 132	0.0269 847 008	0.0265 980 914	35
36	0.0265 812 096	0.0263 854 130	0.0261 906 517	0.0258 042 304	36
37	0.0258 300 408	0.0256 342 754	0.0254 395 741	0.0250 533 588	37
38	0.0251 184 345	0.0249 227 086	0.0247 280 755	0.0243 420 825	38
39	0.0244 433 475	0.0242 476 687	0.0240 531 113	0.0236 673 558	39
40	0.0238 020 409	0.0236 064 161	0.0234 119 414	0.0230 264 374	40
41	0.0231 920 428	0.0229 964 786	0.0228 020 932	0.0224 168 536	41
42	0.0226 111 170	0.0224 156 194	0.0222 213 293	0.0218 363 661	42
43	0.0220 572 352	0.0218 618 097	0.0216 676 206	0.0212 829 450	43
44	0.0215 285 535	0.0213 332 054	0.0211 391 223	0.0207 547 448	44
45	0.0210 233 918	0.0208 281 260	0.0206 341 539	0.0202 500 841	45
46	0.0205 402 162	0.0203 450 373	0.0201 511 807	0.0197 674 278	46
47	0.0200 776 234	0.0198 825 357	0.0196 887 989	0.0193 053 712	47
48	0.0196 343 270	0.0194 393 344	0.0192 457 213	0.0188 626 269	48
49	0.0192 091 455	0.0190 142 517	0.0188 207 662	0.0184 380 125	49
50	0.0188 009 920	0.0186 062 006	0.0184 128 462	0.0180 304 402	50

TABLE V   FACTEUR D'ACCUMULATION (TERME DU *Sinking Fund*) $\dfrac{1}{s_{\overline{n}|}} = \dfrac{i}{(1 + i)^n - 1}$

n	¼ pour cent	7/24 pour cent	⅓ pour cent	5/12 pour cent	n
51	0.0184 088 649	0.0182 141 793	0.0180 209 592	0.0176 389 075	51
52	0.0180 318 396	0.0178 372 628	0.0176 441 802	0.0172 624 890	52
53	0.0176 690 613	0.0174 745 963	0.0172 816 541	0.0169 003 292	53
54	0.0173 197 384	0.0171 253 880	0.0169 325 890	0.0165 516 359	54
55	0.0169 831 371	0.0167 889 038	0.0165 962 506	0.0162 156 747	55
56	0.0166 585 758	0.0164 644 623	0.0162 719 574	0.0158 917 634	56
57	0.0163 454 208	0.0161 514 293	0.0159 590 750	0.0155 792 677	57
58	0.0160 430 822	0.0158 492 210	0.0156 570 135	0.0152 775 973	58
59	0.0157 510 099	0.0155 572 691	0.0153 652 226	0.0149 862 016	59
60	0.0154 686 906	0.0152 750 783	0.0150 831 887	0.0147 045 670	60
61	0.0151 956 448	0.0150 021 627	0.0148 104 321	0.0144 322 133	61
62	0.0149 314 237	0.0147 380 737	0.0145 465 038	0.0141 686 915	62
63	0.0146 756 069	0.0144 823 909	0.0142 909 833	0.0139 135 810	63
64	0.0144 278 007	0.0142 347 202	0.0140 434 766	0.0136 664 875	64
65	0.0141 876 352	0.0139 946 918	0.0138 036 139	0.0134 270 410	65
66	0.0139 547 632	0.0137 619 584	0.0135 710 475	0.0131 948 939	66
67	0.0137 288 581	0.0135 361 933	0.0133 454 509	0.0129 697 194	67
68	0.0135 096 125	0.0133 170 891	0.0131 265 166	0.0127 512 097	68
69	0.0132 967 369	0.0131 043 562	0.0129 139 548	0.0125 390 751	69
70	0.0130 899 583	0.0128 977 215	0.0127 074 926	0.0123 330 426	70
71	0.0128 890 190	0.0126 969 273	0.0125 068 719	0.0121 328 540	71
72	0.0126 936 758	0.0125 017 304	0.0123 118 498	0.0119 382 660	72
73	0.0125 036 987	0.0123 119 006	0.0121 221 958	0.0117 490 484	73
74	0.0123 188 701	0:0121 272 205	0.0119 376 924	0.0115 649 834	74
75	0.0121 389 840	0.0119 474 838	0.0117 581 337	0.0113 858 649	75
76	0.0119 638 455	0.0117 724 957	0.0115 833 243	0.0112 114 978	76
77	0.0117 932 695	0.0116 020 710	0.0114 130 793	0.0110 416 967	77
78	0.0116 270 805	0.0114 360 342	0.0112 472 231	0.0108 762 862	78
79	0.0114 651 119	0.0112 742 187	0.0110 855 891	0.0107 150 995	79
80	0.0113 072 055	0.0111 164 662	0.0109 280 188	0.0105 579 781	80
81	0.0111 532 108	0.0109 626 262	0.0107 743 619	0.0104 047 716	81
82	0.0110 029 848	0.0108 125 556	0.0106 244 750	0.0102 553 366	82
83	0.0108 563 911	0.0106 661 181	0.0104 782 220	0.0101 095 368	83
84	0.0107 133 001	0.0105 231 839	0.0103 354 730	0.0099 672 424	84
85	0.0105 735 881	0.0103 836 295	0.0101 961 045	0.0098 283 297	85
86	0.0104 371 372	0.0102 473 369	0.0100 599 983	0.0096 926 806	86
87	0.0103 038 351	0.0101 141 936	0.0099 270 422	0.0095 601 827	87
88	0.0101 735 743	0.0099 840 923	0.0097 971 286	0.0094 307 286	88
89	0.0100 462 524	0.0098 569 304	0.0096 701 550	0.0093 042 155	89
90	0.0099 217 714	0.0097 326 100	0.0095 460 234	0.0091 805 454	90
91	0.0098 000 375	0.0096 110 373	0.0094 246 400	0.0090 596 247	91
92	0.0096 809 614	0.0094 921 228	0.0093 059 154	0.0089 413 636	92
93	0.0095 644 571	0.0093 757 807	0.0091 897 637	0.0088 256 764	93
94	0.0094 504 426	0.0092 619 289	0.0090 761 028	0.0087 124 808	94
95	0.0093 388 393	0.0091 504 888	0.0089 648 540	0.0086 016 983	95
96	0.0092 295 719	0.0090 413 851	0.0088 559 420	0.0084 932 533	96
97	0.0091 225 681	0.0089 345 453	0.0087 492 944	0.0083 870 737	97
98	0.0090 177 586	0.0088 299 003	0.0086 448 420	0.0082 830 899	98
99	0.0089 150 769	0.0087 273 835	0.0085 425 183	0.0081 812 355	99
100	0.0088 144 592	0.0086 269 311	0.0084 422 592	0.0080 814 466	100

F<small>ACTEUR D'ACCUMULATION</small> (TERME DU *Sinking Fund*) $$\frac{1}{s_{\overline{n}|}} = \frac{i}{(1+i)^n - 1}$$

n	¼ pour cent	7/24 pour cent	⅓ pour cent	5/12 pour cent	n
101	0.0087 158 441	0.0085 284 817	0.0083 440 037	0.0079 836 618	101
102	0.0086 191 728	0.0084 319 765	0.0082 476 926	0.0078 878 222	102
103	0.0085 243 887	0.0083 373 588	0.0081 532 693	0.0077 938 710	103
104	0.0084 314 372	0.0082 445 741	0.0080 606 795	0.0077 017 539	104
105	0.0083 402 661	0.0081 535 702	0.0079 698 707	0.0076 114 184	105
106	0.0082 508 250	0.0080 642 965	0.0078 807 925	0.0075 228 141	106
107	0.0081 630 653	0.0079 767 046	0.0077 933 964	0.0074 358 923	107
108	0.0080 769 404	0.0078 907 478	0.0077 076 356	0.0073 506 065	108
109	0.0079 924 052	0.0078 063 810	0.0076 234 652	0.0072 669 115	109
110	0.0079 094 164	0.0077 235 608	0.0075 408 417	0.0071 847 639	110
111	0.0078 279 322	0.0076 422 456	0.0074 597 233	0.0071 041 220	111
112	0.0077 479 123	0.0075 623 950	0.0073 800 698	0.0070 249 453	112
113	0.0076 693 177	0.0074 839 700	0.0073 018 423	0.0069 471 950	113
114	0.0075 921 112	0.0074 069 331	0.0072 250 031	0.0068 708 335	114
115	0.0075 162 563	0.0073 312 482	0.0071 495 161	0.0067 958 246	115
116	0.0074 417 181	0.0072 568 803	0.0070 753 463	0.0067 221 333	116
117	0.0073 684 629	0.0071 837 957	0.0070 024 599	0.0066 497 257	117
118	0.0072 964 581	0.0071 119 626	0.0069 308 244	0.0065 785 693	118
119	0.0072 256 721	0.0070 413 466	0.0068 604 081	0.0065 086 326	119
120	0.0071 560 745	0.0069 719 201	0.0067 911 805	0.0064 398 849	120
121	0.0070 876 357	0.0069 036 527	0.0067 231 123	0.0063 722 968	121
122	0.0070 203 274	0.0068 365 159	0.0066 561 748	0.0063 058 397	122
123	0.0069 541 219	0.0067 704 822	0.0065 903 406	0.0062 404 862	123
124	0.0068 889 925	0.0067 055 247	0.0065 255 828	0.0061 762 095	124
125	0.0068 249 134	0.0066 416 178	0.0064 618 757	0.0061 129 836	125
126	0.0067 618 597	0.0065 787 364	0.0063 991 943	0.0060 507 837	126
127	0.0066 998 070	0.0065 168 562	0.0063 375 142	0.0059 895 853	127
128	0.0066 387 320	0.0064 559 538	0.0062 768 111	0.0059 293 652	128
129	0.0065 786 118	0.0063 960 065	0.0062 170 652	0.0058 701 005	129
130	0.0065 194 245	0.0063 369 921	0.0061 582 515	0.0058 117 691	130
131	0.0064 611 486	0.0062 788 894	0.0061 003 495	0.0057 543 497	131
132	0.0064 037 644	0.0062 216 777	0.0060 433 386	0.0056 978 215	132
133	0.0063 472 491	0.0061 653 367	0.0059 871 986	0.0056 421 645	133
134	0.0062 915 859	0.0061 098 470	0.0059 319 100	0.0055 873 590	134
135	0.0062 367 549	0.0060 551 898	0.0058 774 540	0.0055 333 862	135
136	0.0061 827 379	0.0060 013 466	0.0058 238 121	0.0054 802 277	136
137	0.0061 295 169	0.0059 483 006	0.0057 709 665	0.0054 278 657	137
138	0.0060 770 747	0.0058 960 314	0.0057 188 999	0.0053 762 828	138
139	0.0060 253 944	0.0058 445 254	0.0056 675 955	0.0053 254 621	139
140	0.0059 744 598	0.0057 937 651	0.0056 170 370	0.0052 753 875	140
141	0.0059 242 549	0.0057 437 347	0.0055 672 084	0.0052 260 429	141
142	0.0058 747 644	0.0056 944 187	0.0055 180 944	0.0051 774 130	142
143	0.0058 259 733	0.0056 458 023	0.0054 696 799	0.0051 294 827	143
144	0.0057 778 669	0.0055 978 707	0.0054 219 504	0.0050 822 374	144
145	0.0057 304 311	0.0055 506 098	0.0053 748 917	0.0050 356 631	145
146	0.0056 836 522	0.0055 040 058	0.0053 284 900	0.0049 897 458	146
147	0.0056 375 168	0.0054 580 454	0.0052 827 319	0.0049 444 722	147
148	0.0055 920 117	0.0054 127 155	0.0052 376 044	0.0048 998 291	148
149	0.0055 471 243	0.0053 680 034	0.0051 930 947	0.0048 558 040	149
150	0.0055 028 422	0.0053 238 967	0.0051 491 905	0.0048 123 844	150

TABLE V   FACTEUR D'ACCUMULATION (TERME DU *Sinking Fund*) $\dfrac{1}{s_{\overline{n}|}} = \dfrac{i}{(1+i)^n - 1}$

n	¼ pour cent	⁷/₂₄ pour cent	⅓ pour cent	⁵/₁₂ pour cent	n
151	0.0054 591 535	0.0052 803 833	0.0051 058 797	0.0047 695 583	151
152	0.0054 160 463	0.0052 374 517	0.0050 631 507	0.0047 273 140	152
153	0.0053 735 094	0.0051 950 903	0.0050 209 920	0.0046 856 400	153
154	0.0053 315 315	0.0051 532 880	0.0049 793 926	0.0046 445 252	154
155	0.0052 901 019	0.0051 120 341	0.0049 383 415	0.0046 039 588	155
156	0.0052 492 100	0.0050 713 181	0.0048 978 283	0.0045 639 303	156
157	0.0052 088 456	0.0050 311 295	0.0048 578 426	0.0045 244 293	157
158	0.0051 689 986	0.0049 914 584	0.0048 183 744	0.0044 854 459	158
159	0.0051 296 592	0.0049 522 950	0.0047 794 140	0.0044 469 702	159
160	0.0050 908 180	0.0049 136 298	0.0047 409 519	0.0044 089 928	160
161	0.0050 524 657	0.0048 754 536	0.0047 029 787	0.0043 715 042	161
162	0.0050 145 931	0.0048 377 572	0.0046 654 854	0.0043 344 956	162
163	0.0049 771 916	0.0048 005 318	0.0046 284 632	0.0042 979 579	163
164	0.0049 402 524	0.0047 637 689	0.0045 919 034	0.0042 618 827	164
165	0.0049 037 671	0.0047 274 600	0.0045 557 976	0.0042 262 614	165
166	0.0048 677 276	0.0046 915 968	0.0045 201 376	0.0041 910 859	166
167	0.0048 321 258	0.0046 561 714	0.0044 849 155	0.0041 563 482	167
168	0.0047 969 539	0.0046 211 760	0.0044 501 233	0.0041 220 404	168
169	0.0047 622 043	0.0045 866 029	0.0044 157 535	0.0040 881 549	169
170	0.0047 278 696	0.0045 524 447	0.0043 817 985	0.0040 546 842	170
171	0.0046 939 424	0.0045 186 941	0.0043 482 512	0.0040 216 210	171
172	0.0046 604 156	0.0044 853 439	0.0043 151 044	0.0039 889 583	172
173	0.0046 272 823	0.0044 523 873	0.0042 823 511	0.0039 566 890	173
174	0.0045 945 358	0.0044 198 174	0.0042 499 845	0.0039 248 064	174
175	0.0045 621 693	0.0043 876 276	0.0042 179 981	0.0038 933 039	175
176	0.0045 301 764	0.0043 558 115	0.0041 863 856	0.0038 621 748	176
177	0.0044 985 508	0.0043 243 627	0.0041 551 399	0.0038 314 130	177
178	0.0044 672 863	0.0042 932 750	0.0041 242 555	0.0038 010 122	178
179	0.0044 363 768	0.0042 625 420	0.0040 937 262	0.0037 709 664	179
180	0.0044 058 164	0.0042 321 587	0.0040 635 460	0.0037 412 696	180
181	0.0043 755 993	0.0042 021 185	0.0040 337 091	0.0027 119 160	181
182	0.0043 457 199	0.0041 724 160	0.0040 042 099	0.0036 828 999	182
183	0.0043 161 726	0.0041 430 456	0.0039 750 429	0.0036 542 159	183
184	0.0042 869 520	0.0041 140 019	0.0039 462 025	0.0036 258 585	184
185	0.0042 580 528	0.0040 852 797	0.0039 176 836	0.0035 978 224	185
186	0.0042 294 698	0.0040 568 736	0.0038 894 809	0.0035 701 024	186
187	0.0042 011 980	0.0040 287 788	0.0038 615 894	0.0035 426 934	187
188	0.0041 732 323	0.0040 009 902	0.0038 340 040	0.0035 155 904	188
189	0.0041 455 680	0.0039 735 028	0.0038 067 200	0.0034 887 886	189
190	0.0041 182 002	0.0039 463 120	0.0037 797 325	0.0034 622 833	190
191	0.0040 911 243	0.0039 194 132	0.0037 530 369	0.0034 360 697	191
192	0.0040 643 358	0.0038 928 017	0.0037 266 286	0.0034 101 433	192
193	0.0040 378 301	0.0038 664 731	0.0037 005 032	0.0033 844 996	193
194	0.0040 116 029	0.0038 404 229	0.0036 746 563	0.0033 591 342	194
195	0.0039 856 499	0.0038 146 471	0.0036 490 835	0.0033 340 428	195
196	0.0039 599 670	0.0037 891 411	0.0036 237 808	0.0033 092 213	196
197	0.0039 345 499	0.0037 639 012	0.0035 987 439	0.0032 846 655	197
198	0.0039 093 947	0.0037 389 230	0.0035 739 689	0.0032 603 714	198
199	0.0038 844 974	0.0037 142 028	0.0035 494 518	0.0032 363 350	199
200	0.0038 598 542	0.0036 897 367	0.0035 251 886	0.0032 125 525	200

TABLE V FACTEUR D'ACCUMULATION (TERME DU *Sinking Fund*) $\dfrac{1}{s_{\overline{n}|}} = \dfrac{i}{(1 + i)^n - 1}$

n	¼ pour cent	⁷⁄₂₄ pour cent	⅓ pour cent	⁵⁄₁₂ pour cent	n
201	0.0038 354 612	0.0036 655 207	0.0035 011 758	0.0031 890 200	201
202	0.0038 113 148	0.0036 415 514	0.0034 774 094	0.0031 657 339	202
203	0.0037 874 113	0.0036 178 249	0.0034 538 858	0.0031 426 904	203
204	0.0037 637 470	0.0035 943 377	0.0034 306 016	0.0031 198 861	204
205	0.0037 403 186	0.0035 710 864	0.0034 075 531	0.0030 973.173	205
206	0.0037 171 226	0.0035 480 674	0.0033 847 370	0.0030 749 807	206
207	0.0036 941 556	0.0035 252 774	0.0033 621 498	0.0030 528 728	207
208	0.0036 714 143	0.0035 027 131	0.0033 397 883	0.0030 309 905	208
209	0.0036 488 954	0.0034 803 713	0.0033 176 493	0.0030 093 305	209
210	0.0036 265 959	0.0034 582 487	0.0032 957 294	0.0029 878 893	210
211	0.0036 045 125	0.0034 363 424	0.0032 740 257	0.0029 666 641	211
212	0.0035 826 422	0.0034 146 490	0.0032 525 350	0.0029 456 518	212
213	0.0035 609 820	0.0033 931 658	0.0032 312 544	0.0029 248 493	213
214	0.0035 395 290	0.0033 718 898	0.0032 101 809	0.0029 042 538	214
215	0.0035 182 802	0.0033 508 180	0.0031 893 116	0.0028 838 622	215
216	0.0034 972 329	0.0033 299 476	0.0031 686 437	0.0028 636 718	216
217	0.0034 763 842	0.0033 092 758	0.0031 481 743	0.0028 436 798	217
218	0.0034 557 214	0.0032 887 999	0.0031 279 008	0.0028 238 834	218
219	0.0034 352 719	0.0032 685 172	0.0031 078 204	0.0028 042 799	219
220	0.0034 150 029	0.0032 484 251	0.0030 879 306	0.0027 848 668	220
221	0.0033 949 219	0.0032 285 210	0.0030 682 287	0.0027 656 413	221
222	0.0033 750 264	0.0032 088 023	0.0030 487 122	0.0027 466 011	222
223	0.0033 553 139	0.0031 892 666	0.0030 293 845	0.0027 277 434	223
224	0.0033 357 818	0.0031 699 113	0.0030 102 253	0.0027 090 660	224
225	0.0033 164 279	0.0031 507 341	0.0029 912 502	0.0026 905 664	225
226	0.0032 972 497	0.0031 317 326	0.0029 724 507	0.0026 722 422	226
227	0.0032 782 448	0.0031 129 045	0.0029 538 245	0.0026 540 911	227
228	0.0032 594 112	0.0030 942 475	0.0029 353 694	0.0026 361 108	228
229	0.0032 407 464	0.0030 757 594	0.0029 170 830	0.0026 182 991	229
230	0.0032 222 483	0.0030 574 380	0.0028 989 633	0.0026 006 538	230
231	0.0032 039 147	0.0030 392 810	0.0028 810 080	0.0025 831 727	231
232	0.0031 857 435	0.0030 212 863	0.0028 632 150	0.0025 658 535	232
233	0.0031 677 326	0.0030 034 520	0.0028 455 822	0.0025 486 944	233
234	0.0031 498 799	0.0029 857 758	0.0028 281 076	0.0025 316 932	234
235	0.0031 321 834	0.0029 682 559	0.0028 107 891	0.0025 148 478	235
236	0.0031 146 412	0.0029 508 901	0.0027 936 247	0.0024 981 563	236
237	0.0030 972 512	0.0029 336 766	0.0027 766 125	0.0024 816 168	237
238	0.0030 800 116	0.0029 166 134	0.0027 597 506	0.0024 652 273	238
239	0.0030 629 205	0.0028 996 987	0.0027 430 370	0.0024 489 859	239
240	0.0030 459 760	0.0028 829 305	0.0027 264 700	0.0024 328 907	240
241	0.0030 291 762	0.0028 663 071	0.0027 100 476	0.0024 169 400	241
242	0.0030 125 195	0.0028 498 266	0.0026 937 682	0.0024 011 318	242
243	0.0029 960 040	0.0028 334 873	0.0026 776 298	0.0023 854 646	243
244	0.0029 796 279	0.0028 172 875	0.0026 616 309	0.0023 699 365	244
245	0.0029 633 896	0.0028 012 254	0.0026 457 696	0.0023 545 457	245
246	0.0029 472 875	0.0027 852 994	0.0026 300 443	0.0023 392 907	246
247	0.0029 313 197	0.0027 695 077	0.0026 144 533	0.0023 241 698	247
248	0.0029 154 848	0.0027 538 488	0.0025 989 950	0.0023 091 813	248
249	0.0028 997 811	0.0027 383 211	0.0025 836 679	0.0022 943 236	249
250	0.0028 842 070	0.0027 229 230	0.0025 684 702	0.0022 795 952	250

TABLE V FACTEUR D'ACCUMULATION (TERME DU *Sinking Fund*) $$\frac{1}{s_{\overline{n}|}} = \frac{i}{(1+i)^n - 1}$$

n	¼ pour cent	⁷⁄₂₄ pour cent	⅓ pour cent	⁵⁄₁₂ pour cent	n
251	0.0028 687 610	0.0027 076 530	0.0025 534 005	0.0022 649 944	251
252	0.0028 534 415	0.0026 925 095	0.0025 384 573	0.0022 505 198	252
253	0.0028 382 471	0.0026 774 909	0.0025 236 390	0.0022 361 699	253
254	0.0028 231 763	0.0026 625 960	0.0025 089 442	0.0022 219 431	254
255	0.0028 082 276	0.0026 478 231	0.0024 943 714	0.0022 078 381	255
256	0.0027 934 000	0.0026 331 708	0.0024 799 192	0.0021 938 534	256
257	0.0027 786 909	0.0026 186 378	0.0024 655 861	0.0021 799 875	257
258	0.0027 641 001	0.0026 042 226	0.0024 513 708	0.0021 662 392	258
259	0.0027 496 258	0.0025 899 239	0.0024 372 719	0.0021 526 069	259
260	0.0027 352 667	0.0025 757 404	0.0024 232 880	0.0021 390 894	260
261	0.0027 210 214	0.0025 616 707	0.0024 094 180	0.0021 256 854	261
262	0.0027 068 887	0.0025 477 134	0.0023 956 603	0.0021 123 934	262
263	0.0026 928 672	0.0025 338 674	0.0023 820 137	0.0020 992 124	263
264	0.0026 789 557	0.0025 201 313	0.0023 684 770	0.0020 861 408	264
265	0.0026 651 530	0.0025 065 040	0.0023 550 490	0.0020 731 777	265
266	0.0026 514 578	0.0024 829 841	0.0023 417 284	0.0020 603 216	266
267	0.0026 378 690	0.0024 795 651	0.0023 285 139	0.0020 475 714	267
268	0.0026 243 852	0.0024 662 620	0.0023 154 045	0.0020 349 259	268
269	0.0026 110 054	0.0024 530 573	0.0023 023 988	0.0020 223 839	269
270	0.0025 977 284	0.0024 399 554	0.0022 894 958	0.0020 099 442	270
271	0.0025 845 531	0.0024 269 551	0.0022 766 944	0.0019 976 058	271
272	0.0025 714 783	0.0024 140 553	0.0022 639 933	0.0019 853 674	272
273	0.0025 585 029	0.0024 012 550	0.0022 513 915	0.0019 732 281	273
274	0.0025 456 258	0.0023 885 528	0.0022 388 880	0.0019 611 866	274
275	0.0025 328 460	0.0023 759 479	0.0022 264 815	0.0019 482 419	275
276	0.0025 201 624	0.0023 634 391	0.0022 141 711	0.0019 373 930	276
277	0.0025 075 740	0.0023 510 254	0.0022 019 558	0.0019 256 388	277
278	0.0024 950 797	0.0023 387 058	0.0021 898 344	0.0019 139 783	278
279	0.0024 826 785	0.0023 264 793	0.0021 778 060	0.0019 024 104	279
280	0.0024 703 695	0.0023 143 449	0.0021 658 696	0.0018 909 341	280
281	0.0024 581 515	0.0023 023 015	0.0021 540 242	0.0018 795 486	281
282	0.0024 460 238	0.0022 903 482	0.0021 422 688	0.0018 682 527	282
283	0.0024 339 852	0.0022 784 841	0.0021 306 025	0.0018 570 456	283
284	0.0024 220 350	0.0022 667 078	0.0021 190 242	0.0018 459 263	284
285	0.0024 101 720	0.0022 550 196	0.0021 075 332	0.0018 348 938	285
286	0.0023 983 955	0.0022 434 174	0.0020 961 285	0.0018 239 473	286
287	0.0023 867 044	0.0022 319 006	0.0020 848 091	0.0018 130 858	287
288	0.0023 750 980	0.0022 204 684	0.0020 735 742	0.0018 023 084	288
289	0.0023 635 754	0.0022 091 198	0.0020 624 228	0.0017 916 143	289
290	0.0023 521 356	0.0021 978 541	0.0020 513 542	0.0017 810 026	290
291	0.0023 407 778	0.0021 866 703	0.0020 403 675	0.0017 704 724	291
292	0.0023 295 012	0.0021 755 677	0.0020 294 618	0.0017 600 229	292
293	0.0023 183 050	0.0021 645 453	0.0020 186 362	0.0017 496 533	293
294	0.0023 071 882	0.0021 546 024	0.0020 078 901	0.0017 393 626	294
295	0.0022 961 502	0.0021 427 381	0.0019 972 225	0.0017 291 502	295
296	0.0022 851 901	0.0021 319 517	0.0019 866 326	0.0017 190 152	296
297	0 0022 743 071	0.0021 212 424	0.0019 761 197	0.0017 089 569	297
298	0.0022 635 005	0.0021 105 093	0.0019 656 830	0.0016 989 743	298
299	0.0022 527 694	0.0021 000 518	0.0019 553 217	0.0016 890 669	299
300	0.0022 421 131	0.0020 895 690	0.0019 450 351	0.0016 792 337	300

136

TABLE V FACTEUR D'ACCUMULATION (TERME DU *Sinking Fund*) $\dfrac{1}{s_{\overline{n}|}} = \dfrac{i}{(1+i)^n - 1}$

n	½ pour cent	7/12 pour cent	⅔ pour cent	¾ pour cent	n
1	1.0000 000 000	1.0000 000 000	1.0000 000 000	1.0000 000 000	1
2	0.4987 531 172	0.4985 459 078	0.4983 388 704	0.4981 320 050	2
3	0.3316 722 084	0.3313 964 286	0.3311 209 548	0.3308 457 866	3
4	0.2481 327 930	0.2478 231 027	0.2475 138 426	0.2472 050 123	4
5	0.1980 099 750	0.1976 802 380	0.1973 510 518	0.1970 224 155	5
6	0.1645 954 556	0.1642 526 040	0.1639 104 215	0.1635 689 074	6
7	0.1407 285 355	0.1403 765 303	0.1400 253 116	0.1396 748 786	7
8	0.1228 288 649	0.1224 701 817	0.1221 124 018	0.1217 555 241	8
9	0.1089 073 606	0.1085 436 499	0.1081 809 587	0.1078 192 858	9
10	0.0977 705 727	0.0974 029 898	0.0970 365 423	0.0966 712 287	10
11	0.0886 590 331	0.0882 884 181	0.0879 190 542	0.0875 509 398	11
12	0.0810 664 297	0.0806 934 128	0.0803 217 624	0.0799 514 768	12
13	0.0746 422 387	0.0742 673 046	0.0738 938 523	0.0735 218 798	13
14	0.0691 360 860	0.0687 596 155	0.0683 847 420	0.0680 114 632	14
15	0.0643 643 640	0.0639 866 617	0.0636 106 715	0.0632 363 908	15
16	0.0601 893 669	0.0598 106 803	0.0594 338 208	0.0590 587 855	16
17	0.0565 057 930	0.0561 263 232	0.0557 487 980	0.0553 732 118	17
18	0.0532 317 305	0.0528 516 529	0.0524 736 319	0.0520 976 643	18
19	0.0503 025 273	0.0499 219 821	0.0495 436 081	0.0491 674 019	19
20	0.0476 664 521	0.0472 855 607	0.0469 069 553	0.0465 306 319	20
21	0.0452 816 293	0.0449 004 961	0.0445 217 632	0.0441 454 266	21
22	0.0431 137 973	0.0427 325 122	0.0423 537 417	0.0419 774 817	22
23	0.0411 346 530	0.0407 532 939	0.0403 745 640	0.0399 984 587	23
24	0.0393 206 103	0.0389 392 458	0.0385 606 248	0.0381 847 423	24
25	0.0376 518 570	0.0372 705 473	0.0368 920 952	0.0365 164 956	25
26	0.0361 116 289	0.0357 304 272	0.0353 521 973	0.0349 769 335	26
27	0.0346 856 456	0.0343 045 991	0.0339 266 385	0.0335 517 578	27
28	0.0333 616 663	0.0329 808 173	0.0326 031 681	0.0322 287 125	28
29	0.0321 291 390	0.0317 485 252	0.0313 712 253	0.0309 972 323	29
30	0.0309 789 184	0.0305 985 739	0.0302 216 572	0.0298 481 608	30
31	0.0299 030 394	0.0295 229 949	0.0291 464 919	0.0287 735 226	31
32	0.0288 945 324	0.0285 148 158	0.0281 387 543	0.0277 663 397	32
33	0.0279 472 727	0.0275 679 091	0.0271 923 143	0.0268 204 795	33
34	0.0270 558 560	0.0266 768 685	0.0263 017 633	0.0259 305 313	34
35	0.0262 154 958	0.0258 369 055	0.0254 623 110	0.0250 917 023	35
36	0.0254 219 375	0.0250 437 635	0.0246 696 988	0.0242 997 327	36
37	0.0246 713 861	0.0242 936 463	0.0239 201 289	0.0235 508 228	37
38	0.0239 604 464	0.0235 831 570	0.0232 102 031	0.0228 415 732	38
39	0.0232 860 714	0.0229 092 474	0.0225 368 719	0.0221 689 329	39
40	0.0226 455 186	0.0222 691 738	0.0218 973 907	0.0215 301 561	40
41	0.0220 363 133	0.0216 604 606	0.0212 892 824	0.0209 227 650	41
42	0.0214 562 164	0.0210 808 676	0.0207 103 061	0.0203 445 175	42
43	0.0209 031 969	0.0205 283 630	0.0201 584 293	0.0197 933 804	43
44	0.0203 754 086	0.0200 011 001	0.0196 318 043	0.0192 675 051	44
45	0.0198 711 696	0.0194 973 960	0.0191 287 475	0.0187 652 073	45
46	0.0193 889 439	0.0190 157 141	0.0186 477 218	0.0182 849 493	46
47	0.0189 273 264	0.0185 546 487	0.0181 873 209	0.0178 253 242	47
48	0.0184 850 290	0.0181 129 113	0.0177 462 557	0.0173 850 424	48
49	0.0180 608 690	0.0176 893 186	0.0173 233 422	0.0169 629 194	49
50	0.0176 537 580	0.0172 827 817	0.0169 174 915	0.0165 578 657	50

TABLE V FACTEUR D'ACCUMULATION (TERME DU *Sinking Fund*) $\dfrac{1}{s_{\overline{n}|}} = \dfrac{i}{(1+i)^n - 1}$

n	½ pour cent	7/12 pour cent	⅔ pour cent	¾ pour cent	n
51	0.0172 626 931	0.0168 922 975	0.0165 276 996	0.0161 688 770	51
52	0.0168 867 486	0.0165 169 396	0.0161 530 401	0.0157 950 265	52
53	0.0165 250 686	0.0161 558 519	0.0157 926 563	0.0154 354 571	53
54	0.0161 768 606	0.0158 082 415	0.9154 457 551	0.0150 893 753	54
55	0.0158 413 897	0.0154 733 734	0.0151 116 010	0.0147 560 455	55
56	0.0155 179 735	0.0151 505 648	0.0147 895 111	0.0144 347 843	56
57	0.0152 059 777	0.0148 391 809	0.0144 788 503	0.0141 249 564	57
58	0.0149 048 114	0.0145 386 308	0.0141 790 274	0.0138 259 704	58
59	0.0146 139 240	0.0142 483 637	0.0138 894 913	0.0135 372 749	59
60	0.0143 328 015	0.0139 678 652	0.0136 097 276	0.0132 583 552	60
61	0.0140 609 637	0.0136 966 551	0.0133 392 556	0.0129 887 305	61
62	0.0137 979 613	0.0134 342 836	0.0130 776 256	0.0127 279 510	62
63	0.0135 433 735	0.0131 803 301	0.0128 244 166	0.0124 755 953	63
64	0.0132 968 058	0.0129 343 998	0.0125 792 337	0.0122 312 684	64
65	0.0130 578 882	0.0126 961 223	0.0123 417 065	0.0119 945 997	65
66	0.0128 262 728	0.0124 651 499	0.0121 114 868	0.0117 652 411	66
67	0.0126 016 326	0.0122 411 555	0.0118 882 475	0.0115 428 650	67
68	0.0123 836 600	0.0120 238 307	0.0116 716 805	0.0113 271 633	68
69	0.0121 720 650	0.0118 128 861	0.0114 614 955	0.0111 178 458	69
70	0.0119 665 742	0.0116 080 479	0.0112 574 192	0.0109 146 388	70
71	0.0117 669 297	0.0114 090 582	0.0110 591 933	0.0107 172 839	71
72	0.0115 728 879	0.0112 156 732	0.0108 665 739	0.0105 255 372	72
73	0.0113 842 185	0.0110 276 625	0.0106 793 306	0.0103 391 681	73
74	0.0112 007 037	0.0108 448 082	0.0104 972 455	0.0101 579 586	74
75	0.0110 221 374	0.0106 669 040	0.0103 201 120	0.0099 817 021	75
76	0.0108 483 240	0.0104 937 546	0.0101 477 347	0.0098 102 031	76
77	0.0106 790 785	0.0103 251 746	0.0099 799 281	0.0096 432 760	77
78	0.0105 142 252	0.0101 609 882	0.0098 165 166	0.0094 807 450	78
79	0.0103 535 971	0.0100 010 285	0.0096 573 329	0.0093 224 429	79
80	0.0101 970 359	0.0098 451 370	0.0095 022 188	0.0091 682 112	80
81	0.0100 443 910	0.0096 931 631	0.0093 510 231	0.0090 178 990	81
82	0.0098 955 189	0.0095 449 633	0.0092 036 027	0.0088 713 627	82
83	0.0097 502 834	0.0094 004 012	0.0090 598 209	0.0087 284 658	83
84	0.0096 085 545	0.0092 593 467	0.0089 195 477	0.0085 890 783	84
85	0.0094 702 084	0.0091 216 761	0.0087 826 593	0.0084 530 761	85
86	0.0093 351 272	0.0089 872 714	0.0086 490 375	0.0083 203 410	86
87	0.0092 031 982	0.0088 560 198	0.0085 185 696	0.0081 907 604	87
88	0.0090 743 139	0.0087 278 140	0.0083 911 481	0.0080 642 266	88
89	0.0089 483 717	0.0086 025 509	0.0082 666 700	0.0079 406 367	89
90	0.0088 252 735	0.0084 801 327	0.0081 450 375	0.0078 198 926	90
91	0.0087 049 255	0.0083 604 654	0.0080 261 564	0.0077 019 003	91
92	0.0085 872 381	0.0082 434 594	0.0079 099 371	0.0075 865 700	92
93	0.0084 721 253	0.0081 290 288	0.0077 962 936	0.0074 738 158	93
94	0.0083 595 050	0.0080 170 913	0.0076 851 437	0.0073 635 552	94
95	0.0082 492 984	0.0079 075 681	0.0075 764 085	0.0072 557 096	95
96	0.0081 414 302	0.0078 003 837	0.0074 700 126	0.0071 502 033	96
97	0.0080 358 279	0.0076 954 660	0.0073 658 834	0.0070 469 638	97
98	0.0079 324 222	0.0075 927 452	0.0072 639 417	0.0069 459 217	98
99	0.0078 311 466	0.0074 921 550	0.0071 641 506	0.0068 470 104	99
100	0.0077 319 369	0.0073 936 312	0.0070 664 163	0.0067 501 657	100

Table V FACTEUR D'ACCUMULATION (TERME DU *Sinking Fund*) $\dfrac{1}{s_{\overline{n}|}} = \dfrac{i}{(1+i)^n - 1}$

n	½ pour cent	7/12 pour cent	⅔ pour cent	¾ pour cent	n
101	0.0076 347 320	0.0072 971 126	0.0069 706 863	0.0066 553 262	101
102	0.0075 394 728	0.0072 025 400	0.0068 769 045	0.0065 624 328	102
103	0.0074 461 026	0.0071 098 568	0.0067 850 .113	0.0064 714 288	103
104	0.0073 545 669	0.0070 190 085	0.0066 949 529	0.0063 822 595	104
105	0.0072 648 133	0.0069 299 425	0.0066 066 770	0.0062 948 724	105
106	0.0071 767 913	0.0068 426 084	0.0065 201 330	0.0062 092 171	106
107	0.0070 904 523	0.0067 569 576	0.0064 352 723	0.0061 252 448	107
108	0.0070 057 496	0.0066 729 433	0.0063 520 482	0.0060 429 087	108
109	0.0069 226 382	0.0065 905 204	0.0062 704 154	0.0059 621 636	109
110	0.0068 410 745	0.0065 096 455	0.0061 903 307	0.0058 829 662	110
111	0.0067 610 168	0.0064 302 767	0.0061 117 518	0.0058 052 744	111
112	0.0066 824 247	0.0063 523 737	0.0060 346 387	0.0057 290 478	112
113	0.0066 052 593	0.0062 758 975	0.0059 589 522	0.0056 542 475	113
114	0.0065 294 829	0.0062 008 104	0.0058 846 548	0.0055 808 358	114
115	0.0064 550 594	0.0061 270 763	0.0058 117 102	0.0055 087 764	115
116	0.0063 819 538	0.0060 546 604	0.0057 400 833	0.0054 380 342	116
117	0.0063 101 321	0.0059 835 280	0.0056 697 402	0.0053 685 754	117
118	0.0062 395 619	0.0059 136 472	0.0056 006 483	0.0053 003 673	118
119	0.0061 702 114	0.0058 449 863	0.0055 327 760	0.0052 333 781	119
120	0.0061 020 502	0.0057 775 146	0.0054 660 928	0.0051 675 774	120
121	0.0060 350 488	0.0057 112 027	0.0054 005 689	0.0051 029 356	121
122	0.0059 691 786	0.0056 460 220	0.0053 361 760	0.0050 394 240	122
123	0.0059 044 121	0.0055 819 449	0.0052 728 864	0.0049 770 151	123
124	0.0058 407 224	0.0055 189 446	0.0052 106 733	0.0049 156 821	124
125	0.0057 780 838	0.0054 569 953	0.0051 495 108	0.0048 553 990	125
126	0.0057 164 711	0.0053 960 718	0.0050 893 739	0.0047 961 407	126
127	0.0056 558 603	0.0053 361 501	0.0050 302 382	0.0047 378 831	127
128	0.0055 962 277	0.0052 772 064	0.0049 720 802	0.0046 806 024	128
129	0.0055 375 506	0.0052 192 181	0.0049 148 772	0.0046 242 759	129
130	0.0054 798 068	0.0051 621 630	0.0048 586 070	0.0045 688 816	130
131	0.0054 229 750	0.0051 060 198	0.0048 032 483	0.0045 143 978	131
132	0.0053 670 346	0.0050 507 676	0.0047 487 802	0.0044 608 040	132
133	0.0053 119 653	0.0049 963 865	0.0046 951 826	0.0044 080 798	133
134	0.0052 577 475	0.0049 428 567	0.0046 424 359	0.0043 562 057	134
135	0.0052 043 626	0.0048 901 594	0.0045 905 212	0.0043 051 628	135
136	0.0051 517 917	0.0048 382 762	0.0045 394 201	0.0042 549 327	136
137	0.0051 000 175	0.0047 871 892	0.0044 891 147	0.0042 054 973	137
138	0.0050 490 222	0.0047 368 810	0.0044 395 877	0.0041 568 394	138
139	0.0049 987 893	0.0046 873 349	0.0043 908 221	0.0041 089 422	139
140	0.0049 493 023	0.0046 385 344	0.0043 428 016	0.0040 617 891	140
141	0.0049 005 453	0.0045 904 637	0.0042 955 103	0.0040 153 643	141
142	0.0048 525 029	0.0045 431 073	0.0042 489 328	0.0039 696 523	142
143	0.0048 051 600	0.0044 964 501	0.0042 030 539	0.0039 246 381	143
144	0.0047 585 021	0.0044 504 776	0.0041 578 592	0.0038 803 070	144
145	0.0047 125 150	0.0044 051 757	0.0041 133 342	0.0038 366 448	145
146	0.0046 671 849	0.0043 605 303	0.0040 694 654	0.0037 936 376	146
147	0.0046 224 984	0.0043 165 282	0.0040 262 392	0.0037 512 721	147
148	0.0045 784 424	0.0042 731 563	0.0039 836 425	0.0037 095 352	148
149	0.0045 350 041	0.0042 304 018	0.0039 416 625	0.0036 684 139	149
150	0.0044 921 712	0.0041 882 523	0.0039 002 870	0.0036 278 961	150

TABLE V FACTEUR D'ACCUMULATION (TERME DU *Sinking Fund*) $\dfrac{1}{s_{\overline{n}|}} = \dfrac{i}{(1 + i)^n - 1}$

n	½ pour cent	7/12 pour cent	⅔ pour cent	¾ pour cent	n
151	0.0044 499 317	0.0041 466 958	0.0038 595 038	0.0035 879 695	151
152	0.0044 082 738	0.0041 057 206	0.0038 193 012	0.0035 486 225	152
153	0.0043 671 861	0.0040 653 152	0.0037 796 677	0.0035 098 436	153
154	0.0043 266 575	0.0040 254 786	0.0037 405 922	0.0034 716 216	154
155	0.0042 866 771	0.0039 861 697	0.0037 020 639	0.0034 339 456	155
156	0.0042 472 344	0.0039 474 081	0.0036 640 721	0.0033 968 051	156
157	0.0042 083 191	0.0039 091 735	0.0036 266 066	0.0033 601 898	157
158	0.0041 699 212	0.0038 714 558	0.0035 896 573	0.0033 240 896	158
159	0.0041 320 308	0.0038 342 453	0.0035 532 144	0.0032 884 946	159
160	0.0040 946 384	0.0037 975 323	0.0035 172 683	0.0032 533 954	160
161	0.0040 577 348	0.0037 613 077	0.0034 818 098	0.0032 187 825	161
162	0.0040 213 108	0.0037 255 622	0.0034 468 297	0.0031 846 470	162
163	0.0039 853 577	0.0036 902 872	0.0034 123 192	0.0031 509 799	163
164	0.0039 498 667	0.0036 554 738	0.0033 782 697	0.0031 177 725	164
165	0.0039 148 295	0.0036 211 138	0.0033 446 727	0.0030 850 165	165
166	0.0038 802 378	0.0035 871 988	0.0033 115 199	0.0030 527 036	166
167	0.0038 460 837	0.0035 537 209	0.0032 788 034	0.0030 208 257	167
168	0.0038 123 592	0.0035 206 721	0.0032 465 153	0.0029 893 750	168
169	0.0037 790 568	0.0034 880 449	0.0032 146 479	0.0029 583 438	169
170	0.0037 461 690	0.0034 558 318	0.0031 831 938	0.0029 277 247	170
171	0.0037 136 885	0.0034 240 255	0.0031 521 455	0.0028 975 103	171
172	0.0036 816 081	0.0033 926 188	0.0031 214 962	0.0028 676 934	172
173	0.0036 499 209	0.0033 616 048	0.0030 912 386	0.0028 382 671	173
174	0.0036 186 201	0.0033 309 767	0.0030 613 661	0.0028 092 246	174
175	0.0035 876 991	0.0033 007 278	0.0030 318 720	0.0027 805 592	175
176	0.0035 571 514	0.0032 708 516	0.0030 027 497	0.0027 522 644	176
177	0.0035 269 705	0.0032 413 418	0.0029 739 929	0.0027 243 338	177
178	0.0034 971 504	0.0032 121 922	0.0029 455 954	0.0026 967 613	178
179	0.0034 676 850	0.0031 833 967	0.0029 175 511	0.0026 695 405	179
180	0.0034 385 683	0.0031 549 494	0.0028 898 542	0.0026 426 658	180
181	0.0034 097 944	0.0031 268 444	0.0028 624 986	0.0026 161 313	181
182	0.0033 813 580	0.0030 990 762	0.0028 354 789	0.0025 899 312	182
183	0.0033 532 532	0.0030 716 390	0.0028 087 894	0.0025 640 600	183
184	0.0033 254 746	0.0030 445 276	0.0027 824 246	0.0025 385 123	184
185	0.0032 980 171	0.0030 177 366	0.0027 563 794	0.0025 132 827	185
186	0.0032 708 753	0.0029 912 607	0.0027 306 483	0.0024 883 660	186
187	0.0032 440 442	0.0029 650 949	0.0027 052 265	0.0024 637 570	187
188	0.0032 175 188	0.0029 392 343	0.0026 801 088	0.0024 394 509	188
189	0.0031 912 943	0.0029 136 739	0.0026 552 903	0.0024 154 428	189
190	0.0031 653 659	0.0028 884 090	0.0026 307 665	0.0023 917 277	190
191	0.0031 397 288	0.0028 634 348	0.0026 065 324	0.0023 683 011	191
192	0.0031 143 786	0.0028 387 469	0.0025 825 836	0.0023 451 584	192
193	0.0030 893 108	0.0028 143 407	0.0025 589 155	0.0023 222 951	193
194	0.0030 645 209	0.0027 902 119	0.0025 355 238	0.0022 997 067	194
195	0.0030 400 048	0.0027 663 561	0.0025 124 042	0.0022 773 889	195
196	0.0030 157 580	0.0027 427 691	0.0024 895 525	0.0022 553 376	196
197	0.0029 917 767	0.0027 194 469	0.0024 669 644	0.0022 335 486	197
198	0.0029 680 566	0.0026 963 853	0.0024 446 360	0.0022 120 178	198
199	0.0029 445 940	0.0026 735 804	0.0024 225 563	0.0021 907 413	199
200	0.0029 213 847	0.0026 510 283	0.0024 007 424	0.0021 697 151	200

TABLE V FACTEUR D'ACCUMULATION (TERME DU *Sinking Fund*) $\dfrac{1}{s_{\overline{n}|}} = \dfrac{i}{(1+i)^n - 1}$

n	½ pour cent	7/12 pour cent	⅔ pour cent	¾ pour cent	n
201	0.0028 984 252	0.0026 287 253	0.0023 791 695	0.0021 489 355	201
202	0.0028 757 116	0.0026 066 675	0.0023 578 408	0.0021 283 988	202
203	0.0028 532 403	0.0025 848 513	0.0023 367 528	0.0021 081 011	203
204	0.0028 310 077	0.0025 632 732	0.0023 159 018	0.0020 880 390	204
205	0.0028 090 103	0.0025 419 296	0.0022 952 842	0.0020 682.090	205
206	0.0027 872 447	0.0025 208 171	0.0022 748 967	0.0020 486 075	206
207	0.0027 657 075	0.0024 999 323	0.0022 547 358	0.0020 292 311	207
208	0.0027 443 953	0.0024 792 719	0.0022 347 983	0.0020 100 766	208
209	0.0027 233 050	0.0024 588 326	0.0022 150 808	0.0019 911 407	209
210	0.0027 024 332	0.0024 386 112	0.0021 955 803	0.0019 724 202	210
211	0.0026 817 770	0.0024 186 047	0.0021 762 934	0.0019 539 119	211
212	0.0026 613 333	0.0023 988 098	0.0021 572 172	0.0019 356 128	212
213	0.0026 410 989	0.0023 792 237	0.0021 383 486	0.0019 175 199	213
214	0.0026 210 711	0.0023 598 434	0.0021 196 848	0.0018 996 301	214
215	0.0026 012 468	0.0023 406 659	0.0021 012 227	0.0018 819 405	215
216	0.0025 816 232	0.0023 216 884	0.0020 829 596	0.0018 644 484	216
217	0.0025 621 976	0.0023 029 081	0.0020 648 925	0.0018 471 508	217
218	0.0025 429 672	0.0022 843 223	0.0020 470 188	0.0018 300 451	218
219	0.0025 239 293	0.0022 659 283	0.0020 293 358	0.0018 131 285	219
220	0.0025 050 812	0.0022 477 234	0.0020 118 409	0.0017 963 984	220
221	0.0024 864 204	0.0022 297 050	0.0019 945 313	0.0017 798 522	221
222	0.0024 679 444	0.0022 118 706	0.0019 774 046	0.0017 634 873	222
223	0.0024 496 505	0.0021 942 177	0.0019 604 583	0.0017 473 012	223
224	0.0024 315 364	0.0021 767 438	0.0019 436 898	0.0017 312 915	224
225	0.0024 135 997	0.0021 594 464	0.0019 270 969	0.0017 154 556	225
226	0.0023 958 379	0.0021 423 233	0.0019 106 770	0.0016 997 912	226
227	0.0023 782 487	0.0021 253 721	0.0018 944 278	0.0016 842 961	227
228	0.0023 608 299	0.0021 085 905	0.0018 783 471	0.0016 689 678	228
229	0.0023 435 792	0.0020 919 761	0.0018 624 326	0.0016 538 041	229
230	0.0023 264 945	0.0020 755 270	0.0018 466 821	0.0016 388 029	230
231	0.0023 095 734	0.0020 592 407	0.0018 310 933	0.0016 239 617	231
232	0.0022 928 139	0.0020 431 153	0.0018 156 642	0.0016 092 787	232
233	0.0022 762 139	0.0020 271 485	0.0018 003 927	0.0015 947 517	233
234	0.0022 597 713	0.0020 113 384	0.0017 852 767	0.0015 803 786	234
235	0.0022 434 841	0.0019 956 830	0.0017 703 141	0.0015 661 573	235
236	0.0022 273 503	0.0019 801 802	0.0017 555 029	0.0015 520 858	236
237	0.0022 113 680	0.0019 648 279	0.0017 408 413	0.0015 381 622	237
238	0.0021 955 352	0.0019 496 244	0.0017 263 272	0.0015 243 846	238
239	0.0021 798 500	0.0019 345 678	0.0017 119 587	0.0015 107 510	239
240	0.0021 643 106	0.0019 196 560	0.0016 977 340	0.0014 972 596	240
241	0.0021 489 151	0.0019 048 865	0.0016 836 513	0.0014 839 085	241
242	0.0021 336 617	0.0018 902 602	0.0016 697 087	0.0014 706 959	242
243	0.0021 185 487	0.0018 757 725	0.0016 559 044	0.0014 576 200	243
244	0.0021 035 743	0.0018 614 226	0.0016 422 368	0.0014 446 791	244
245	0.0020 887 368	0.0018 472 088	0.0016 287 041	0.0014 318 715	245
246	0.0020 740 345	0.0018 331 294	0.0016 153 045	0.0014 191 954	246
247	0.0020 594 658	0.0018 191 827	0.0016 020 365	0.0014 066 492	247
248	0.0020 450 290	0.0018 053 671	0.0015 888 983	0.0013 942 313	248
249	0.0020 307 225	0.0017 916 810	0.0015 758 885	0.0013 819 400	249
250	0.0020 165 447	0.0017 781 227	0.0015 630 054	0.0013 697 737	250

TABLE V FACTEUR D'ACCUMULATION (TERME DU *Sinking Fund*) $\dfrac{1}{s_{\overline{n}|}} = \dfrac{i}{(1+i)^n - 1}$

n	½ pour cent	7/12 pour cent	⅔ pour cent	¾ pour cent	n
251	0.0020 024 941	0.0017 646 909	0.0015 502 473	0.0013 577 310	251
252	0.0019 885 692	0.0017 513 838	0.0015 376 129	0.0013 458 102	252
253	0.0019 747 684	0.0017 382 001	0.0015 251 005	0.0013 340 098	253
254	0.0019 610 902	0.0017 251 381	0.0015 127 088	0.0013 223 283	254
255	0.0019 475 333	0.0017 121 965	0.0015 004 362	0.0013 107 643	255
256	0.0019 340 961	0.0016 993 739	0.0014 882 812	0.0012 993 163	256
257	0.0019 207 772	0.0016 866 687	0.0014 762 425	0.0012 879 830	257
258	0.0019 075 753	0.0016 740 796	0.0014 643 187	0.0012 767 628	258
259	0.0018 944 890	0.0016 616 053	0.0014 525 084	0.0012 656 545	259
260	0.0018 815 169	0.0016 492 443	0.0014 408 102	0.0012 546 566	260
261	0.0018 686 577	0.0016 369 953	0.0014 292 228	0.0012 437 678	261
262	0.0018 559 101	0.0016 248 571	0.0014 177 449	0.0012 329 869	262
263	0.0018 432 728	0.0016 128 283	0.0014 063 752	0.0012 223 124	263
264	0.0018 307 445	0.0016 009 077	0.0013 951 124	0.0012 117 432	264
265	0.0018 183 240	0.0015 890 940	0.0013 839 553	0.0012 012 780	265
266	0.0018 060 100	0.0015 773 860	0.0013 729 025	0.0011 909 155	266
267	0.0017 938 014	0.0015 657 824	0.0013 619 530	0.0011 806 545	267
268	0.0017 816 969	0.0015 542 821	0.0013 511 055	0.0011 704 939	268
269	0.0017 696 954	0.0015 428 839	0.0013 403 588	0.0011 604 324	269
270	0.0017 577 956	0.0015 315 865	0.0013 297 118	0.0011 504 688	270
271	0.0017 459 965	0.0015 203 890	0.0013 191 632	0.0011 406 021	271
272	0.0017 342 970	0.0015 092 901	0.0013 087 121	0.0011 308 310	272
273	0.0017 226 958	0.0014 982 887	0.0012 993 572	0.0011 211 545	273
274	0.0017 111 920	0.0014 873 838	0.0012 880 974	0.0011 115 715	274
275	0.0016 997 844	0.0014 765 742	0.0012 779 318	0.0011 020 808	275
276	0.0016 884 720	0.0014 658 589	0.0012 678 592	0.0010 926 815	276
277	0.0016 772 538	0.0014 552 369	0.0012 578 785	0.0010 833 724	277
278	0.0016 661 286	0.0014 447 070	0.0012 479 888	0.0010 741 526	278
279	0.0016 550 955	0.0014 342 683	0.0012 381 889	0.0010 650 209	279
280	0.0016 441 535	0.0014 239 199	0.0012 284 780	0.0010 559 764	280
281	0.0016 333 016	0.0014 136 606	0.0012 188 549	0.0010 470 182	281
282	0.0016 225 388	0.0014 034 895	0.0012 093 188	0.0010 381 451	282
283	0.0016 118 642	0.0013 934 057	0.0011 998 687	0.0010 293 563	283
284	0.0016 012 768	0.0013 834 081	0.0011 905 036	0.0010 206 509	284
285	0.0015 907 756	0.0013 734 960	0.0011 812 225	0.0010 120 277	285
286	0.0015 803 598	0.0013 636 682	0.0011 720 246	0.0010 034 860	286
287	0.0015 700 285	0.0013 539 241	0.0011 629 089	0.0009 950 248	287
288	0.0015 597 807	0.0013 442 625	0.0011 538 746	0.0009 866 433	288
289	0.0015 496 155	0.0013 346 827	0.0011 449 206	0.0009 783 405	289
290	0.0015 395 322	0.0013 251 837	0.0011 360 463	0.0009 701 155	290
291	0.0015 295 298	0.0013 157 648	0.0011 272 507	0.0009 619 675	291
292	0.0015 196 075	0.0013 064 251	0.0011 185 329	0.0009 538 957	292
293	0.0015 097 644	0.0012 971 636	0.0011 098 922	0.0009 458 991	293
294	0.0014 999 997	0.0012 879 797	0.0011 013 277	0.0009 379 771	294
295	0.0014 903 127	0.0012 788 724	0.0010 928 385	0.0009 301 287	295
296	0.0014 807 025	0.0012 698 411	0.0010 844 239	0.0009 223 531	296
297	0.0014 711 683	0.0012 608 848	0.0010 761 831	0.0009 146 496	297
298	0.0014 617 093	0.0012 520 028	0.0010 678 153	0.0009 070 174	298
299	0.0014 523 248	0.0012 431 944	0.0010 596 197	0.0008 994 556	299
300	0.0014 430 140	0.0012 344 586	0.0010 514 955	0.0008 919 636	300

TABLE V FACTEUR D'ACCUMULATION (TERME DU *Sinking Fund*) $\dfrac{1}{s_{\overline{n}|}} = \dfrac{i}{(1+i)^n - 1}$

n	⅞ pour cent	1 pour cent	1⅛ pour cent	1¼ pour cent	n
1	1.0000 000 000	1.0000 000 000	1.0000 000 000	1.0000 000 000	1
2	0.4978 220 286	0.4975 124 378	0.4972 032 318	0.4968 944 099	2
3	0.3304 336 063	0.3300 221 115	0.3296 113 007	0.3292 011 728	3
4	0.2467 425 712	0.2462 810 939	0.2458 205 786	0.2453 610 233	4
5	0.1965 304 908	0.1960 397 996	0.1955 503 396	0.1950 621 084	5
6	0.1630 578 876	0.1625 483 667	0.1620 403 419	0.1615 338 102	6
7	0.1391 506 998	0.1386 282 829	0.1381 076 244	0.1375 887 209	7
8	0.1212 218 965	0.1206 902 921	0.1201 607 067	0.1196 331 365	8
9	0.1072 786 826	0.1067 403 628	0.1062 043 217	0.1056 705 546	9
10	0.0961 253 813	0.0955 820 765	0.0950 413 092	0.0945 030 740	10
11	0.0870 011 070	0.0864 540 757	0.0859 098 399	0.0853 683 935	11
12	0.0793 986 029	0.0788 487 887	0.0783 020 275	0.0777 583 123	12
13	0.0729 666 910	0.0724 148 197	0.0718 662 583	0.0713 209 993	13
14	0.0674 545 300	0.0669 011 717	0.0663 513 798	0.0658 051 462	14
15	0.0626 781 696	0.0621 237 802	0.0615 732 135	0.0610 264 603	15
16	0.0584 996 469	0.0579 445 968	0.0573 936 253	0.0568 467 221	16
17	0.0548 134 610	0.0542 580 551	0.0537 069 833	0.0531 602 341	17
18	0.0515 375 556	0.0509 820 479	0.0504 311 292	0.0498 847 873	18
19	0.0486 071 494	0.0480 517 536	0.0475 012 015	0.0469 554 797	19
20	0.0459 704 173	0.0454 153 149	0.0448 653 106	0.0443 203 896	20
21	0.0435 854 057	0.0430 307 522	0.0424 814 508	0.0419 374 854	21
22	0.0414 177 889	0.0408 637 185	0.0403 152 537	0.0397 723 772	22
23	0.0394 392 109	0.0388 858 401	0.0383 383 281	0.0377 966 561	23
24	0.0376 260 416	0.0370 734 722	0.0365 270 145	0.0359 866 480	24
25	0.0359 584 319	0.0354 067 534	0.0348 614 390	0.0343 224 667	25
26	0.0344 195 862	0.0338 688 776	0.0333 247 852	0.0327 872 851	26
27	0.0329 951 972	0.0324 455 287	0.0319 027 280	0.0313 667 693	27
28	0.0316 730 015	0.0311 244 356	0.0305 829 886	0.0300 486 329	28
29	0.0304 424 272	0.0298 950 198	0.0293 549 820	0.0288 222 841	29
30	0.0292 943 120	0.0287 481 132	0.0282 095 343	0.0276 785 434	30
31	0.0282 206 758	0.0276 757 309	0.0271 386 556	0.0266 094 159	31
32	0.0272 145 360	0.0266 708 857	0.0261 353 545	0.0256 079 056	32
33	0.0262 697 564	0.0257 274 378	0.0251 934 871	0.0246 678 650	33
34	0.0253 809 227	0.0248 399 694	0.0243 076 322	0.0237 838 693	34
35	0.0245 432 393	0.0240 036 818	0.0234 729 883	0.0229 511 141	35
36	0.0237 524 435	0.0232 143 098	0.0226 852 873	0.0221 653 285	36
37	0.0230 047 335	0.0224 680 491	0.0219 407 226	0.0214 227 034	37
38	0.0222 967 075	0.0217 614 958	0.0212 358 881	0.0207 198 308	38
39	0.0216 253 127	0.0210 915 951	0.0205 677 272	0.0200 536 519	39
40	0.0209 878 017	0.0204 555 980	0.0199 334 889	0.0194 214 139	40
41	0.0203 816 949	0.0198 510 232	0.0193 306 906	0.0188 206 327	41
42	0.0198 047 490	0.0192 756 260	0.0187 570 859	0.0182 490 606	42
43	0.0192 549 293	0.0187 273 705	0.0182 106 377	0.0177 046 590	43
44	0.0187 303 861	0.0182 044 058	0.0176 894 940	0.0171 855 745	44
45	0.0182 294 343	0.0177 050 455	0.0171 919 671	0.0166 901 188	45
46	0.0177 505 349	0.0172 277 499	0.0167 165 165	0.0162 167 499	46
47	0.0172 922 802	0.0167 711 103	0.0162 617 325	0.0157 640 574	47
48	0.0168 533 798	0.0163 338 368	0.0158 263 229	0.0153 307 483	48
49	0.0164 326 484	0.0159 147 393	0.0154 091 012	0.0149 156 350	49
50	0.0160 289 958	0.0155 127 309	0.0150 089 754	0.0145 176 251	50

TABLE V FACTEUR D'ACCUMULATION (TERME DU *Sinking Fund*) $\dfrac{1}{s_{\overline{n}|}} = \dfrac{i}{(1+i)^n - 1}$

n	⅞ pour cent	1 pour cent	1⅛ pour cent	1¼ pour cent	n
51	0.0156 414 172	0.0151 268 048	0.0146 249 394	0.0141 357 117	51
52	0.0152 689 850	0.0147 560 329	0.0142 560 646	0.0137 689 655	52
53	0.0149 108 418	0.0143 995 570	0.0139 014 923	0.0134 165 272	53
54	0.0145 661 934	0.0140 565 826	0.0135 604 273	0.0130 776 012	54
55	0.0142 343 036	0.0137 263 730	0.0132 321 324	0.0127 514 497	55
56	0.0139 144 888	0.0134 082 440	0.0129 159 231	0.0124 373 877	56
57	0.0136 061 132	0.0131 015 595	0.0126 111 627	0.0121 347 780	57
58	0.0133 085 849	0.0128 057 272	0.0123 172 586	0.0118 430 276	58
59	0.0130 213 523	0.0125 201 950	0.0120 336 583	0.0115 615 837	59
60	0.0127 439 004	0.0122 444 477	0.0117 598 460	0.0112 899 301	60
61	0.0124 757 479	0.0119 780 037	0.0114 953 400	0.0110 275 846	61
62	0.0122 164 447	0.0117 204 123	0.0112 396 895	0.0107 740 962	62
63	0.0119 655 693	0.0114 712 520	0.0109 924 722	0.0105 290 422	63
64	0.0117 227 263	0.0112 301 271	0.0107 532 924	0.0102 920 267	64
65	0.0114 875 450	0.0109 966 665	0.0105 217 786	0.0100 626 779	65
66	0.0112 596 767	0.0107 705 215	0.0102 975 819	0.0098 406 465	66
67	0.0110 387 940	0.0105 513 641	0.0100 803 742	0.0096 256 043	67
68	0.0108 245 885	0.0103 388 859	0.0098 698 468	0.0094 172 421	68
69	0.0106 167 696	0.0101 327 961	0.0096 657 084	0.0092 152 689	69
70	0.0104 150 635	0.0099 328 207	0.0094 676 851	0.0090 194 100	70
71	0.0102 192 116	0.0097 387 009	0.0092 755 178	0.0088 294 063	71
72	0.0100 289 700	0.0095 501 925	0.0090 889 622	0.0086 450 133	72
73	0.0098 441 078	0.0093 670 646	0.0089 077 870	0.0084 659 997	73
74	0.0096 644 067	0.0091 890 987	0.0087 317 738	0.0082 921 465	74
75	0.0094 896 603	0.0090 160 881	0.0085 607 155	0.0081 232 468	75
76	0.0093 196 726	0.0088 478 369	0.0083 944 161	0.0079 591 042	76
77	0.0091 542 582	0.0086 841 593	0.0082 326 897	0.0077 995 328	77
78	0.0089 932 409	0.0085 248 791	0.0080 753 600	0.0076 443 559	78
79	0.0088 364 535	0.0083 698 290	0.0079 222 595	0.0074 934 061	79
80	0.0086 837 374	0.0082 188 501	0.0077 732 291	0.0073 465 240	80
81	0.0085 349 415	0.0080 717 914	0.0076 281 177	0.0072 035 584	81
82	0.0083 899 222	0.0079 285 090	0.0074 867 814	0.0070 643 653	82
83	0.0082 485 428	0.0077 888 662	0.0073 490 832	0.0069 288 076	83
84	0.0081 106 732	0.0076 527 328	0.0072 148 928	0.0067 967 547	84
85	0.0079 761 892	0.0075 199 845	0.0070 840 859	0.0066 680 824	85
86	0.0078 449 727	0.0073 905 030	0.0069 565 440	0.0065 426 719	86
87	0.0077 169 108	0.0072 641 754	0.0068 321 541	0.0064 204 101	87
88	0.0075 918 957	0.0071 408 937	0.0067 108 082	0.0063 011 891	88
89	0.0074 698 246	0.0070 205 551	0.0065 924 034	0.0061 849 055	89
90	0.0073 505 992	0.0069 030 612	0.0064 768 409	0.0060 714 608	90
91	0.0072 341 255	0.0067 883 178	0.0063 640 269	0.0059 607 608	91
92	0.0071 203 135	0.0066 762 351	0.0062 538 710	0.0058 527 152	92
93	0.0070 090 772	0.0065 667 268	0.0061 462 872	0.0057 472 378	93
94	0.0069 003 343	0.0064 597 105	0.0060 411 929	0.0056 442 459	94
95	0.0067 940 059	0.0063 551 073	0.0059 385 090	0.0055 436 604	95
96	0.0066 900 162	0.0062 528 414	0.0058 381 597	0.0054 454 053	96
97	0.0065 882 929	0.0061 528 403	0.0057 400 724	0.0053 494 080	97
98	0.0064 887 663	0.0060 550 343	0.0056 441 774	0.0052 555 987	98
99	0.0063 913 697	0.0059 593 566	0.0055 504 079	0.0051 639 104	99
100	0.0062 960 390	0.0058 657 431	0.0054 586 995	0.0050 742 788	100

TABLE V FACTEUR D'ACCUMULATION (TERME DU *Sinking Fund*) $\dfrac{1}{s_{\overline{n}|}} = \dfrac{i}{(1+i)^n - 1}$

n	⅞ pour cent	1 pour cent	1⅛ pour cent	1¼ pour cent	n
101	0.0062 027 128	0.0057 741 322	0.0053 689 906	0.0049 866 421	101
102	0.0061 113 318	0.0056 844 647	0.0052 812 221	0.0049 009 411	102
103	0.0060 218 392	0.0055 966 837	0.0051 953 368	0.0048 171 187	103
104	0.0059 341 805	0.0055 107 346	0.0051 112 801	0.0047 351 201	104
105	0.0058 483 029	0.0054 265 646	0.0050 289 992	0.0046 548 925	105
106	0.0057 641 560	0.0053 441 231	0.0049 484 435	0.0045 763 851	106
107	0.0056 816 911	0.0052 633 614	0.0048 695 641	0.0044 995 490	107
108	0.0056 008 612	0.0051 842 326	0.0047 923 141	0.0044 243 373	108
109	0.0055 216 211	0.0051 066 914	0.0047 166 482	0.0043 507 045	109
110	0.0054 439 275	0.0050 306 943	0.0046 425 226	0.0042 786 070	110
111	0.0053 677 382	0.0049 561 992	0.0045 698 955	0.0042 080 025	111
112	0.0052 930 128	0.0048 831 656	0.0044 987 261	0.0041 388 506	112
113	0.0052 197 124	0.0048 115 544	0.0044 289 754	0.0040 711 120	113
114	0.0051 477 991	0.0047 413 280	0.0043 606 056	0.0040 047 488	114
115	0.0050 772 367	0.0046 724 498	0.0042 935 802	0.0039 397 247	115
116	0.0050 079 900	0.0046 048 849	0.0042 278 640	0.0038 760 042	116
117	0.0049 400 252	0.0045 385 992	0.0041 634 231	0.0038 135 535	117
118	0.0048 733 094	0.0044 735 599	0.0041 002 246	0.0037 523 395	118
119	0.0048 078 111	0.0044 097 353	0.0040 382 368	0.0036 923 305	119
120	0.0047 434 997	0.0043 470 948	0.0039 774 289	0.0036 334 957	120
121	0.0046 803 454	0.0042 856 088	0.0039 177 713	0.0035 758 055	121
122	0.0046 183 198	0.0042 252 486	0.0038 592 353	0.0035 192 310	122
123	0.0045 573 951	0.0041 659 864	0.0038 017 931	0.0034 637 445	123
124	0.0044 975 445	0.0041 077 954	0.0037 454 179	0.0034 093 190	124
125	0.0044 387 421	0.0040 506 497	0.0036 900 835	0.0033 559 284	125
126	0.0043 809 627	0.0039 945 240	0.0036 357 650	0.0033 035 476	126
127	0.0043 241 820	0.0039 393 941	0.0035 824 376	0.0032 521 521	127
128	0.0042 683 765	0.0038 852 362	0.0035 300 779	0.0032 017 181	128
129	0.0042 135 232	0.0038 320 276	0.0034 786 630	0.0031 522 228	129
130	0.0041 596 002	0.0037 797 461	0.0034 281 706	0.0031 036 439	130
131	0.0041 065 858	0.0037 283 701	0.0033 785 793	0.0030 559 598	131
132	0.0040 544 593	0.0036 778 788	0.0033 298 680	0.0030 091 496	132
133	0.0040 032 005	0.0036 282 520	0.0032 820 167	0.0029 631 930	133
134	0.0039 527 897	0.0035 794 701	0.0032 350 055	0.0029 180 703	134
135	0.0039 032 081	0.0035 315 140	0.0031 888 155	0.0028 737 624	135
136	0.0038 544 371	0.0034 843 652	0.0031 434 281	0.0028 302 508	136
137	0.0038 064 588	0.0034 380 059	0.0030 988 254	0.0027 875 175	137
138	0.0037 592 559	0.0033 924 186	0.0030 549 899	0.0027 455 449	138
139	0.0037 128 114	0.0033 475 863	0.0030 119 046	0.0027 043 161	139
140	0.0036 671 089	0.0033 034 926	0.0029 695 531	0.0026 638 147	140
141	0.0036 221 325	0.0032 601 216	0.0029 279 194	0.0026 240 244	141
142	0.0035 778 667	0.0032 174 578	0.0028 869 880	0.0025 849 299	142
143	0.0035 342 963	0.0031 754 859	0.0028 467 436	0.0025 465 159	143
144	0.0034 914 068	0.0031 341 914	0.0028 071 716	0.0025 087 677	144
145	0.0034 491 840	0.0030 935 600	0.0027 682 577	0.0024 716 709	145
146	0.0034 076 139	0.0030 535 778	0.0027 299 880	0.0024 352 117	146
147	0.0033 666 830	0.0030 142 313	0.0026 923 490	0.0023 993 765	147
148	0.0033 263 784	0.0029 755 074	0.0026 553 275	0.0023 641 521	148
149	0.0032 866 871	0.0029 373 932	0.0026 189 107	0.0023 295 257	149
150	0.0032 475 968	0.0028 998 764	0.0025 830 861	0.0022 954 848	150

TABLE V   FACTEUR D'ACCUMULATION (TERME DU *Sinking Fund*) $\dfrac{1}{s_{\overline{n}|}} = \dfrac{i}{(1+i)^n - 1}$

n	⅞ pour cent	1 pour cent	1⅛ pour cent	1¼ pour cent	n
151	0.0032 090 954	0.0028 629 447	0.0025 478 416	0.0022 620 171	151
152	0.0031 711 710	0.0028 265 865	0.0025 131 654	0.0022 291 110	152
153	0.0031 338 123	0.0027 907 902	0.0024 790 458	0.0021 967 547	153
154	0.0030 970 080	0.0027 555 446	0.0024 454 719	0.0021 649 372	154
155	0.0030 607 473	0.0027 208 389	0.0024 124 324	0.0021 336 474	155
156	0.0030 250 196	0.0026 866 622	0.0023 799 170	0.0021 028 756	156
157	0.0029 898 145	0.0026 530 044	0.0023 479 150	0.0020 726 086	157
158	0.0029 551 219	0.0026 198 554	0.0023 164 167	0.0020 428 391	158
159	0.0029 209 320	0.0025 872 052	0.0022 854 118	0.0020 135 563	159
160	0.0028 872 353	0.0025 550 444	0.0022 548 909	0.0019 847 505	160
161	0.0028 540 224	0.0025 233 634	0.0022 248 447	0.0019 564 123	161
162	0.0028 212 841	0.0024 921 533	0.0021 952 638	0.0019 285 327	162
163	0.0027 890 117	0.0024 614 050	0.0021 661 395	0.0019 011 026	163
164	0.0027 571 964	0.0024 311 100	0.0021 374 630	0.0018 741 133	164
165	0.0027 258 297	0.0024 012 597	0.0021 092 258	0.0018 475 563	165
166	0.0026 949 034	0.0023 718 458	0.0020 814 197	0.0018 214 233	166
167	0.0026 644 095	0.0023 428 603	0.0020 540 364	0.0017 957 062	167
168	0.0026 343 401	0.0023 142 953	0.0020 270 683	0.0017 703 972	168
169	0.0026 046 875	0.0022 861 430	0.0020 005 075	0.0017 454 883	169
170	0.0025 754 441	0.0022 583 961	0.0019 743 463	0.0017 209 723	170
171	0.0025 466 027	0.0022 310 470	0.0019 485 776	0.0016 968 415	171
172	0.0025 181 561	0.0022 040 887	0.0019 231 942	0.0016 730 889	172
173	0.0024 900 973	0.0021 775 141	0.0018 981 890	0.0016 497 075	173
174	0.0024 624 194	0.0021 513 164	0.0018 735 551	0.0016 266 903	174
175	0.0024 351 159	0.0021 254 889	0.0018 492 859	0.0016 040 307	175
176	0.0024 081 801	0.0021 000 251	0.0018 253 748	0.0015 817 220	176
177	0.0023 816 057	0.0020 749 185	0.0018 018 154	0.0015 597 579	177
178	0.0023 553 865	0.0020 501 630	0.0017 786 014	0.0015 381 322	178
179	0.0023 295 163	0.0020 257 523	0.0017 557 268	0.0015 168 386	179
180	0.0023 039 892	0.0020 016 806	0.0017 331 854	0.0014 958 712	180
181	0.0022 787 994	0.0019 779 420	0.0017 109 716	0.0014 752 241	181
182	0.0022 539 411	0.0019 545 307	0.0016 890 795	0.0014 548 917	182
183	0.0022 294 089	0.0019 314 413	0.0016 675 035	0.0014 348 683	183
184	0.0022 051 971	0.0019 086 681	0.0016 462 382	0.0014 151 484	184
185	0.0021 813 005	0.0018 862 059	0.0016 252 782	0.0013 957 266	185
186	0.0021 577 140	0.0018 640 494	0.0016 046 183	0.0013 765 978	186
187	0.0021 344 321	0.0018 421 935	0.0015 842 533	0.0013 577 568	187
188	0.0021 114 502	0.0018 206 333	0.0015 641 783	0.0013 391 985	188
189	0.0020 887 632	0.0017 993 636	0.0015 443 882	0.0013 209 180	189
190	0.0020 663 663	0.0017 783 799	0.0015 248 783	0.0013 029 106	190
191	0.0020 442 549	0.0017 576 773	0.0015 056 439	0.0012 851 715	191
192	0.0020 224 244	0.0017 372 523	0.0014 866 804	0.0012 676 968	192
193	0.0020 008 701	0.0017 170 973	0.0014 679 831	0.0012 504 799	193
194	0.0019 795 878	0.0016 972 109	0.0014 495 478	0.0012 335 184	194
195	0.0019 585 732	0.0016 775 878	0.0014 313 700	0.0012 168 073	195
196	0.0019 378 219	0.0016 582 237	0.0014 134 456	0.0012 003 425	196
197	0.0019 173 298	0.0016 391 146	0.0013 957 704	0.0011 841 196	197
198	0.0018 970 929	0.0016 202 562	0.0013 783 402	0.0011 681 347	198
199	0.0018 771 071	0.0016 016 447	0.0013 611 511	0.0011 523 838	199
200	0.0018 573 687	0.0015 832 761	0.0013 441 992	0.0011 368 629	200

TABLE V   FACTEUR D'ACCUMULATION (TERME DU *Sinking Fund*) $\dfrac{1}{s_{\overline{n}|}} = \dfrac{i}{(1+i)^n - 1}$

n	1⅜ pour cent	1½ pour cent	1⅝ pour cent	1¾ pour cent	n
1	1.0000 000 000	1.0000 000 000	1.0000 000 000	1.0000 000 000	1
2	0.4965 859 714	0.4962 779 156	0.4959 702 418	0.4956 629 492	2
3	0.3287 917 264	0.3283 829 602	0.3279 748 730	0.3275 674 635	3
4	0.2449 024 264	0.2444 447 860	0.2439 881 002	0.2435 323 673	4
5	0.1945 751 037	0.1940 893 231	0.1936 047 642	0.1931 214 246	5
6	0.1610 287 688	0.1605 252 146	0.1600 231 449	0.1595 225 565	6
7	0.1370 715 687	0.1365 561 645	0.1360 425 047	0.1355 305 857	7
8	0.1191 075 771	0.1185 840 246	0.1180 624 747	0.1175 429 233	8
9	0.1051 390 568	0.1046 098 234	0.1040 828 496	0.1035 581 306	9
10	0.0939 673 653	0.0934 341 779	0.0929 035 060	0.0923 753 442	10
11	0.0848 297 303	0.0842 938 442	0.0837 607 288	0.0832 303 778	11
12	0.0772 176 365	0.0766 799 929	0.0761 453 744	0.0756 137 733	12
13	0.0707 790 350	0.0702 403 574	0.0697 049 586	0.0691 728 305	13
14	0.0652 624 620	0.0647 233 186	0.0641 877 070	0.0636 556 179	14
15	0.0604 835 109	0.0599 443 557	0.0594 089 845	0.0588 773 872	15
16	0.0563 038 765	0.0557 650 778	0.0552 303 149	0.0546 995 764	16
17	0.0526 177 959	0.0520 796 569	0.0515 458 046	0.0510 162 265	17
18	0.0493 430 092	0.0488 057 818	0.0482 730 915	0.0477 449 244	18
19	0.0464 145 740	0.0458 784 701	0.0453 471 530	0.0448 206 073	19
20	0.0437 805 367	0.0432 457 359	0.0427 159 708	0.0421 912 246	20
21	0.0413 988 392	0.0408 654 951	0.0403 374 348	0.0398 146 399	21
22	0.0392 350 706	0.0387 033 152	0.0381 770 912	0.0376 563 782	22
23	0.0372 608 043	0.0367 307 520	0.0362 064 779	0.0356 879 596	23
24	0.0354 523 513	0.0349 241 020	0.0344 018 766	0.0338 856 510	24
25	0.0337 898 131	0.0332 634 539	0.0327 433 638	0.0322 295 163	25
26	0.0322 563 521	0.0317 319 599	0.0312 140 810	0.0307 026 865	26
27	0.0308 376 255	0.0303 152 680	0.0297 996 671	0.0292 907 917	27
28	0.0295 213 391	0.0290 010 765	0.0284 878 128	0.0279 815 145	28
29	0.0282 968 945	0.0277 787 802	0.0272 679 064	0.0267 642 365	29
30	0.0271 551 066	0.0266 391 883	0.0261 307 508	0.0256 297 549	30
31	0.0260 879 752	0.0255 742 954	0.0250 683 359	0.0245 700 545	31
32	0.0250 885 002	0.0245 770 970	0.0240 736 526	0.0235 781 216	32
33	0.0241 505 298	0.0236 414 375	0.0231 405 415	0.0226 477 928	33
34	0.0232 686 362	0.0227 618 855	0.0222 635 675	0.0217 736 297	34
35	0.0224 380 116	0.0219 336 303	0.0214 379 168	0.0209 508 151	35
36	0.0216 543 825	0.0211 523 955	0.0206 593 105	0.0201 750 673	36
37	0.0209 139 375	0.0204 143 673	0.0199 239 319	0.0194 425 673	37
38	0.0202 132 661	0.0197 161 329	0.0192 283 663	0.0187 498 979	38
39	0.0195 493 078	0.0190 546 298	0.0185 695 490	0.0180 939 926	39
40	0.0189 193 079	0.0184 271 017	0.0179 447 219	0.0174 720 911	40
41	0.0183 207 807	0.0178 310 610	0.0173 513 957	0.0168 817 026	41
42	0.0177 514 769	0.0172 642 571	0.0167 873 184	0.0163 205 735	42
43	0.0172 093 568	0.0167 246 488	0.0162 504 472	0.0157 866 596	43
44	0.0166 925 657	0.0162 103 801	0.0157 389 251	0.0152 781 026	44
45	0.0161 994 139	0.0157 197 604	0.0152 510 601	0.0147 932 093	45
46	0.0157 283 589	0.0152 512 458	0.0147 853 072	0.0143 304 336	46
47	0.0152 779 888	0.0148 034 238	0.0143 402 531	0.0138 883 611	47
48	0.0148 470 100	0.0143 749 996	0.0139 146 019	0.0134 656 950	48
49	0.0144 342 340	0.0139 647 841	0.0135 071 637	0.0130 612 445	49
50	0.0140 385 678	0.0135 716 832	0.0131 168 436	0.0126 739 139	50

TABLE V   FACTEUR D'ACCUMULATION (TERME DU *Sinking Fund*) $\dfrac{1}{s_{\overline{n}|}}$ $\dfrac{i}{(1+i)^n-1}$

n	1⅜ pour cent	1½ pour cent	1⅝ pour cent	1¾ pour cent	n
51	0.0136 590 036	0.0131 946 887	0.0127 426 327	0.0123 026 935	51
52	0.0132 946 116	0.0128 328 700	0.0123 835 995	0.0119 466 511	52
53	0.0129 445 317	0.0124 853 664	0.0120 388 830	0.0116 049 249	53
54	0.0126 079 679	0.0121 513 812	0.0117 076 856	0.0112 767 169	54
55	0.0122 841 819	0.0118 301 756	0.0113 892 681	0.0109 612 871	55
56	0.0119 724 879	0.0115 210 635	0.0110 829 436	0.0106 579 481	56
57	0.0116 722 487	0.0112 234 068	0.0107 880 738	0.0103 660 611	57
58	0.0113 828 705	0.0109 366 116	0.0105 040 641	0.0100 850 310	58
59	0.0111 038 001	0.0106 601 241	0.0102 303 604	0.0098 143 032	59
60	0.0108 345 211	0.0103 934 274	0.0099 664 454	0.0095 533 598	60
61	0.0105 745 508	0.0101 360 387	0.0097 118 355	0.0093 017 171	61
62	0.0103 234 378	0.0098 875 059	0.0094 660 788	0.0090 589 224	62
63	0.0100 807 593	0.0096 474 061	0.0092 287 515	0.0088 245 518	63
64	0.0098 461 188	0.0094 153 423	0.0089 994 566	0.0085 982 079	64
65	0.0096 191 443	0.0091 909 423	0.0087 778 213	0.0083 795 175	65
66	0.0093 994 864	0.0089 738 563	0.0085 634 957	0.0081 681 302	66
67	0.0091 868 163	0.0087 637 552	0.0083 561 504	0.0079 637 165	67
68	0.0089 808 248	0.0085 603 297	0.0081 554 755	0.0077 659 661	68
69	0.0087 812 204	0.0083 632 878	0.0079 611 792	0.0075 745 869	69
70	0.0085 877 284	0.0081 723 548	0.0077 729 860	0.0073 893 032	70
71	0.0084 000 895	0.0079 872 709	0.0075 906 363	0.0072 098 549	71
72	0.0082 180 588	0.0078 077 911	0.0074 138 845	0.0070 359 964	72
73	0.0080 414 047	0.0076 336 836	0.0072 424 989	0.0068 674 956	73
74	0.0078 699 083	0.0074 647 293	0.0070 762 599	0.0067 041 327	74
75	0.0077 033 624	0.0073 007 206	0.0069 149 597	0.0065 456 997	75
76	0.0075 415 703	0.0071 414 609	0.0067 584 016	0.0063 919 996	76
77	0.0073 843 460	0.0069 867 637	0.0066 063 989	0.0062 428 455	77
78	0.0072 315 127	0.0068 364 523	0.0064 587 746	0.0060 980 602	78
79	0.0070 829 027	0.0066 903 586	0.0063 153 605	0.0059 574 754	79
80	0.0069 383 566	0.0065 483 231	0.0061 759 969	0.0058 209 310	80
81	0.0067 977 229	0.0064 101 941	0.0060 405 320	0.0056 882 751	81
82	0.0066 608 574	0.0062 758 275	0.0059 088 212	0.0055 593 631	82
83	0.0065 276 230	0.0061 450 857	0.0057 807 271	0.0054 340 572	83
84	0.0063 978 890	0.0060 178 380	0.0056 561 187	0.0053 122 263	84
85	0.0062 715 309	0.0058 939 597	0.0055 348 711	0.0051 937 454	85
86	0.0061 484 300	0.0057 733 319	0.0054 168 654	0.0050 784 953	86
87	0.0060 284 728	0.0056 558 413	0.0053 019 880	0.0049 663 623	87
88	0.0059 115 514	0.0055 413 794	0.0051 901 303	0.0048 572 379	88
89	0.0057 975 623	0.0054 298 429	0.0050 811 890	0.0047 510 182	89
90	0.0056 864 069	0.0053 211 330	0.0049 750 649	0.0046 476 043	90
91	0.0055 779 908	0.0052 151 552	0.0048 716 636	0.0045 469 013	91
92	0.0054 722 237	0.0051 118 190	0.0047 708 943	0.0044 488 187	92
93	0.0053 690 192	0.0050 110 379	0.0046 726 706	0.0043 532 695	93
94	0.0052 682 946	0.0049 127 296	0.0045 769 094	0.0042 601 709	94
95	0.0051 699 706	0.0048 168 132	0.0044 835 313	0.0041 694 431	95
96	0.0050 739 712	0.0047 232 141	0.0043 924 601	0.0040 810 099	96
97	0.0049 802 236	0.0046 318 590	0.0043 036 228	0.0039 947 981	97
98	0.0048 886 579	0.0045 426 778	0.0042 169 492	0.0039 107 376	98
99	0.0047 992 072	0.0044 556 033	0.0041 323 721	0.0038 287 610	99
100	0.0047 118 069	0.0043 705 712	0.0040 498 271	0.0037 488 036	100

TABLE V FACTEUR D'ACCUMULATION (TERME DU *Sinking Fund*) $\dfrac{1}{s_{\overline{n}|}} = \dfrac{i}{(1+i)^n - 1}$

n	2 pour cent	2¼ pour cent	2½ pour cent	2¾ pour cent	n
1	1.0000 000 000	1.0000 000 000	1.0000 000 000	1.0000 000 000	1
2	0.4950 495 050	0.4944 375 773	0.4938 271 605	0.4932 182 491	2
3	0.3267 546 726	0.3259 445 772	0.3251 371 672	0.3243 324 326	3
4	0.2426 237 527	0.2417 189 277	0.2408 178 777	0.2399 205 884	4
5	0.1921 583 941	0.1912 002 125	0.1902 468 609	0.1892 983 202	5
6	0.1585 258 123	0.1575 349 584	0.1565 499 711	0.1555 708 264	6
7	0.1345 119 561	0.1335 002 470	0.1324 954 296	0.1314 974 750	7
8	0.1165 097 991	0.1154 846 180	0.1144 673 458	0.1134 579 478	8
9	0.1025 154 374	0.1014 817 039	0.1004 568 900	0.0994 409 548	9
10	0.0913 265 279	0.0902 876 831	0.0892 587 632	0.0882 397 205	10
11	0.0821 779 428	0.0811 364 868	0.0801 059 557	0.0790 862 948	11
12	0.0745 595 966	0.0735 174 013	0.0724 871 270	0.0714 687 098	12
13	0.0681 183 527	0.0670 768 561	0.0660 482 708	0.0650 325 248	13
14	0.0626 019 702	0.0615 622 989	0.0605 365 249	0.0595 245 664	14
15	0.0578 254 722	0.0567 885 250	0.0557 664 561	0.0547 591 731	15
16	0.0536 501 259	0.0526 166 300	0.0515 989 886	0.0505 970 977	16
17	0.0499 698 408	0.0489 403 926	0.0479 277 699	0.0469 318 559	17
18	0.0467 021 022	0.0456 771 958	0.0446 700 806	0.0436 806 259	18
19	0.0437 817 663	0.0427 618 152	0.0417 606 151	0.0407 780 208	19
20	0.0411 567 181	0.0401 420 708	0.0391 471 287	0.0381 717 306	20
21	0.0387 847 689	0.0377 757 214	0.0367 873 273	0.0358 194 081	21
22	0.0366 314 005	0.0356 282 056	0.0346 466 061	0.0336 864 049	22
23	0.0346 680 976	0.0336 709 724	0.0326 963 781	0.0317 440 977	23
24	0.0328 710 973	0.0318 802 289	0.0309 128 204	0.0299 686 330	24
25	0.0312 204 384	0.0302 359 889	0.0292 759 210	0.0283 399 735	25
26	0.0296 992 308	0.0287 213 406	0.0277 687 467	0.0268 411 636	26
27	0.0282 930 862	0.0273 218 774	0.0263 768 722	0.0254 577 594	27
28	0.0269 896 716	0.0260 252 506	0.0250 879 327	0.0241 773 795	28
29	0.0257 783 552	0.0248 208 143	0.0238 912 685	0.0229 893 501	29
30	0.0246 499 223	0.0236 993 422	0.0227 776 407	0.0218 844 200	30
31	0.0235 963 472	0.0226 527 978	0.0217 390 025	0.0208 545 311	31
32	0.0226 106 073	0.0216 741 493	0.0207 683 123	0.0198 926 322	32
33	0.0216 865 311	0.0207 572 169	0.0198 593 819	0.0189 925 264	23
34	0.0208 186 728	0.0198 965 477	0.0190 067 498	0.0181 487 453	34
35	0.0200 022 092	0.0190 873 115	0.0182 055 823	0.0173 564 454	35
36	0.0192 328 526	0.0183 252 151	0.0174 515 767	0.0166 113 206	36
37	0.0185 067 789	0.0176 064 289	0.0167 408 992	0.0159 095 302	37
38	0.0178 205 663	0.0169 275 262	0.0160 701 180	0.0152 476 374	38
39	0.0171 711 439	0.0162 854 319	0.0154 361 534	0.0146 225 576	39
40	0.0165 557 478	0.0156 773 781	0.0148 362 332	0.0140 315 144	40
41	0.0159 718 837	0.0151 008 666	0.0142 678 555	0.0134 720 017	41
42	0.0154 172 945	0.0145 536 372	0.0137 287 567	0.0129 417 522	42
43	0.0148 899 334	0.0140 336 398	0.0132 168 833	0.0124 387 090	43
44	0.0143 879 391	0.0135 390 105	0.0127 303 683	0.0119 610 021	44
45	0.0139 096 161	0.0130 680 508	0.0122 675 106	0.0115 069 272	45
46	0.0134 534 159	0.0126 192 101	0.0118 267 568	0.0110 749 283	46
47	0.0130 179 220	0.0121 910 694	0.0114 066 855	0.0106 635 814	47
48	0.0126 018 355	0.0117 823 279	0.0110 059 938	0.0102 715 811	48
49	0.0122 039 639	0.0113 917 908	0.0106 234 847	0.0098 977 282	49
50	0.0118 232 097	0.0110 183 588	0.0102 580 569	0.0095 409 195	50

TABLE V   Facteur d'accumulation (terme du *Sinking Fund*) $\dfrac{1}{s_{\overline{n}|}} = \dfrac{i}{(1+i)^n - 1}$

n	2 pour cent	2¼ pour cent	2½ pour cent	2¾ pour cent	n
51	0.0114 585 615	0.0106 610 190	0.0099 086 956	0.0092 001 379	51
52	0.0111 090 856	0.0103 188 359	0.0095 744 635	0.0088 744 446	52
53	0.0107 739 189	0.0099 909 447	0.0092 544 944	0.0085 629 713	53
54	0.0104 522 618	0.0096 765 446	0.0089 479 856	0.0082 649 139	54
55	0.0101 433 732	0.0093 748 930	0.0086 541 932	0.0079 795 268	55
56	0.0098 465 645	0.0090 853 000	0.0083 724 260	0.0077 061 174	56
57	0.0095 611 957	0.0088 071 243	0.0081 020 412	0.0074 440 416	57
58	0.0092 866 706	0.0085 397 687	0.0078 424 404	0.0071 926 996	58
59	0.0090 224 335	0.0082 826 764	0.0075 930 656	0.0069 515 322	59
60	0.0087 679 658	0.0080 353 275	0.0073 533 959	0.0067 200 173	60
61	0.0085 227 827	0.0077 972 363	0.0071 229 445	0.0064 976 670	61
62	0.0082 864 306	0.0075 679 484	0.0069 012 558	0.0062 840 249	62
63	0.0080 584 849	0.0073 470 380	0.0066 879 033	0.0060 786 631	63
64	0.0078 385 471	0.0071 341 061	0.0064 824 869	0.0058 811 810	64
65	0.0076 262 436	0.0069 287 780	0.0062 846 311	0.0056 912 019	65
66	0.0074 212 231	0.0067 307 016	0.0060 939 830	0.0055 083 725	66
67	0.0072 231 553	0.0065 395 461	0.0059 102 110	0.0053 323 599	67
68	0.0070 317 294	0.0063 549 998	0.0057 330 027	0.0051 628 513	68
69	0.0068 466 526	0.0061 767 691	0.0055 620 638	0.0049 995 517	69
70	0.0066 676 485	0.0060 045 773	0.0053 971 168	0.0048 421 829	70
71	0.0064 944 567	0.0058 381 629	0.0052 378 997	0.0046 904 825	71
72	0.0063 268 307	0.0056 772 792	0.0050 841 652	0.0045 442 024	72
73	0.0061 645 380	0.0055 216 929	0.0049 356 794	0.0044 031 083	73
74	0.0060 073 582	0.0053 711 833	0.0047 922 211	0.0042 669 784	74
75	0.0058 550 830	0.0052 255 413	0.0046 535 806	0.0041 356 028	75
76	0.0057 075 147	0.0050 845 689	0.0045 195 594	0.0040 087 826	76
77	0.0055 644 661	0.0049 480 782	0.0043 899 695	0.0038 863 291	77
78	0.0054 257 595	0.0048 158 913	0.0042 646 321	0.0037 680 634	78
79	0.0052 912 260	0.0046 878 388	0.0041 433 776	0.0036 538 157	79
80	0.0051 607 055	0.0045 637 600	0.0040 260 451	0.0035 434 245	80
81	0.0050 340 453	0.0044 435 021	0.0039 124 812	0.0034 367 364	81
82	0.0049 111 006	0.0043 269 198	0.0038 025 404	0.0033 336 055	82
83	0.0047 917 333	0.0042 138 745	0.0036 960 838	0.0032 338 929	83
84	0.0046 758 118	0.0041 042 345	0.0035 929 793	0.0031 374 664	84
85	0.0045 632 108	0.0039 978 741	0.0034 931 011	0.0030 441 998	85
86	0.0044 538 110	0.0038 946 735	0.0033 963 292	0.0029 539 731	86
87	0.0043 474 981	0.0037 945 185	0.0033 025 489	0.0028 666 715	87
88	0.0042 441 633	0.0036 972 998	0.0032 116 510	0.0027 821 858	88
89	0.0041 437 027	0.0036 029 132	0.0031 235 311	0.0027 004 115	89
90	0.0040 460 169	0.0035 112 591	0.0030 380 893	0.0026 212 487	90
91	0.0039 510 108	0.0034 222 422	0.0029 552 302	0.0025 446 021	91
92	0.0038 585 936	0.0033 357 716	0.0028 748 628	0.0024 703 805	92
93	0.0037 686 782	0.0032 517 598	0.0027 968 996	0.0023 984 966	93
94	0.0036 811 814	0.0031 701 236	0.0027 212 571	0.0023 288 670	94
95	0.0035 960 233	0.0030 907 828	0.0026 478 552	0.0022 614 116	95
96	0.0035 131 275	0.0030 136 609	0.0025 766 173	0.0021 960 540	96
97	0.0034 324 205	0.0029 386 843	0.0025 074 697	0.0021 327 206	97
98	0.0033 538 321	0.0028 657 825	0.0024 403 421	0.0020 713 411	98
99	0.0032 772 947	0.0027 948 880	0.0023 751 667	0.0020 118 481	99
100	0.0032 027 435	0.0027 259 358	0.0023 118 787	0.0019 541 767	100

TABLE V   FACTEUR D'ACCUMULATION (TERME DU *Sinking Fund*) $\dfrac{1}{s_{\overline{n}|}} = \dfrac{i}{(1+i)^n - 1}$

n	3 pour cent	3½ pour cent	4 pour cent	4½ pour cent	n
1	1.0000 000 000	1.0000 000 000	1.0000 000 000	1.0000 000 000	1
2	0.4926 108 374	0.4914 004 914	0.4901 960 784	0.4889 975 550	2
3	0.3235 303 633	0.3219 341 806	0.3203 485 392	0.3187 733 601	3
4	0.2390 270 452	0.2372 511 395	0.2354 900 454	0.2337 436 479	4
5	0.1883 545 714	0.1864 813 732	0.1846 271 135	0.1827 916 395	5
6	0.1545 975 005	0.1526 682 087	0.1507 619 025	0.1488 783 875	6
7	0.1305 063 538	0.1285 444 938	0.1266 096 120	0.1247 014 680	7
8	0.1124 563 888	0.1104 766 466	0.1085 278 320	0.1066 096 533	8
9	0.0984 338 570	0.0964 460 051	0.0944 929 927	0.0925 744 700	9
10	0.0872 305 066	0.0852 413 679	0.0832 909 443	0.0813 788 217	10
11	0.0780 774 478	0.0760 919 658	0.0741 490 393	0.0722 481 817	11
12	0.0704 620 855	0.0684 839 493	0.0665 521 727	0.0646 661 886	12
13	0.0640 295 440	0.0620 615 726	0.0601 437 278	0.0582 753 528	13
14	0.0585 263 390	0.0565 707 287	0.0546 689 731	0.0528 203 160	14
15	0.0537 665 805	0.0518 250 693	0.0499 411 004	0.0481 138 081	15
16	0.0496 108 493	0.0476 848 306	0.0458 199 993	0.0440 153 694	16
17	0.0459 525 294	0.0440 431 317	0.0421 985 221	0.0404 175 833	17
18	0.0427 086 959	0.0408 168 408	0.0389 933 282	0.0372 368 975	18
19	0.0398 138 806	0.0379 403 252	0.0361 386 184	0.0344 073 443	19
20	0.0372 157 076	0.0353 610 768	0.0335 817 503	0.0318 761 443	20
21	0.0348 717 765	0.0330 365 870	0.0312 801 054	0.0296 005 669	21
22	0.0327 473 948	0.0309 320 742	0.0291 988 111	0.0275 456 461	22
23	0.0308 139 027	0.0290 188 042	0.0273 090 568	0.0256 824 930	23
24	0.0290 474 159	0.0272 728 303	0.0255 868 313	0.0239 870 299	24
25	0.0274 278 710	0.0256 740 354	0.0240 119 628	0.0224 390 280	25
26	0.0259 382 903	0.0242 053 963	0.0225 673 805	0.0210 213 675	26
27	0.0245 642 103	0.0228 524 103	0.0212 385 406	0.0197 194 616	27
28	0.0232 932 334	0.0216 026 452	0.0200 129 752	0.0185 208 051	28
29	0.0221 146 711	0.0204 453 825	0.0188 799 342	0.0174 146 147	29
30	0.0210 192 593	0.0193 713 316	0.0178 300 991	0.0163 915 429	30
31	0.0199 989 288	0.0183 723 998	0.0168 553 524	0.0154 434 459	31
32	0.0190 466 183	0.0174 415 048	0.0159 485 897	0.0145 631 962	32
33	0.0181 561 219	0.0165 724 220	0.0151 035 665	0.0137 445 281	33
34	0.0173 219 634	0.0157 596 583	0.0143 147 715	0.0129 819 119	34
35	0.0165 392 916	0.0149 983 473	0.0135 773 224	0.0122 704 478	35
36	0.0158 037 942	0.0142 841 628	0.0128 868 780	0.0116 057 796	36
37	0.0151 116 244	0.0136 132 454	0.0122 395 655	0.0109 840 206	37
38	0.0144 593 401	0.0129 821 414	0.0116 319 191	0.0104 016 920	38
39	0.0138 438 516	0.0123 877 506	0.0110 608 274	0.0098 556 712	39
40	0.0132 623 779	0.0118 272 823	0.0105 234 893	0.0093 431 466	40
41	0.0127 124 089	0.0112 982 174	0.0100 173 765	0.0088 615 804	41
42	0.0121 916 731	0.0107 982 765	0.0095 402 007	0.0084 086 759	42
43	0.0116 981 103	0.0103 253 914	0.0090 898 859	0.0079 823 492	43
44	0.0112 298 469	0.0098 776 816	0.0086 645 444	0.0075 807 056	44
45	0.0107 851 757	0.0094 534 334	0.0082 624 558	0.0072 020 184	45
46	0.0103 625 378	0.0090 510 817	0.0078 820 488	0.0068 447 107	46
47	0.0099 605 065	0.0086 691 944	0.0075 218 855	0.0065 073 395	47
48	0.0095 777 738	0.0083 064 580	0.0071 806 476	0.0061 885 821	48
49	0.0092 131 383	0.0079 616 664	0.0068 571 240	0.0058 872 235	49
50	0.0088 654 944	0.0076 337 096	0.0065 502 004	0.0056 021 459	50

TABLE V   FACTEUR D'ACCUMULATION (TERME DU *Sinking Fund*) $\dfrac{1}{s_{\overline{n}|}} = \dfrac{i}{(1+i)^n - 1}$

n	3 pour cent	3½ pour cent	4 pour cent	4½ pour cent	n
51	0.0085 338 232	0.0073 215 641	0.0062 588 497	0.0053 323 191	51
52	0.0082 171 837	0.0070 242 854	0.0059 821 236	0.0050 767 923	52
53	0.0079 147 059	0.0067 409 997	0.0057 191 451	0.0048 346 867	53
54	0.0076 255 841	0.0064 708 979	0.0054 691 025	0.0046 051 886	54
55	0.0073 490 710	0.0062 132 297	0.0052 312 426	0.0043 875 437	55
56	0.0070 844 726	0.0059 672 981	0.0050 048 662	0.0041 810 518	56
57	0.0068 311 432	0.0057 324 549	0.0047 893 234	0.0039 850 622	57
58	0.0065 884 819	0.0055 080 966	0.0045 840 087	0.0037 989 695	58
59	0.0063 559 281	0.0052 936 605	0.0043 883 581	0.0036 222 094	59
60	0.0061 329 587	0.0050 886 213	0.0042 018 451	0.0034 542 558	60
61	0.0059 190 847	0.0048 924 882	0.0040 239 779	0.0032 946 176	61
62	0.0057 138 485	0.0047 048 020	0.0038 542 964	0.0031 428 356	62
63	0.0055 168 216	0.0045 251 325	0.0036 923 701	0.0029 984 802	63
64	0.0053 276 021	0.0043 530 765	0.0035 377 955	0.0028 611 494	64
65	0.0051 458 128	0.0041 882 558	0.0033 901 939	0.0027 304 661	65
66	0.0049 710 995	0.0040 303 148	0.0032 492 100	0.0026 060 769	66
67	0.0048 031 288	0.0038 789 193	0.0031 145 099	0.0024 876 496	67
68	0.0046 415 871	0.0037 337 550	0.0029 857 795	0.0023 748 725	68
69	0.0044 861 787	0.0035 945 255	0.0028 627 231	0.0022 674 523	69
70	0.0043 366 251	0.0034 609 517	0.0027 450 623	0.0021 651 129	70
71	0.0041 926 632	0.0033 327 702	0.0026 325 344	0.0020 675 946	71
72	0.0040 540 446	0.0032 097 323	0.0025 248 919	0.0019 746 524	72
73	0.0039 205 345	0.0030 916 030	0.0024 219 008	0.0018 860 556	73
74	0.0037 919 109	0.0029 781 601	0.0023 233 403	0.0018 015 863	74
75	0.0036 679 634	0.0028 691 934	0.0022 290 015	0.0017 210 390	75
76	0.0035 484 929	0.0027 645 038	0.0021 386 870	0.0016 442 193	76
77	0.0034 333 105	0.0026 639 029	0.0020 522 095	0.0015 709 439	77
78	0.0033 222 371	0.0025 672 117	0.0019 693 922	0.0015 010 391	78
79	0.0032 151 027	0.0024 742 606	0.0018 900 672	0.0014 343 408	79
80	0.0031 117 457	0.0023 848 887	0.0018 140 755	0.0013 706 935	80
81	0.0030 120 127	0.0022 989 429	0.0017 412 661	0.0013 099 502	81
82	0.0029 157 577	0.0022 162 781	0.0016 714 957	0.0012 519 715	82
83	0.0028 228 417	0.0021 367 560	0.0016 046 284	0.0011 966 252	83
84	0.0027 331 325	0.0020 602 452	0.0015 405 351	0.0011 437 861	84
85	0.0026 465 042	0.0019 866 205	0.0014 790 928	0.0010 933 355	85
86	0.0025 628 365	0.0019 157 629	0.0014 201 848	0.0010 451 606	86
87	0.0024 820 151	0.0018 475 589	0.0013 637 001	0.0009 991 543	87
88	0.0024 039 306	0.0017 819 002	0.0013 095 329	0.0009 552 152	88
89	0.0023 284 787	0.0017 186 838	0.0012 575 828	0.0009 132 468	89
90	0.0022 555 599	0.0016 578 111	0.0012 077 538	0.0008 731 573	90
91	0.0021 850 789	0.0015 991 884	0.0011 599 547	0.0008 348 597	91
92	0.0021 169 449	0.0015 427 259	0.0011 140 984	0.0007 982 710	92
93	0.0020 510 708	0.0014 883 379	0.0010 701 021	0.0007 633 126	93
94	0.0019 873 733	0.0014 359 428	0.0010 278 867	0.0007 299 095	94
95	0.0019 257 729	0.0013 854 621	0.0009 873 767	0.0006 979 905	95
96	0.0018 661 932	0.0013 368 213	0.0009 485 002	0.0006 674 877	96
97	0.0018 085 613	0.0012 899 487	0.0009 111 884	0.0006 383 364	97
98	0.0017 528 070	0.0012 447 758	0.0008 753 757	0.0006 104 754	98
99	0.0016 988 633	0.0012 012 372	0.0008 409 996	0.0005 838 459	99
100	0.0016 466 659	0.0011 592 702	0.0008 080 000	0.0005 583 922	100

F<small>ACTEUR D'ACCUMULATION</small> (<small>TERME DU</small> *Sinking Fund*) $\dfrac{1}{s_{\overline{n}|}} = \dfrac{i}{(1+i)^n - 1}$

n	5 pour cent	5½ pour cent	6 pour cent	6½ pour cent	n
1	1.0000 000 000	1.0000 000 000	1.0000 000 000	1.0000 000 000	1
2	0.4878 048 780	0.4866 180 049	0.4854 368 932	0.4842 615 012	2
3	0.3172 085 646	0.3156 540 747	0.3141 098 128	0.3125 757 019	3
4	0.2320 118 326	0.2302 944 853	0.2285 914 924	0.2269 027 404	4
5	0.1809 747 981	0.1791 764 362	0.1773 964 004	0.1756 345 376	5
6	0.1470 174 681	0.1451 789 476	0.1433 626 285	0.1415 683 122	6
7	0.1228 198 184	0.1209 644 178	0.1191 350 181	0.1173 313 693	7
8	0.1047 218 136	0.1028 640 118	0.1010 359 426	0.0992 372 971	8
9	0.0906 900 800	0.0888 394 585	0.0870 222 350	0.0852 380 329	9
10	0.0795 045 750	0.0776 677 687	0.0758 679 582	0.0741 046 900	10
11	0.0703 888 915	0.0685 706 531	0.0667 929 381	0.0650 552 058	11
12	0.0628 254 100	0.0610 292 312	0.0592 770 294	0.0575 681 661	12
13	0.0564 557 652	0.0546 842 587	0.0529 601 053	0.0512 825 571	13
14	0.0510 239 695	0.0492 791 154	0.0475 849 090	0.0459 404 806	14
15	0.0463 422 876	0.0446 255 976	0.0429 627 640	0.0413 527 830	15
16	0.0422 699 080	0.0405 825 380	0.0389 521 436	0.0373 775 740	16
17	0.0386 991 417	0.0370 419 723	0.0354 448 042	0.0339 063 265	17
18	0.0355 462 223	0.0339 199 163	0.0323 565 406	0.0308 546 103	18
19	0.0327 450 104	0.0311 500 559	0.0296 208 604	0.0281 557 517	19
20	0.0302 425 872	0.0286 793 300	0.0271 845 570	0.0257 563 954	20
21	0.0279 961 071	0.0264 647 754	0.0250 045 467	0.0236 133 343	21
22	0.0259 705 086	0.0244 712 319	0.0230 455 685	0.0216 912 043	22
23	0.0241 368 219	0.0226 696 472	0.0212 784 847	0.0199 607 802	23
24	0.0224 709 008	0.0210 358 037	0.0196 790 050	0.0183 976 975	24
25	0.0209 524 573	0.0195 493 529	0.0182 267 182	0.0169 814 811	25
26	0.0195 643 207	0.0181 930 713	0.0169 043 466	0.0156 947 983	26
27	0.0182 918 599	0.0169 522 817	0.0156 971 663	0.0145 228 776	27
28	0.0171 225 304	0.0158 143 996	0.0145 925 515	0.0134 530 522	28
29	0.0160 455 149	0.0147 685 720	0.0135 796 135	0.0124 743 976	29
30	0.0150 514 351	0.0138 053 897	0.0126 489 115	0.0115 774 422	30
31	0.0141 321 204	0.0129 166 543	0.0117 922 196	0.0107 539 335	31
32	0.0132 804 189	0.0120 951 895	0.0110 023 374	0.0099 966 481	32
33	0.0124 900 437	0.0113 346 865	0.0102 729 350	0.0092 992 365	33
34	0.0117 554 454	0.0106 295 769	0.0095 984 254	0.0086 560 953	34
35	0.0110 717 072	0.0099 749 266	0.0089 738 590	0.0080 622 606	35
36	0.0104 344 571	0.0093 663 488	0.0083 948 348	0.0075 133 205	36
37	0.0098 397 945	0.0087 999 295	0.0078 574 274	0.0070 053 400	37
38	0.0092 842 282	0.0082 721 659	0.0073 581 240	0.0065 347 995	38
39	0.0087 646 242	0.0077 799 139	0.0068 937 724	0.0060 985 416	39
40	0.0082 781 612	0.0073 203 434	0.0064 615 359	0.0056 937 260	40
41	0.0078 222 924	0.0068 909 001	0.0060 588 551	0.0053 177 915	41
42	0.0073 947 131	0.0064 892 731	0.0056 834 152	0.0049 684 229	42
43	0.0069 933 328	0.0061 133 667	0.0053 331 178	0.0046 435 230	43
44	0.0066 162 506	0.0057 612 757	0.0050 060 565	0.0043 411 874	44
45	0.0062 617 347	0.0054 312 651	0.0047 004 958	0.0040 596 841	45
46	0.0059 282 036	0.0051 217 512	0.0044 148 527	0.0037 974 344	46
47	0.0056 142 109	0.0048 312 858	0.0041 476 805	0.0035 529 973	47
48	0.0053 184 306	0.0045 585 424	0.0038 976 549	0.0033 250 549	48
49	0.0050 396 453	0.0043 023 035	0.0036 635 619	0.0031 124 000	49
50	0.0047 767 355	0.0040 614 501	0.0034 442 864	0.0029 139 255	50

TABLE V FACTEUR D'ACCUMULATION (TERME DU *Sinking Fund*) $\dfrac{1}{s_{\overline{n}|}} = \dfrac{i}{(1+i)^n - 1}$

n	5 pour cent	5½ pour cent	6 pour cent	6½ pour cent	n
51	0.0045 286 697	0.0038 349 523	0.0032 388 028	0.0027 286 146	51
52	0.0042 944 966	0.0036 218 603	0.0030 461 669	0.0025 555 319	52
53	0.0040 733 368	0.0034 212 975	0.0028 655 076	0.0023 938 164	53
54	0.0038 643 770	0.0032 324 534	0.0026 960 209	0.0022 426 740	54
55	0.0036 668 637	0.0030 545 778	0.0025 369 634	0.0021 013 722	55
56	0.0034 800 978	0.0028 869 756	0.0023 876 472	0.0019 692 339	56
57	0.0033 034 300	0.0027 290 020	0.0022 474 350	0.0018 456 332	57
58	0.0031 362 568	0.0025 800 578	0.0021 157 359	0.0017 299 909	58
59	0.0029 780 161	0.0024 395 863	0.0019 920 012	0.0016 217 702	59
60	0.0028 281 845	0.0023 070 692	0.0018 757 215	0.0015 204 735	60
61	0.0026 862 736	0.0021 820 238	0.0017 664 228	0.0014 256 393	61
62	0.0025 518 273	0.0020 640 001	0.0016 636 642	0.0013 368 390	62
63	0.0024 244 196	0.0019 525 782	0.0015 670 351	0.0012 536 742	63
64	0.0023 036 520	0.0018 473 659	0.0014 761 528	0.0011 757 748	64
65	0.0021 891 514	0.0017 479 969	0.0013 906 603	0.0011 027 964	65
66	0.0020 805 683	0.0016 541 284	0.0013 102 248	0.0010 344 184	66
67	0.0019 775 751	0.0015 654 398	0.0012 345 351	0.0009 703 424	67
68	0.0018 798 643	0.0014 816 307	0.0011 633 009	0.0009 102 903	68
69	0.0017 871 473	0.0014 024 198	0.0010 962 506	0.0008 540 027	69
70	0.0016 991 530	0.0013 275 431	0.0010 331 302	0.0008 012 380	70
71	0.0016 156 265	0.0012 567 533	0.0009 737 022	0.0007 517 705	71
72	0.0015 363 280	0.0011 898 180	0.0009 177 439	0.0007 053 899	72
73	0.0014 610 318	0.0011 265 191	0.0008 650 472	0.0006 618 995	73
74	0.0013 895 254	0.0010 666 516	0.0008 154 168	0.0006 211 159	74
75	0.0013 216 085	0.0010 100 230	0.0007 686 698	0.0005 828 675	75
76	0.0012 570 925	0.0009 564 521	0.0007 246 347	0.0005 469 940	76
77	0.0011 957 993	0.0009 057 685	0.0006 831 507	0.0005 133 458	77
78	0.0011 375 610	0.0008 578 119	0.0006 440 667	0.0004 817 826	78
79	0.0010 822 189	0.0008 124 313	0.0006 072 411	0.0004 521 735	79
80	0.0010 296 235	0.0007 694 845	0.0005 725 410	0.0004 243 958	80
81	0.0009 796 332	0.0007 288 376	0.0005 398 414	0.0003 983 350	81
82	0.0009 321 143	0.0006 903 644	0.0005 090 251	0.0003 738 836	82
83	0.0008 869 406	0.0006 539 459	0.0004 799 819	0.0003 509 412	83
84	0.0008 439 924	0.0006 194 699	0.0004 526 081	0.0003 294 137	84
85	0.0008 031 567	0.0005 868 307	0.0004 268 066	0.0003 092 130	85
86	0.0007 643 265	0.0005 559 284	0.0004 024 856	0.0002 902 566	86
87	0.0007 274 005	0.0005 266 688	0.0003 795 593	0.0002 724 671	87
88	0.0006 922 828	0.0004 989 631	0.0003 579 467	0.0002 557 723	88
89	0.0006 588 825	0.0004 727 272	0.0003 375 715	0.0002 401 041	89
90	0.0006 271 136	0.0004 478 820	0.0003 183 623	0.0002 253 990	90
91	0.0005 968 946	0.0004 243 525	0.0003 002 516	0.0002 115 975	91
92	0.0005 681 481	0.0004 020 682	0.0002 831 760	0.0001 986 436	92
93	0.0005 408 008	0.0003 809 621	0.0002 670 759	0.0001 864 851	93
94	0.0005 147 832	0.0003 609 712	0.0002 518 949	0.0001 750 727	94
95	0.0004 900 295	0.0003 420 357	0.0002 375 802	0.0001 643 605	95
96	0.0004 664 770	0.0003 240 994	0.0002 240 821	0.0001 543 053	96
97	0.0004 440 666	0.0003 071 089	0.0002 113 535	0.0001 448 666	97
98	0.0004 227 418	0.0002 910 137	0.0001 993 504	0.0001 360 065	98
99	0.0004 024 492	0.0002 757 664	0.0001 880 310	0.0001 276 893	99
100	0.0003 831 381	0.0002 613 216	0.0001 773 563	0.0001 198 817	100

154

Table V Facteur d'accumulation (terme du *Sinking Fund*) $\dfrac{1}{s_{\overline{n}|}} = \dfrac{i}{(1+i)^n - 1}$

n	7 pour cent	7½ pour cent	8 pour cent	8½ pour cent	n
1	1.0000 000 000	1.0000 000 000	1.0000 000 000	1.0000 000 000	1
2	0.4830 917 874	0.4819 277 108	0.4807 692 308	0.4796 163 070	2
3	0.3110 516 657	0.3095 376 282	0.3080 335 140	0.3065 392 485	3
4	0.2252 281 167	0.2235 675 087	0.2219 208 045	0.2202 878 926	4
5	0.1738 906 944	0.1721 647 178	0.1704 564 546	0.1687 657 519	5
6	0.1397 957 998	0.1380 448 912	0.1363 153 862	0.1346 070 840	6
7	0.1155 532 196	0.1138 003 154	0.1120 724 014	0.1103 692 211	7
8	0.0974 677 625	0.0957 270 232	0.0940 147 606	0.0923 306 533	8
9	0.0834 864 701	0.0817 671 595	0.0800 797 092	0.0784 237 233	9
10	0.0723 775 027	0.0706 859 274	0.0690 294 887	0.0674 077 051	10
11	0.0633 569 048	0.0616 974 737	0.0600 763 421	0.0584 929 317	11
12	0.0559 019 887	0.0542 778 314	0.0526 950 169	0.0511 528 581	12
13	0.0496 508 481	0.0480 641 962	0.0465 218 052	0.0450 228 662	13
14	0.0443 449 386	0.0427 973 721	0.0412 968 528	0.0398 424 382	14
15	0.0397 946 247	0.0382 872 363	0.0368 295 449	0.0354 204 614	15
16	0.0358 576 477	0.0343 911 571	0.0329 768 719	0.0316 135 439	16
17	0.0324 251 930	0.0310 000 282	0.0296 294 315	0.0283 119 832	17
18	0.0294 126 017	0.0280 289 578	0.0267 020 959	0.0254 304 127	18
19	0.0267 530 148	0.0254 108 994	0.0241 276 275	0.0229 014 014	19
20	0.0243 929 257	0.0230 921 916	0.0218 522 088	0.0206 709 744	20
21	0.0222 890 017	0.0210 293 742	0.0198 322 503	0.0186 954 120	21
22	0.0204 057 732	0.0191 868 710	0.0180 320 684	0.0169 389 233	22
23	0.0187 139 263	0.0175 352 780	0.0164 221 691	0.0153 719 258	23
24	0.0171 890 207	0.0160 500 795	0.0149 779 616	0.0139 697 546	24
25	0.0158 105 172	0.0147 106 716	0.0136 787 790	0.0127 116 825	25
26	0.0145 610 279	0.0134 996 124	0.0125 071 267	0.0115 801 651	26
27	0.0134 257 340	0.0124 020 369	0.0114 480 962	0.0105 602 540	27
28	0.0123 919 283	0.0114 051 993	0.0104 889 057	0.0096 391 358	28
29	0.0114 486 518	0.0104 981 081	0.0096 165 350	0.0088 057 657	29
30	0.0105 864 035	0.0096 712 358	0.0088 274 334	0.0080 505 753	30
31	0.0097 969 061	0.0089 162 831	0.0081 072 841	0.0073 652 359	31
32	0.0090 729 155	0.0082 259 887	0.0074 508 132	0.0067 424 664	32
33	0.0084 080 653	0.0075 939 728	0.0068 516 324	0.0061 758 763	33
34	0.0077 967 381	0.0070 146 084	0.0063 041 101	0.0056 598 358	34
35	0.0072 339 596	0.0064 829 147	0.0058 032 646	0.0051 893 685	35
36	0.0067 153 097	0.0059 944 680	0.0053 446 741	0.0047 600 615	36
37	0.0062 368 480	0.0055 453 271	0.0049 244 025	0.0043 679 904	37
38	0.0057 950 515	0.0051 319 709	0.0045 389 361	0.0040 096 556	38
39	0.0053 867 616	0.0047 512 443	0.0041 851 297	0.0036 819 284	39
40	0.0050 091 389	0.0044 003 138	0.0038 601 615	0.0033 820 056	40
41	0.0046 596 245	0.0040 766 282	0.0035 614 940	0.0031 073 700	41
42	0.0043 359 073	0.0037 778 858	0.0032 868 407	0.0028 557 568	42
43	0.0040 358 953	0.0035 020 052	0.0030 341 370	0.0026 251 245	43
44	0.0037 576 913	0.0032 471 012	0.0028 015 156	0.0024 136 299	44
45	0.0034 995 710	0.0030 114 630	0.0025 872 845	0.0022 196 061	45
46	0.0032 599 650	0.0027 935 352	0.0023 899 085	0.0020 415 434	46
47	0.0030 374 421	0.0025 919 020	0.0022 079 922	0.0018 780 731	47
48	0.0028 306 953	0.0024 052 724	0.0020 402 660	0.0017 279 519	48
49	0.0026 385 294	0.0022 324 676	0.0018 855 731	0.0015 900 501	49
50	0.0024 598 495	0.0020 724 102	0.0017 428 582	0.0014 633 395	50

TABLE V FACTEUR D'ACCUMULATION (TERME DU *Sinking Fund*) $\dfrac{1}{s_{\overline{n}|}} = \dfrac{i}{(1+i)^n - 1}$

n	7 pour cent	7½ pour cent	8 pour cent	8½ pour cent	n
51	0.0022 936 519	0.0019 241 141	0.0016 111 575	0.0013 468 835	51
52	0.0021 390 147	0.0017 866 757	0.0014 895 903	0.0012 398 282	52
53	0.0019 950 908	0.0016 592 661	0.0013 773 506	0.0011 413 945	53
54	0.0018 611 007	0.0015 411 247	0.0012 737 003	0.0010 508 710	54
55	0.0017 363 264	0.0014 315 521	0.0011 779 629	0.0009 676 075	55
56	0.0016 201 059	0.0013 299 053	0.0010 895 180	0.0008 910 096	56
57	0.0015 118 286	0.0012 355 927	0.0010 077 963	0.0008 205 332	57
58	0.0014 109 304	0.0011 480 689	0.0009 322 748	0.0007 556 803	58
59	0.0013 168 900	0.0010 668 318	0.0008 624 729	0.0006 959 948	59
60	0.0012 292 255	0.0009 914 178	0.0007 979 488	0.0006 410 586	60
61	0.0011 474 906	0.0009 213 993	0.0007 382 960	0.0005 904 885	61
62	0.0010 712 723	0.0008 563 816	0.0006 831 404	0.0005 439 330	62
63	0.0010 001 877	0.0007 959 999	0.0006 321 375	0.0005 010 696	63
64	0.0009 338 819	0.0007 399 172	0.0005 849 701	0.0004 616 021	64
65	0.0008 720 257	0.0006 878 216	0.0005 413 458	0.0004 252 588	65
66	0.0008 143 137	0.0006 394 250	0.0005 009 950	0.0003 917 900	66
67	0.0007 604 621	0.0005 944 603	0.0004 636 692	0.0003 609 665	67
68	0.0007 102 075	0.0005 526 807	0.0004 291 391	0.0003 325 773	68
69	0.0006 633 050	0.0005 138 574	0.0003 971 932	0.0003 064 290	69
70	0.0006 195 272	0.0004 777 785	0.0003 676 362	0.0002 823 433	70
71	0.0005 786 623	0.0004 442 477	0.0003 402 881	0.0002 601 565	71
72	0.0005 405 135	0.0004 130 829	0.0003 149 823	0.0002 397 181	72
73	0.0005 048 978	0.0003 841 156	0.0002 915 653	0.0002 208 896	73
74	0.0004 716 446	0.0003 571 892	0.0002 698 950	0.0002 035 434	74
75	0.0004 405 951	0.0003 321 587	0.0002 498 403	0.0001 875 624	75
76	0.0004 116 017	0.0003 088 894	0.0002 312 801	0.0001 728 387	76
77	0.0003 845 265	0.0002 872 564	0.0002 141 024	0.0001 592 730	77
78	0.0003 592 415	0.0002 671 439	0.0001 982 037	0.0001 467 738	78
79	0.0003 356 270	0.0002 484 442	0.0001 834 883	0.0001 352 571	79
80	0.0003 135 718	0.0002 310 575	0.0001 698 677	0.0001 246 454	80
81	0.0002 929 719	0.0002 148 910	0.0001 572 601	0.0001 148 674	81
82	0.0002 737 305	0.0001 998 586	0.0001 455 900	0.0001 058 573	82
83	0.0002 557 575	0.0001 858 805	0.0001 347 874	0.0000 975 548	83
84	0.0002 389 686	0.0001 728 822	0.0001 247 876	0.0000 899 042	84
85	0.0002 232 853	0.0001 607 948	0.0001 155 307	0.0000 828 541	85
86	0.0002 086 343	0.0001 495 542	0.0001 069 615	0.0000 763 575	86
87	0.0001 949 473	0.0001 391 008	0.0000 990 286	0.0000 703 706	87
88	0.0001 821 605	0.0001 293 793	0.0000 916 847	0.0000 648 535	88
89	0.0001 702 145	0.0001 203 384	0.0000 848 861	0.0000 597 692	89
90	0.0001 590 537	0.0001 119 302	0.0000 785 920	0.0000 550 838	90
91	0.0001 486 262	0.0001 041 102	0.0000 727 651	0.0000 507 659	91
92	0.0001 388 837	0.0000 968 374	0.0000 673 705	0.0000 467 867	92
93	0.0001 297 811	0.0000 900 731	0.0000 623 762	0.0000 431 195	93
94	0.0001 212 760	0.0000 837 820	0.0000 577 524	0.0000 397 399	94
95	0.0001 133 292	0.0000 779 306	0.0000 534 716	0.0000 366 253	95
96	0.0001 059 039	0.0000 724 884	0.0000 495 083	0.0000 337 549	96
97	0.0000 989 658	0.0000 674 265	0.0000 458 389	0.0000 311 095	97
98	0.0000 924 828	0.0000 627 184	0.0000 424 416	0.0000 286 715	98
99	0.0000 864 251	0.0000 583 393	0.0000 392 963	0.0000 264 247	99
100	0.0000 807 646	0.0000 542 661	0.0000 363 841	0.0000 243 540	100

TABLE V   FACTEUR D'ACCUMULATION (TERME DU *Sinking Fund*) $\dfrac{1}{s_{\overline{n}|}} = \dfrac{i}{(1+i)^n - 1}$

n	9 pour cent	9½ pour cent	10 pour cent	10½ pour cent	n
1	1.0000 000 000	1.0000 000 000	1.0000 000 000	1.0000 000 000	1
2	0.4784 688 995	0.4773 269 690	0.4761.904 672	0.4750 593 824	2
3	0.3050 547 573	0.3035 799 668	0.3021 148 036	0.3006 591 953	3
4	0.2186 686 629	0.2170 630 025	0.2154 708 037	0.2138 919 564	4
5	0.1670 924 570	0.1654 364 173	0.1637 974 808	0.1621 754 954	5
6	0.1329 197 833	0.1312 532 826	0.1296 073 804	0.1279 818 746	6
7	0.1086 905 168	0.1070 360 296	0.1054 054 997	0.1037 986 667	7
8	0.0906 743 779	0.0890 456 084	0.0874 440 176	0.0858 692 763	8
9	0.0767 988 021	0.0752 045 426	0.0736 405 391	0.0721 063 831	9
10	0.0658 200 899	0.0642 661 517	0.0627 453 949	0.0612 573 206	10
11	0.0569 466 567	0.0554 369 258	0.0539 631 420	0.0525 247 041	11
12	0.0496 506 585	0.0481 877 142	0.0467 633 151	0.0453 767 456	12
13	0.0435 665 597	0.0421 520 575	0.0407 785 238	0.0394 451 173	13
14	0.0384 331 730	0.0370 680 923	0.0357 462 232	0.0344 665 871	14
15	0.0340 588 826	0.0327 436 950	0.0314 737 769	0.0302 480 015	15
16	0.0302 999 097	0.0290 346 957	0.0278 166 207	0.0266 443 997	16
17	0.0270 462 485	0.0258 307 824	0.0246 641 344	0.0235 448 518	17
18	0.0242 122 907	0.0230 461 037	0.0219 302 222	0.0208 630 182	18
19	0.0217 304 107	0.0206 128 384	0.0195 468 682	0.0185 306 897	19
20	0.0195 464 751	0.0184 766 953	0.0174 596 248	0.0164 932 653	20
21	0.0176 166 348	0.0165 936 973	0.0156 243 898	0.0147 065 219	21
22	0.0159 049 929	0.0149 278 440	0.0140 050 629	0.0131 342 647	22
23	0.0143 818 800	0.0134 493 824	0.0125 718 127	0.0117 465 900	23
24	0.0130 225 607	0.0121 335 107	0.0112 997 763	0.0105 185 815	24
25	0.0118 062 505	0.0109 593 925	0.0101 680 722	0.0094 293 198	25
26	0.0107 153 599	0.0099 093 986	0.0091 590 386	0.0084 611 196	26
27	0.0097 349 054	0.0089 685 169	0.0082 576 423	0.0075 989 359	27
28	0.0088 520 473	0.0081 238 883	0.0074 510 132	0.0068 298 968	28
29	0.0080 557 226	0.0073 644 387	0.0067 280 748	0.0061 429 332	29
30	0.0073 363 514	0.0066 805 844	0.0060 792 483	0.0055 284 815	30
31	0.0066 855 995	0.0060 639 940	0.0054 962 140	0.0049 782 438	31
32	0.0060 961 861	0.0055 073 947	0.0049 717 167	0.0044 849 922	32
33	0.0055 617 255	0.0050 044 141	0.0044 994 063	0.0040 424 091	33
34	0.0050 765 971	0.0045 494 491	0.0040 737 064	0.0036 449 545	34
35	0.0046 358 375	0.0041 375 575	0.0036 897 051	0.0032 877 563	35
36	0.0042 350 500	0.0037 643 673	0.0033 430 638	0.0029 665 187	36
37	0.0038 703 293	0.0034 260 006	0.0030 299 405	0.0026 774 443	37
38	0.0035 381 975	0.0031 190 090	0.0027 469 250	0.0024 171 697	38
39	0.0032 355 500	0.0028 403 196	0.0024 909 840	0.0021 827 092	39
40	0.0029 596 092	0.0025 871 883	0.0022 594 144	0.0019 714 084	40
41	0.0027 078 853	0.0023 571 597	0.0020 498 028	0.0017 809 027	41
42	0.0024 781 420	0.0021 480 333	0.0018 599 911	0.0016 090 833	42
43	0.0022 683 675	0.0019 578 336	0.0016 880 466	0.0014 540 666	43
44	0.0020 767 493	0.0017 847 848	0.0015 322 365	0.0013 141 681	44
45	0.0019 016 514	0.0016 272 880	0.0013 910 047	0.0011 878 796	45
46	0.0017 415 959	0.0014 839 025	0.0012 629 527	0.0010 738 498	46
47	0.0015 952 455	0.0013 533 282	0.0011 468 221	0.0009 708 663	47
48	0.0014 613 892	0.0012 343 905	0.0010 414 797	0.0008 778 407	48
49	0.0013 389 289	0.0011 260 279	0.0009 459 041	0.0007 937 954	49
50	0.0012 268 681	0.0010 272 796	0.0008 591 740	0.0007 178 512	50

TABLE V FACTEUR D'ACCUMULATION (TERME DU *Sinking Fund*) $\dfrac{1}{s_{\overline{n}|}} = \dfrac{i}{(1+i)^n - 1}$

n	9 pour cent	9½ pour cent	10 pour cent	10½ pour cent	n
51	0.0011 243 016	0.0009 372 756	0.0007 804 577	0.0006 492 173	51
52	0.0010 304 065	0.0008 552 274	0.0007 090 040	0.0005 871 820	52
53	0.0009 444 343	0.0007 804 201	0.0006 441 339	0.0005 311 042	53
54	0.0008 657 034	0.0007 122 048	0.0005 852 336	0.0004 804 064	54
55	0.0007 935 930	0.0006 499 926	0.0005 317 476	0.0004 345 680	55
56	0.0007 275 373	0.0005 932 484	0.0004 831 734	0.0003 931 196	56
57	0.0006 670 202	0.0005 414 860	0.0004 390 556	0.0003 556 378	57
58	0.0006 115 709	0.0004 942 633	0.0003 989 822	0.0003 217 406	58
59	0.0005 607 595	0.0004 511 784	0.0003 625 796	0.0002 910 832	59
60	0.0005 141 938	0.0004 118 653	0.0003 295 092	0.0002 633 544	60
61	0.0004 715 150	0.0003 759 913	0.0002 994 641	0.0002 382 730	61
62	0.0004 323 955	0.0003 432 532	0.0002 721 660	0.0002 155 851	62
63	0.0003 965 358	0.0003 133 750	0.0002 473 625	0.0001 950 616	63
64	0.0003 636 620	0.0002 861 053	0.0002 248 244	0.0001 764 952	64
65	0.0003 335 236	0.0002 612 152	0.0002 043 441	0.0001 596 987	65
66	0.0003 058 914	0.0002 384 958	0.0001 857 328	0.0001 445 028	66
67	0.0002 805 556	0.0002 177 569	0.0001 688 195	0.0001 307 547	67
68	0.0002 573 242	0.0001 988 252	0.0001 534 487	0.0001 183 160	68
69	0.0002 360 215	0.0001 815 426	0.0001 394 794	0.0001 070 618	69
70	0.0002 164 866	0.0001 657 648	0.0001 267 834	0.0000 968 792	70
71	0.0001 985 722	0.0001 513 605	0.0001 152 443	0.0000 876 658	71
72	0.0001 821 431	0.0001 382 097	0.0001 047 566	0.0000 793 292	72
73	0.0001 670 758	0.0001 262 029	0.0000 952 242	0.0000 717 860	73
74	0.0001 532 571	0.0001 152 405	0.0000 865 600	0.0000 649 605	74
75	0.0001 405 831	0.0001 052 314	0.0000 786 847	0.0000 587 843	75
76	0.0001 289 587	0.0000 960 925	0.0000 715 264	0.0000 531 957	76
77	0.0001 182 967	0.0000 877 480	0.0000 650 198	0.0000 481 385	77
78	0.0001 085 173	0.0000 801 288	0.0000 591 054	0.0000 435 624	78
79	0.0000 995 472	0.0000 731 716	0.0000 537 293	0.0000 394 214	79
80	0.0000 913 194	0.0000 668 189	0.0000 488 424	0.0000 356 742	80
81	0.0000 837 723	0.0000 610 181	0.0000 444 002	0.0000 322 833	81
82	0.0000 768 494	0.0000 557 212	0.0000 403 622	0.0000 292 148	82
83	0.0000 704 990	0.0000 508 844	0.0000 366 916	0.0000 264 381	83
84	0.0000 646 738	0.0000 464 676	0.0000 333 549	0.0000 239 253	84
85	0.0000 593 303	0.0000 424 343	0.0000 303 217	0.0000 216 514	85
86	0.0000 544 285	0.0000 387 513	0.0000 275 644	0.0000 195 936	86
87	0.0000 499 319	0.0000 353 881	0.0000 250 579	0.0000 177 315	87
88	0.0000 458 070	0.0000 323 168	0.0000 227 794	0.0000 160 463	88
89	0.0000 420 230	0.0000 295 122	0.0000 207 081	0.0000 145 213	89
90	0.0000 385 517	0.0000 269 511	0.0000 188 252	0.0000 131 413	90
91	0.0000 353 673	0.0000 246 122	0.0000 171 135	0.0000 118 924	91
92	0.0000 324 460	0.0000 224 764	0.0000 155 575	0.0000 107 623	92
93	0.0000 297 661	0.0000 205 260	0.0000 141 430	0.0000 097 395	93
94	0.0000 273 076	0.0000 187 449	0.0000 128 571	0.0000 088 140	94
95	0.0000 250 522	0.0000 171 183	0.0000 116 881	0.0000 079 764	95
96	0.0000 229 832	0.0000 156 329	0.0000 106 255	0.0000 072 184	96
97	0.0000 210 850	0.0000 142 764	0.0000 096 594	0.0000 065 324	97
98	0.0000 193 437	0.0000 130 377	0.0000 087 812	0.0000 059 117	98
99	0.0000 177 462	0.0000 119 064	0.0000 079 829	0.0000 053 499	99
100	0.0000 162 806	0.0000 108 733	0.0000 072 571	0.0000 048 415	100

TABLE VI FACTEUR D'AMORTISSEMENT (TERME ÉTABLI SUR LA DETTE) $\dfrac{1}{a_{\overline{n}|}} = \dfrac{i}{1 - v^n}$

n	¼ pour cent	⁷⁄₂₄ pour cent	⅓ pour cent	⁵⁄₁₂ pour cent	n
1	1.0025 000 000	1.0029 166 667	1.0033 333 333	1.0041 666 667	1
2	0.5018 757 803	0.5021 885 618	0.5025 013 866	0.5031 271 656	2
3	0.3350 013 872	0.3352 796 655	0.3355 580 206	0.3361 149 611	3
4	0.2515 644 507	0.2518 255 713	0.2520 867 998	0.2526 095 807	4
5	0.2015 024 969	0.2017 533 978	0.2020 044 370	0.2025 069 300	5
6	0.1681 280 344	0.1683 721 849	0.1686 165 033	0.1691 056 440	6
7	0.1442 892 815	0.1445 286 635	0.1447 682 434	0.1452 479 951	7
8	0.1264 103 464	0.1266 461 995	0.1268 822 794	0.1273 551 193	8
9	0.1125 046 238	0.1127 377 737	0.1129 711 796	0.1134 387 590	9
10	0.1013 801 498	0.1016 111 746	0.1018 424 846	0.1023 059 594	10
11	0.0922 784 019	0.0925 077 222	0.0927 373 567	0.0931 975 677	11
12	0.0846 936 988	0.0849 216 299	0.0851 499 042	0.0856 074 818	12
13	0.0782 759 530	0.0785 027 376	0.0787 298 943	0.0791 853 235	13
14	0.0727 751 024	0.0730 009 309	0.0732 271 606	0.0736 808 226	14
15	0.0680 077 679	0.0682 327 929	0.0684 582 480	0.0689 104 475	15
16	0.0638 364 152	0.0640 607 606	0.0642 855 650	0.0647 365 498	16
17	0.0601 558 711	0.0603 796 389	0.0606 038 946	0.0610 538 686	17
18	0.0568 843 341	0.0571 076 093	0.0573 314 014	0.0577 805 346	18
19	0.0539 572 242	0.0541 800 784	0.0544 034 784	0.0548 519 139	19
20	0.0513 228 772	0.0515 453 714	0.0517 684 401	0.0522 162 996	20
21	0.0489 394 700	0.0491 616 562	0.0493 844 459	0.0498 318 335	21
22	0.0467 727 835	0.0469 947 068	0.0472 172 624	0.0476 642 683	22
23	0.0447 945 496	0.0450 162 493	0.0452 386 099	0.0456 853 124	23
24	0.0429 812 120	0.0432 027 221	0.0434 249 222	0.0438 713 897	24
25	0.0413 129 829	0.0415 343 338	0.0417 564 033	0.0422 026 963	25
26	0.0397 731 192	0.0399 943 374	0.0402 163 032	0.0406 624 748	26
27	0.0383 473 580	0.0385 684 673	0.0387 903 529	0.0392 364 505	27
28	0.0370 234 738	0.0372 444 956	0.0374 663 222	0.0379 123 882	28
29	0.0357 909 281	0.0360 118 810	0.0362 336 677	0.0366 797 400	29
30	0.0346 405 867	0.0348 614 879	0.0350 832 517	0.0355 293 644	30
31	0.0335 644 944	0.0337 853 593	0.0340 071 157	0.0344 532 995	31
32	0.0325 556 903	0.0327 765 330	0.0329 982 959	0.0334 445 789	32
33	0.0316 080 574	0.0318 288 906	0.0320 506 726	0.0324 970 801	33
34	0.0307 161 982	0.0309 370 334	0.0311 588 462	0.0316 054 014	34
35	0.0298 753 321	0.0300 961 799	0.0303 180 341	0.0307 647 580	35
36	0.0290 812 096	0.0293 020 797	0.0295 239 850	0.0299 708 971	36
37	0.0283 300 408	0.0285 509 421	0.0287 729 074	0.0292 200 255	37
38	0.0276 184 345	0.0278 393 753	0.0280 614 088	0.0285 087 492	38
39	0.0269 433 475	0.0271 643 354	0.0273 864 446	0.0278 340 225	39
40	0.0263 020 409	0.0265 230 828	0.0267 452 748	0.0271 931 041	40
41	0.0256 920 428	0.0259 131 453	0.0261 354 265	0.0265 835 203	41
42	0.0251 111 170	0.0253 322 861	0.0255 546 626	0.0260 030 328	42
43	0.0245 572 352	0.0247 784 764	0.0250 009 539	0.0254 496 117	43
44	0.0240 285 535	0.0242 498 721	0.0244 724 556	0.0249 214 115	44
45	0.0235 233 918	0.0237 447 927	0.0239 674 872	0.0244 167 508	45
46	0.0230 402 162	0.0232 617 040	0.0234 845 141	0.0239 340 944	46
47	0.0225 776 234	0.0227 992 024	0.0230 221 322	0.0234 720 379	47
48	0.0221 343 270	0.0223 560 011	0.0225 790 546	0.0230 292 936	48
49	0.0217 091 455	0.0219 309 184	0.0221 540 995	0.0226 046 792	49
50	0.0213 009 920	0.0215 228 673	0.0217 461 795	0.0221 971 069	50

TABLE VI   FACTEUR D'AMORTISSEMENT (TERME ÉTABLI SUR LA DETTE) $\dfrac{1}{a_{\overline{n}|}} = \dfrac{i}{1 - v^n}$

n	¼ pour cent	⁷⁄₂₄ pour cent	⅓ pour cent	⁵⁄₁₂ pour cent	n
51	0.0209 088 649	0.0211 308 460	0.0213 542 925	0.0218 055 741	51
52	0.0205 318 396	0.0207 539 295	0.0209 775 135	0.0214 291 557	52
53	0.0201 690 613	0.0203 912 630	0.0206 149 874	0.0210 669 959	53
54	0.0198 197 384	0.0200 420 547	0.0202 659 223	0.0207 183 026	54
55	0.0194 831 371	0.0197 055 706	0.0199 295 839	0.0203 823 414	55
56	0.0191 585 758	0.0193 811 289	0.0196 052 907	0.0200 584 300	56
57	0.0188 454 208	0.0190 680 960	0.0192 924 083	0.0197 459 344	57
58	0.0185 430 822	0.0187 658 877	0.0189 903 468	0.0194 442 639	58
59	0.0182 510 099	0.0184 739 358	0.0186 985 559	0.0191 528 683	59
60	0.0179 686 907	0.0181 917 450	0.0184 165 220	0.0188 712 336	60
61	0.0176 956 448	0.0179 188 294	0.0181 437 654	0.0185 988 800	61
62	0.0174 314 237	0.0176 547 404	0.0178 798 371	0.0183 353 582	62
63	0.0171 756 069	0.0173 990 576	0.0176 243 166	0.0180 802 477	63
64	0.0169 278 007	0.0171 513 869	0.0173 768 099	0.0178 331 542	64
65	0.0166 876 352	0.0169 113 585	0.0171 369 472	0.0175 937 077	65
66	0.0164 547 632	0.0166 786 251	0.0169 043 808	0.0173 615 606	66
67	0.0162 288 581	0.0164 528 600	0.0166 787 842	0.0171 363 860	67
68	0.0160 096 125	0.0162 337 558	0.0164 598 499	0.0169 178 766	68
69	0.0157 967 369	0.0160 210 229	0.0162 472 881	0.0167 057 419	69
70	0.0155 899 583	0.0158 143 882	0.0160 408 259	0.0164 997 092	70
71	0.0153 890 190	0.0156 135 940	0.0158 402 052	0.0162 995 207	71
72	0.0151 936 758	0.0154 183 971	0.0156 451 831	0.0161 049 327	72
73	0.0150 036 987	0.0152 285 673	0.0154 555 291	0.0159 157 150	73
74	0.0148 188 701	0.0150 438 871	0.0152 710 257	0.0157 316 500	74
75	0.0146 389 840	0.0148 641 505	0.0150 914 670	0.0155 525 316	75
76	0.0144 638 455	0.0146 891 624	0.0149 166 576	0.0153 781 644	76
77	0.0142 932 695	0.0145 187 377	0.0147 464 126	0.0152 083 634	77
78	0.0141 270 805	0.0143 527 009	0.0145 805 564	0.0150 429 529	78
79	0.0139 651 119	0.0141 908 854	0.0144 189 224	0.0148 817 662	79
80	0.0138 072 055	0.0140 331 329	0.0142 613 521	0.0147 246 448	80
81	0.0136 532 108	0.0138 792 929	0.0141 076 952	0.0145 714 382	81
82	0.0135 029 848	0.0137 292 223	0.0139 578 083	0.0144 220 032	82
83	0.0133 563 911	0.0135 827 848	0.0138 115 553	0.0142 762 035	83
84	0.0132 133 001	0.0134 398 506	0.0136 688 063	0.0141 339 091	84
85	0.0130 735 881	0.0133 002 962	0.0135 294 378	0.0139 949 964	85
86	0.0129 371 372	0.0131 640 036	0.0133 933 316	0.0138 593 473	86
87	0.0128 038 351	0.0130 308 603	0.0132 603 755	0.0137 268 494	87
88	0.0126 735 743	0.0129 007 590	0.0131 304 619	0.0135 973 952	88
89	0.0125 462 524	0.0127 735 971	0.0130 034 883	0.0134 708 821	89
90	0.0124 217 714	0.0126 492 767	0.0128 793 567	0.0133 472 121	90
91	0.0123 000 375	0.0125 277 040	0.0127 579 733	0.0132 262 914	91
92	0.0121 809 614	0.0124 087 895	0.0126 392 487	0.0131 080 303	92
93	0.0120 644 571	0.0122 924 474	0.0125 230 970	0.0129 923 431	93
94	0.0119 504 426	0.0121 785 956	0.0124 094 361	0.0128 791 475	94
95	0.0118 388 393	0.0120 671 555	0.0122 981 873	0.0127 683 650	95
96	0.0117 295 719	0.0119 580 517	0.0121 892 753	0.0126 599 200	96
97	0.0116 225 681	0.0118 512 120	0.0120 826 277	0.0125 537 403	97
98	0.0115 177 586	0.0117 465 670	0.0119 781 753	0.0124 497 566	98
99	0.0114 150 769	0.0116 440 502	0.0118 758 516	0.0123 479 022	99
100	0.0118 144 592	0.0115 435 977	0.0117 755 925	0.0122 481 133	100

TABLE VI FACTEUR D'AMORTISSEMENT (TERME ÉTABLI SUR LA DETTE) $\dfrac{1}{a_{\overline{n}|}} = \dfrac{i}{1 - v^n}$

n	¼ pour cent	⁷/₂₄ pour cent	⅓ pour cent	⁵/₁₂ pour cent	n
101	0.0112 158 441	0.0114 451 484	0.0116 773 370	0.0121 503 285	101
102	0.0111 191 728	0.0113 486 432	0.0115 810 259	0.0120 544 888	102
103	0.0110 243 887	0.0112 540 254	0.0114 866 026	0.0119 605 377	103
104	0.0109 314 372	0.0111 612 408	0.0113 940 128	0.0118 684 206	104
105	0.0108 402 661	0.0110 702 368	0.0113 032 040	0.0117 780 851	105
106	0.0107 508 250	0.0109 809 632	0.0112 141 258	0.0116 894 807	106
107	0.0106 630 653	0.0108 933 713	0.0111 267 297	0.0116 025 590	107
108	0.0105 769 404	0.0108 074 144	0.0110 409 689	0.0115 172 732	108
109	0.0104 924 052	0.0107 230 476	0.0109 567 985	0.0114 335 782	109
110	0.0104 094 164	0.0106 402 275	0.0108 741 750	0.0113 514 306	110
111	0.0103 279 322	0.0105 589 123	0.0107 930 566	0.0112 707 886	111
112	0.0102 479 123	0.0104 790 616	0.0107 134 031	0.0111 916 120	112
113	0.0101 693 177	0.0104 006 366	0.0106 351 756	0.0111 138 616	113
114	0.0100 921 112	0.0103 235 998	0.0105 583 364	0.0110 375 002	114
115	0.0100 162 563	0.0102 479 149	0.0104 828 494	0.0109 624 912	115
116	0.0099 417 181	0.0101 735 470	0.0104 086 796	0.0108 887 999	116
117	0.0098 684 629	0.0101 004 624	0.0103 357 932	0.0108 163 924	117
118	0.0097 964 581	0.0100 286 283	0.0102 641 577	0.0107 452 360	118
119	0.0097 256 721	0.0099 580 132	0.0101 937 414	0.0106 752 992	119
120	0.0096 560 745	0.0098 885 867	0.0101 245 138	0.0106 065 515	120
121	0.0095 876 357	0.0098 203 194	0.0100 564 456	0.0105 389 634	121
122	0.0095 203 274	0.0097 531 826	0.0099 895 081	0.0104 725 064	122
123	0.0094 541 219	0.0096 871 489	0.0099 236 739	0.0104 071 529	123
124	0.0093 889 925	0.0096 221 914	0.0098 589 161	0.0103 428 761	124
125	0.0093 249 134	0.0095 582 845	0.0097 952 090	0.0102 796 503	125
126	0.0092 618 597	0.0094 954 031	0.0097 325 276	0.0102 174 504	126
127	0.0091 998 070	0.0094 335 229	0.0096 708 475	0.0101 562 520	127
128	0.0091 387 320	0.0093 726 205	0.0096 101 454	0.0100 960 319	128
129	0.0090 786 118	0.0093 126 732	0.0095 503 985	0.0100 367 672	129
130	0.0090 194 245	0.0092 536 588	0.0094 915 848	0.0099 784 358	130
131	0.0089 611 486	0.0091 955 561	0.0094 336 828	0.0099 210 164	131
132	0.0089 037 644	0.0091 383 444	0.0093 766 719	0.0098 644 882	132
133	0.0088 472 491	0.0090 820 034	0.0093 205 319	0.0098 088 312	133
134	0.0087 915 859	0.0090 265 137	0.0092 652 433	0.0097 540 257	134
135	0.0087 367 549	0.0089 718 565	0.0092 107 873	0.0097 000 529	135
136	0.0086 827 379	0.0089 180 133	0.0091 571 454	0.0096 468 944	136
137	0.0086 295 169	0.0088 649 672	0.0091 042 998	0.0095 945 324	137
138	0.0085 770 747	0.0088 126 981	0.0090 522 332	0.0095 429 495	138
139	0.0085 253 944	0.0087 611 921	0.0090 009 288	0.0094 921 288	139
140	0.0084 744 598	0.0087 104 318	0.0089 503 703	0.0094 420 542	140
141	0.0084 242 549	0.0086 604 014	0.0089 005 417	0.0093 927 096	141
142	0.0083 747 644	0.0086 110 854	0.0088 514 277	0.0093 440 797	142
143	0.0083 259 733	0.0085 624 690	0.0088 030 132	0.0092 961 494	143
144	0.0082 778 669	0.0085 145 374	0.0087 552 837	0.0092 489 041	144
145	0.0082 304 311	0.0084 672 765	0.0087 082 250	0.0092 023 298	145
146	0.0081 836 522	0.0084 206 725	0.0086 618 233	0.0091 564 125	146
147	0.0081 375 168	0.0083 747 121	0.0086 160 652	0.0091 111 389	147
148	0.0080 920 117	0.0083 293 822	0.0085 709 377	0.0090 664 958	148
149	0.0080 471 243	0.0082 846 700	0.0085 264 280	0.0090 224 707	149
150	0.0080 028 422	0.0082 405 633	0.0084 825 238	0.0089 790 511	150

Table VI   Facteur d'amortissement (terme établi sur la dette) $\dfrac{1}{a_{\overline{n|}}} = \dfrac{i}{1 - v^n}$

n	¼ pour cent	⁷/24 pour cent	⅓ pour cent	⁵/12 pour cent	n
151	0.0079 591 535	0.0081 970 500	0.0084 392 130	0.0089 362 250	151
152	0.0079 160 463	0.0081 541 183	0.0083 964 840	0.0088 939 807	152
153	0.0078 735 094	0.0081 117 570	0.0083 543 253	0.0088 523 067	153
154	0.0078 315 315	0.0080 699 547	0.0083 127 259	0.0088 111 919	154
155	0.0077 901 019	0.0080 287 008	0.0082 716 748	0.0087 706 255	155
156	0.0077 492 100	0.0079 879 848	0.0082 311 616	0.0087 305 970	156
157	0.0077 088 456	0.0079 477 962	0.0081 911 759	0.0086 910 960	157
158	0.0076 689 986	0.0079 081 251	0.0081 517 077	0.0086 521 126	158
159	0.0076 296 592	0.0078 689 617	0.0081 127 473	0.0086 136 369	159
160	0.0075 908 180	0.0078 302 965	0.0080 742 852	0.0085 756 595	160
161	0.0075 524 657	0.0077 921 203	0.0080 363 120	0.0085 381 709	161
162	0.0075 145 931	0.0077 544 239	0.0079 988 187	0.0085 011 623	162
163	0.0074 771 916	0.0077 171 985	0.0079 617 965	0.0084 646 246	163
164	0.0074 402 524	0.0076 804 356	0.0079 252 367	0.0084 285 494	164
165	0.0074 037 671	0.0076 441 266	0.0078 891 309	0.0083 929 281	165
166	0.0073 677 276	0.0076 082 635	0.0078 534 709	0.0083 577 526	166
167	0.0073 321 258	0.0075 728 381	0.0078 182 488	0.0083 230 149	167
168	0.0072 969 539	0.0075 378 427	0.0077 834 566	0.0082 887 071	168
169	0.0072 622 043	0.0075 032 696	0.0077 490 868	0.0082 548 216	169
170	0.0072 278 696	0.0074 691 114	0.0077 151 318	0.0082 213 509	170
171	0.0071 939 424	0.0074 353 607	0.0076 815 845	0.0081 882 877	171
172	0.0071 604 156	0.0074 020 106	0.0076 484 377	0.0081 556 250	172
173	0.0071 272 823	0.0073 690 540	0.0076 156 844	0.0081 233 557	173
174	0.0070 945 358	0.0073 364 841	0.0075 833 178	0.0080 914 731	174
175	0.0070 621 693	0.0073 042 943	0.0075 513 314	0.0080 599 706	175
176	0.0070 301 764	0.0072 724 782	0.0075 197 189	0.0080 288 415	176
177	0.0069 985 508	0.0072 410 294	0.0074 884 732	0.0079 980 797	177
178	0.0069 672 863	0.0072 099 416	0.0074 575 888	0.0079 676 789	178
179	0.0069 363 768	0.0071 792 090	0.0074 270 595	0.0079 376 331	179
180	0.0069 058 164	0.0071 488 254	0.0073 968 793	0.0079 079 363	180
181	0.0068 755 993	0.0071 187 852	0.0073 670 424	0.0078 785 827	181
182	0.0068 457 199	0.0070 890 827	0.0073 375 432	0.0078 495 666	182
183	0.0068 161 726	0.0070 597 123	0.0073 083 762	0.0078 208 826	183
184	0.0067 869 520	0.0070 306 686	0.0072 795 358	0.0077 925 252	184
185	0.0067 580 528	0.0070 019 464	0.0072 510 169	0.0077 644 891	185
186	0.0067 294 698	0.0069 735 403	0.0072 228 142	0.0077 367 691	186
187	0.0067 011 980	0.0069 454 455	0.0071 949 227	0.0077 093 601	187
188	0.0066 732 323	0.0069 176 568	0.0071 673 373	0.0076 822 571	188
189	0.0066 455 680	0.0068 901 695	0.0071 400 533	0.0076 554 553	189
190	0.0066 182 002	0.0068 629 787	0.0071 130 658	0.0076 289 500	190
191	0.0065 911 243	0.0068 360 799	0.0070 863 702	0.0076 027 364	191
192	0.0065 643 358	0.0068 094 684	0.0070 599 619	0.0075 768 100	192
193	0.0065 378 301	0.0067 831 398	0.0070 338 365	0.0075 511 663	193
194	0.0065 116 029	0.0067 570 896	0.0070 079 896	0.0075 258 009	194
195	0.0064 856 499	0.0067 313 137	0.0069 824 168	0.0075 007 095	195
196	0.0064 599 670	0.0067 058 078	0.0069 571 141	0.0074 758 880	196
197	0.0064 345 499	0.0066 805 678	0.0069 320 772	0.0074 513 322	197
198	0.0064 093 947	0.0066 555 897	0.0069 073 022	0.0074 270 381	198
199	0.0063 844 974	0.0066 308 695	0.0068 827 851	0.0074 030 017	199
200	0.0063 598 542	0.0066 064 033	0.0068 585 219	0.0073 792 192	200

TABLE VI   FACTEUR D'AMORTISSEMENT (TERME ÉTABLI SUR LA DETTE) $\dfrac{1}{a_{\overline{n}|}} = \dfrac{i}{1 - v^n}$

n	¼ pour cent	$\frac{7}{24}$ pour cent	⅓ pour cent	$\frac{5}{12}$ pour cent	n
201	0.0063 354 612	0.0065 821 874	0.0068 345 091	0.0073 556 867	201
202	0.0063 113 148	0.0065 582 180	0.0068 107 427	0.0073 324 006	202
203	0.0062 874 113	0.0065 344 916	0.0067 872 191	0.0073 093 571	203
204	0.0062 637 470	0.0065 110 044	0.0067 639 349	0.0072 865 528	204
205	0.0062 403 186	0.0064 877 530	0.0067 408 864	0.0072 639 840	205
206	0.0062 171 226	0.0064 647 341	0.0067 180 703	0.0072 416 474	206
207	0.0061 941 556	0.0064 419 441	0.0066 954 831	0.0072 195 395	207
208	0.0061 714 143	0.0064 193 798	0.0066 731 216	0.0071 976 572	208
209	0.0061 488 954	0.0063 970 380	0.0066 509 826	0.0071 759 972	209
210	0.0061 265 959	0.0063 749 154	0.0066 290 627	0.0071 545 560	210
211	0.0061 045 125	0.0063 530 090	0.0066 073 590	0.0071 333 308	211
212	0.0060 826 422	0.0063 313 157	0.0065 858 683	0.0071 123 185	212
213	0.0060 609 820	0.0063 098 325	0.0065 645 877	0.0070 915 160	213
214	0.0060 395 290	0.0062 885 565	0.0065 435 142	0.0070 709 205	214
215	0.0060 182 802	0.0062 674 847	0.0065 226 449	0.0070 505 289	215
216	0.0059 972 329	0.0062 466 143	0.0065 019 770	0.0070 303 385	216
217	0.0059 763 842	0.0062 259 425	0.0064 815 076	0.0070 103 465	217
218	0.0059 557 314	0.0062 054 666	0.0064 612 341	0.0069 905 501	218
219	0.0059 352 719	0.0061 851 839	0.0064 411 537	0.0069 709 466	219
220	0.0059 150 029	0.0061 650 918	0.0064 212 639	0.0069 515 335	220
221	0.0058 949 219	0.0061 451 877	0.0064 015 620	0.0069 323 080	221
222	0.0058 750 264	0.0061 254 690	0.0063 820 455	0.0069 132 678	222
223	0.0058 553 139	0.0061 059 333	0.0063 627 178	0.0068 944 101	223
224	0.0058 357 818	0.0060 865 780	0.0063 435 586	0.0068 757 327	224
225	0.0058 164 279	0.0060 674 008	0.0063 245 835	0.0068 572 331	225
226	0.0057 972 497	0.0060 483 993	0.0063 057 840	0.0068 389 089	226
227	0.0057 782 448	0.0060 295 712	0.0062 871 578	0.0068 207 578	227
228	0.0057 594 112	0.0060 109 142	0.0062 687 027	0.0068 027 775	228
229	0.0057 407 464	0.0059 924 261	0.0062 504 163	0.0067 849 658	229
230	0.0057 222 483	0.0059 741 046	0.0062 322 966	0.0067 673 205	230
231	0.0057 039 147	0.0059 559 477	0.0062 143 413	0.0067 498 393	231
232	0.0056 857 435	0.0059 379 530	0.0061 965 483	0.0067 325 202	232
233	0.0056 677 326	0.0059 201 187	0.0061 789 155	0.0067 153 611	233
234	0.0056 498 799	0.0059 024 425	0.0061 614 409	0.0066 983 599	234
235	0.0056 321 834	0.0058 849 226	0.0061 441 224	0.0066 815 145	235
236	0.0056 146 412	0.0058 675 568	0.0061 269 580	0.0066 648 230	236
237	0.0055 972 512	0.0058 503 433	0.0061 099 458	0.0066 482 835	237
238	0.0055 800 116	0.0058 332 801	0.0060 930 839	0.0066 318 940	238
239	0.0055 629 205	0.0058 163 654	0.0060 763 703	0.0066 156 526	239
240	0.0055 459 760	0.0057 995 972	0.0060 598 033	0.0065 995 574	240
241	0.0055 291 762	0.0057 829 738	0.0060 433 809	0.0065 836 067	241
242	0.0055 125 195	0.0057 664 933	0.0060 271 015	0.0065 677 985	242
243	0.0054 960 040	0.0057 501 540	0.0060 109 631	0.0065 521 313	243
244	0.0054 796 279	0.0057 339 542	0.0059 949 642	0.0065 366 032	244
245	0.0054 633 896	0.0057 178 921	0.0059 791 029	0.0065 212 124	245
246	0.0054 472 875	0.0057 019 660	0.0059 633 776	0.0065 059 574	246
247	0.0054 313 197	0.0056 861 744	0.0059 477 866	0.0064 908 365	247
248	0.0054 154 848	0.0056 705 155	0.0059 323 283	0.0064 758 480	248
249	0.0053 997 811	0.0056 549 878	0.0059 170 012	0.0064 609 903	249
250	0.0053 842 070	0.0056 395 897	0.0059 018 035	0.0064 462 618	250

				$$\dfrac{1}{a_{\overline{n}|}} = \dfrac{i}{1 - v^n}$$	

TABLE VI FACTEUR D'AMORTISSEMENT (TERME ÉTABLI SUR LA DETTE)

n	¼ pour cent	⁷⁄₂₄ pour cent	⅓ pour cent	⁵⁄₁₂ pour cent	n
251	0.0053 687 610	0.0056 243 197	0.0058 867 338	0.0064 316 611	251
252	0.0053 534 415	0.0056 091 761	0.0058 717 906	0.0064 171 865	252
253	0.0053 382 471	0.0055 941 576	0.0058 569 723	0.0064 028 366	253
254	0.0053 231 763	0.0055 792 626	0.0058 422 775	0.0063 886 098	254
255	0.0053 082 276	0.0055 644 897	0.0058 277 047	0.0063 745 048	255
256	0.0052 934 000	0.0055 498 375	0.0058 132 525	0.0063 605 201	256
257	0.0052 786 909	0.0055 353 045	0.0057 989 194	0.0063 466 542	257
258	0.0052 641 001	0.0055 208 893	0.0057 847 041	0.0063 329 059	258
259	0.0052 496 258	0.0055 065 906	0.0057 706 052	0.0063 192 736	259
260	0.0052 352 667	0.0054 924 071	0.0057 566 214	0.0063 057 561	260
261	0.0052 210 214	0.0054 783 373	0.0057 427 513	0.0062 923 521	261
262	0.0052 068 887	0.0054 643 801	0.0057 289 936	0.0062 790 601	262
263	0.0051 928 672	0.0054 505 341	0.0057 153 470	0.0062 658 791	263
264	0.0051 789 557	0.0054 367 980	0.0057 018 104	0.0062 528 075	264
265	0.0051 651 530	0.0054 231 707	0.0056 883 823	0.0062 398 444	265
266	0.0051 514 578	0.0054 096 508	0.0056 750 617	0.0062 269 883	266
267	0.0051 378 690	0.0053 962 318	0.0056 618 472	0.0062 142 381	267
268	0.0051 243 852	0.0053 829 286	0.0056 487 378	0.0062 015 926	268
269	0.0051 110 054	0.0053 697 240	0.0056 357 321	0.0061 890 506	269
270	0.0050 977 284	0.0053 566 221	0.0056 228 291	0.0061 766 109	270
271	0.0050 845 531	0.0053 436 218	0.0056 100 277	0.0061 642 725	271
272	0.0050 714 783	0.0053 307 220	0.0055 973 266	0.0061 520 341	272
273	0.0050 585 029	0.0053 179 216	0.0055 847 248	0.0061 398 948	273
274	0.0050 456 258	0.0053 052 195	0.0055 722 213	0.0061 278 533	274
275	0.0050 328 460	0.0052 926 146	0.0055 598 148	0.0061 159 086	275
276	0.0050 201 624	0.0052 801 058	0.0055 475 044	0.0061 040 597	276
277	0.0050 075 740	0.0052 676 921	0.0055 352 891	0.0060 923 055	277
278	0.0049 950 797	0.0052 553 725	0.0055 231 677	0.0060 806 450	278
279	0.0049 826 785	0.0052 431 460	0.0055 111 393	0.0060 690 771	279
280	0.0049 703 695	0.0052 310 116	0.0054 992 029	0.0060 576 008	280
281	0.0049 581 515	0.0052 189 682	0.0054 873 575	0.0060 462 153	281
282	0.0049 460 238	0.0052 070 149	0.0054 756 021	0.0060 349 194	282
283	0.0049 339 852	0.0051 951 508	0.0054 639 358	0.0060 237 123	283
284	0.0049 220 350	0.0051 833 745	0.0054 523 575	0.0060 125 930	284
285	0.0049 101 720	0.0051 716 863	0.0054 408 665	0.0060 015 605	285
286	0.0048 983 955	0.0051 600 841	0.0054 294 618	0.0059 906 140	286
287	0.0048 867 044	0.0051 485 673	0.0054 181 424	0.0059 797 525	287
288	0.0048 750 980	0.0051 371 351	0.0054 069 075	0.0059 689 751	288
289	0.0048 635 754	0.0051 257 865	0.0053 957 561	0.0059 582 810	289
290	0.0048 521 356	0.0051 145 208	0.0053 846 875	0.0059 476 693	290
291	0.0048 407 778	0.0051 033 370	0.0053 737 008	0.0059 371 391	291
292	0.0048 295 012	0.0050 922 344	0.0053 627 951	0.0059 266 896	292
293	0.0048 183 050	0.0050 812 120	0.0053 519 695	0.0059 163 200	293
294	0.0048 071 882	0.0050 702 691	0.0053 412 234	0.0059 060 293	294
295	0.0047 961 502	0.0050 594 048	0.0053 305 558	0.0058 958 169	295
296	0.0047 851 901	0.0050 486 184	0.0053 199 659	0.0058 856 819	296
297	0.0047 743 071	0.0050 379 091	0.0053 094 530	0.0058 756 236	297
298	0.0047 635 005	0.0050 272 760	0.0052 990 163	0.0058 656 410	298
299	0.0047 527 694	0.0050 167 185	0.0052 886 550	0.0058 557 336	299
300	0.0047 421 131	0.0050 062 357	0.0052 783 684	0.0058 459 004	300

TABLE VI FACTEUR D'AMORTISSEMENT (TERME ÉTABLI SUR LA DETTE) $\dfrac{1}{a_{\overline{n}|}} = \dfrac{i}{1 - v^n}$

n	½ pour cent	⁷⁄₁₂ pour cent	⅔ pour cent	¾ pour cent	n
1	1.0050 000 000	1.0058 333 333	1.0066 666 667	1.0075 000 000	1
2	0.5037 531 172	0.5043 792 411	0.5050 055 371	0.5056 320 051	2
3	0.3366 722 084	0.3372 297 619	0.3377 876 215	0.3383 457 867	3
4	0.2531 327 930	0.2536 564 360	0.2541 805 093	0.2547 050 123	4
5	0.2030 099 750	0.2035 135 714	0.2040 177 184	0.2045 224 155	5
6	0.1695 954 556	0.1700 859 373	0.1705 770 882	0.1710 689 074	6
7	0.1457 285 355	0.1462 098 636	0.1466 919 783	0.1471 748 786	7
8	0.1278 288 649	0.1283 035 150	0.1287 790 685	0.1292 555 241	8
9	0.1139 073 606	0.1143 769 832	0.1148 476 254	0.1153 192 858	9
10	0.1027 705 727	0.1032 363 231	0.1037 032 089	0.1041 712 287	10
11	0.0936 590 331	0.0941 217 514	0.0945 857 209	0.0950 509 398	11
12	0.0860 664 297	0.0865 267 461	0.0869 884 291	0.0874 514 768	12
13	0.0796 422 387	0.0801 006 379	0.0805 605 190	0.0810 218 798	13
14	0.0741 360 861	0.0745 929 488	0.0750 514 087	0.0755 114 632	14
15	0.0693 643 640	0.0698 199 950	0.0702 773 382	0.0707 363 908	15
16	0.0651 893 669	0.0656 440 136	0.0661 004 874	0.0665 587 855	16
17	0.0615 057 930	0.0619 596 565	0.0624 154 647	0.0628 732 118	17
18	0.0582 317 305	0.0586 849 863	0.0591 402 986	0.0595 976 643	18
19	0.0553 025 273	0.0557 553 154	0.0562 102 748	0.0566 674 020	19
20	0.0526 664 521	0.0531 188 940	0.0535 736 220	0.0540 306 319	20
21	0.0502 816 293	0.0507 338 294	0.0511 884 299	0.0516 454 266	21
22	0.0481 137 973	0.0485 658 455	0.0490 204 083	0.0494 774 817	22
23	0.0461 346 530	0.0465 866 272	0.0470 412 307	0.0474 984 587	23
24	0.0443 206 103	0.0447 725 791	0.0452 272 915	0.0456 847 423	24
25	0.0426 518 570	0.0431 038 806	0.0435 587 619	0.0440 164 956	25
26	0.0411 116 289	0.0415 637 605	0.0420 188 640	0.0424 769 335	26
27	0.0396 856 456	0.0401 379 324	0.0405 933 052	0.0410 517 578	27
28	0.0383 616 663	0.0388 141 506	0.0392 698 348	0.0397 287 125	28
29	0.0371 291 390	0.0375 818 585	0.0380 378 920	0.0384 972 323	29
30	0.0359 789 184	0.0364 319 072	0.0368 883 238	0.0373 481 608	30
31	0.0349 030 394	0.0353 563 282	0.0358 131 586	0.0362 735 226	31
32	0.0338 945 324	0.0343 481 491	0.0348 054 209	0.0352 663 397	32
33	0.0329 472 727	0.0334 012 424	0.0338 589 810	0.0343 204 795	33
34	0.0320 558 560	0.0325 102 018	0.0329 684 300	0.0334 305 313	34
35	0.0312 154 958	0.0316 702 388	0.0321 289 777	0.0325 917 023	35
36	0.0304 219 375	0.0308 770 969	0.0313 363 655	0.0317 997 327	36
37	0.0296 713 861	0.0301 269 796	0.0305 867 956	0.0310 508 228	37
38	0.0289 604 464	0.0294 164 903	0.0298 768 698	0.0303 415 732	38
39	0.0282 860 714	0.0287 425 807	0.0292 035 386	0.0296 689 329	39
40	0.0276 455 186	0.0281 025 071	0.0285 640 573	0.0290 301 561	40
41	0.0270 363 133	0.0274 937 939	0.0279 559 491	0.0284 227 650	41
42	0.0264 562 164	0.0269 142 009	0.0273 769 728	0.0278 445 175	42
43	0.0259 031 969	0.0263 616 963	0.0268 250 960	0.0272 933 804	43
44	0.0253 754 086	0.0258 344 334	0.0262 984 710	0.0267 675 051	44
45	0.0248 711 696	0.0253 307 293	0.0257 954 142	0.0262 652 073	45
46	0.0243 889 439	0.0248 490 474	0.0253 143 885	0.0257 849 493	46
47	0.0239 273 264	0.0243 879 820	0.0248 539 876	0.0253 253 242	47
48	0.0234 850 290	0.0239 462 447	0.0244 129 223	0.0248 850 424	48
49	0.0230 608 690	0.0235 226 519	0.0239 900 089	0.0244 629 194	49
50	0.0226 537 580	0.0231 161 151	0.0235 841 582	0.0240 578 657	50

TABLE VI		FACTEUR D'AMORTISSEMENT (TERME ÉTABLI SUR LA DETTE)		$\dfrac{1}{a_{\overline{n}\rceil}} = \dfrac{i}{1 - v^n}$	

n	½ pour cent	7/12 pour cent	⅔ pour cent	¾ pour cent	n
51	0.0222 626 931	0.0227 256 308	0.0231 943 663	0.0236 688 770	51
52	0.0218 867 486	0.0223 502 729	0.0228 197 068	0.0232 950 265	52
53	0.0215 250 686	0.0219 891 852	0.0224 593 230	0.0229 354 571	53
54	0.0211 768 606	0.0216 415 748	0.0221 124 218	0.0225 893 753	54
55	0.0208 413 897	0.0213 067 067	0.0217 782 677	0.0222 560 455	55
56	0.0205 179 735	0.0209 838 981	0.0214 561 777	0.0219 347 843	56
57	0.0202 059 777	0.0206 725 142	0.0211 455 170	0.0216 249 564	57
58	0.0199 048 114	0.0203 719 641	0.0208 456 941	0.0213 259 704	58
59	0.0196 139 240	0.0200 816 970	0.0205 561 580	0.0210 372 749	59
60	0.0193 328 015	0.0198 011 985	0.0202 763 943	0.0207 583 552	60
61	0.0190 609 637	0.0195 299 884	0.0200 059 223	0.0204 887 305	61
62	0.0187 979 613	0.0192 676 169	0.0197 442 923	0.0202 279 510	62
63	0.0185 433 735	0.0190 136 634	0.0194 910 833	0.0199 755 953	63
64	0.0182 968 058	0.0187 677 331	0.0192 459 004	0.0197 312 684	64
65	0.0180 578 882	0.0185 294 556	0.0190 083 731	0.0194 945 997	65
66	0.0178 262 728	0.0182 984 832	0.0187 781 535	0.0192 652 411	66
67	0.0176 016 326	0.0180 744 888	0.0185 549 141	0.0190 428 650	67
68	0.0173 836 600	0.0178 571 640	0.0183 383 471	0.0188 271 633	68
69	0.0171 720 650	0.0176 462 194	0.0181 281 622	0.0186 178 458	69
70	0.0169 665 742	0.0174 413 812	0.0179 240 859	0.0184 146 388	70
71	0.0167 669 297	0.0172 423 915	0.0177 258 600	0.0182 172 839	71
72	0.0165 728 879	0.0170 490 065	0.0175 332 406	0.0180 255 372	72
73	0.0163 842 185	0.0168 609 958	0.0173 459 973	0.0178 391 681	73
74	0.0162 007 037	0.0166 781 415	0.0171 639 121	0.0176 579 586	74
75	0.0160 221 374	0.0165 002 373	0.0169 867 786	0.0174 817 021	75
76	0.0158 483 240	0.0163 270 879	0.0168 144 013	0.0173 102 031	76
77	0.0156 790 785	0.0161 585 079	0.0166 465 948	0.0171 432 760	77
78	0.0155 142 252	0.0159 943 215	0.0164 831 832	0.0169 807 450	78
79	0.0153 535 971	0.0158 343 618	0.0163 239 996	0.0168 224 429	79
80	0.0151 970 359	0.0156 784 704	0.0161 688 854	0.0166 682 112	80
81	0.0150 443 910	0.0155 264 964	0.0160 176 898	0.0165 178 990	81
82	0.0148 955 189	0.0153 782 966	0.0158 702 694	0.0163 713 627	82
83	0.0147 502 834	0.0152 337 345	0.0157 264 876	0.0162 284 658	83
84	0.0146 085 545	0.0150 926 800	0.0155 862 144	0.0160 890 783	84
85	0.0144 702 084	0.0149 550 094	0.0154 493 260	0.0159 530 761	85
86	0.0143 351 272	0.0148 206 047	0.0153 157 042	0.0158 203 410	86
87	0.0142 031 982	0.0146 893 531	0.0151 852 363	0.0156 907 604	87
88	0.0140 743 139	0.0145 611 473	0.0150 578 147	0.0155 642 266	88
89	0.0139 483 717	0.0144 358 842	0.0149 333 367	0.0154 406 367	89
90	0.0138 252 735	0.0143 134 660	0.0148 117 042	0.0153 198 926	90
91	0.0137 049 255	0.0141 937 987	0.0146 928 231	0.0152 019 003	91
92	0.0135 872 381	0.0140 767 927	0.0145 766 038	0.0150 865 700	92
93	0.0134 712 253	0.0139 623 621	0.0144 629 603	0.0149 738 158	93
94	0.0133 595 050	0.0138 504 246	0.0143 518 104	0.0148 635 552	94
95	0.0132 492 984	0.0137 409 014	0.0142 430 752	0.0147 557 096	95
96	0.0131 414 302	0.0136 337 171	0.0141 366 793	0.0146 502 033	96
97	0.0130 358 279	0.0135 287 993	0.0140 325 501	0.0145 469 638	97
98	0.0129 324 222	0.0134 260 785	0.0139 306 184	0.0144 459 217	98
99	0.0128 311 466	0.0133 254 883	0.0138 308 173	0.0143 470 104	99
100	0.0127 319 369	0.0132 269 645	0.0137 330 830	0.0142 501 657	100

Table VI Facteur d'amortissement (terme établi sur la dette) $\dfrac{1}{a_{\overline{n}|}} = \dfrac{i}{1 - v^n}$

n	½ pour cent	7/12 pour cent	⅔ pour cent	¾ pour cent	n
101	0.0126 347 320	0.0131 304 459	0.0136 373 540	0.0141 553 262	101
102	0.0125 394 728	0.0130 358 733	0.0135 435 712	0.0140 624 328	102
103	0.0124 461 026	0.0129 431 901	0.0134 516 779	0.0139 714 288	103
104	0.0123 545 669	0.0128 523 418	0.0133 616 196	0.0138 822 595	104
105	0.0122 648 133	0.0127 632 758	0.0132 733 436	0.0137 948 724	105
106	0.0121 767 913	0.0126 759 417	0.0131 867 997	0.0137 092 171	106
107	0.0120 904 523	0.0125 902 909	0.0131 019 390	0.0136 252 448	107
108	0.0120 057 496	0.0125 062 766	0.0130 187 149	0.0135 429 087	108
109	0.0119 226 382	0.0124 238 537	0.0129 370 821	0.0134 621 636	109
110	0.0118 410 745	0.0123 429 788	0.0128 569 973	0.0133 829 662	110
111	0.0117 610 168	0.0122 636 100	0.0127 784 185	0.0133 052 744	111
112	0.0116 824 247	0.0121 857 070	0.0127 013 054	0.0132 290 478	112
113	0.0116 052 593	0.0121 092 308	0.0126 256 189	0.0131 542 475	113
114	0.0115 294 829	0.0120 341 437	0.0125 513 215	0.0130 808 358	114
115	0.0114 550 594	0.0119 604 096	0.0124 783 769	0.0130 087 764	115
116	0.0113 819 538	0.0118 879 934	0.0124 067 500	0.0129 380 342	116
117	0.0113 101 321	0.0118 168 613	0.0123 364 069	0.0128 685 754	117
118	0.0112 395 619	0.0117 469 805	0.0122 673 150	0.0128 003 673	118
119	0.0111 702 114	0.0116 783 196	0.0121 994 427	0.0127 333 781	119
120	0.0111 020 502	0.0116 108 479	0.0121 327 594	0.0126 675 774	120
121	0.0110 350 488	0.0115 445 360	0.0120 672 356	0.0126 029 356	121
122	0.0109 691 786	0.0114 793 553	0.0120 028 427	0.0125 394 240	122
123	0.0109 044 121	0.0114 152 782	0.0119 395 531	0.0124 770 151	123
124	0.0108 407 224	0.0113 522 779	0.0118 773 400	0.0124 156 821	124
125	0.0107 780 838	0.0112 903 286	0.0118 161 775	0.0123 553 990	125
126	0.0107 164 711	0.0112 294 051	0.0117 560 406	0.0122 961 407	126
127	0.0106 558 603	0.0111 694 834	0.0116 969 049	0.0122 378 831	127
128	0.0105 962 277	0.0111 105 397	0.0116 387 469	0.0121 806 024	128
129	0.0105 375 506	0.0110 525 514	0.0115 815 439	0.0121 242 759	129
130	0.0104 798 068	0.0109 954 963	0.0115 252 737	0.0120 688 816	130
131	0.0104 229 750	0.0109 393 531	0.0114 699 150	0.0120 143 978	131
132	0.0103 670 346	0.0108 841 009	0.0114 154 469	0.0119 608 040	132
133	0.0103 119 652	0.0108 297 198	0.0113 618 493	0.0119 080 798	133
134	0.0102 577 475	0.0107 761 900	0.0113 091 026	0.0118 562 057	134
135	0.0102 043 626	0.0107 234 927	0.0112 571 879	0.0118 051 628	135
136	0.0101 517 917	0.0106 716 095	0.0112 060 868	0.0117 549 327	136
137	0.0101 000 175	0.0106 205 225	0.0111 557 814	0.0117 054 973	137
138	0.0100 490 222	0.0105 702 143	0.0111 062 544	0.0116 568 394	138
139	0.0099 987 893	0.0105 206 682	0.0110 574 888	0.0116 089 422	139
140	0.0099 493 023	0.0104 718 677	0.0110 094 683	0.0115 617 891	140
141	0.0099 005 453	0.0104 237 970	0.0109 621 770	0.0115 153 643	141
142	0.0098 525 029	0.0103 764 406	0.0109 155 995	0.0114 696 523	142
143	0.0098 051 600	0.0103 297 834	0.0108 697 206	0.0114 246 381	143
144	0.0097 585 021	0.0102 838 110	0.0108 245 258	0.0113 803 070	144
145	0.0097 125 150	0.0102 385 090	0.0107 800 009	0.0113 366 448	145
146	0.0096 671 849	0.0101 938 636	0.0107 361 321	0.0112 936 376	146
147	0.0096 224 984	0.0101 498 615	0.0106 929 059	0.0112 512 721	147
148	0.0095 784 424	0.0101 064 896	0.0106 503 092	0.0112 095 352	148
149	0.0095 350 041	0.0100 637 351	0.0106 083 292	0.0111 684 139	149
150	0.0094 921 712	0.0100 215 856	0.0105 669 537	0.0111 278 961	150

TABLE VI   FACTEUR D'AMORTISSEMENT (TERME ÉTABLI SUR LA DETTE) $\dfrac{1}{a_{\overline{n}|}} = \dfrac{i}{1 - v^n}$

n	½ pour cent	7/12 pour cent	⅔ pour cent	¾ pour cent	n
151	0.0094 499 317	0.0099 800 291	0.0105 261 705	0.0110 879 695	151
152	0.0094 082 738	0.0099 390 539	0.0104 859 679	0.0110 486 225	152
153	0.0093 671 861	0.0098 986 485	0.0104 463 344	0.0110 098 436	153
154	0.0093 266 575	0.0098 588 019	0.0104 072 589	0.0109 716 216	154
155	0.0092 866 771	0.0098 195 030	0.0103 687 306	0.0109 339 456	155
156	0.0092 472 344	0.0097 807 414	0.0103 307 388	0.0108 968 051	156
157	0.0092 083 191	0.0097 425 068	0.0102 932 733	0.0108 601 898	157
158	0.0091 699 212	0.0097 047 891	0.0102 563 240	0.0108 240 896	158
159	0.0091 320 308	0.0096 675 786	0.0102 198 811	0.0107 884 946	159
160	0.0090 946 384	0.0096 308 656	0.0101 839 350	0.0107 533 954	160
161	0.0090 577 348	0.0095 946 410	0.0101 484 765	0.0107 187 825	161
162	0.0090 213 108	0.0095 588 955	0.0101 134 964	0.0106 846 470	162
163	0.0089 853 577	0.0095 236 205	0.0100 789 859	0.0106 509 799	163
164	0.0089 498 667	0.0094 888 071	0.0100 449 364	0.0106 177 725	164
165	0.0089 148 295	0.0094 544 471	0.0100 113 394	0.0105 850 165	165
166	0.0088 802 378	0.0094 205 321	0.0099 781 866	0.0105 527 036	166
167	0.0088 460 837	0.0093 870 542	0.0099 454 701	0.0105 208 257	167
168	0.0088 123 592	0.0093 540 054	0.0099 131 820	0.0104 893 750	168
169	0.0087 790 568	0.0093 213 782	0.0098 813 146	0.0104 583 438	169
170	0.0087 461 690	0.0092 891 651	0.0098 498 604	0.0104 277 247	170
171	0.0087 136 885	0.0092 573 588	0.0098 188 122	0.0103 975 103	171
172	0.0086 816 081	0.0092 259 521	0.0097 881 629	0.0103 676 934	172
173	0.0086 499 209	0.0091 949 381	0.0097 579 053	0.0103 382 671	173
174	0.0086 186 201	0.0091 643 100	0.0097 280 328	0.0103 092 246	174
175	0.0085 876 991	0.0091 340 611	0.0096 985 386	0.0102 805 592	175
176	0.0085 571 514	0.0091 041 849	0.0096 694 164	0.0102 522 644	176
177	0.0085 269 705	0.0090 746 751	0.0096 406 596	0.0102 243 338	177
178	0.0084 971 504	0.0090 455 255	0.0096 122 621	0.0101 967 613	178
179	0.0084 676 850	0.0090 167 300	0.0095 842 178	0.0101 695 405	179
180	0.0084 385 683	0.0089 882 827	0.0095 565 208	0.0101 426 658	180
181	0.0084 097 944	0.0089 601 777	0.0095 291 653	0.0101 161 313	181
182	0.0083 813 580	0.0089 324 095	0.0095 021 456	0.0100 899 312	182
183	0.0083 532 532	0.0089 049 723	0.0094 754 560	0.0100 640 600	183
184	0.0083 254 746	0.0088 778 609	0.0094 490 913	0.0100 385 123	184
185	0.0082 980 171	0.0088 510 699	0.0094 230 460	0.0100 132 827	185
186	0.0082 708 753	0.0088 245 940	0.0093 973 150	0.0099 883 660	186
187	0.0082 440 442	0.0087 984 282	0.0093 718 931	0.0099 637 570	187
188	0.0082 175 188	0.0087 725 676	0.0093 467 754	0.0099 394 509	188
189	0.0081 912 943	0.0087 470 072	0.0093 219 570	0.0099 154 428	189
190	0.0081 653 659	0.0087 217 423	0.0092 974 331	0.0098 917 277	190
191	0.0081 397 288	0.0086 967 681	0.0092 731 991	0.0098 683 011	191
192	0.0081 143 786	0.0086 720 802	0.0092 492 503	0.0098 451 584	192
193	0.0080 893 108	0.0086 476 740	0.0092 255 822	0.0098 222 951	193
194	0.0080 645 209	0.0086 235 452	0.0092 021 905	0.0097 997 067	194
195	0.0080 400 048	0.0085 996 894	0.0091 790 709	0.0097 773 889	195
196	0.0080 157 580	0.0085 761 024	0.0091 562 191	0.0097 553 376	196
197	0.0079 917 767	0.0085 527 802	0.0091 336 311	0.0097 335 486	197
198	0.0079 680 566	0.0085 297 186	0.0091 113 027	0.0097 120 178	198
199	0.0079 445 940	0.0085 069 137	0.0090 892 230	0.0096 907 413	199
200	0.0079 213 847	0.0084 843 617	0.0090 674 091	0.0096 697 151	200

TABLE VI   FACTEUR D'AMORTISSEMENT (TERME ÉTABLI SUR LA DETTE) $\dfrac{1}{a_{\overline{n}|}} = \dfrac{i}{1 - v^n}$

n	½ pour cent	⁷/₁₂ pour cent	⅔ pour cent	¾ pour cent	n
201	0.0078 984 252	0.0084 620 586	0.0090 458 362	0.0096 489 355	201
202	0.0078 757 116	0.0084 400 008	0.0090 245 075	0.0096 283 988	202
203	0.0078 532 403	0.0084 181 846	0.0090 034 195	0.0096 081 011	203
204	0.0078 310 077	0.0083 966 065	0.0089 825 684	0.0095 880 390	204
205	0.0078 090 103	0.0083 752 629	0.0089 619 509	0.0095 682 090	205
206	0.0077 872 447	0.0083 541 504	0.0089 415 634	0.0095 486 075	206
207	0.0077 657 075	0.0083 332 656	0.0089 214 025	0.0095 292 311	207
208	0.0077 443 953	0.0083 126 052	0.0089 014 650	0.0095 100 766	208
209	0.0077 233 050	0.0082 921 659	0.0088 817 475	0.0094 911 407	209
210	0.0077 024 332	0.0082 719 445	0.0088 622 469	0.0094 724 202	210
211	0.0076 817 770	0.0082 519 380	0.0088 429 601	0.0094 539 119	211
212	0.0076 613 333	0.0082 321 431	0.0088 238 839	0.0094 356 128	212
213	0.0076 410 989	0.0082 125 570	0.0088 050 153	0.0094 175 199	213
214	0.0076 210 711	0.0081 931 767	0.0087 863 515	0.0093 996 301	214
215	0.0076 012 468	0.0081 739 992	0.0087 678 894	0.0093 819 405	215
216	0.0075 816 232	0.0081 550 217	0.0087 496 262	0.0093 644 484	216
217	0.0075 621 976	0.0081 362 414	0.0087 315 592	0.0093 471 508	217
218	0.0075 429 672	0.0081 176 556	0.0087 136 855	0.0093 300 451	218
219	0.0075 239 293	0.0080 992 616	0.0086 960 025	0.0093 131 285	219
220	0.0075 050 812	0.0080 810 567	0.0086 785 076	0.0092 963 984	220
221	0.0074 864 204	0.0080 630 383	0.0086 611 980	0.0092 798 522	221
222	0.0074 679 444	0.0080 452 039	0.0086 440 713	0.0092 634 873	222
223	0.0074 496 505	0.0080 275 510	0.0086 271 250	0.0092 473 012	223
224	0.0074 315 364	0.0080 100 771	0.0086 103 565	0.0092 312 915	224
225	0.0074 135 997	0.0079 927 798	0.0085 937 635	0.0092 154 556	225
226	0.0073 958 379	0.0079 756 566	0.0085 773 436	0.0091 997 912	226
227	0.0073 782 487	0.0079 587 054	0.0085 610 945	0.0091 842 961	227
228	0.0073 608 299	0.0079 419 238	0.0085 450 138	0.0091 689 678	228
229	0.0073 435 792	0.0079 253 094	0.0085 290 993	0.0091 538 041	229
230	0.0073 264 945	0.0079 088 603	0.0085 133 487	0.0091 388 029	230
231	0.0073 095 734	0.0078 925 740	0.0084 977 600	0.0091 239 617	231
232	0.0072 928 139	0.0078 764 486	0.0084 823 309	0.0091 092 787	232
233	0.0072 762 139	0.0078 604 818	0.0084 670 594	0.0090 947 517	233
234	0.0072 597 713	0.0078 446 717	0.0084 519 433	0.0090 803 786	234
235	0.0072 434 841	0.0078 290 163	0.0084 369 807	0.0090 661 573	235
236	0.0072 273 503	0.0078 135 135	0.0084 221 696	0.0090 520 858	236
237	0.0072 113 680	0.0077 981 612	0.0084 075 079	0.0090 381 622	237
238	0.0071 955 352	0.0077 829 577	0.0083 929 938	0.0090 243 846	238
239	0.0071 798 500	0.0077 679 011	0.0083 786 254	0.0090 107 510	239
240	0.0071 643 106	0.0077 529 894	0.0083 644 007	0.0089 972 596	240
241	0.0071 489 151	0.0077 382 208	0.0083 503 180	0.0089 839 085	241
242	0.0071 336 617	0.0077 235 935	0.0083 363 754	0.0089 706 959	242
243	0.0071 185 487	0.0077 091 058	0.0083 225 711	0.0089 576 200	243
244	0.0071 035 743	0.0076 947 559	0.0083 089 035	0.0089 446 791	244
245	0.0070 887 368	0.0076 805 421	0.0082 953 707	0.0089 318 715	245
246	0.0070 740 345	0.0076 664 627	0.0082 819 712	0.0089 191 954	246
247	0.0070 594 658	0.0076 525 160	0.0082 687 032	0.0089 066 492	247
248	0.0070 450 290	0.0076 387 004	0.0082 555 650	0.0088 942 313	248
249	0.0070 307 225	0.0076 250 143	0.0082 425 552	0.0088 819 400	249
250	0.0070 165 447	0.0076 114 561	0.0082 296 720	0.0088 697 737	250

TABLE VI FACTEUR D'AMORTISSEMENT (TERME ÉTABLI SUR LA DETTE) $\dfrac{1}{a_{\overline{n}|}} = \dfrac{i}{1-v^n}$

n	½ pour cent	⁷⁄₁₂ pour cent	⅔ pour cent	¾ pour cent	n
251	0.0070 024 941	0.0075 980 242	0.0082 169 104	0.0088 577 310	251
252	0.0069 885 692	0.0075 847 171	0.0082 042 796	0.0088 458 102	252
253	0.0069 747 684	0.0075 715 334	0.0081 917 672	0.0088 340 098	253
254	0.0069 610 902	0.0075 584 714	0.0081 793 755	0.0088 223 283	254
255	0.0069 475 333	0.0075 455 298	0.0081 671 028	0.0088 107 643	255
256	0.0069 340 961	0.0075 327 072	0.0081 549 479	0.0087 993 163	256
257	0.0069 207 772	0.0075 200 020	0.0081 429 092	0.0087 879 830	257
258	0.0069 075 753	0.0075 074 129	0.0081 309 854	0.0087 767 628	258
259	0.0068 944 890	0.0074 949 386	0.0081 191 751	0.0087 656 545	259
260	0.0068 815 169	0.0074 825 776	0.0081 074 769	0.0087 546 566	260
261	0.0068 686 577	0.0074 703 286	0.0080 958 895	0.0087 437 678	261
262	0.0068 559 101	0.0074 581 904	0.0080 844 116	0.0087 329 869	262
263	0.0068 432 728	0.0074 461 616	0.0080 730 419	0.0087 223 124	263
264	0.0068 307 445	0.0074 342 410	0.0080 617 791	0.0087 117 432	264
265	0.0068 183 240	0.0074 224 273	0.0080 506 219	0.0087 012 780	265
266	0.0068 060 100	0.0074 107 193	0.0080 395 692	0.0086 909 155	266
267	0.0067 938 014	0.0073 991 157	0.0080 286 197	0.0086 806 545	267
268	0.0067 816 969	0.0073 876 154	0.0080 177 722	0.0086 704 939	268
269	0.0067 696 954	0.0073 762 172	0.0080 070 255	0.0086 604 324	269
270	0.0067 577 956	0.0073 649 198	0.0079 963 784	0.0086 504 688	270
271	0.0067 459 965	0.0073 537 223	0.0079 858 299	0.0086 406 021	271
272	0.0067 342 970	0.0073 426 234	0.0079 753 788	0.0086 308 310	272
273	0.0067 226 958	0.0073 316 220	0.0079 650 239	0.0086 211 545	273
274	0.0067 111 920	0.0073 207 171	0.0079 547 641	0.0086 115 715	274
275	0.0066 997 844	0.0073 099 075	0.0079 445 985	0.0086 020 808	275
276	0.0066 884 720	0.0072 991 922	0.0079 345 259	0.0085 926 815	276
277	0.0066 772 538	0.0072 885 702	0.0079 245 452	0.0085 833 724	277
278	0.0066 661 286	0.0072 780 403	0.0079 146 555	0.0085 741 526	278
279	0.0066 550 955	0.0072 676 016	0.0079 048 556	0.0085 650 209	279
280	0.0066 441 535	0.0072 572 532	0.0078 951 447	0.0085 559 764	280
281	0.0066 333 016	0.0072 469 939	0.0078 855 216	0.0085 470 182	281
282	0.0066 225 388	0.0072 368 228	0.0078 759 855	0.0085 381 451	282
283	0.0066 118 642	0.0072 267 390	0.0078 665 354	0.0085 293 563	283
284	0.0066 012 768	0.0072 167 414	0.0078 571 702	0.0085 206 509	284
285	0.0065 907 756	0.0072 068 293	0.0078 478 892	0.0085 120 277	285
286	0.0065 803 598	0.0071 970 015	0.0078 386 913	0.0085 034 860	286
287	0.0065 700 285	0.0071 872 574	0.0078 295 756	0.0084 950 248	287
288	0.0065 597 807	0.0071 775 958	0.0078 205 412	0.0084 866 433	288
289	0.0065 496 155	0.0071 680 160	0.0078 115 873	0.0084 783 405	289
290	0.0065 395 322	0.0071 585 170	0.0078 027 130	0.0084 701 155	290
291	0.0065 295 298	0.0071 490 981	0.0077 939 174	0.0084 619 675	291
292	0.0065 196 075	0.0071 397 584	0.0077 851 996	0.0084 538 957	292
293	0.0065 097 644	0.0071 304 969	0.0077 765 589	0.0084 458 991	293
294	0.0064 999 997	0.0071 213 130	0.0077 679 944	0.0084 379 771	294
295	0.0064 903 127	0.0071 122 057	0.0077 595 052	0.0084 301 287	295
296	0.0064 807 025	0.0071 031 744	0.0077 510 906	0.0084 223 531	296
297	0.0064 711 683	0.0070 942 181	0.0077 427 498	0.0084 146 496	297
298	0.0064 617 093	0.0070 853 361	0.0077 344 820	0.0084 070 174	298
299	0.0064 523 248	0.0070 765 277	0.0077 262 864	0.0083 994 556	299
300	0.0064 430 140	0.0070 677 920	0.0077 181 622	0.0083 919 636	300

TABLE VI $\qquad$ FACTEUR D'AMORTISSEMENT (TERME ÉTABLI SUR LA DETTE) $\qquad$ $\dfrac{1}{a_{\overline{n}|}} = \dfrac{i}{1 - v^n}$

n	⅞ pour cent	1 pour cent	1⅛ pour cent	1¼ pour cent	n
1	1.0087 500 000	1.0100 000 000	1.0112 500 000	1.0125 000 000	1
2	0.5065 720 287	0.5075 124 378	0.5084 532 318	0.5093 944 099	2
3	0.3391 836 064	0.3400 221 115	0.3408 613 007	0.3417 011 728	3
4	0.2554 925 712	0.2562 810 939	0.2570 705 786	0.2578 610 233	4
5	0.2052 804 908	0.2060 397 996	0.2068 003 396	0.2075 621 084	5
6	0.1718 078 876	0.1725 483 667	0.1732 903 419	0.1740 338 102	6
7	0.1479 006 998	0.1486 282 829	0.1493 576 244	0.1500 887 209	7
8	0.1299 718 965	0.1306 902 921	0.1314 107 067	0.1321 331 365	8
9	0.1160 286 826	0.1167 403 628	0.1174 543 217	0.1181 705 546	9
10	0.1048 753 813	0.1055 820 765	0.1062 913 092	0.1070 030 740	10
11	0.0957 511 070	0.0964 540 757	0.0971 598 399	0.0978 683 935	11
12	0.0881 486 029	0.0888 487 887	0.0895 520 275	0.0902 583 123	12
13	0.0817 166 910	0.0824 148 197	0.0831 162 583	0.0838 209 993	13
14	0.0762 045 300	0.0769 011 717	0.0776 013 798	0.0783 051 462	14
15	0.0714 281 696	0.0721 237 802	0.0728 232 135	0.0735 264 603	15
16	0.0672 496 469	0.0679 445 968	0.0686 436 253	0.0693 467 221	16
17	0.0635 634 610	0.0642 580 551	0.0649 569 833	0.0656 602 341	17
18	0.0602 875 556	0.0609 820 479	0.0616 811 292	0.0623 847 873	18
19	0.0573 571 494	0.0580 517 536	0.0587 512 015	0.0594 554 797	19
20	0.0547 204 173	0.0554 153 149	0.0561 153 106	0.0568 203 896	20
21	0.0523 354 057	0.0530 307 522	0.0537 314 508	0.0544 374 854	21
22	0.0501 677 889	0.0508 637 185	0.0515 652 537	0.0522 723 772	22
23	0.0481 892 109	0.0488 858 401	0.0495 883 281	0.0502 966 561	23
24	0.0463 760 416	0.0470 734 722	0.0477 770 145	0.0484 866 480	24
25	0.0447 084 319	0.0454 067 534	0.0461 114 390	0.0468 224 667	25
26	0.0431 695 862	0.0438 688 776	0.0445 747 852	0.0452 872 851	26
27	0.0417 451 972	0.0424 455 287	0.0431 527 280	0.0438 667 693	27
28	0.0404 230 015	0.0411 244 356	0.0418 329 886	0.0425 486 329	28
29	0.0391 924 272	0.0398 950 198	0.0406 049 820	0.0413 222 841	29
30	0.0380 443 120	0.0387 481 132	0.0394 595 343	0.0401 785 434	30
31	0.0369 706 758	0.0376 757 309	0.0383 886 556	0.0391 094 159	31
32	0.0359 645 360	0.0366 708 857	0.0373 853 545	0.0381 079 056	32
33	0.0350 197 564	0.0357 274 378	0.0364 434 871	0.0371 678 650	33
34	0.0341 309 227	0.0348 399 694	0.0355 576 322	0.0362 838 693	34
35	0.0332 932 393	0.0340 036 818	0.0347 229 883	0.0354 511 141	35
36	0.0325 024 435	0.0332 143 098	0.0339 352 873	0.0346 653 285	36
37	0.0317 547 335	0.0324 680 491	0.0331 907 226	0.0339 227 034	37
38	0.0310 467 075	0.0317 614 958	0.0324 858 881	0.0332 198 308	38
39	0.0303 753 127	0.0310 915 951	0.0318 177 272	0.0325 536 519	39
40	0.0297 378 017	0.0304 555 980	0.0311 834 889	0.0319 214 139	40
41	0.0291 316 949	0.0298 510 232	0.0305 806 906	0.0313 206 327	41
42	0.0285 547 490	0.0292 756 260	0.0300 070 859	0.0307 490 606	42
43	0.0280 049 293	0.0287 273 705	0.0294 606 377	0.0302 046 590	43
44	0.0274 803 861	0.0282 044 058	0.0289 394 940	0.0296 855 745	44
45	0.0269 794 343	0.0277 050 455	0.0284 419 671	0.0291 901 188	45
46	0.0265 005 349	0.0272 277 499	0.0279 665 165	0.0287 167 499	46
47	0.0260 422 802	0.0267 711 103	0.0275 117 325	0.0282 640 574	47
48	0.0256 033 798	0.0263 338 368	0.0270 763 229	0.0278 307 483	48
49	0.0251 826 484	0.0259 147 393	0.0266 591 012	0.0274 156 350	49
50	0.0247 789 958	0.0255 127 309	0.0262 589 754	0.0270 176 251	50

TABLE VI FACTEUR D'AMORTISSEMENT (TERME ÉTABLI SUR LA DETTE) $\dfrac{1}{a_{\overline{n}|}} = \dfrac{i}{1 - v^n}$

n	⅞ pour cent	1 pour cent	1⅛ pour cent	1¼ pour cent	n
51	0.0243 914 172	0.0251 268 048	0.0258 749 394	0.0266 357 117	51
52	0.0240 189 850	0.0247 560 329	0.0255 060 646	0.0262 689 655	52
53	0.0236 608 418	0.0243 995 570	0.0251 514 923	0.0259 165 272	53
54	0.0233 161 934	0.0240 565 826	0.0248 104 273	0.0255 776 012	54
55	0.0229 843 036	0.0237 263 730	0.0244 821 324	0.0252 514 497	55
56	0.0226 644 888	0.0234 082 440	0.0241 659 231	0.0249 373 877	56
57	0.0223 561 132	0.0231 015 595	0.0238 611 627	0.0246 347 780	57
58	0.0220 585 849	0.0228 057 272	0.0235 672 586	0.0243 430 276	58
59	0.0217 713 523	0.0225 201 950	0.0232 836 583	0.0240 615 837	59
60	0.0214 939 004	0.0222 444 477	0.0230 098 460	0.0237 899 301	60
61	0.0212 257 479	0.0219 780 037	0.0227 453 400	0.0235 275 846	61
62	0.0209 664 447	0.0217 204 123	0.0224 896 895	0.0232 740 962	62
63	0.0207 155 693	0.0214 712 520	0.0222 424 722	0.0230 290 422	63
64	0.0204 727 263	0.0212 301 271	0.0220 032 924	0.0227 920 267	64
65	0.0202 375 450	0.0209 966 665	0.0217 717 786	0.0225 626 779	65
66	0.0200 096 767	0.0207 705 215	0.0215 475 819	0.0223 406 465	66
67	0.0197 887 940	0.0205 513 641	0.0213 303 742	0.0221 256 043	67
68	0.0195 745 885	0.0203 388 859	0.0211 198 468	0.0219 172 421	68
69	0.0193 667 696	0.0201 327 961	0.0209 157 084	0.0217 152 689	69
70	0.0191 650 635	0.0199 328 207	0.0207 176 851	0.0215 194 100	70
71	0.0189 692 116	0.0197 387 009	0.0205 255 178	0.0213 294 063	71
72	0.0187 789 700	0.0195 501 925	0.0203 389 622	0.0211 450 133	72
73	0.0185 941 078	0.0193 670 646	0.0201 577 870	0.0209 659 997	73
74	0.0184 144 067	0.0191 890 987	0.0199 817 738	0.0207 921 465	74
75	0.0182 396 603	0.0190 160 881	0.0198 107 155	0.0206 232 468	75
76	0.0180 696 726	0.0188 478 369	0.0196 444 161	0.0204 591 042	76
77	0.0179 042 582	0.0186 841 593	0.0194 826 897	0.0202 995 328	77
78	0.0177 432 409	0.0185 248 791	0.0193 253 600	0.0201 443 559	78
79	0.0175 864 535	0.0183 698 290	0.0191 722 595	0.0199 934 061	79
80	0.0174 337 374	0.0182 188 501	0.0190 232 291	0.0198 465 240	80
81	0.0172 849 415	0.0180 717 914	0.0188 781 177	0.0197 035 584	81
82	0.0171 399 222	0.0179 285 090	0.0187 367 814	0.0195 643 653	82
83	0.0169 985 428	0.0177 888 662	0.0185 990 832	0.0194 288 076	83
84	0.0168 606 732	0.0176 527 328	0.0184 648 928	0.0192 967 547	84
85	0.0167 261 892	0.0175 199 845	0.0183 340 859	0.0191 680 824	85
86	0.0165 949 727	0.0173 905 030	0.0182 065 440	0.0190 426 719	86
87	0.0164 669 108	0.0172 641 754	0.0180 821 541	0.0189 204 101	87
88	0.0163 418 957	0.0171 408 937	0.0179 608 082	0.0188 011 891	88
89	0.0162 198 246	0.0170 205 551	0.0178 424 034	0.0186 849 055	89
90	0.0161 005 992	0.0169 030 612	0.0177 268 409	0.0185 714 608	90
91	0.0159 841 255	0.0167 883 178	0.0176 140 269	0.0184 607 608	91
92	0.0158 703 135	0.0166 762 351	0.0175 038 710	0.0183 527 152	92
93	0.0157 590 772	0.0165 667 268	0.0173 962 872	0.0182 472 378	93
94	0.0156 503 343	0.0164 597 105	0.0172 911 929	0.0181 442 459	94
95	0.0155 440 059	0.0163 551 073	0.0171 885 090	0.0180 436 604	95
96	0.0154 400 162	0.0162 528 414	0.0170 881 597	0.0179 454 053	96
97	0.0153 382 929	0.0161 528 403	0.0169 900 724	0.0178 494 080	97
98	0.0152 387 663	0.0160 550 343	0.0168 941 774	0.0177 555 987	98
99	0.0151 413 697	0.0159 593 566	0.0168 004 079	0.0176 639 104	99
100	0.0150 460 390	0.0158 657 431	0.0167 086 995	0.0175 742 788	100

172

TABLE VI FACTEUR D'AMORTISSEMENT (TERME ÉTABLI SUR LA DETTE) $\dfrac{1}{a_{\overline{n}|}} = \dfrac{i}{1 - v^n}$

n	⅞ pour cent	1 pour cent	1⅛ pour cent	1¼ pour cent	n
101	0.0149 527 128	0.0157 741 322	0.0166 189 906	0.0174 866 421	101
102	0.0148 613 318	0.0156 844 647	0.0165 312 221	0.0174 009 411	102
103	0.0147 718 392	0.0155 966 837	0.0164 453 368	0.0173 171 187	103
104	0.0146 841 805	0.0155 107 346	0.0163 612 801	0.0172 351 201	104
105	0.0145 983 029	0.0154 265 646	0.0162 789 992	0.0171 548 925	105
106	0.0145 141 560	0.0153 441 231	0.0161 984 435	0.0170 763 851	106
107	0.0144 316 911	0.0152 633 614	0.0161 195 641	0.0169 995 490	107
108	0.0143 508 612	0.0151 842 326	0.0160 423 141	0.0169 243 373	108
109	0.0142 716 211	0.0151 066 914	0.0159 666 482	0.0168 507 045	109
110	0.0141 939 275	0.0150 306 943	0.0158 925 226	0.0167 786 070	110
111	0.0141 177 382	0.0149 561 992	0.0158 198 955	0.0167 080 025	111
112	0.0140 430 128	0.0148 831 656	0.0157 487 261	0.0166 388 506	112
113	0.0139 697 124	0.0148 115 544	0.0156 789 754	0.0165 711 120	113
114	0.0138 977 991	0.0147 413 280	0.0156 106 056	0.0165 047 488	114
115	0.0138 272 367	0.0146 724 498	0.0155 435 802	0.0164 397 247	115
116	0.0137 579 900	0.0146 048 849	0.0154 778 640	0.0163 760 042	116
117	0.0136 900 252	0.0145 385 992	0.0154 134 231	0.0163 135 535	117
118	0.0136 233 094	0.0144 735 599	0.0153 502 246	0.0162 523 395	118
119	0.0135 578 111	0.0144 097 353	0.0152 882 368	0.0161 923 305	119
120	0.0134 934 997	0.0143 470 948	0.0152 274 289	0.0161 334 957	120
121	0.0134 303 454	0.0142 856 088	0.0151 677 713	0.0160 758 055	121
122	0.0133 683 198	0.0142 252 486	0.0151 092 353	0.0160 192 310	122
123	0.0133 073 951	0.0141 659 864	0.0150 517 931	0.0159 637 445	123
124	0.0132 475 445	0.0141 077 954	0.0149 954 179	0.0159 093 190	124
125	0.0131 887 421	0.0140 506 497	0.0149 400 835	0.0158 559 284	125
126	0.0131 309 627	0.0139 945 240	0.0148 857 650	0.0158 035 476	126
127	0.0130 741 820	0.0139 393 941	0.0148 324 376	0.0157 521 521	127
128	0.0130 183 765	0.0138 852 362	0.0147 800 779	0.0157 017 181	128
129	0.0129 635 232	0.0138 320 276	0.0147 286 630	0.0156 522 228	129
130	0.0129 096 002	0.0137 797 461	0.0146 781 706	0.0156 036 439	130
131	0.0128 565 858	0.0137 283 701	0.0146 285 793	0.0155 559 598	131
132	0.0128 044 593	0.0136 778 788	0.0145 798 680	0.0155 091 496	132
133	0.0127 532 005	0.0136 282 520	0.0145 320 167	0.0154 631 930	133
134	0.0127 027 897	0.0135 794 701	0.0144 850 055	0.0154 180 703	134
135	0.0126 532 081	0.0135 315 140	0.0144 388 155	0.0153 737 624	135
136	0.0126 044 371	0.0134 843 652	0.0143 934 281	0.0153 302 508	136
137	0.0125 564 588	0.0134 380 059	0.0143 488 254	0.0152 875 175	137
138	0.0125 092 559	0.0133 924 186	0.0143 049 899	0.0152 455 449	138
139	0.0124 628 114	0.0133 475 863	0.0142 619 046	0.0152 043 161	139
140	0.0124 171 089	0.0133 034 926	0.0142 195 531	0.0151 638 147	140
141	0.0123 721 325	0.0132 601 216	0.0141 779 194	0.0151 240 244	141
142	0.0123 278 667	0.0132 174 578	0.0141 369 880	0.0150 849 299	142
143	0.0122 842 963	0.0131 754 859	0.0140 967 436	0.0150 465 159	143
144	0.0122 414 068	0.0131 341 914	0.0140 571 716	0.0150 087 677	144
145	0.0121 991 840	0.0130 935 600	0.0140 182 577	0.0149 716 709	145
146	0.0121 576 139	0.0130 535 778	0.0139 799 880	0.0149 352 117	146
147	0.0121 166 830	0.0130 142 313	0.0139 423 490	0.0148 993 765	147
148	0.0120 763 784	0.0129 755 074	0.0139 053 275	0.0148 641 521	148
149	0.0120 366 871	0.0129 373 932	0.0138 689 107	0.0148 295 257	149
150	0.0119 975 968	0.0128 998 764	0.0138 330 861	0.0147 954 848	150

				$\dfrac{1}{a_{\overline{n}|}} = \dfrac{i}{1 - v^n}$	

TABLE VI   FACTEUR D'AMORTISSEMENT (TERME ÉTABLI SUR LA DETTE)

n	⅞ pour cent	1 pour cent	1⅛ pour cent	1¼ pour cent	n
151	0.0119 590 954	0.0128 629 447	0.0137 978 416	0.0147 620 171	151
152	0.0119 211 710	0.0128 265 865	0.0137 631 654	0.0147 291 110	152
153	0.0118 838 123	0.0127 907 902	0.0137 290 458	0.0146 967 547	153
154	0.0118 470 080	0.0127 555 446	0.0136 954 719	0.0146 649 372	154
155	0.0118 107 473	0.0127 208 389	0.0136 624 324	0.0146 336 474	155
156	0.0117 750 196	0.0126 866 622	0.0136 299 170	0.0146 028 746	156
157	0.0117 398 145	0.0126 530 044	0.0135 979 150	0.0145 726 086	157
158	0.0117 051 219	0.0126 198 554	0.0135 664 167	0.0145 428 391	158
159	0.0116 709 320	0.0125 872 052	0.0135 354 118	0.0145 135 563	159
160	0.0116 372 353	0.0125 550 444	0.0135 048 909	0.0144 847 505	160
161	0.0116 040 224	0.0125 233 634	0.0134 748 447	0.0144 564 123	161
162	0.0115 712 841	0.0124 921 533	0.0134 452 638	0.0144 285 327	162
163	0.0115 390 117	0.0124 614 050	0.0134 161 395	0.0144 011 026	163
164	0.0115 071 964	0.0124 311 100	0.0133 874 630	0.0143 741 133	164
165	0.0114 758 297	0.0124 012 597	0.0133 592 258	0.0143 475 563	165
166	0.0114 449 034	0.0123 718 458	0.0133 314 197	0.0143 214 233	166
167	0.0114 144 095	0.0123 428 603	0.0133 040 364	0.0142 957 062	167
168	0.0113 843 401	0.0123 142 953	0.0132 770 683	0.0142 703 972	168
169	0.0113 546 875	0.0122 861 430	0.0132 505 074	0.0142 454 883	169
170	0.0113 254 441	0.0122 583 961	0.0132 243 463	0.0142 209 723	170
171	0.0112 966 027	0.0122 310 470	0.0131 985 776	0.0141 968 415	171
172	0.0112 681 561	0.0122 040 887	0.0131 731 942	0.0141 730 889	172
173	0.0112 400 973	0.0121 775 141	0.0131 481 890	0.0141 497 075	173
174	0.0112 124 194	0.0121 513 164	0.0131 235 551	0.0141 266 903	174
175	0.0111 851 159	0.0121 254 889	0.0130 992 859	0.0141 040 307	175
176	0.0111 581 801	0.0121 000 251	0.0130 753 748	0.0140 817 220	176
177	0.0111 316 057	0.0120 749 185	0.0130 518 154	0.0140 597 579	177
178	0.0111 053 865	0.0120 501 630	0.0130 286 014	0.0140 381 322	178
179	0.0110 795 163	0.0120 257 523	0.0130 057 268	0.0140 168 386	179
180	0.0110 539 892	0.0120 016 806	0.0129 831 854	0.0139 958 712	180
181	0.0110 287 994	0.0119 779 420	0.0129 609 716	0.0139 752 241	181
182	0.0110 039 411	0.0119 545 307	0.0129 390 795	0.0139 548 917	182
183	0.0109 794 089	0.0119 314 413	0.0129 175 035	0.0139 348 683	183
184	0.0109 551 971	0.0119 086 681	0.0128 962 382	0.0139 151 484	184
185	0.0109 313 005	0.0118 862 059	0.0128 752 782	0.0138 957 266	185
186	0.0109 077 140	0.0118 640 494	0.0128 546 183	0.0138 765 978	186
187	0.0108 844 321	0.0118 421 935	0.0128 342 533	0.0138 577 568	187
188	0.0108 614 502	0.0118 206 333	0.0128 141 783	0.0138 391 985	188
189	0.0108 387 632	0.0117 993 636	0.0127 943 882	0.0138 209 180	189
190	0.0108 163 663	0.0117 783 799	0.0127 748 783	0.0138 029 106	190
191	0.0107 942 549	0.0117 576 773	0.0127 556 439	0.0137 851 715	191
192	0.0107 724 244	0.0117 372 523	0.0127 366 804	0.0137 676 968	192
193	0.0107 508 701	0.0117 170 973	0.0127 179 831	0.0137 504 799	193
194	0.0107 295 878	0.0116 972 109	0.0126 995 478	0.0137 335 184	194
195	0.0107 085 732	0.0116 775 878	0.0126 813 700	0.0137 168 073	195
196	0.0106 878 219	0.0116 582 237	0.0126 634 456	0.0137 003 425	196
197	0.0106 673 298	0.0116 391 146	0.0126 457 704	0.0136 841 196	197
198	0.0106 470 929	0.0116 202 562	0.0126 283 402	0.0136 681 347	198
199	0.0106 271 071	0.0116 016 447	0.0126 111 511	0.0136 523 838	199
200	0.0106 073 687	0.0115 832 761	0.0125 941 992	0.0136 368 629	200

TABLE VI   FACTEUR D'AMORTISSEMENT (TERME ÉTABLI SUR LA DETTE) $\dfrac{1}{a_{\overline{n}|}} = \dfrac{i}{1 - v^{n}}$

n	1⅜ pour cent	1½ pour cent	1⅝ pour cent	1¾ pour cent	n
1	1.0137 500 000	1.0150 000 000	1.0162 500 000	1.0175 000 000	1
2	0.5103 359 714	0.5112 779 156	0.5122 202 418	0.5131 629 492	2
3	0.3425 417 264	0.3433 829 602	0.3442 248 730	0.3450 674 635	3
4	0.2586 524 264	0.2594 447 860	0.2602 381 002	0.2610 323 673	4
5	0.2083 251 037	0.2090 893 231	0.2098 547 642	0.2106 214 246	5
6	0.1747 787 688	0.1755 252 146	0.1762 731 449	0.1770 225 565	6
7	0.1508 215 687	0.1515 561 645	0.1522 925 047	0.1530 305 857	7
8	0.1328 575 771	0.1335 840 246	0.1343 124 747	0.1350 429 233	8
9	0.1188 890 568	0.1196 098 234	0.1203 328 496	0.1210 581 306	9
10	0.1077 173 653	0.1084 341 779	0.1091 535 060	0.1098 753 442	10
11	0.0985 797 303	0.0992 938 442	0.1000 107 288	0.1007 303 778	11
12	0.0909 676 365	0.0916 799 929	0.0923 953 744	0.0931 137 738	12
13	0.0845 290 350	0.0852 403 574	0.0859 549 586	0.0866 728 305	13
14	0.0790 124 620	0.0797 233 186	0.0804 377 070	0.0811 556 179	14
15	0.0742 335 109	0.0749 443 557	0.0756 589 845	0.0763 773 872	15
16	0.0700 538 765	0.0707 650 778	0.0714 803 149	0.0721 995 764	16
17	0.0663 677 959	0.0670 796 569	0.0677 958 046	0.0685 162 265	17
18	0.0630 930 092	0.0638 057 818	0.0645 230 915	0.0652 449 244	18
19	0.0601 645 740	0.0608 784 701	0.0615 971 530	0.0623 206 073	19
20	0.0575 305 367	0.0582 457 359	0.0589 659 708	0.0596 912 246	20
21	0.0551 488 392	0.0558 654 951	0.0565 874 348	0.0573 146 399	21
22	0.0529 850 706	0.0537 033 152	0.0544 270 912	0.0551 563 782	22
23	0.0510 108 043	0.0517 307 520	0.0524 564 779	0.0531 879 596	23
24	0.0492 023 513	0.0499 241 020	0.0506 518 766	0.0513 856 510	24
25	0.0475 398 131	0.0482 634 539	0.0489 933 638	0.0497 295 163	25
26	0.0460 063 521	0.0467 319 599	0.0474 640 810	0.0482 026 865	26
27	0.0445 876 255	0.0453 152 680	0.0460 496 671	0.0467 907 917	27
28	0.0432 713 391	0.0440 010 765	0.0447 378 128	0.0454 815 145	28
29	0.0420 468 945	0.0427 787 802	0.0435 179 064	0.0442 642 365	29
30	0.0409 051 066	0.0416 391 883	0.0423 807 508	0.0431 297 549	30
31	0.0398 379 752	0.0405 742 954	0.0413 183 359	0.0420 700 545	31
32	0.0388 385 002	0.0395 770 970	0.0403 236 526	0.0410 781 216	32
33	0.0379 005 298	0.0386 414 375	0.0393 905 415	0.0401 477 928	33
34	0.0370 186 362	0.0377 618 855	0.0385 135 675	0.0392 736 297	34
35	0.0361 880 116	0.0369 336 303	0.0376 879 168	0.0384 508 151	35
36	0.0354 043 825	0.0361 523 955	0.0369 093 105	0.0376 750 673	36
37	0.0346 639 375	0.0354 143 673	0.0361 739 319	0.0369 425 673	37
38	0.0339 632 661	0.0347 161 329	0.0354 783 663	0.0362 498 979	38
39	0.0332 993 078	0.0340 546 298	0.0348 195 490	0.0355 939 926	39
40	0.0326 693 079	0.0334 271 017	0.0341 947 219	0.0349 720 911	40
41	0.0320 707 807	0.0328 310 610	0.0336 013 957	0.0343 817 026	41
42	0.0315 014 769	0.0322 642 571	0.0330 373 184	0.0338 205 735	42
43	0.0309 593 568	0.0317 246 488	0.0325 004 472	0.0332 866 596	43
44	0.0304 425 657	0.0312 103 801	0.0319 889 251	0.0327 781 026	44
45	0.0299 494 139	0.0307 197 604	0.0315 010 601	0.0322 932 093	45
46	0.0294 783 589	0.0302 512 458	0.0310 353 072	0.0318 304 336	46
47	0.0290 279 888	0.0298 034 238	0.0305 902 531	0.0313 883 611	47
48	0.0285 970 100	0.0293 749 996	0.0301 646 019	0.0309 656 950	48
49	0.0281 842 340	0.0289 647 841	0.0297 571 637	0.0305 612 445	49
50	0.0277 885 678	0.0285 716 832	0.0293 668 436	0.0301 739 139	50

| | | | | $\dfrac{1}{a_{\overline{n}|}} = \dfrac{i}{1 - v^n}$ |

TABLE VI   FACTEUR D'AMORTISSEMENT (TERME ÉTABLI SUR LA DETTE)

n	1⅜ pour cent	1½ pour cent	1⅝ pour cent	1¾ pour cent	n
51	0.0274 090 036	0.0281 946 887	0.0289 926 327	0.0298 026 935	51
52	0.0270 446 116	0.0278 328 700	0.0286 335 995	0.0294 466 511	52
53	0.0266 945 317	0.0274 853 664	0.0282 888 830	0.0291 049 249	53
54	0.0263 579 679	0.0271 513 812	0.0279 576 856	0.0287 767 169	54
55	0.0260 341 819	0.0268 301 756	0.0276 392 681	0.0284 612 871	55
56	0.0257 224 879	0.0265 210 635	0.0273 329 436	0.0281 579 481	56
57	0.0254 222 487	0.0262 234 068	0.0270 380 738	0.0278 660 611	57
58	0.0251 328 705	0.0259 366 116	0.0267 540 641	0.0275 850 310	58
59	0.0248 538 001	0.0256 601 241	0.0264 803 604	0.0273 143 032	59
60	0.0245 845 211	0.0253 934 274	0.0262 164 454	0.0270 533 598	60
61	0.0243 245 508	0.0251 360 387	0.0259 618 355	0.0268 017 171	61
62	0.0240 734 378	0.0248 875 059	0.0257 160 788	0.0265 589 224	62
63	0.0238 307 593	0.0246 474 061	0.0254 787 515	0.0263 245 518	63
64	0.0235 961 188	0.0244 153 423	0.0252 494 566	0.0260 982 079	64
65	0.0233 691 443	0.0241 909 423	0.0250 278 213	0.0258 795 175	65
66	0.0231 494 864	0.0239 738 563	0.0248 134 957	0.0256 681 302	66
67	0.0229 368 163	0.0237 637 552	0.0246 061 504	0.0254 637 165	67
68	0.0227 308 248	0.0235 603 297	0.0244 054 755	0.0252 659 661	68
69	0.0225 312 204	0.0233 632 878	0.0242 111 792	0.0250 745 869	69
70	0.0223 377 284	0.0231 723 548	0.0240 229 860	0.0248 893 032	70
71	0.0221 500 895	0.0229 872 709	0.0238 406 363	0.0247 098 549	71
72	0.0219 680 588	0.0228 077 911	0.0236 638 845	0.0245 359 964	72
73	0.0217 914 047	0.0226 336 836	0.0234 924 989	0.0243 674 956	73
74	0.0216 199 083	0.0224 647 293	0.0233 262 599	0.0242 041 327	74
75	0.0214 533 624	0.0223 007 206	0.0231 649 597	0.0240 456 997	75
76	0.0212 915 703	0.0221 414 609	0.0230 084 016	0.0238 919 996	76
77	0.0211 343 460	0.0219 867 637	0.0228 563 989	0.0237 428 455	77
78	0.0209 815 127	0.0218 364 523	0.0227 087 746	0.0235 980 602	78
79	0.0208 329 027	0.0216 903 586	0.0225 653 605	0.0234 574 754	79
80	0.0206 883 566	0.0215 483 231	0.0224 259 969	0.0233 209 310	80
81	0.0205 477 229	0.0214 101 941	0.0222 905 320	0.0231 882 751	81
82	0.0204 108 574	0.0212 758 275	0.0221 588 212	0.0230 593 631	82
83	0.0202 776 230	0.0211 450 857	0.0220 307 271	0.0229 340 572	83
84	0.0201 478 890	0.0210 178 380	0.0219 061 187	0.0228 122 263	84
85	0.0200 215 309	0.0208 939 597	0.0217 848 711	0.0226 937 454	85
86	0.0198 984 300	0.0207 733 319	0.0216 668 654	0.0225 784 953	86
87	0.0197 784 728	0.0206 558 413	0.0215 519 880	0.0224 663 623	87
88	0.0196 615 514	0.0205 413 794	0.0214 401 303	0.0223 572 379	88
89	0.0195 475 623	0.0204 298 429	0.0213 311 890	0.0222 510 182	89
90	0.0194 364 069	0.0203 211 330	0.0212 250 649	0.0221 476 043	90
91	0.0193 279 908	0.0202 151 552	0.0211 216 636	0.0220 469 013	91
92	0.0192 222 237	0.0201 118 190	0.0210 208 943	0.0219 488 187	92
93	0.0191 190 192	0.0200 110 379	0.0209 226 706	0.0218 532 695	93
94	0.0190 182 946	0.0199 127 296	0.0208 269 094	0.0217 601 709	94
95	0.0189 199 706	0.0198 168 132	0.0207 335 313	0.0216 694 431	95
96	0.0188 239 712	0.0197 232 141	0.0206 424 601	0.0215 810 099	96
97	0.0187 302 236	0.0196 318 590	0.0205 536 228	0.0214 947 981	97
98	0.0186 386 579	0.0195 426 778	0.0204 669 492	0.0214 107 376	98
99	0.0185 492 072	0.0194 556 033	0.0203 823 721	0.0213 287 610	99
100	0.0184 618 069	0.0193 705 712	0.0202 998 271	0.0212 488 036	100

Table VI	Facteur d'amortissement (terme établi sur la dette)	$\dfrac{1}{a_{\overline{n}\mid}} = \dfrac{i}{1-v^n}$

n	2 pour cent	2¼ pour cent	2½ pour cent	2¾ pour cent	n
1	1.0200 000 000	1.0225 000 000	1.0250 000 000	1.0275 000 000	1
2	0.5150 495 050	0.5169 375 773	0.5188 271 605	0.5207 182 491	2
3	0.3467 546 726	0.3484 445 772	0.3501 371 672	0.3518 324 326	3
4	0.2626 237 527	0.2642 189 277	0.2658 178 777	0.2674 205 884	4
5	0.2121 583 941	0.2137 002 125	0.2152 468 609	0.2167 983 202	5
6	0.1785 258 123	0.1800 349 584	0.1815 499 711	0.1830 708 264	6
7	0.1545 119 561	0.1560 002 470	0.1574 954 296	0.1589 974 750	7
8	0.1365 097 991	0.1379 846 180	0.1394 673 458	0.1409 579 478	8
9	0.1225 154 374	0.1239 817 039	0.1254 568 900	0.1269 409 548	9
10	0.1113 265 279	0.1127 876 831	0.1142 587 632	0.1157 397 205	10
11	0.1021 779 428	0.1036 364 868	0.1051 059 557	0.1065 862 948	11
12	0.0945 595 966	0.0960 174 015	0.0974 871 270	0.0989 687 098	12
13	0.0881 183 527	0.0895 768 561	0.0910 482 708	0.0925 325 248	13
14	0.0826 019 702	0.0840 622 989	0.0855 365 249	0.0870 245 664	14
15	0.0778 254 722	0.0792 885 250	0.0807 664 561	0.0822 591 731	15
16	0.0736 501 259	0.0751 166 300	0.0765 989 886	0.0780 970 977	16
17	0.0699 698 408	0.0714 406 435	0.0729 277 699	0.0744 318 559	17
18	0.0667 021 022	0.0681 771 958	0.0696 700 806	0.0711 806 259	18
19	0.0637 817 663	0.0652 618 152	0.0667 606 151	0.0682 780 208	19
20	0.0611 567 181	0.0626 420 708	0.0641 471 287	0.0656 717 306	20
21	0.0587 847 689	0.0602 757 214	0.0617 873 273	0.0633 194 081	21
22	0.0566 314 005	0.0581 282 056	0.0596 466 061	0.0611 864 049	22
23	0.0546 680 976	0.0561 709 724	0.0576 963 781	0.0592 440 977	23
24	0.0528 710 973	0.0543 802 289	0.0559 128 204	0.0574 686 330	24
25	0.0512 204 384	0.0527 359 889	0.0542 759 210	0.0558 399 735	25
26	0.0496 992 308	0.0512 213 406	0.0527 687 467	0.0543 411 636	26
27	0.0482 930 862	0.0498 218 774	0.0513 768 722	0.0529 577 594	27
28	0.0469 896 716	0.0485 252 506	0.0500 879 327	0.0516 773 795	28
29	0.0457 783 552	0.0473 208 143	0.0488 912 685	0.0504 893 501	29
30	0.0446 499 223	0.0461 993 422	0.0477 776 407	0.0493 844 200	30
31	0.0435 963 472	0.0451 527 978	0.0467 390 025	0.0483 545 311	31
32	0.0426 106 073	0.0441 741 493	0.0457 683 123	0.0473 926 322	32
33	0.0416 865 311	0.0432 572 169	0.0448 593 819	0.0464 925 264	33
34	0.0408 186 728	0.0423 965 477	0.0440 067 498	0.0456 487 453	34
35	0.0400 022 092	0.0415 873 115	0.0432 055 823	0.0448 564 454	35
36	0.0392 328 526	0.0408 252 151	0.0424 515 767	0.0441 113 206	36
37	0.0385 067 789	0.0401 064 289	0.0417 408 992	0.0434 095 302	37
38	0.0378 205 663	0.0394 275 262	0.0410 701 180	0.0427 476 374	38
39	0.0371 711 439	0.0387 854 319	0.0404 361 534	0.0421 225 576	39
40	0.0365 557 478	0.0381 773 781	0.0398 362 332	0.0415 315 144	40
41	0.0359 718 837	0.0376 008 666	0.0392 678 555	0.0409 720 017	41
42	0.0354 172 945	0.0370 536 372	0.0387 287 567	0.0404 417 522	42
43	0.0348 899 334	0.0365 336 398	0.0382 168 833	0.0399 387 C90	43
44	0.0343 879 391	0.0360 390 105	0.0377 303 683	0.0394 610 021	44
45	0.0339 096 161	0.0355 680 508	0.0372 675 106	0.0390 069 272	45
46	0.0334 534 159	0.0351 192 101	0.0368 267 568	0.0385 749 283	46
47	0.0330 179 220	0.0346 910 694	0.0364 066 855	0.0381 635 814	47
48	0.0326 018 355	0.0342 823 279	0.0360 059 938	0.0377 715 811	48
49	0.0322 039 639	0.0338 917 908	0.0356 234 847	0.0373 977 282	49
50	0.0318 232 097	0.0335 183 588	0.0352 580 569	0.0370 409 195	50

TABLE VI   F ACTEUR D'AMORTISSEMENT (TERME ÉTABLI SUR LA DETTE) $\dfrac{1}{a_{\overline{n}|}} = \dfrac{i}{1 - v^n}$

n	2 pour cent	2¼ pour cent	2½ pour cent	2¾ pour cent	n
51	0.0314 585 615	0.0331 610 190	0.0349 086 956	0.0367 001 379	51
52	0.0311 090 856	0.0328 188 359	0.0345 744 635	0.0363 744 446	52
53	9.0307 739 189	0.0324 909 447	0.0342 544 944	0.0360 629 713	53
54	0.0304 522 618	0.0321 765 446	0.0339 479 856	0.0357 649 139	54
55	0.0301 433 732	0.0318 748 930	0.0336 541 932	0.0354 795 268	55
56	0.0298 465 645	0.0315 853 000	0.0333 724 260	0.0352 061 174	56
57	0.0295 611 957	0.0313 071 243	0.0331 020 412	0.0349 440 416	57
58	0.0292 866 706	0.0310 397 687	0.0328 424 404	0.0346 926 996	58
59	0.0290 224 335	0.0307 826 764	0.0325 930 656	0.0344 515 322	59
60	0.0287 679 658	0.0305 353 275	0.0323 533 959	0.0342 200 173	60
61	0.0285 227 827	0.0302 972 363	0.0321 229 445	0.0339 976 670	61
62	0.0282 864 306	0.0300 679 484	0.0319 012 558	0.0337 840 249	62
63	0.0280 584 849	0.0298 470 380	0.0316 879 033	0.0335 786 631	63
64	0.0278 385 471	0.0296 341 061	0.0314 824 869	0.0333 811 810	64
65	0.0276 262 436	0.0294 287 780	0.0312 846 311	0.0331 912 019	65
66	0.0274 212 231	0.0292 307 016	0.0310 939 830	0.0330 083 725	66
67	0.0272 231 553	0.0290 395 461	0.0309 102 110	0.0328 323 599	67
68	0.0270 317 294	0.0288 549 998	0.0307 330 027	0.0326 628 513	68
69	0.0268 466 526	0.0286 767 691	0.0305 620 638	0.0324 995 517	69
70	0.0266 676 485	0.0285 045 773	0.0303 971 168	0.0323 421 829	70
71	0.0264 944 567	0.0283 381 629	0.0302 378 997	0.0321 904 825	71
72	0.0263 268 307	0.0281 772 792	0.0300 841 652	0.0320 442 024	72
73	0.0261 645 380	0.0280 216 929	0.0299 356 794	0.0319 031 083	73
74	0.0260 073 582	0.0278 711 833	0.0297 922 211	0.0317 669 784	74
75	0.0258 550 830	0.0277 255 413	0.0296 535 806	0.0316 356 028	75
76	0.0257 075 147	0.0275 845 689	0.0295 195 594	0.0315 087 826	76
77	0.0255 644 661	0.0274 480 782	0.0293 899 695	0.0313 863 291	77
78	0.0254 257 595	0.0273 158 913	0.0292 646 321	0.0312 680 634	78
79	0.0252 912 260	0.0271 878 388	0.0291 433 776	0.0311 538 157	79
80	0.0251 607 055	0.0270 637 600	0.0290 260 451	0.0310 434 245	80
81	0.0250 340 453	0.0269 435 021	0.0289 124 812	0.0309 367 364	81
82	0.0249 111 006	0.0268 269 198	0.0288 025 404	0.0308 336 055	82
83	0.0247 917 333	0.0267 138 745	0.0286 960 838	0.0307 338 929	83
84	0.0246 758 118	0.0266 042 345	0.0285 929 793	0.0306 374 664	84
85	0.0245 632 108	0.0264 978 741	0.0284 931 011	0.0305 441 998	85
86	0.0244 538 110	0.0263 946 735	0.0283 963 292	0.0304 539 731	86
87	0.0243 474 981	0.0262 945 185	0.0283 025 489	0.0303 666 715	87
88	0.0242 441 633	0.0261 972 998	0.0282 116 510	0.0302 821 858	88
89	0.0241 437 027	0.0261 029 132	0.0281 235 311	0.0302 004 115	89
90	0.0240 460 169	0.0260 112 591	0.0280 380 893	0.0301 212 487	90
91	0.0239 510 108	0.0259 222 422	0.0279 552 302	0.0300 446 021	91
92	0.0238 585 936	0.0258 357 716	0.0278 748 628	0.0299 703 805	92
93	0.0237 686 782	0.0257 517 598	0.0277 968 996	0.0298 984 966	93
94	0.0236 811 814	0.0256 701 236	0.0277 212 571	0.0298 288 670	94
95	0.0235 960 233	0.0255 907 828	0.0276 478 552	0.0297 614 116	95
96	0.0235 131 275	0.0255 136 609	0.0275 766 173	0.0296 960 540	96
97	0.0234 324 205	0.0254 386 843	0.0275 074 697	0.0296 327 206	97
98	0.0233 538 321	0.0253 657 825	0.0274 403 421	0.0295 713 411	98
99	0.0232 772 947	0.0252 948 880	0.0273 751 667	0.0295 118 481	99
100	0.0232 027 435	0.0252 259 358	0.0273 118 787	0.0294 541 767	100

TABLE VI FACTEUR D'AMORTISSEMENT (TERME ÉTABLI SUR LA DETTE) $\dfrac{1}{a_{\overline{n}|}} = \dfrac{i}{1 - v^n}$

n	3 pour cent	3½ pour cent	4 pour cent	4½ pour cent	n
1	1.0300 000 000	1.0350 000 000	1.0400 000 000	1.0450 000 000	1
2	0.5226 108 374	0.5264 004 914	0.5301 960 784	0.5339 975 550	2
3	0.3535 303 633	0.3569 341 806	0.3603 485 392	0.3637 733 601	3
4	0.2690 270 452	0.2722 511 395	0.2754 900 454	0.2787 436 479	4
5	0.2183 545 714	0.2214 813 732	0.2246 271 135	0.2277 916 395	5
6	0.1845 975 005	0.1876 682 087	0.1907 619 025	0.1938 783 875	6
7	0.1605 063 538	0.1635 444 938	0.1666 096 120	0.1697 014 680	7
8	0.1424 563 888	0.1454 766 466	0.1485 278 320	0.1516 096 533	8
9	0.1284 338 570	0.1314 460 051	0.1344 929 927	0.1375 744 700	9
10	0.1172 305 066	0.1202 413 679	0.1232 909 443	0.1263 788 217	10
11	0.1080 774 478	0.1110 919 658	0.1141 490 393	0.1172 481 817	11
12	0.1004 620 855	0.1034 839 493	0.1065 521 727	0.1096 661 886	12
13	0.0940 295 440	0.0970 615 726	0.1001 437 278	0.1032 753 528	13
14	0.0885 263 390	0.0915 707 287	0.0946 689 731	0.0978 203 160	14
15	0.0837 665 805	0.0868 250 693	0.0899 411 004	0.0931 138 081	15
16	0.0796 108 493	0.0826 848 306	0.0858 199 993	0.0890 153 694	16
17	0.0759 525 294	0.0790 431 317	0.0821 985 221	0.0854 175 833	17
18	0.0727 086 959	0.0758 168 408	0.0789 933 282	0.0822 368 975	18
19	0.0698 138 806	0.0729 403 252	0.0761 386 184	0.0794 073 443	19
20	0.0672 157 076	0.0703 610 768	0.0735 817 503	0.0768 761 443	20
21	0.0648 717 765	0.0680 365 870	0.0712 801 054	0.0746 005 669	21
22	0.0627 473 948	0.0659 320 742	0.0691 988 111	0.0725 456 461	22
23	0.0608 139 027	0.0640 188 042	0.0673 090 568	0.0706 824 930	23
24	0.0590 474 159	0.0622 728 303	0.0655 868 313	0.0689 870 299	24
25	0.0574 278 710	0.0606 740 354	0.0640 119 628	0.0674 390 280	25
26	0.0559 382 903	0.0592 053 963	0.0625 673 805	0.0660 213 675	26
27	0.0545 642 103	0.0578 524 103	0.0612 385 406	0.0647 194 616	27
28	0.0532 932 334	0.0566 026 452	0.0600 129 752	0.0635 208 051	28
29	0.0521 146 711	0.0554 453 825	0.0588 799 342	0.0624 146 147	29
30	0.0510 192 593	0.0543 713 316	0.0578 300 991	0.0613 915 429	30
31	0.0499 989 288	0.0533 723 998	0.0568 553 524	0.0604 434 459	31
32	0.0490 466 183	0.0524 415 048	0.0559 485 897	0.0595 631 962	32
33	0.0481 561 219	0.0515 724 220	0.0551 035 665	0.0587 445 281	33
34	0.0473 219 634	0.0507 596 583	0.0543 147 715	0.0579 819 119	34
35	0.0465 392 916	0.0499 983 473	0.0535 773 224	0.0572 704 478	35
36	0.0458 037 942	0.0492 841 628	0.0528 868 780	0.0566 057 796	36
37	0.0451 116 244	0.0486 132 454	0.0522 395 655	0.0559 840 206	37
38	0.0444 593 401	0.0479 821 414	0.0516 319 191	0.0554 016 920	38
39	0.0438 438 516	0.0473 877 506	0.0510 608 274	0.0548 556 712	39
40	0.0432 623 779	0.0468 272 823	0.0505 234 893	0.0543 431 466	40
41	0.0427 124 089	0.0462 982 174	0.0500 173 765	0.0538 615 804	41
42	0.0421 916 731	0.0457 982 765	0.0495 402 007	0.0534 086 759	42
43	0.0416 981 103	0.0453 253 914	0.0490 898 959	0.0529 823 492	43
44	0.0412 298 469	0.0448 776 816	0.0486 645 444	0.0525 807 056	44
45	0.0407 851 757	0.0444 534 334	0.0482 624 558	0.0522 020 184	45
46	0.0403 625 378	0.0440 510 817	0.0478 820 488	0.0518 447 107	46
47	0.0399 605 065	0.0436 691 944	0.0475 218 855	0.0515 073 395	47
48	0.0395 777 738	0.0433 064 580	0.0471 806 476	0.0511 885 821	48
49	0.0392 131 383	0.0429 616 664	0.0468 571 240	0.0508 872 235	49
50	0.0388 654 944	0.0426 337 096	0.0465 502 004	0.0506 021 459	50

TABLE VI   FACTEUR D'AMORTISSEMENT (TERME ÉTABLI SUR LA DETTE) $\dfrac{1}{a_{\overline{n}|}} = \dfrac{i}{1 - v^n}$

n	3 pour cent	3½ pour cent	4 pour cent	4½ pour cent	n
51	0.0385 338 232	0.0423 215 641	0.0462 588 497	0.0503 323 191	51
52	0.0382 171 837	0.0420 242 854	0.0459 821 236	0.0500 767 923	52
53	0.0379 147 059	0.0417 409 997	0.0457 191 451	0.0498 346 867	53
54	0.0376 255 841	0.0414 708 979	0.0454 691 025	0.0496 051 886	54
55	0.0373 490 710	0.0412 132 297	0.0452 312 426	0.0493 875 437	55
56	0.0370 844 726	0.0409 672 981	0.0450 048 662	0.0491 810 518	56
57	0.0368 311 432	0.0407 324 549	0.0447 893 234	0.0489 850 622	57
58	0.0365 884 819	0.0405 080 966	0.0445 840 087	0.0487 989 695	58
59	0.0363 559 281	0.0402 936 605	0.0443 883 581	0.0486 222 094	59
60	0.0361 329 587	0.0400 886 213	0.0442 018 451	0.0484 542 558	60
61	0.0359 190 847	0.0398 924 882	0.0440 239 779	0.0482 946 176	61
62	0.0357 138 485	0.0397 048 020	0.0438 542 964	0.0481 428 356	62
63	0.0355 168 216	0.0395 251 325	0.0436 923 701	0.0479 984 802	63
64	0.0353 276 021	0.0393 530 765	0.0435 377 955	0.0478 611 494	64
65	0.0351 458 128	0.0391 882 558	0.0433 901 939	0.0477 304 661	65
66	0.0349 710 995	0.0390 303 148	0.0432 492 100	0.0476 060 769	66
67	0.0348 031 288	0.0388 789 193	0.0431 145 099	0.0474 876 496	67
68	0.0346 415 871	0.0387 337 550	0.0429 857 795	0.0473 748 725	68
69	0.0344 861 787	0.0385 945 255	0.0428 627 231	0.0472 674 523	69
70	0.0343 366 251	0.0384 609 517	0.0427 450 623	0.0471 651 129	70
71	0.0341 926 632	0.0383 327 702	0.0426 325 344	0.0470 675 946	71
72	0.0340 540 446	0.0382 097 323	0.0425 248 919	0.0469 746 524	72
73	0.0339 205 345	0.0380 916 030	0.0424 219 008	0.0468 860 556	73
74	0.0337 919 109	0.0379 781 601	0.0423 233 403	0.0468 015 863	74
75	0.0336 679 634	0.0378 691 934	0.0422 290 015	0.0467 210 390	75
76	0.0335 484 929	0.0377 645 038	0.0421 386 870	0.0466 442 193	76
77	0.0334 333 105	0.0376 639 029	0.0420 522 095	0.0465 709 439	77
78	0.0333 222 371	0.0375 672 117	0.0419 693 922	0.0465 010 391	78
79	0.0332 151 027	0.0374 742 606	0.0418 900 672	0.0464 343 408	79
80	0.0331 117 457	0.0373 848 887	0.0418 140 755	0.0463 706 935	80
81	0.0330 120 127	0.0372 989 429	0.0417 412 661	0.0463 099 502	81
82	0.0329 157 577	0.0372 162 781	0.0416 714 957	0.0462 519 715	82
83	0.0328 228 417	0.0371 367 560	0.0416 046 284	0.0461 966 252	83
84	0.0327 331 325	0.0370 602 452	0.0415 405 351	0.0461 437 861	84
85	0.0326 465 042	0.0369 866 205	0.0414 790 928	0.0460 933 355	85
86	0.0325 628 365	0.0369 157 629	0.0414 201 848	0.0460 451 606	86
87	0.0324 820 151	0.0368 475 589	0.0413 637 001	0.0459 991 543	87
88	0.0324 039 306	0.0367 819 002	0.0413 095 329	0.0459 552 152	88
89	0.0323 284 787	0.0367 186 838	0.0412 575 828	0.0459 132 468	89
90	0.0322 555 599	0.0366 578 111	0.0412 077 538	0.0458 731 573	90
91	0.0321 850 789	0.0365 991 884	0.0411 599 547	0.0458 348 597	91
92	0.0321 169 449	0.0365 427 259	0.0411 140 984	0.0457 982 710	92
93	0.0320 510 708	0.0364 883 379	0.0410 701 021	0.0457 633 126	93
94	0.0319 873 733	0.0364 359 428	0.0410 278 867	0.0457 299 095	94
95	0.0319 257 729	0.0363 854 621	0.0409 873 767	0.0456 979 905	95
96	0.0318 661 932	0.0363 368 213	0.0409 485 002	0.0456 674 877	96
97	0.0318 085 613	0.0362 899 487	0.0409 111 884	0.0456 383 364	97
98	0.0317 528 070	0.0362 447 758	0.0408 753 757	0.0456 104 754	98
99	0.0316 988 633	0.0362 012 372	0.0408 409 996	0.0455 838 459	99
100	0.0316 466 659	0.0361 592 702	0.0408 080 000	0.0455 583 922	100

TABLE VI — FACTEUR D'AMORTISSEMENT (TERME ÉTABLI SUR LA DETTE) — $\dfrac{1}{a_{\overline{n}|}} = \dfrac{i}{1 - v^n}$

n	5 pour cent	5½ pour cent	6 pour cent	6½ pour cent	n
1	1.0500 000 000	1.0550 000 000	1.0600 000 000	1.0650 000 000	1
2	0.5378 048 780	0.5416 180 049	0.5454 368 933	0.5492 615 012	2
3	0.3672 085 646	0.3706 540 747	0.3741 098 129	0.3775 757 019	3
4	0.2820 118 326	0.2852 944 853	0.2885 914 924	0.2919 027 404	4
5	0.2309 747 981	0.2341 764 362	0.2373 964 004	0.2406 345 376	5
6	0.1970 174 681	0.2001 789 476	0.2033 626 285	0.2065 683 122	6
7	0.1728 198 184	0.1759 644 178	0.1791 350 181	0.1823 313 693	7
8	0.1547 218 136	0.1578 640 118	0.1610 359 426	0.1642 372 971	8
9	0.1406 900 800	0.1438 394 585	0.1470 222 350	0.1502 380 329	9
10	0.1295 045 750	0.1326 677 687	0.1358 679 582	0.1391 046 900	10
11	0.1203 888 915	0.1235 706 531	0.1267 929 381	0.1300 552 058	11
12	0.1128 254 100	0.1160 292 312	0.1192 770 294	0.1225 681 661	12
13	0.1064 557 652	0.1096 842 587	0.1129 601 053	0.1162 825 571	13
14	0.1010 239 695	0.1042 791 154	0.1075 849 090	0.1109 404 806	14
15	0.0963 422 876	0.0996 255 976	0.1029 627 640	0.1063 527 830	15
16	0.0922 699 080	0.0955 825 380	0.0989 521 436	0.1023 775 740	16
17	0.0886 991 417	0.0920 419 723	0.0954 448 042	0.0989 063 265	17
18	0.0855 462 223	0.0889 199 163	0.0923 565 406	0.0958 546 103	18
19	0.0827 450 104	0.0861 500 559	0.0896 208 604	0.0931 557 517	19
20	0.0802 425 872	0.0836 793 300	0.0871 845 570	0.0907 563 954	20
21	0.0779 961 071	0.0814 647 754	0.0850 045 467	0.0886 133 343	21
22	0.0759 705 086	0.0794 712 319	0.0830 455 685	0.0866 912 043	22
23	0.0741 368 219	0.0776 696 472	0.0812 784 847	0.0849 607 802	23
24	0.0724 709 008	0.0760 358 037	0.0796 790 050	0.0833 976 975	24
25	0.0709 524 573	0.0745 493 529	0.0782 267 182	0.0819 814 811	25
26	0.0695 643 207	0.0731 930 713	0.0769 043 466	0.0806 947 983	26
27	0.0682 918 599	0.0719 522 817	0.0756 971 663	0.0795 228 776	27
28	0.0671 225 304	0.0708 143 996	0.0745 925 515	0.0784 530 522	28
29	0.0660 455 149	0.0697 685 720	0.0735 796 135	0.0774 743 976	29
30	0.0650 514 351	0.0688 053 897	0.0726 489 115	0.0765 774 422	30
31	0.0641 321 204	0.0679 166 543	0.0717 922 196	0.0757 539 335	31
32	0.0632 804 189	0.0670 951 895	0.0710 023 374	0.0749 966 481	32
33	0.0624 900 437	0.0663 346 865	0.0702 729 350	0.0742 992 365	33
34	0.0617 554 454	0.0656 295 769	0.0695 984 254	0.0736 560 953	34
35	0.0610 717 072	0.0649 749 266	0.0689 738 590	0.0730 622 606	35
36	0.0604 344 571	0.0643 663 488	0.0683 948 348	0.0725 133 205	36
37	0.0598 397 945	0.0637 999 295	0.0678 574 274	0.0720 053 400	37
38	0.0592 842 282	0.0632 721 659	0.0673 581 240	0.0715 347 995	38
39	0.0587 646 242	0.0627 799 139	0.0668 937 724	0.0710 985 416	39
40	0.0582 781 612	0.0623 203 434	0.0664 615 359	0.0706 937 260	40
41	0.0578 222 924	0.0618 909 001	0.0660 588 551	0.0703 177 915	41
42	0.0573 947 131	0.0614 892 731	0.0656 834 152	0.0699 684 229	42
43	0.0569 933 328	0.0611 133 667	0.0653 331 178	0.0696 435 230	43
44	0.0566 162 506	0.0607 612 757	0.0650 060 565	0.0693 411 874	44
45	0.0562 617 347	0.0604 312 651	0.0647 004 958	0.0690 596 841	45
46	0.0559 282 036	0.0601 217 512	0.0644 148 527	0.0687 974 344	46
47	0.0556 142 109	0.0598 312 858	0.0641 476 805	0.0685 529 973	47
48	0.0553 184 306	0.0595 585 424	0.0638 976 549	0.0683 250 549	48
49	0.0550 396 453	0.0593 023 035	0.0636 635 619	0.0681 124 000	49
50	0.0547 767 355	0.0590 614 501	0.0634 442 864	0.0679 139 255	50

TABLE VI FACTEUR D'AMORTISSEMENT (TERME ÉTABLI SUR LA DETTE) $\dfrac{1}{a_{\overline{n}|}} = \dfrac{i}{1 - v^n}$

n	5 pour cent	5½ pour cent	6 pour cent	6½ pour cent	n
51	0.0545 286 697	0.0588 349 523	0.0632 388 028	0.0677 286 146	51
52	0.0542 944 966	0.0586 218 603	0.0630 461 669	0.0675 555 319	52
53	0.0540 733 368	0.0584 212 975	0.0628 655 076	0.0673 938 164	53
54	0.0538 643 770	0.0582 324 534	0.0626 960 209	0.0672 426 740	54
55	0.0536 668 637	0.0580 545 778	0.0625 369 634	0.0671 013 722	55
56	0.0534 800 978	0.0578 869 756	0.0623 876 472	0.0669 692 339	56
57	0.0533 034 300	0 0577 290 020	0.0622 474 350	0.0668 456 332	57
58	0.0531 362 568	0.0575 800 578	0.0621 157 359	0.0667 299 909	58
59	0.0529 780 161	0.0574 395 863	0.0619 920 012	0.0666 217 702	59
60	0.0528 281 845	0.0573 070 692	0.0618 757 215	0.0665 204 735	60
61	0.0526 862 736	0.0571 820 238	0.0617 664 228	0.0664 256 393	61
62	0.0525 518 273	0.0570 640 001	0.0616 636 642	0.0663 368 390	62
63	0.0524 244 196	0.0569 525 782	0.0615 670 351	0.0662 536 742	63
64	0.0523 036 520	0.0568 473 659	0.0614 761 528	0.0661 757 748	64
65	0.0521 891 514	0.0567 479 969	0.0613 906 603	0.0661 027 964	65
66	0.0520 805 683	0.0566 541 284	0.0613 102 248	0.0660 344 184	66
67	0.0519 775 751	0.0565 654 398	0.0612 345 351	0.0659 703 424	67
68	0.0518 798 643	0.0564 816 307	0.0611 633 009	0.0659 102 903	68
69	0.0517 871 473	0.0564 024 198	0.0610 962 506	0.0658 540 027	69
70	0.0516 991 530	0.0563 275 431	0.0610 331 302	0.0658 012 380	70
71	0.0516 156 265	0.0562 567 533	0.0609 737 022	0.0657 517 705	71
72	0.0515 363 280	0.0561 898 180	0.0609 177 439	0.0657 053 899	72
73	0.0514 610 318	0.0561 265 191	0.0608 650 472	0.0656 618 995	73
74	0.0513 895 254	0.0560 666 516	0.0608 154 168	0.0656 211 159	74
75	0.0513 216 085	0.0560 100 230	0.0607 686 698	0.0655 828 675	75
76	0.0512 570 925	0.0559 564 521	0.0607 246 347	0.0655 469 940	76
77	0.0511 957 993	0.0559 057 685	0.0606 831 507	0.0655 133 458	77
78	0.0511 375 610	0.0558 578 119	0.0606 440 667	0.0654 817 826	78
79	0.0510 822 189	0.0558 124 313	0.0606 072 411	0.0654 521 735	79
80	0.0510 296 235	0.0557 694 845	0.0605 725 410	0.0654 243 958	80
81	0.0509 796 332	0.0557 288 376	0.0605 398 414	0.0653 983 350	81
82	0.0509 321 143	0.0556 903 644	0.0605 090 251	0.0653 738 836	82
83	0.0508 869 406	0.0556 539 459	0.0604 799 819	0.0653 509 412	83
84	0.0508 439 924	0.0556 194 699	0.0604 526 081	0.0653 294 137	84
85	0.0508 031 567	0.0555 868 307	0.0604 268 066	0.0653 092 130	85
86	0.0507 643 265	0.0555 559 284	0.0604 024 856	0.0652 902 566	86
87	0.0507 274 005	0.0555 266 688	0.0603 795 593	0.0652 724 671	87
88	0.0506 922 828	0.0554 989 631	0.0603 579 467	0.0652 557 723	88
89	0.0506 588 825	0.0554 727 272	0.0603 375 715	0.0652 401 041	89
90	0.0506 271 136	0.0554 478 820	0.0603 183 623	0.0652 253 990	90
91	0.0505 968 946	0.0554 243 525	0.0603 002 516	0.0652 115 975	91
92	0.0505 681 481	0.0554 020 682	0.0602 831 760	0.0651 986 436	92
93	0.0505 408 008	0.0553 809 621	0.0602 670 759	0.0651 864 851	93
94	0.0505 147 832	0.0553 609 712	0.0602 518 949	0.0651 750 727	94
95	0.0504 900 295	0.0553 420 357	0.0602 375 802	0.0651 643 605	95
96	0.0504 664 770	0.0553 240 994	0.0602 240 821	0.0651 543 053	96
97	0.0504 440 666	0.0553 071 089	0.0602 113 535	0.0651 448 666	97
98	0.0504 227 418	0.0552 910 137	0.0601 993 504	0.0651 360 065	98
99	0.0504 024 492	0.0552 757 664	0.0601 880 310	0.0651 276 893	99
100	0.0503 831 381	0.0552 613 216	0.0601 773 563	0.0651 198 817	100

TABLE VI FACTEUR D'AMORTISSEMENT (TERME ÉTABLI SUR LA DETTE) $\dfrac{1}{a_{\overline{n}|}} = \dfrac{i}{1 - v^n}$

n	7 pour cent	7½ pour cent	8 pour cent	8½ pour cent	n
1	1.0700 000 000	1.0750 000 000	1.0800 000 000	1.0850 000 000	1
2	0.5530 917 874	0.5569 277 108	0.5607 692 308	0.5646 163 070	2
3	0.3810 516 657	0.3845 376 282	0.3880 335 140	0.3915 392 485	3
4	0.2952 281 167	0.2985 675 087	0.3019 208 045	0.3052 878 926	4
5	0.2438 906 944	0.2471 647 178	0.2504 564 546	0.2537 657 519	5
6	0.2097 957 998	0.2130 448 912	0.2163 153 862	0.2196 070 840	6
7	0.1855 532 196	0.1888 003 154	0.1920 724 014	0.1953 692 211	7
8	0.1674 677 625	0.1707 270 232	0.1740 147 606	0.1773 306 533	8
9	0.1534 864 701	0.1567 671 595	0.1600 797 092	0.1634 237 233	9
10	0.1423 775 027	0.1456 859 274	0.1490 294 887	0.1524 077 051	10
11	0.1333 569 048	0.1366 974 737	0.1400 763 421	0.1434 929 317	11
12	0.1259 019 887	0.1292 778 314	0.1326 950 169	0.1361 528 581	12
13	0.1196 508 481	0.1230 641 962	0.1265 218 052	0.1300 228 662	13
14	0.1143 449 386	0.1177 973 721	0.1212 968 528	0.1248 424 382	14
15	0.1097 946 247	0.1132 872 363	0.1168 295 449	0.1204 204 614	15
16	0.1058 576 477	0.1093 911 571	0.1129 768 719	0.1166 135 439	16
17	0.1024 251 930	0.1060 000 282	0.1096 294 315	0.1133 119 832	17
18	0.0994 126 017	0.1030 289 578	0.1067 020 959	0.1104 304 127	18
19	0.0967 530 148	0.1004 108 994	0.1041 276 275	0.1079 014 014	19
20	0.0943 929 257	0.0980 921 916	0.1018 522 088	0.1056 709 744	20
21	0.0922 890 017	0.0960 293 742	0.0998 322 503	0.1036 954 120	21
22	0.0904 057 732	0.0941 868 710	0.0980 320 684	0.1019 389 233	22
23	0.0887 139 263	0.0925 352 780	0.0964 221 691	0.1003 719 258	23
24	0.0871 890 207	0.0910 500 795	0.0949 779 616	0.0989 697 546	24
25	0.0858 105 172	0.0897 106 716	0.0936 787 790	0.0977 116 825	25
26	0.0845 610 279	0.0884 996 124	0.0925 071 267	0.0965 801 651	26
27	0.0834 257 340	0.0874 020 369	0.0914 480 962	0.0955 602 540	27
28	0.0823 919 283	0.0864 051 993	0.0904 889 057	0.0946 391 358	28
29	0.0814 486 518	0.0854 981 081	0.0896 185 350	0.0938 057 657	29
30	0.0805 864 035	0.0846 712 358	0.0888 274 334	0.0930 505 753	30
31	0.0797 969 061	0.0839 162 831	0.0881 072 841	0.0923 652 359	31
32	0.0790 729 155	0.0832 259 887	0.0874 508 132	0.0917 424 664	32
33	0.0784 080 653	0.0825 939 728	0.0868 516 324	0.0911 758 763	33
34	0.0777 967 381	0.0820 146 084	0.0863 041 101	0.0906 598 358	34
35	0.0772 339 596	0.0814 829 147	0.0858 032 646	0.0901 893 685	35
36	0.0767 153 097	0.0809 944 680	0.0853 446 741	0.0897 600 615	36
37	0.0762 368 480	0.0805 453 271	0.0849 244 025	0.0893 679 904	37
38	0.0757 950 515	0.0801 319 709	0.0845 389 361	0.0890 096 556	38
39	0.0753 867 616	0.0797 512 443	0.0841 851 297	0.0886 819 284	39
40	0.0750 091 389	0.0794 003 138	0.0838 601 615	0.0883 820 056	40
41	0.0746 596 245	0.0790 766 282	0.0835 614 940	0.0881 073 700	41
42	0.0743 359 073	0.0787 778 858	0.0832 868 407	0.0878 557 568	42
43	0.0740 358 953	0.0785 020 052	0.0830 341 370	0.0876 251 245	43
44	0.0737 576 913	0.0782 471 012	0.0828 015 156	0.0874 136 299	44
45	0.0734 995 710	0.0780 114 630	0.0825 872 845	0.0872 196 061	45
46	0.0732 599 650	0.0777 935 352	0.0823 899 085	0.0870 415 434	46
47	0.0730 374 421	0.0775 919 020	0.0822 079 922	0.0868 780 731	47
48	0.0728 306 953	0.0774 052 724	0.0820 402 660	0.0867 279 519	48
49	0.0726 385 294	0.0772 324 676	0.0818 855 731	0.0865 900 501	49
50	0.0724 598 495	0.0770 724 102	0.0817 428 582	0.0864 633 395	50

TABLE VI FACTEUR D'AMORTISSEMENT (TERME ÉTABLI SUR LA DETTE) $\dfrac{1}{a_{\overline{n}|}} = \dfrac{i}{1 - v^n}$

n	7 pour cent	7½ pour cent	8 pour cent	8½ pour cent	n
51	0.0722 936 519	0.0769 241 141	0.0816 111 575	0.0863 468 835	51
52	0.0721 390 147	0.0767 866 757	0.0814 895 903	0.0862 398 282	52
53	0.0719 950 908	0.0766 592 661	0.0813 773 506	0.0861 413 945	53
54	0.0718 611 007	0.0765 411 247	0.0812 737 003	0.0860 508 710	54
55	0.0717 363 264	0.0764 315 521	0.0811 779 629	0.0859 676 075	55
56	0.0716 201 059	0.0763 299 053	0.0810 895 180	0.0858 910 096	56
57	0.0715 118 286	0.0762 355 927	0.0810 077 963	0.0858 205 332	57
58	0.0714 109 304	0.0761 480 689	0.0809 322 748	0.0857 556 803	58
59	0.0713 168 900	0.0760 668 318	0.0808 624 729	0.0856 959 948	59
60	0.0712 292 255	0.0759 914 178	0.0807 979 488	0.0856 410 586	60
61	0.0711 474 906	0.0759 213 993	0.0807 382 960	0.0855 904 885	61
62	0.0710 712 723	0.0758 563 816	0.0806 831 404	0.0855 439 330	62
63	0.0710 001 877	0.0757 959 999	0.0806 321 375	0.0855 010 696	63
64	0.0709 338 819	0.0757 399 172	0.0805 849 701	0.0854 616 021	64
65	0.0708 720 257	0.0756 878 216	0.0805 413 458	0.0854 252 588	65
66	0.0708 143 137	0.0756 394 250	0.0805 009 950	0.0753 917 900	66
67	0.0707 604 621	0.0755 944 603	0.0804 636 692	0.0853 609 665	67
68	0.0707 102 075	0.0755 526 807	0.0804 291 391	0.0853 325 773	68
69	0.0706 633 050	0.0755 138 574	0.0803 971 932	0.0853 064 290	69
70	0.0706 195 272	0.0754 777 785	0.0803 676 362	0.0852 823 433	70
71	0.0705 786 623	0.0754 442 477	0.0803 402 881	0.0852 601 565	71
72	0.0705 405 135	0.0754 130 829	0.0803 149 823	0.0852 397 181	72
73	0.0705 048 978	0.0753 841 156	0.0802 915 653	0.0852 208 896	73
74	0.0704 716 446	0.0753 571 892	0.0802 698 950	0.0852 035 434	74
75	0.0704 405 951	0.0753 321 587	0.0802 498 403	0.0851 875 624	75
76	0.0704 116 017	0.0753 088 894	0.0802 312 801	0.0851 728 387	76
77	0.0703 845 265	0.0752 872 564	0.0802 141 024	0.0851 592 730	77
78	0.0703 592 415	0.0752 671 439	0.0801 982 037	0.0851 467 738	78
79	0.0703 356 270	0.0752 484 442	0.0801 834 883	0.0851 352 571	79
80	0.0703 135 718	0.0752 310 575	0.0801 698 677	0.0851 246 454	80
81	0.0702 929 719	0.0752 148 910	0.0801 572 601	0.0851 148 674	81
82	0.0702 737 305	0.0751 998 586	0.0801 455 900	0.0851 058 573	82
83	0.0702 557 575	0.0751 858 805	0.0801 347 874	0.0850 975 548	83
84	0.0702 389 686	0.0751 728 822	0.0801 247 876	0.0850 899 042	84
85	0.0702 232 853	0.0751 607 948	0.0801 155 307	0.0850 828 541	85
86	0.0702 086 343	0.0751 495 542	0.0801 069 615	0.0850 763 575	86
87	0.0701 949 473	0.0751 391 008	0.0800 990 286	0.0850 703 706	87
88	0.0701 821 605	0.0751 293 793	0.0800 916 847	0.0850 648 535	88
89	0.0701 702 145	0.0751 203 384	0.0800 848 861	0.0850 597 692	89
90	0.0701 590 537	0.0751 119 302	0.0800 785 920	0.0850 550 838	90
91	0.0701 486 262	0.0751 041 102	0.0800 727 651	0.0850 507 659	91
92	0.0701 388 837	0.0750 968 374	0.0800 673 705	0.0850 467 867	92
93	0.0701 297 811	0.0750 900 731	0.0800 623 762	0.0850 431 195	93
94	0.0701 212 760	0.0750 837 820	0.0800 577 524	0.0850 397 399	94
95	0.0701 133 292	0.0750 779 306	0.0800 534 716	0.0850 366 253	95
96	0.0701 059 039	0.0750 724 884	0.0800 495 083	0.0850 337 549	96
97	0.0700 989 658	0.0750 674 265	0.0800 458 389	0.0850 311 095	97
98	0.0700 924 828	0.0750 627 184	0.0800 424 416	0.0850 286 715	98
99	0.0700 864 251	0.0750 583 393	0.0800 392 963	0.0850 264 247	99
100	0.0700 807 646	0.0750 542 661	0.0800 363 841	0.0850 243 540	100

TABLE VI FACTEUR D'AMORTISSEMENT (TERME ÉTABLI SUR LA DETTE) $\dfrac{1}{a_{\overline{n}|}} = \dfrac{i}{1 - v^n}$

n	9 pour cent	9½ pour cent	10 pour cent	10½ pour cent	n
1	1.0900 000 000	1.0950 000 000	1.1000 000 000	1.1050 000 000	1
2	0.5684 688 995	0.5723 269 690	0.5761 904 672	0.5800 593 824	2
3	0.3950 547 573	0.3985 799 668	0.4021 148 036	0.4056 591 953	3
4	0.3086 686 629	0.3120 630 025	0.3154 708 037	0.3188 919 564	4
5	0.2570 924 570	0.2604 364 173	0.2637 974 808	0.2671 754 954	5
6	0.2229 197 833	0.2262 532 826	0.2296 073 804	0.2329 818 746	6
7	0.1986 905 168	0.2020 360 296	0.2054 054 997	0.2087 986 667	7
8	0.1806 743 779	0.1840 456 084	0.1874 440 176	0.1908 692 763	8
9	0.1667 988 021	0.1702 045 426	0.1736 405 391	0.1771 063 831	9
10	0.1558 200 899	0.1592 661 517	0.1627 453 949	0.1662 573 206	10
11	0.1469 466 567	0.1504 369 258	0.1539 631 420	0.1575 247 041	11
12	0.1396 506 585	0.1431 877 142	0.1467 633 151	0.1503 767 456	12
13	0.1335 665 597	0.1371 520 575	0.1407 785 238	0.1444 451 173	13
14	0.1284 331 730	0.1320 680 923	0.1357 462 232	0.1394 665 871	14
15	0.1240 588 826	0.1277 436 950	0.1314 737 769	0.1352 480 015	15
16	0.1202 999 097	0.1240 346 957	0.1278 166 207	0.1316 443 997	16
17	0.1170 462 485	0.1208 307 824	0.1246 641 344	0.1285 448 518	17
18	0.1142 122 907	0.1180 461 037	0.1219 302 222	0.1258 630 182	18
19	0.1117 304 107	0.1156 128 384	0.1195 468 682	0.1235 306 897	19
20	0.1095 464 751	0.1134 766 953	0.1174 596 248	0.1214 932 653	20
21	0.1076 166 348	0.1115 936 973	0.1156 243 898	0.1197 065 219	21
22	0.1059 049 929	0.1099 278 440	0.1140 050 629	0.1181 342 647	22
23	0.1043 818 800	0.1084 493 824	0.1125 718 127	0.1167 465 900	23
24	0.1030 225 607	0.1071 335 107	0.1112 997 763	0.1155 185 815	24
25	0.1018 062 505	0.1059 593 925	0.1101 680 722	0.1144 293 198	25
26	0.1007 153 599	0.1049 093 986	0.1091 590 386	0.1134 611 196	26
27	0.0997 349 054	0.1039 685 169	0.1082 576 423	0.1125 989 359	27
28	0.0988 520 473	0.1031 238 883	0.1074 510 132	0.1118 298 968	28
29	0.0980 557 226	0.1023 644 387	0.1067 280 748	0.1111 429 332	29
30	0.0973 363 514	0.1016 805 844	0.1060 792 483	0.1105 284 815	30
31	0.0966 855 995	0.1010 639 940	0.1054 962 140	0.1099 782 438	31
32	0.0960 961 861	0.1005 073 947	0.1049 717 167	0.1094 849 922	32
33	0.0955 617 255	0.1000 044 141	0.1044 994 063	0.1090 424 091	33
34	0.0950 765 971	0.0995 494 491	0.1040 737 064	0.1086 449 545	34
35	0.0946 358 375	0.0991 375 575	0.1036 897 051	0.1082 877 563	35
36	0.0942 350 500	0.0987 643 673	0.1033 430 638	0.1079 665 187	36
37	0.0938 703 293	0.0984 260 006	0.1030 299 405	0.1076 774 443	37
38	0.0935 381 975	0.0981 190 090	0.1027 469 250	0.1074 171 697	38
39	0.0932 355 500	0.0978 403 196	0.1024 909·840	0.1071 827 092	39
40	0.0929 596 092	0.0975 871 883	0.1022 594 144	0.1069 714 084	40
41	0.0927 078 853	0.0973 571 597	0.1020 498 028	0.1067 809 027	41
42	0.0924 781 420	0.0971 480 333	0.1018 599 911	0.1066 090 833	42
43	0.0922 683 675	0.0969 578 336	0.1016 880 466	0.1064 540 666	43
44	0.0920 767 493	0.0967 847 848	0.1015 322 365	0.1063 141 681	44
45	0.0919 016 514	0.0966 272 880	0.1013 910 047	0.1061 878 796	45
46	0.0917 415 959	0.0964 839 025	0.1012 629 527	0.1060 738 498	46
47	0.0915 952 455	0.0963 533 282	0.1011 468 221	0.1059 708 663	47
48	0.0914 613 892	0.0962 343 905	0.1010 414 797	0.1058 778 407	48
49	0.0913 389 289	0.0961 260 279	0.1009 459 041	0.1057 937 954	49
50	0.0912 268 681	0.0960 272 796	0.1008 591 740	0.1057 178 512	50

				$\dfrac{1}{a_{\overline{n}|}} = \dfrac{i}{1 - v^n}$

TABLE VI FACTEUR D'AMORTISSEMENT (TERME ÉTABLI SUR LA DETTE)

n	9 pour cent	9½ pour cent	10 pour cent	10½ pour cent	n
51	0.0911 243 016	0.0959 372 756	0.1007 804 577	0.1056 492 173	51
52	0.0910 304 065	0.0958 552 274	0.1007 090 040	0.1055 871 820	52
53	0.0909 444 343	0.0957 804 201	0.1006 441 339	0.1055 311 042	53
54	0.0908 657 034	0.0957 122 048	0.1005 852 336	0.1054 804 064	54
55	0.0907 935 930	0.0956 499 926	0.1005 317 476	0.1054 345 680	55
56	0.0907 275 373	0.0955 932 484	0.1004 831 734	0.1053 931 196	56
57	0.0906 670 202	0.0955 414 860	0.1004 390 556	0.1053 556 378	57
58	0.0906 115 709	0.0954 942 633	0.1003 989 822	0.1053 217 406	58
59	0.0905 607 595	0.0954 511 784	0.1003 625 796	0.1052 910 832	59
60	0.0905 141 938	0.0954 118 653	0.1003 295 092	0.1052 633 544	60
61	0.0904 715 150	0.0953 759 913	0.1002 994 641	0.1052 382 730	61
62	0.0904 323 955	0.0953 432 532	0.1002 721 660	0.1052 155 851	62
63	0.0903 965 358	0.0953 133 750	0.1002 473 625	0.1051 950 616	63
64	0.0903 636 620	0.0952 861 053	0.1002 248 244	0.1051 764 952	64
65	0.0903 335 236	0.0952 612 152	0.1002 043 441	0.1051 596 987	65
66	0.0903 058 914	0.0952 384 958	0.1001 857 328	0.1051 445 028	66
67	0.0902 805 556	0.0952 177 569	0.1001 688 195	0.1051 307 547	67
68	0.0902 573 242	0.0951 988 252	0.1001 534 487	0.1051 183 160	68
69	0.0902 360 215	0.0951 815 426	0.1001 394 794	0.1051 070 618	69
70	0.0902 164 866	0.0951 657 648	0.1001 267 834	0.1050 968 792	70
71	0.0901 985 722	0.0951 513 605	0.1001 152 443	0.1050 876 658	71
72	0.0901 821 431	0.0951 382 097	0.1001 047 566	0.1050 793 292	72
73	0.0901 670 758	0.0951 262 029	0.1000 952 242	0.1050 717 860	73
74	0.0901 532 571	0.0951 152 405	0.1000 865 600	0.1050 649 605	74
75	0.0901 405 831	0.0951 052 314	0.1000 786 847	0.1050 587 843	75
76	0.0901 289 587	0.0950 960 925	0.1000 715 264	0.1050 531 957	76
77	0.0901 182 967	0.0950 877 480	0.1000 650 198	0.1050 481 385	77
78	0.0901 085 173	0.0950 801 288	0.1000 591 054	0.1050 435 624	78
79	0.0900 995 472	0.0950 731 716	0.1000 537 293	0.1050 394 214	79
80	0.0900 913 194	0.0950 668 189	0.1000 488 424	0.1050 356 742	80
81	0.0900 837 723	0.0950 610 181	0.1000 444 002	0.1050 322 833	81
82	0.0900 768 494	0.0950 557 212	0.1000 403 622	0.1050 292 148	82
83	0.0900 704 990	0.0950 508 844	0.1000 366 916	0.1050 264 381	83
84	0.0900 646 738	0.0950 464 676	0.1000 333 549	0.1050 239 253	84
85	0.0900 593 303	0.0950 424 343	0.1000 303 217	0.1050 216 514	85
86	0.0900 544 285	0.0950 387 513	0.1000 275 644	0.1050 195 936	86
87	0.0900 499 319	0.0950 353 881	0.1000 250 579	0.1050 177 315	87
88	0.0900 458 070	0.0950 323 168	0.1000 227 794	0.1050 160 463	88
89	0.0900 420 230	0.0950 295 122	0.1000 207 081	0.1050 145 213	89
90	0.0900 385 517	0.0950 269 511	0.1000 188 252	0.1050 131 413	90
91	0.0900 353 673	0.0950 246 122	0.1000 171 135	0.1050 118 924	91
92	0.0900 324 460	0.0950 224 764	0.1000 155 575	0.1050 107 623	92
93	0.0900 297 661	0.0950 205 260	0.1000 141 430	0.1050 097 395	93
94	0.0900 273 076	0.0950 187 449	0.1000 128 571	0.1050 088 140	94
95	0.0900 250 522	0.0950 171 183	0.1000 116 881	0.1050 079 764	95
96	0.0900 229 832	0.0950 156 329	0.1000 106 255	0.1050 072 184	96
97	0.0900 210 850	0.0950 142 764	0.1000 096 594	0.1050 065 324	97
98	0.0900 193 437	0.0950 130 377	0.1000 087 812	0.1050 059 117	98
99	0.0900 177 462	0.0950 119 064	0.1000 079 829	0.1050 053 499	99
100	0.0900 162 806	0.0950 108 733	0.1000 072 571	0.1050 048 415	100

TABLE VII

VALEUR ACQUISE DE 1
PAR FRACTION DE PÉRIODE

$$s = (1 + i)^{1/p}$$

p	¼ pour cent	⁷⁄₂₄ pour cent	⅓ pour cent	⁵⁄₁₂ pour cent	p
2	1.0012 492 197	1.0014 572 715	1.0016 652 801	1.0020 811 677	2
4	1.0006 244 149	1.0007 283 705	1.0008 322 937	1.0010 400 431	4
6	1.0004 162 333	1.0004 855 214	1.0005 547 855	1.0006 932 419	6
12	1.0002 080 950	1.0002 427 312	1.0002 773 543	1.0003 465 609	12

p	½ pour cent	⁷⁄₁₂ pour cent	⅔ pour cent	¾ pour cent	p
2	1.0024 968 828	1.0029 124 256	1.0033 277 962	1.0037 429 950	2
4	1.0012 476 631	1.0014 551 540	1.0016 625 161	1.0018 697 495	4
6	1.0008 316 025	1.0009 698 676	1.0011 080 372	1.0012 461 116	6
12	1.0004 157 148	1.0004 848 163	1.0005 538 652	1.0006 228 618	12

p	⅞ pour cent	1 pour cent	1⅛ pour cent	1¼ pour cent	p
2	1.0043 654 713	1.0049 875 621	1.0056 092 681	1.0062 305 899	2
4	1.0021 803 587	1.0024 906 793	1.0028 007 120	1.0031 104 575	4
6	1.0014 530 447	1.0016 597 644	1.0018 662 609	1.0020 725 648	6
12	1.0007 262 586	1.0008 295 381	1.0009 326 955	1.0010 357 460	12

p	1⅜ pour cent	1½ pour cent	1⅝ pour cent	1¾ pour cent	p
2	1.0068 515 283	1.0074 720 840	1.0080 922 577	1.0087 120 501	2
4	1.0034 199 161	1.0037 290 889	1.0040 429 561	1.0043 465 787	4
6	1.0022 786 466	1.0024 845 167	1.0026 901 757	1.0028 956 240	6
12	1.0011 386 750	1.0012 414 877	1.0013 441 844	1.0014 467 654	12

p	2 pour cent	2¼ pour cent	2½ pour cent	2¾ pour cent	p
2	1.0099 504 938	1.0111 874 208	1.0124 228 366	1.0136 567 466	2
4	1.0049 629 316	1.0055 781 525	1.0061 922 463	1.0068 052 178	4
6	1.0033 058 903	1.0037 153 196	1.0041 239 155	1.0045 316 817	6
12	1.0016 515 813	1.0018 559 375	1.0020 598 363	1.0022 632 796	12

p	3 pour cent	3½ pour cent	4 pour cent	4½ pour cent	p
2	1.0148 891 565	1.0173 494 974	1.0198 039 027	1.0222 524 150	2
4	1.0074 170 718	1.0086 374 460	1.0098 534 065	1.0110 649 905	4
6	1.0049 386 220	1.0057 500 395	1.0065 581 969	1.0073 631 230	6
12	1.0024 662 698	1.0028 708 987	1.0032 737 398	1.0036 748 094	12

p	5 pour cent	5½ pour cent	6 pour cent	6½ pour cent	p
2	1.0246 950 766	1.0271 319 292	1.0295 630 141	1.0319 883 720	2
4	1.0122 722 344	1.0134 751 744	1.0146 738 462	1.0158 682 848	4
6	1.0081 648 461	1.0089 633 939	1.0097 587 942	1.0105 510 740	6
12	1.0040 741 238	1.0044 716 989	1.0048 675 506	1.0052 616 943	12

p	7 pour cent	7½ pour cent	8 pour cent	8½ pour cent	p
2	1.0344 080 433	1.0368 220 677	1.0392 304 845	1.0416 333 328	2
4	1.0170 585 250	1.0182 446 011	1.0194 265 469	1.0206 043 958	4
6	1.0113 402 601	1.0121 263 791	1.0129 094 570	1.0136 895 195	6
12	1.0056 541 454	1.0060 449 190	1.0064 340 301	1.0068 214 934	12

p	9 pour cent	9½ pour cent	10 pour cent	10½ pour cent	p
2	1.0440 306 509	1.0464 224 768	1.0488 088 482	1.0511 898 021	2
4	1.0217 781 809	1.0229 479 346	1.0241 136 891	1.0252 754 762	4
6	1.0144 665 921	1.0152 407 000	1.0160 118 678	1.0167 801 200	6
12	1.0072 073 233	1.0075 915 343	1.0079 741 404	1.0083 551 557	12

Table VIII   Facteur de correction (fin de période) $s_{\overline{1/v}|} = \dfrac{[(1+i)^{1/v} - 1]}{i}$

v	¼ pour cent	⁷/₂₄ pour cent	⅓ pour cent	⁵/₁₂ pour cent	v
2	0.4996 878 900	0.4996 359 474	0.4995 840 263	0.4994 802 489	2
4	0.2497 659 662	0.2497 270 268	0.2496 881 063	0.2496 103 217	4
6	0.1664 933 203	0.1664 644 806	0.1664 356 556	0.1663 780 494	6
12	0.0832 379 995	0.0832 221 400	0.0832 062 890	0.0831 746 122	12

v	½ pour cent	⁷/₁₂ pour cent	⅔ pour cent	¾ pour cent	v
2	0.4993 765 576	0.4992 729 523	0.4991 694 329	0.4990 659 992	2
4	0.2495 326 125	0.2494 549 785	0.2493 774 195	0.2492 999 354	4
6	0.1663 205 017	0.1662 630 122	0.1662 055 810	0.1661 482 079	6
12	0.0831 429 689	0.0831 113 592	0.0830 797 830	0.0830 482 402	12

v	⅞ pour cent	1 pour cent	1⅛ pour cent	1¼ pour cent	v
2	0.4989 110 091	0.4987 562 112	0.4986 016 050	0.4984 471 900	2
4	0.2491 838 495	0.2490 679 314	0.2489 521 808	0.2488 365 972	4
6	0.1660 622 570	0.1659 764 362	0.1658 907 453	0.1658 051 839	6
12	0.0830 009 884	0.0829 538 114	0.0829 067 091	0.0828 596 812	12

v	1⅜ pour cent	1½ pour cent	1⅝ pour cent	1¾ pour cent	v
2	0.4982 929 658	0.4981 389 320	0.4979 850 882	0.4978 314 338	2
4	0.2487 211 801	0.2486 059 292	0.2484 908 440	0.2483 759 242	4
6	0.1657 197 517	0.1656 344 483	0.1655 492 734	0.1654 642 266	6
12	0.0828 127 275	0.0827 658 478	0.0827 190 419	0.0826 723 096	12

v	2 pour cent	2¼ pour cent	2½ pour cent	2¾ pour cent	v
2	0.4975 246 918	0.4972 187 026	0.4969 134 626	0.4966 089 686	2
4	0.2481 465 787	0.2479 178 894	0.2476 898 530	0.2474 624 663	4
6	0.1652 945 162	0.1651 253 144	0.1649 566 186	0.1647 884 261	6
12	0.0825 790 651	0.0824 861 127	0.0823 934 508	0.0823 010 779	12

v	3 pour cent	3½ pour cent	4 pour cent	4½ pour cent	v
2	0.4963 052 170	0.4956 999 277	0.4950 975 680	0.4944 981 114	2
4	0.2472 357 259	0.2467 841 714	0.2463 351 637	0.2458 886 778	4
6	0.1646 207 344	0.1642 868 428	0.1639 549 234	0.1636 249 561	6
12	0.0822 089 924	0.0820 256 777	0.0818 434 946	0.0816 624 311	12

v	5 pour cent	5½ pour cent	6 pour cent	6½ pour cent	v
2	0.4939 015 319	0.4933 078 038	0.4927 169 016	0.4921 288 004	2
4	0.2454 446 886	0.2450 031 717	0.2445 641 028	0.2441 274 582	4
6	0.1632 969 210	0.1629 707 986	0.1626 465 697	0.1623 242 151	6
12	0.0814 824 757	0.0813 036 167	0.0811 258 428	0.0809 491 427	12

v	7 pour cent	7½ pour cent	8 pour cent	8½ pour cent	v
2	0.4915 434 754	0.4909 609 022	0.4903 810 568	0.4898 039 153	2
4	0.2436 932 143	0.2432 613 480	0.2428 318 364	0.2424 046 569	4
6	0.1620 037 162	0.1616 850 546	0.1613 682 120	0.1610 531 706	6
12	0.0807 735 055	0.0805 989 203	0.0804 253 764	0.0802 528 631	12

v	9 pour cent	9½ pour cent	10 pour cent	10½ pour cent	v
2	0.4892 294 543	0.4886 576 508	0.4880 884 817	0.4875 219 246	2
4	0.2419 797 874	0.2415 572 059	0.2411 368 908	0.2407 188 209	4
6	0.1607 399 127	0.1604 284 208	0.1601 186 777	0.1598 106 666	6
12	0.0800 813 702	0.0799 108 873	0.0797 414 043	0.0795 729 113	12

TABLE IX　　　　FACTEUR DE CORRECTION INVERSÉ (FIN DE PÉRIODE)　　$$\dfrac{1}{s_{\overline{1/v}|}} = \dfrac{i}{[(1+i)^{1/v} - 1]}$$

v	¼ pour cent	⁷/₂₄ pour cent	⅓ pour cent	⁵/₁₂ pour cent	v
2	2.0012 492 197	2.0014 572 715	2.0016 652 801	2.0020 811 677	2
4	4.0037 480 493	4.0043 723 454	4.0049 965 335	4.0062 445 859	4
6	6.0062 469 657	6.0072 875 374	6.0083 279 411	6.0104 082 448	6
12	12.0137 438 013	12.0160 332 312	12.0183 223 177	12.0228 994 619	12

v	½ pour cent	⁷/₁₂ pour cent	⅔ pour cent	¾ pour cent	v
2	2.0024 968 828	2.0029 124 256	2.0033 277 962	2.0037 429 950	2
4	4.0074 922 070	4.0087 393 972	4.0099 861 572	4.0112 324 875	4
6	6.0124 878 775	6.0145 668 401	6.0166 451 334	6.0187 227 583	6
12	12.0274 752 355	12.0320 496 400	12.0366 226 774	12.0411 943 491	12

v	⅞ pour cent	1 pour cent	1⅛ pour cent	1¼ pour cent	v
2	2.0043 654 713	2.0049 875 621	2.0056 092 681	2.0062 305 899	2
4	4.0131 011 783	4.0149 689 053	4.0168 356 701	4.0187 014 747	4
6	6.0218 379 441	6.0249 516 304	6.0280 638 202	6.0311 745 161	6
12	12.0480 493 000	12.0549 011 879	12.0617 500 184	12.0685 957 972	12

v	1⅜ pour cent	1½ pour cent	1⅝ pour cent	1¾ pour cent	v
2	2.0068 515 283	2.0074 720 840	2.0080 922 577	2.0087 120 501	2
4	4.0205 663 207	4.0224 302 099	4.0242 931 441	4.0261 551 251	4
6	6.0342 837 210	6.0373 914 376	6.0404 976 686	6.0436 024 169	6
12	12.0754 385 301	12.0822 782 225	12.0891 148 802	12.0959 485 087	12

v	2 pour cent	2¼ pour cent	2½ pour cent	2¾ pour cent	v
2	2.0099 504 938	2.0111 874 208	2.0124 228 366	2.0136 567 466	2
4	4.0298 762 344	4.0335 935 518	4.0373 070 910	4.0410 168 661	4
6	6.0498 074 757	6.0560 066 360	6.0621 999 193	6.0683 873 470	6
12	12.1096 067 004	12.1232 528 421	12.1368 869 779	12.1505 091 516	12

v	3 pour cent	3½ pour cent	4 pour cent	4½ pour cent	v
2	2.0148 891 565	2.0173 494 975	2.0198 039 027	2.0222 524 150	2
4	4.0447 228 905	4.0521 237 423	4.0595 097 544	4.0668 810 338	4
6	6.0745 689 406	6.0869 147 098	6.0992 373 951	6.1115 371 626	6
12	12.1641 194 069	12.1913 043 353	12.2184 421 063	12.2455 330 594	12

v	5 pour cent	5½ pour cent	6 pour cent	6½ pour cent	v
2	2.0246 950 766	2.0271 319 292	2.0295 630 141	2.0319 883 720	2
4	4.0742 376 858	4.0815 798 148	4.0889 075 237	4.0962 209 142	4
6	6.1238 141 763	6.1360 685 984	6.1483 005 890	6.1605 103 064	6
12	12.2725 775 296	12.2995 758 481	12.3265 283 420	12.3534 353 347	12

v	7 pour cent	7½ pour cent	8 pour cent	8½ pour cent	v
2	2.0344 080 433	2.0368 220 677	2.0392 304 845	2.0416 333 328	2
4	4.1035 200 870	4.1108 051 415	4.1180 761 757	4.1253 332 869	4
6	6.1726 979 071	6.1848 635 454	6.1970 073 742	6.2091 295 445	6
12	12.3802 971 455	12.4071 140 901	12.4338 864 805	12.4606 146 250	12

v	9 pour cent	9½ pour cent	10 pour cent	10½ pour cent	v
2	2.0440 306 509	2.0464 224 768	2.0488 088 482	2.0511 898 021	2
4	4.1325 765 710	4.1398 061 227	4.1470 220 359	4.1542 244 032	4
6	6.2212 302 053	6.2333 095 043	6.2453 675 870	6.2574 045 978	6
12	12.4872 988 282	12.5139 393 914	12.5405 366 123	12.5670 907 851	12

TABLE X FACTEUR DE CORRECTION (DÉBUT DE PÉRIODE) $$a_{\overline{1/v}|} = \frac{1 - v^{1/v}}{i}$$

v	¼ pour cent	⁷⁄₂₄ pour cent	⅓ pour cent	⁵⁄₁₂ pour cent	v
2	0.4990 644 489	0.4989 089 017	0.4987 534 621	0.4984 429 056	2
4	0.2496 101 059	0.2495 452 654	0.2494 804 652	0.2493 509 860	4
6	0.1664 240 491	0.1663 836 978	0.1663 433 707	0.1662 627 891	6
12	0.0832 206 816	0.0832 019 443	0.0831 832 178	0.0831 457 971	12

v	½ pour cent	⁷⁄₁₂ pour cent	⅔ pour cent	¾ pour cent	v
2	0.4981 327 785	0.4978 230 797	0.4975 138 084	0.4972 049 635	2
4	0.2492 216 678	0.2490 925 105	0.2489 635 136	0.2488 346 769	4
6	0.1661 823 040	0.1661 019 154	0.1660 216 229	0.1659 414 263	6
12	0.0831 084 195	0.0830 710 850	0.0830 337 935	9.0829 965 448	12

v	⅞ pour cent	1 pour cent	1⅛ pour cent	1¼ pour cent	v
2	0.4967 424 940	0.4962 809 790	0.4958 204 154	0.4953 608 000	2
4	0.2486 417 214	0.2484 491 243	0.2482 568 848	0.2480 650 015	4
6	0.1658 213 112	0.1657 014 109	0.1655 817 250	0.1654 622 527	6
12	0.0829 407 519	0.0828 850 551	0.0828 294 540	0.0827 739 484	12

v	1⅜ pour cent	1½ pour cent	1⅝ pour cent	1¾ pour cent	v
2	0.4949 021 299	0.4944 444 019	0.4939 876 131	0.4935 317 604	2
4	0.2478 734 736	0.2476 822 999	0.2474 914 793	0.2473 010 109	4
6	0.1653 429 935	0.1652 239 467	0.1651 051 116	0.1649 864 878	6
12	0.0827 185 379	0.0826 632 224	0.0826 080 015	0.0825 528 750	12

v	2 pour cent	2¼ pour cent	2½ pour cent	2¾ pour cent	v
2	0.4926 228 512	0.4917 176 503	0.4908 161 340	0.4899 182 788	2
4	0.2469 211 260	0.2465 426 370	0.2461 655 354	0.2457 898 131	4
6	0.1647 498 712	0.1645 140 920	0.1642 791 453	0.1640 450 263	6
12	0.0824 429 039	0.0823 333 072	0.0822 240 826	0.0821 152 282	12

v	3 pour cent	3½ pour cent	4 pour cent	4½ pour cent	v
2	0.4890 240 612	0.4872 464 467	0.4854 831 077	0.4837 338 647	2
4	0.2454 154 618	0.2446 708 402	0.2439 316 064	0.2431 976 975	4
6	0.1638 117 302	0.1633 475 877	0.1628 866 805	0.1624 289 716	6
12	0.0820 067 417	0.0817 908 644	0.0815 764 345	0.0813 634 360	12

v	5 pour cent	5½ pour cent	6 pour cent	6½ pour cent	v
2	0.4819 985 410	0.4802 769 632	0.4785 689 607	0.4768 743 658	2
4	0.2424 690 515	0.2417 456 074	0.2410 273 052	0.2403 140 858	4
6	0.1619 744 248	0.1615 230 043	0.1610 746 751	0.1606 294 024	6
12	0.0811 518 530	0.0809 416 699	0.0807 328 714	0.0805 254 425	12

v	7 pour cent	7½ pour cent	8 pour cent	8½ pour cent	v
2	0.4751 930 136	0.4735 247 421	0.4718 693 919	0.4702 268 062	2
4	0.2396 058 912	0.2389 026 642	0.2382 043 484	0.2375 108 885	4
6	0.1601 871 522	0.1597 478 911	0.1593 115 860	0.1588 782 044	6
12	0.0803 193 681	0.0801 146 338	0.0799 112 251	0.0797 091 278	12

v	9 pour cent	9½ pour cent	10 pour cent	10½ pour cent	v
2	0.4685 968 309	0.4669 793 144	0.4653 741 075	0.4637 810 637	2
4	0.2368 222 300	0.2361 383 192	0.2354 591 032	0.2347 845 301	4
6	0.1584 477 142	0.1580 200 841	0.1575 952 829	0.1571 732 801	6
12	0.0795 083 280	0.0793 088 117	0.0791 105 655	0.0789 135 761	12

TABLE XI FACTEUR DE CORRECTION INVERSÉ (DÉBUT DE PÉRIODE) $$\frac{1}{a_{\overline{1/v}|}} = \frac{i}{1-v^{1/v}}$$

v	¼ pour cent	$^{7}\!/_{24}$ pour cent	⅓ pour cent	$^{5}\!/_{12}$ pour cent	v
2	2.0037 492 197	2.0043 739 382	2.0049 986 134	2.0062 478 344	2
4	4.0062 480 493	4.0072 890 121	4.0083 298 669	4.0104 112 526	4
6	6.0087 469 657	6.0102 042 041	6.0116 612 744	6.0145 749 114	6
12	12.0162 438 013	12.0189 498 978	12.0216 556 512	12.0270 661 288	12

v	½ pour cent	$^{7}\!/_{12}$ pour cent	⅔ pour cent	¾ pour cent	v
2	2.0074 968 828	2.0087 457 589	2.0099 944 629	2.0112 429 950	2
4	4.0124 922 070	4.0145 727 306	4.0166 528 239	4.0187 324 875	4
6	6.0174 878 775	6.0204 001 735	6.0233 118 001	6.0262 227 583	6
12	12.0324 752 356	12.0378 829 734	12.0432 893 440	12.0486 943 491	12

v	⅞ pour cent	1 pour cent	1⅛ pour cent	1¼ pour cent	v
2	2.0131 154 713	2.0149 875 621	2.0168 592 681	2.0187 305 899	2
4	4.0218 511 783	4.0249 689 053	4.0280 856 701	4.0312 014 747	4
6	6.0305 879 441	6.0349 516 304	6.0393 138 202	6.0436 745 161	6
12	12.0567 993 001	12.0649 011 879	12.0730 000 184	12.0810 957 973	12

v	1⅜ pour cent	1½ pour cent	1⅝ pour cent	1¾ pour cent	v
2	2.0206 015 283	2.0224 720 840	2.0243 422 577	2.0262 120 501	2
4	4.0343 163 207	4.0374 302 099	4.0405 431 441	4.0436 551 251	4
6	6.0480 337 210	6.0523 914 376	6.0567 476 687	6.0611 024 169	6
12	12.0891 885 301	12.0972 782 225	12.1053 648 802	12.1134 485 087	12

v	2 pour cent	2¼ pour cent	2½ pour cent	2¾ pour cent	v
2	2.0299 504 938	2.0336 874 208	2.0374 228 366	2.0411 567 466	2
4	4.0498 762 344	4.0560 935 518	4.0623 070 911	4.0685 168 661	4
6	6.0698 074 757	6.0785 066 360	6.0871 999 193	6.0958 873 470	6
12	12.1296 067 004	12.1457 528 421	12.1618 869 779	12.1780 091 516	12

v	3 pour cent	3½ pour cent	4 pour cent	4½ pour cent	v
2	2.0448 891 565	2.0523 494 975	2.0598 039 027	2.0672 524 150	2
4	4.0747 228 905	4.0871 237 423	4.0995 097 544	4.1118 810 338	4
6	6.1045 689 406	6.1219 147 098	6.1392 373 951	6.1565 371 626	6
12	12.1941 194 069	12.2263 043 353	12.2584 421 063	12.2905 330 594	12

v	5 pour cent	5½ pour cent	6 pour cent	6½ pour cent	v
2	2.0746 950 766	2.0821 319 292	2.0895 630 141	2.0969 883 720	2
4	4.1242 376 858	4.1365 798 148	4.1489 075 237	4.1612 209 142	4
6	6.1738 141 763	6.1910 685 984	6.2083 005 890	6.2255 103 064	6
12	12.3225 775 296	12.3545 758 481	12.3865 283 420	12.4184 353 347	12

v	7 pour cent	7½ pour cent	8 pour cent	8½ pour cent	v
2	2.1044 080 433	2.1118 220 677	2.1192 304 845	2.1266 333 328	2
4	4.1735 200 870	4.1858 051 415	4.1980 761 757	4.2103 332 869	4
6	6.2426 979 071	6.2598 635 454	6.2770 073 742	6.2941 295 445	6
12	12.4502 971 455	12.4821 140 901	12.5138 864 805	12.5456 146 250	12

v	9 pour cent	9½ pour cent	10 pour cent	10½ pour cent	v
2	2.1340 306 509	2.1414 224 768	2.1488 088 482	2.1561 898 021	2
4	4.2225 765 710	4.2348 061 227	4.2470 220 359	4.2592 244 032	4
6	6.3112 302 053	6.3283 095 043	6.3453 675 870	6.3624 045 978	6
12	12.5772 988 282	12.6089 393 914	12.6405 366 123	12.6720 907 851	12

TABLE XII   TAUX NOMINAL D'INTÉRÊT ÉQUIVALENT À CERTAINS TAUX EFFECTIFS D'INTÉRÊT

$$j_{(p)} = p[(1 + i)^{1/p} - 1]$$

p	¼ pour cent	7/24 pour cent	⅓ pour cent	7/12 pour cent	p
2	0.0024 984 394	0.0029 145 430	0.0033 305 602	0.0041 623 354	2
4	0.0024 976 597	0.0029 134 820	0.0033 291 747	0.0041 601 720	4
6	0.0024 973 998	0.0029 131 284	0.0033 287 131	0.0041 594 512	6
12	0.0024 971 400	0.0029 127 749	0.0033 282 516	0.0041 587 306	12

p	½ pour cent	7/12 pour cent	⅔ pour cent	¾ pour cent	p
2	0.0049 937 656	0.0058 248 511	0.0066 555 924	0.0074 859 900	2
4	0.0049 906 523	0.0058 206 162	0.0066 500 645	0.0074 789 981	4
6	0.0049 896 150	0.0058 192 054	0.0066 482 232	0.0074 766 694	6
12	0.0049 885 781	0.0058 177 951	0.0066 463 826	0.0074 743 416	12

p	⅞ pour cent	1 pour cent	1⅛ pour cent	1¼ pour cent	p
2	0.0087 309 427	0.0099 751 242	0.0112 185 361	0.0124 611 797	2
4	0.0087 214 347	0.0099 627 173	0.0112 028 481	0.0124 418 299	4
6	0.0087 182 685	0.0099 585 862	0.0111 975 655	0.0124 353 888	6
12	0.0087 151 038	0.0099 544 574	0.0111 923 460	0.0124 289 522	12

p	1⅜ pour cent	1½ pour cent	1⅝ pour cent	1¾ pour cent	p
2	0.0137 030 566	0.0149 441 680	0.0161 845 154	0.0174 241 002	2
4	0.0136 796 644	0.0149 163 558	0.0161 718 244	0.0173 863 147	4
6	0.0136 718 795	0.0149 071 003	0.0161 410 542	0.0173 737 438	6
12	0.0136 641 000	0.0148 978 526	0.0161 302 132	0.0173 611 850	12

p	2 pour cent	2¼ pour cent	2½ pour cent	2¾ pour cent	p
2	0.0199 009 877	0.0223 748 416	0.0248 456 731	0.0273 134 933	2
4	0.0198 517 263	0.0223 126 100	0.0247 689 853	0.0272 208 713	4
6	0.0198 353 419	0.0222 919 175	0.0247 434 928	0.0271 900 903	6
12	0.0198 189 756	0.0222 712 505	0.0247 180 352	0.0271 593 557	12

p	3 pour cent	3½ pour cent	4 pour cent	4½ pour cent	p
2	0.0297 783 130	0.0346 989 948	0.0396 078 054	0.0445 048 300	2
4	0.0296 682 871	0.0345 497 839	0.0394 136 262	0.0442 599 620	4
6	0.0296 317 322	0.0345 002 369	0.0393 491 816	0.0441 787 381	6
12	0.0295 952 373	0.0344 507 846	0.0392 848 774	0.0440 977 128	12

p	5 pour cent	5½ pour cent	6 pour cent	6½ pour cent	p
2	0.0493 901 532	0.0542 638 584	0.0591 260 282	0.0639 767 441	2
4	0.0490 889 377	0.0539 006 978	0.0586 953 847	0.0634 731 391	4
6	0.0489 890 763	0.0537 803 636	0.0585 527 651	0.0633 064 439	6
12	0.0488 894 854	0.0536 603 870	0.0584 106 068	0.0631 403 313	12

p	7 pour cent	7½ pour cent	8 pour cent	8½ pour cent	p
2	0.0688 160 866	0.0736 441 353	0.0784 609 691	0.0832 666 656	2
4	0.0682 341 000	0.0729 784 044	0.0777 061 876	0.0824 175 833	4
6	0.0680 415 601	0.0727 582 746	0.0774 567 418	0.0821 371 170	6
12	0.0678 497 446	0.0725 390 283	0.0772 083 613	0.0818 579 204	12

p	9 pour cent	9½ pour cent	10 pour cent	10½ pour cent	p
2	0.0880 613 018	0.0928 449 536	0.0976 176 963	0.1023 796 042	2
4	0.0871 127 235	0.0917 917 382	0.0964 547 563	0.1011 019 076	4
6	0.0867 995 528	0.0914 441 999	0.0960 712 066	0.1006 807 200	6
12	0.0864 878 798	0.0910 984 115	0.0956 896 851	0.1002 618 682	12

TABLE XIII VALEUR ACQUISE À LA FIN D'UNE PÉRIODE D'INTÉRÊT DE p VERSEMENTS PARTIELS

$$s_{\overline{1}|i}^{(p)} = \frac{i}{j_p}$$

p	¼ pour cent	7/24 pour cent	⅓ pour cent	5/12 pour cent	p
2	1.0006 246 099	1.0007 286 357	1.0008 326 399	1.0010 405 836	2
4	1.0009 370 131	1.0010 930 873	1.0012 491 339	1.0015 611 465	4
6	1.0010 411 608	1.0012 145 932	1.0013 879 914	1.0017 347 067	6
12	1.0011 453 199	1.0013 361 063	1.0015 268 620	1.0019 082 885	12

p	½ pour cent	7/12 pour cent	⅔ pour cent	¾ pour cent	p
2	1.0012 484 415	1.0014 562 127	1.0016 638 980	1.0018 714 976	2
4	1.0018 730 518	1.0021 848 493	1.0024 965 399	1.0028 081 219	5
6	1.0020 813 141	1.0024 278 069	1.0027 741 889	1.0031 204 598	6
12	1.0022 896 048	1.0026 708 063	1.0030 518 914	1.0034 328 625	12

p	⅞ pour cent	1 pour cent	1⅛ pour cent	1¼ pour cent	p
2	1.0021 827 357	1.0024 937 811	1.0028 046 342	1.0031 152 949	2
4	1.0032 752 946	1.0037 422 265	1.0042 089 172	1.0046 753 685	4
6	1.0036 396 576	1.0041 586 057	1.0046 826 669	1.0051 957 531	6
12	1.0040 041 086	1.0045 750 994	1.0051 511 979	1.0057 163 169	12

p	1⅜ pour cent	1½ pour cent	1⅝ pour cent	1¾ pour cent	p
2	1.0034 257 642	1.0037 360 421	1.0040 461 286	1.0043 560 252	2
4	1.0051 416 196	1.0056 075 526	1.0048 340 631	1.0065 387 813	4
6	1.0057 139 533	1.0062 319 061	1.0067 496 112	1.0072 670 693	6
12	1.0062 865 465	1.0068 565 170	1.0074 262 397	1.0079 957 099	12

p	2 pour cent	2¼ pour cent	2½ pour cent	2¾ pour cent	p
2	1.0049 752 470	1.0055 937 102	1.0062 114 183	1.0068 283 734	2
4	1.0074 690 587	1.0083 983 891	1.0093 267 729	1.0102 542 162	4
6	1.0083 012 458	1.0093 344 366	1.0103 666 524	1.0113 978 912	6
12	1.0091 338 919	1.0102 710 677	1.0114 072 477	1.0125 424 301	12

p	3 pour cent	3½ pour cent	4 pour cent	4½ pour cent	p
2	1.0074 445 783	1.0086 747 516	1.0099 019 513	1.0111 262 074	2
4	1.0111 807 227	1.0130 309 385	1.0148 774 385	1.0167 202 586	4
6	1.0124 281 567	1.0144 857 875	1.0165 395 658	1.0185 895 271	6
12	1.0136 766 175	1.0159 420 291	1.0182 035 090	1.0204 610 884	12

p	5 pour cent	5½ pour cent	6 pour cent	6½ pour cent	p
2	1.0123 475 383	1.0135 659 646	1.0147 815 070	1.0159 941 861	2
4	1.0185 594 214	1.0203 949 538	1.0222 268 809	1.0240 552 285	4
6	1.0206 356 961	1.0226 780 998	1.0247 167 648	1.0267 517 178	6
12	1.0227 147 942	1.0249 646 543	1.0272 106 953	1.0294 529 446	12

p	7 pour cent	7½ pour cent	8 pour cent	8½ pour cent	p
2	1.0172 040 216	1.0184 110 339	1.0196 152 423	1.0208 166 664	2
4	1.0258 800 214	1.0277 012 854	1.0295 190 439	1.0313 333 217	4
6	1.0287 829 845	1.0308 105 909	1.0328 345 624	1.0348 549 241	6
12	1.0316 914 301	1.0339 261 742	1.0361 572 067	1.0383 845 521	12

p	9 pour cent	9½ pour cent	10 pour cent	10½ pour cent	p
2	1.0220 153 255	1.0232 112 384	1.0244 044 241	1.0255 949 007	2
4	1.0331 441 427	1.0349 515 310	1.0367 555 092	1.0385 560 717	4
6	1.0368 717 009	1.0388 849 169	1.0408 945 978	1.0429 007 659	6
12	1.0406 082 357	1.0428 282 820	1.0450 447 177	1.0472 575 655	12

TABLE XIV · LOGARITHMES À 10 DÉCIMALES POUR CERTAINS RAPPORTS D'INTÉRÊT

Taux i pour cent	$(1 + i)$	Log $(1 + i)$	Taux i pour cent	$(1 + i)$	Log $(1 + i)$
$1/20$	1.0005	0.00021 70930	$7/8$	1.00875	0.00378 35477
$1/16$	1.000625	0.00027 13493	$9/10$	1.009	0.00389 11662
$1/12$	1.000833	0.00036 17614	$11/12$	1.009166	0.00396 28971
$1/10$	1.001	0.00043 40775	$15/16$	1.009375	0.00405 25440
$1/8$	1.00125	0.00054 25291	$19/20$	1.0095	0.00410 63233
$3/20$	1.0015	0.00065 09536	1	1.01	0.00432 13738
$1/6$	1.00166	0.00072 32216	$1\,1/20$	1.0105	0.00453 63179
$7/40$	1.00175	0.00075 93511	$1\,1/16$	1.010625	0.00459 00373
$3/16$	1.001875	0.00081 35397	$1\,1/12$	1.010833	0.00467 95548
$1/5$	1.002	0.00086 77215	$1\,1/10$	1.011	0.00475 11556
$5/24$	1.002083	0.00090 38390	$1\,1/8$	1.01125	0.00485 85346
$9/40$	1.00225	0.00097 60649	$1\,3/20$	1.0115	0.00496 58871
$1/4$	1.0025	0.00108 43813	$1\,1/6$	1.01166	0.00503 74407
$11/40$	1.00275	0.00119 26707	$1\,7/40$	1.01175	0.00507 32131
$7/24$	1.0029166	0.00126 48486	$1\,3/16$	1.011875	0.00512 68661
$3/10$	1.003	0.00130 09330	$1\,1/5$	1.012	0.00518 05125
$5/16$	1.003125	0.00135 50541	$1\,5/24$	1.012083	0.00521 62731
$13/40$	1.00325	0.00140 91684	$1\,9/40$	1.01225	0.00528 77854
$1/3$	1.00333	0.00144 52409	$1\,1/4$	1.0125	0.00539 50319
$7/20$	1.0035	0.00151 73768	$1\,11/40$	1.01275	0.00550 22519
$3/8$	1.00375	0.00162 55583	$1\,7/24$	1.0129166	0.00557 36901
$2/5$	1.004	0.00173 37128	$1\,3/10$	1.013	0.00560 94454
$5/12$	1.004166	0.00180 58009	$1\,5/16$	1.013125	0.00566 30322
$17/40$	1.00425	0.00184 18404	$1\,13/40$	1.01325	0.00571 66124
$7/16$	1.004375	0.00189 58941	$1\,1/3$	1.01333	0.00575 23289
$9/20$	1.0045	0.00194 99411	$1\,7/20$	1.0135	0.00582 37530
$11/24$	1.0045833	0.00198 59687	$1\,3/8$	1.01375	0.00593 08672
$1/2$	1.005	0.00216 60618	$1\,2/5$	1.014	0.00603 79550
$13/24$	1.0054166	0.00234 60802	$1\,5/12$	1.014166	0.00610 93322
$11/20$	1.0055	0.00238 20749	$1\,17/40$	1.01425	0.00614 50164
$9/16$	1.005625	0.00243 60614	$1\,7/16$	1.014375	0.00619 85372
$7/12$	1.005833	0.00252 60240	$1\,9/20$	1.0145	0.00625 20514
$3/5$	1.006	0.00259 79807	$1\,11/24$	1.0145833	0.00628 77238
$5/8$	1.00625	0.00270 58934	$1\,1/2$	1.015	0.00646 60422
$13/20$	1.0065	0.00281 37792	$1\,13/24$	1.0154166	0.00664 42875
$2/3$	1.006666	0.00288 56882	$1\,11/20$	1.0155	0.00667 99277
$11/16$	1.006875	0.00297 55578	$1\,9/16$	1.015625	0.00673 33827
$7/10$	1.007	0.00302 94706	$1\,7/12$	1.015833	0.00682 24596
$17/24$	1.0070833	0.00306 54087	$1\,3/5$	1.016	0.00689 37079
$3/4$	1.0075	0.00324 50548	$1\,5/8$	1.01625	0.00700 05586
$19/24$	1.0079166	0.00342 46267	$1\,13/20$	1.0165	0.00710 73830
$4/5$	1.008	0.00346 05321	$1\,2/3$	1.016666	0.00717 85846
$13/16$	1.008125	0.00351 43847	$1\,11/16$	1.016875	0.00726 75703
$5/6$	1.00833	0.00360 41243	$1\,7/10$	1.017	0.00732 09529
$17/20$	1.0085	0.00367 59025	$1\,17/24$	1.0170833	0.00735 65377

TABLE XIV

LOGARITHMES À 10 DÉCIMALES
POUR CERTAINS RAPPORTS D'INTÉRÊT

Taux i pour cent	$(1+i)$	Log $(1+i)$	Taux i pour cent	$(1+i)$	Log $(1+i)$
$1\frac{3}{4}$	1.0175	0.00753 44179	$\frac{2}{3}$	1.0266	0.01161 76808
$1\frac{19}{24}$	1.0179166	0.00771 22253	$\frac{11}{16}$	1.026875	0.01151 75808
$1\frac{4}{5}$	1.018	0.00774 77780	$\frac{7}{10}$	1.027	0.01157 04436
$1\frac{13}{16}$	1.018125	0.00780 11017	$\frac{17}{24}$	1.0270833	0.01160 56819
$1\frac{5}{6}$	1.01833	0.00788 99599	$\frac{3}{4}$	1.0275	0.01178 18305
$1\frac{17}{20}$	1.0185	0.00796 10333	$\frac{19}{24}$	1.027916	0.01195 79078
$1\frac{7}{8}$	1.01875	0.00806 77217	$\frac{4}{5}$	1.028	0.0119 31147
$1\frac{9}{10}$	1.019	0.00817 41840	$\frac{13}{16}$	1.028125	0.01204 59196
$1\frac{11}{12}$	1.019166	0.00824 52110	$\frac{5}{6}$	1.02833	0.01213 39136
$1\frac{15}{16}$	1.019375	0.00833 39784	$\frac{17}{20}$	1.0285	0.01220 42960
$1\frac{19}{20}$	1.0195	0.00838 72301	$\frac{7}{8}$	1.02875	0.01230 98482
2	1.02	0.00860 01718	$\frac{9}{10}$	1.029	0.01241 53748
$2\frac{1}{20}$	1.0205	0.00881 30091	$\frac{11}{12}$	1.029166	0.01248 57115
$\frac{1}{16}$	1.020625	0.00886 62021	$\frac{15}{16}$	1.029375	0.01257 36165
$\frac{1}{12}$	1.020833	0.00895 48427	$\frac{19}{20}$	1.0295	0.01262 63510
$\frac{1}{10}$	1.021	0.00902 57421	3	1.03	0.01283 72247
$\frac{1}{8}$	1.02125	0.00913 20695			
$\frac{3}{20}$	1.0215	0.00923 83710			
$\frac{1}{6}$	1.02166	0.00930 92241	$3\frac{1}{10}$	1.031	0.01325 86653
$\frac{7}{40}$	1.02175	0.00934 46464	$\frac{1}{8}$	1.03125	0.01336 39616
$\frac{3}{16}$	1.021875	0.00939 77743	$\frac{1}{5}$	1.032	0.01367 96973
$\frac{1}{5}$	1.022	0.00945 08958	$\frac{1}{4}$	1.0325	0.01389 00603
$\frac{5}{24}$	1.022083	0.00948 63065	$\frac{3}{10}$	1.033	0.01410 03215
$\frac{9}{40}$	1.02225	0.00955 71192	$\frac{2}{5}$	1.034	0.01452 05388
$\frac{1}{4}$	1.0225	0.00966 33167	$\frac{1}{2}$	1.035	0.01494 03498
$\frac{3}{10}$	1.023	0.00987 56337	$\frac{3}{5}$	1.036	0.01535 97554
$\frac{5}{16}$	1.023125	0.00992 86968	$\frac{5}{8}$	1.03625	0.01546 45436
$\frac{13}{40}$	1.02325	0.00998 17533	$\frac{7}{10}$	1.037	0.01577 87564
$\frac{1}{3}$	1.02333	0.01001 71208	$\frac{3}{4}$	1.0375	0.01598 81054
$\frac{7}{20}$	1.0235	0.01008 78470	$\frac{4}{5}$	1.038	0.01619 73535
$\frac{3}{8}$	1.02375	0.01019 39148	$\frac{9}{10}$	1.039	0.01661 55471
$\frac{2}{5}$	1.024	0.01029 99566			
$\frac{5}{12}$	1.024166	0.01037 06368			
$\frac{17}{40}$	1.02425	0.01040 59726	4	1.04	0.01703 33393
$\frac{7}{16}$	1.024375	0.01045 89809	$\frac{1}{10}$	1.041	0.01745 07295
$\frac{9}{20}$	1.0245	0.01051 19627	$\frac{1}{8}$	1.04125	0.01755 50144
$\frac{11}{24}$	1.024583	0.01054 72870	$\frac{1}{5}$	1.042	0.01786 77190
$\frac{1}{2}$	1.025	0.01072 38654	$\frac{1}{4}$	1.0425	0.01807 60636
$\frac{13}{24}$	1.0254166	0.01090 03720	$\frac{3}{10}$	1.043	0.01828 43084
$\frac{11}{20}$	1.0255	0.01093 56647	$\frac{2}{5}$	1.044	0.01870 04987
$\frac{9}{16}$	1.025625	0.01098 85984	$\frac{1}{2}$	1.045	0.01911 62904
$\frac{7}{12}$	1.025833	0.01107 68069	$\frac{3}{5}$	1.046	0.01953 16845
$\frac{3}{5}$	1.026	0.01114 73608	$\frac{7}{10}$	1.047	0.01994 66817
$\frac{5}{8}$	1.02625	0.01125 31701	$\frac{4}{5}$	1.048	0.02036 12826
$\frac{13}{20}$	1.0265	0.01135 89537	$\frac{9}{10}$	1.049	0.02077 65882

Table XIV

LOGARITHMES À 10 DÉCIMALES
POUR CERTAINS RAPPORTS D'INTÉRÊT

Taux i pour cent	$(1 + i)$	Log $(1 + i)$	Taux i pour cent	$(1 + i)$	Log $(1 + i)$
5	1.05	0.02118 92991	$\frac{3}{5}$	1.076	0.03181 22713
$\frac{1}{10}$	1.051	0.02160 27160	$\frac{7}{10}$	1.077	0.03221 57033
$\frac{1}{5}$	1.052	0.02201 57399	$\frac{4}{5}$	1.078	0.03261 87609
$\frac{1}{4}$	1.0525	0.02222 21045	$\frac{9}{10}$	1.079	0.03302 14447
$\frac{3}{10}$	1.053	0.02242 83712			
$\frac{2}{5}$	1.054	0.02284 06108			
$\frac{1}{2}$	1.055	0.02325 24596	8	1.08	0.03342 37555
$\frac{3}{5}$	1.056	0.02366 39182	$\frac{1}{10}$	1.081	0.03382 56930
$\frac{7}{10}$	1.057	0.02407 49873	$\frac{1}{5}$	1.082	0.03422 72608
$\frac{4}{5}$	1.058	0.02448 56677	$\frac{3}{10}$	1.083	0.03462 84566
$\frac{9}{10}$	1.059	0.02489 59601	$\frac{2}{5}$	1.084	0.03502 92822
			$\frac{1}{2}$	1.085	0.03542 97382
6	1.06	0.02530 58653	$\frac{3}{5}$	1.086	0.03582 98253
$\frac{1}{10}$	1.061	0.02571 53839	$\frac{7}{10}$	1.087	0.03622 95441
$\frac{1}{5}$	1.062	0.02612 45167	$\frac{4}{5}$	1.088	0.03662 88954
$\frac{3}{10}$	1.063	0.02653 32645	$\frac{9}{10}$	1.089	0.03702 78798
$\frac{2}{5}$	1.064	0.02694 16280			
$\frac{1}{2}$	1.065	0.02734 96078			
$\frac{3}{5}$	1.066	0.02775 72047	9	1.09	0.03742 64979
$\frac{7}{10}$	1.067	0.02816 44194	$\frac{1}{10}$	1.091	0.03782 47506
$\frac{4}{5}$	1.068	0.02857 12527	$\frac{1}{5}$	1.092	0.03822 26384
$\frac{9}{10}$	1.069	0.02897 77052	$\frac{3}{10}$	1.093	0.03862 01619
			$\frac{2}{5}$	1.094	0.03901 73220
			$\frac{1}{2}$	1.095	0.03941 41192
7	1.07	0.02938 37777	$\frac{3}{5}$	1.096	0.03981 05541
$\frac{1}{10}$	1.071	0.02978 94708	$\frac{7}{10}$	1.097	0.04020 66276
$\frac{1}{5}$	1.072	0.03019 47854	$\frac{4}{5}$	1.098	0.04060 23401
$\frac{3}{10}$	1.073	0.03059 97220	$\frac{9}{10}$	1.099	0.04099 76924
$\frac{2}{5}$	1.074	0.03100 42814	10	1.10	0.04139 26852
$\frac{1}{2}$	1.075	0.03140 84643			

TABLE XV

LOGARITHMES À 7 DÉCIMALES
POUR LES NOMBRES DE 10 000 À 11 000

N	0	1	2	3	4	5	6	7	8	9	Diff.
1000	000 0000	0434	0869	1303	1737	2171	2605	3039	3473	3907	435
01	4341	4775	5208	5642	6076	6510	6943	7377	7810	8244	434
02	8677	9111	9544	9977	$\overline{0}$411	$\overline{0}$844	$\overline{1}$277	$\overline{1}$710	$\overline{2}$143	$\overline{2}$576	433
03	001 3009	3442	3875	4308	4741	5174	5607	6039	6472	6905	
04	7337	7770	8202	8635	9067	9499	9932	$\overline{0}$364	$\overline{0}$796	$\overline{1}$228	
05	002 1661	2093	2525	2957	3389	3821	4253	4685	5116	5548	432
06	5980	6411	6843	7275	7706	8138	8569	9001	9432	9863	
07	003 0295	0726	1157	1588	2019	2451	2882	3313	3744	4174	
08	4605	5036	5467	5898	6328	6759	7190	7620	8051	8481	431
09	8912	9342	9772	$\overline{0}$203	$\overline{0}$633	$\overline{1}$063	$\overline{1}$493	$\overline{1}$924	$\overline{2}$354	$\overline{2}$784	
1010	004 3214	3644	4074	4504	4933	5363	5793	6223	6652	7082	430
11	7512	7941	8371	8800	9229	9659	$\overline{0}$088	$\overline{0}$517	$\overline{0}$947	$\overline{1}$376	429
12	005 1805	2234	2663	3092	3521	3950	4379	4808	5237	5666	
13	6094	6523	6952	7380	7809	8238	8666	9094	9523	9951	
14	006 0380	0808	1236	1664	2092	2521	2949	3377	3805	4233	
15	4660	5088	5516	5944	6372	6799	7227	7655	8082	8510	428
16	8937	9365	9792	$\overline{0}$219	$\overline{0}$647	$\overline{1}$074	$\overline{1}$501	$\overline{1}$928	$\overline{2}$355	$\overline{2}$782	
17	007 3210	3637	4064	4490	4917	5344	5771	6198	6624	7051	427
18	7478	7904	8331	8757	9184	9610	$\overline{0}$037	$\overline{0}$463	$\overline{0}$889	$\overline{1}$316	
19	008 1742	2168	2594	3020	3446	3872	4298	4724	5150	5576	426
1020	6002	6427	6853	7279	7704	8130	8556	8981	9407	9832	425
21	009 0257	0683	1108	1533	1959	2384	2809	3234	3659	4084	
22	4509	4934	5359	5784	6208	6633	7058	7483	7907	8332	
23	8756	9181	9605	$\overline{0}$030	$\overline{0}$454	$\overline{0}$878	$\overline{1}$303	$\overline{1}$727	$\overline{2}$151	$\overline{2}$575	
24	010 3000	3424	3848	4272	4696	5120	5544	5967	6391	6815	424
25	7239	7662	8086	8510	8933	9357	9780	$\overline{0}$204	$\overline{0}$627	$\overline{1}$050	
26	011 1474	1897	2320	2743	3166	3590	4013	4436	4859	5282	423
27	5704	6127	6550	6973	7396	7818	8241	8664	9086	9509	
28	9931	$\overline{0}$354	$\overline{0}$776	$\overline{1}$198	$\overline{1}$621	$\overline{2}$043	$\overline{2}$465	$\overline{2}$887	$\overline{3}$310	$\overline{3}$732	
29	012 4154	4576	4998	5420	5842	6264	6685	7107	7529	7951	422
1030	8372	8794	9215	9637	$\overline{0}$059	$\overline{0}$480	$\overline{0}$901	$\overline{1}$323	$\overline{1}$744	$\overline{2}$165	
31	013 2587	3008	3429	3850	4271	4692	5113	5534	5955	6376	
32	6797	7218	7639	8059	8480	8901	9321	9742	$\overline{0}$162	$\overline{0}$583	421
33	014 1003	1424	1844	2264	2685	3105	3525	3945	4365	4785	
34	5205	5625	6045	6465	6885	7305	7725	8144	8564	8984	420
35	9403	9823	$\overline{0}$243	$\overline{0}$662	$\overline{1}$082	$\overline{1}$501	$\overline{1}$920	$\overline{2}$340	$\overline{2}$759	$\overline{3}$178	419
36	015 3598	4017	4436	4855	5274	5693	6112	6531	6950	7369	
37	7788	8206	8625	9044	9462	9881	$\overline{0}$300	$\overline{0}$718	$\overline{1}$137	$\overline{1}$555	
38	016 1974	2392	2810	3229	3647	4065	4483	4901	5319	5737	418
39	6155	6573	6991	7409	7827	8245	8663	9080	9498	9916	
1040	017 0333	0751	1168	1586	2003	2421	2838	3256	3673	4090	
41	4507	4924	5342	5759	6176	6593	7010	7427	7844	8260	
42	8677	9094	9511	9927	$\overline{0}$344	$\overline{0}$761	$\overline{1}$177	$\overline{1}$594	$\overline{2}$010	$\overline{2}$427	417
43	018 2843	3259	3676	4092	4508	4925	5341	5757	6173	6589	
44	7005	7421	7837	8253	8669	9084	9500	9916	$\overline{0}$332	$\overline{0}$747	
45	019 1163	1578	1994	2410	2825	3240	3656	4071	4486	4902	416
46	5317	5732	6147	6562	6977	7392	7807	8222	8637	9052	415
47	9467	9882	$\overline{0}$296	$\overline{0}$711	$\overline{1}$126	$\overline{1}$540	$\overline{1}$955	$\overline{2}$369	$\overline{2}$784	$\overline{3}$198	
48	020 3613	4027	4442	4856	5270	5684	6099	6513	6927	7341	414
49	7755	8169	8583	8997	9411	9824	$\overline{0}$238	$\overline{0}$652	$\overline{1}$066	$\overline{1}$479	
1050	021 1893	2307	2720	3134	3547	3961	4374	4787	5201	5614	
N	0	1	2	3	4	5	6	7	8	9	Diff.

TABLE XV   LOGARITHMES À 7 DÉCIMALES
POUR LES NOMBRES DE 10 000 À 11 000

N	0	1	2	3	4	5	6	7	8	9	Diff.
1050	021 1893	2307	2720	3134	3547	3961	4374	4787	5201	5614	414
51	6027	6440	6854	7267	7680	8093	8506	8919	9332	97.45	
52	022 0157	0570	0983	1396	1808	2221	2634	3046	3459	3871	413
53	4284	4696	5109	5521	5933	6345	6758	7170	7582	7994	
54	8406	8818	9230	9642	$\overline{0}$054	$\overline{0}$466	$\overline{0}$878	$\overline{1}$289	$\overline{1}$701	$\overline{2}$113	412
55	023 2525	2836	3348	3759	4171	4582	4994	5405	5817	6228	
56	6639	7050	7462	7873	8284	8695	9106	9517	9928	$\overline{0}$339	
57	024 0750	1161	1572	1982	2393	2804	3214	3625	4036	4446	411
58	4857	5267	5678	$\overline{6}$088	$\overline{6}$498	$\overline{6}$909	$\overline{7}$319	$\overline{7}$729	$\overline{8}$139	$\overline{8}$549	
59	8960	9370	9780	$\overline{0}$190	$\overline{0}$600	$\overline{1}$010	$\overline{1}$419	$\overline{1}$829	$\overline{2}$239	$\overline{2}$649	410
1060	025 3059	3468	3878	4288	4697	5107	5516	5926	6335	6744	
61	7154	7563	7972	8382	8791	9200	9609	$\overline{0}$018	$\overline{0}$427	$\overline{0}$836	409
62	026 1245	1654	2063	2472	2881	3289	3698	4107	4515	4924	
63	5333	5741	6150	6558	6967	7375	7783	8192	8600	9008	
64	9416	9824	$\overline{0}$233	$\overline{0}$641	$\overline{1}$049	$\overline{1}$457	$\overline{1}$865	$\overline{2}$273	$\overline{2}$680	$\overline{3}$088	
65	027 3496	3904	4312	4719	5127	5535	5942	6350	6757	7165	408
66	7572	7979	8387	8794	9201	9609	$\overline{0}$016	$\overline{0}$423	$\overline{0}$830	$\overline{1}$237	
67	028 1644	2051	2458	2865	3272	3679	4086	4492	4899	5306	407
68	5713	6119	6526	6932	7339	7745	8152	8558	8964	9371	
69	9777	$\overline{0}$183	$\overline{0}$590	$\overline{0}$996	$\overline{1}$402	$\overline{1}$808	$\overline{2}$214	$\overline{2}$620	$\overline{3}$026	$\overline{3}$432	406
1070	029 3838	4244	4649	5055	5461	5867	6272	6678	7084	7489	
71	7895	8300	8706	9111	9516	9922	$\overline{0}$327	$\overline{0}$732	$\overline{1}$138	$\overline{1}$543	
72	030 1948	2353	2758	3163	3568	3973	4378	4783	5188	5592	405
73	5997	6402	6807	7211	7616	8020	8425	8830	9234	9638	
74	031 0043	0447	0851	1256	1660	2064	2468	2872	3277	3681	404
75	4085	4489	4893	5296	5700	6104	6508	6912	7315	7719	
76	8123	8526	8930	9333	9737	$\overline{0}$140	$\overline{0}$544	$\overline{0}$947	$\overline{1}$350	$\overline{1}$754	403
77	032 2157	2560	2963	3367	3770	4173	4576	4979	5382	5785	
78	6188	6590	6993	7396	7799	8201	8604	9007	9409	9812	
79	033 0214	0617	1019	1422	1824	2226	2629	3031	3433	3835	
1080	4238	4640	5042	5444	5846	6248	6650	7052	7453	7855	402
81	8257	8659	9060	9462	9864	$\overline{0}$265	$\overline{0}$667	$\overline{1}$068	$\overline{1}$470	$\overline{1}$871	
82	034 2273	2674	3075	3477	3878	4279	4680	5081	5482	5884	401
83	6285	6686	7087	7487	7888	8289	8690	9091	9491	9892	
84	035 0293	0693	1094	1495	1895	2296	2696	3096	3497	3897	400
85	4297	4698	5098	5498	5898	6298	6698	7098	7498	7898	
86	8298	8698	9098	9498	9898	$\overline{0}$297	$\overline{0}$697	$\overline{1}$097	$\overline{1}$496	$\overline{1}$896	
87	036 2295	2695	3094	3494	3893	4293	4692	5091	5491	5890	399
88	6289	6688	7087	7486	7885	8284	8683	9082	9481	9880	
89	037 0279	0678	1076	1475	1874	2272	2671	3070	3468	3867	
1090	4265	4663	5062	5460	5858	6257	6655	7053	7451	7849	
91	8248	8646	9044	9442	9839	$\overline{0}$237	$\overline{0}$635	$\overline{1}$033	$\overline{1}$431	$\overline{1}$829	398
92	038 2226	2624	3022	3419	3817	4214	4612	5009	5407	5804	
93	6202	6599	6996	7393	7791	8188	8585	8982	9379	9776	
94	039 0173	0570	0967	1364	1761	2158	2554	2951	3348	3745	397
95	4141	4538	4934	5331	5727	6124	6520	6917	7313	7709	
96	8106	8502	8898	9294	9690	$\overline{0}$086	$\overline{0}$482	$\overline{0}$878	$\overline{1}$274	$\overline{1}$670	396
97	040 2066	2462	2858	3254	3650	4045	4441	4837	5232	5628	
98	6023	6419	6814	7210	7605	8001	8396	8791	9187	9582	
99	9977	$\overline{0}$372	$\overline{0}$767	$\overline{1}$162	$\overline{1}$557	$\overline{1}$952	$\overline{2}$347	$\overline{2}$742	$\overline{3}$137	$\overline{3}$532	395
1100	041 3927	4322	4716	5111	5506	5900	6295	6690	7084	7479	

| N | 0 | 1 | 2 | 3 | 4 | 5 | 6 | 7 | 8 | 9 | Diff. |

TABLE XVI

LOGARITHMES À 6 DÉCIMALES
POUR LES NOMBRES DE 1 000 À 10 000

100	0	1	2	3	4	5	6	7	8	9
100	00 0000	0434	0868	1301	1734	2166	2598	3029	3461	3891
01	4321	4751	5181	5609	6038	6466	6894	7321	7748	8174
02	8600	9026	9451	9876	*0300	*0724	*1147	*1570	*1993	*2415
03	01 2837	3259	3680	4100	4521	4940	5360	5779	6197	6616
04	7033	7451	7868	8284	8700	9116	9532	9947	*0361	*0775
05	02 1189	1603	2016	2428	2841	3252	3664	4075	4486	4896
06	5306	5715	6125	6533	6942	7350	7757	8164	8571	8978
07	9384	9789	*0195	*0600	*1004	*1408	*1812	*2216	*2619	*3021
08	03 3424	3826	4227	4628	5029	5430	5830	6230	6629	7028
09	7426	7825	8223	8620	9017	9414	9811	*0207	*0602	*0998
110	04 1393	1787	2182	2576	2969	3362	3755	4148	4540	4932
11	5323	5714	6105	6495	6885	7275	7664	8053	8442	8830
12	9218	9606	9993	*0380	*0766	*1153	*1538	*1924	*2309	*2694
13	05 3078	3463	3846	4230	4613	4996	5378	5760	6142	6524
14	6905	7286	7666	8046	8426	8805	9185	9563	9942	*0320
15	06 0698	1075	1452	1829	2206	2582	2958	3333	3709	4083
16	4458	4832	5206	5580	5953	6326	6699	7071	7443	7815
17	8186	8557	8928	9298	9668	*0038	*0407	*0776	*1145	*1514
18	07 1882	2250	2617	2985	3352	3718	4085	4451	4816	5182
19	5547	5912	6276	6640	7004	7368	7731	8094	8457	8819
120	9181	9543	9904	*0266	*0626	*0987	*1347	*1707	*2067	*2426
21	08 2785	3144	3503	3861	4219	4576	4934	5291	5647	6004
22	6360	6716	7071	7426	7781	8136	8490	8845	9198	9552
23	9905	*0258	*0611	*0963	*1315	*1667	*2018	*2370	*2721	*3071
24	09 3422	3772	4122	4471	4820	5169	5518	5866	6215	6562
25	6910	7257	7604	7951	8298	8644	8990	9335	9681	*0026
26	10 0371	0715	1059	1403	1747	2091	2434	2777	3119	3462
27	3804	4146	4487	4828	5169	5510	5851	6191	6531	6871
28	7210	7549	7888	8227	8565	8903	9241	9579	9916	*0253
29	11 0590	0926	1263	1599	1934	2270	2605	2940	3275	3609
130	3943	4277	4611	4944	5278	5611	5943	6276	6608	6940
31	7271	7603	7934	8265	8595	8926	9256	9586	9915	*0245
32	12 0574	0903	1231	1560	1888	2216	2544	2871	3198	3525
33	3852	4178	4504	4830	5156	5481	5806	6131	6456	6781
34	7105	7429	7753	8076	8399	8722	9045	9368	9690	*0012
35	13 0334	0655	0977	1298	1619	1939	2260	2580	2900	3219
36	3539	3858	4177	4496	4814	5133	5451	5769	6086	6403
37	6721	7037	7354	7671	7989	8303	8618	8934	9249	9564
38	9879	*0194	*0508	*0822	*1136	*1450	*1763	*2076	*2389	*2702
39	14 3015	3327	3639	3951	4263	4574	4885	5196	5507	5818
140	6128	6438	6748	7058	7367	7676	7985	8294	8603	8911
41	9219	9527	9835	*0142	*0449	*0756	*1063	*1370	*1676	*1982
42	15 2288	2594	2900	3205	3510	3815	4120	4424	4728	5032
43	5336	5640	5943	6246	6549	6852	7154	7457	7759	8061
44	8362	8664	8965	9266	9567	9868	*0168	*0469	*0769	*1068
45	16 1368	1667	1967	2266	2564	2863	3161	3460	3758	4055
46	4353	4650	4947	5244	5541	5838	6134	6430	6726	7022
47	7317	7613	7908	8203	8497	8792	9086	9380	9674	9968
48	17 0262	0555	0848	1141	1434	1726	2019	2311	2603	2895
49	3186	3478	3769	4060	4351	4641	4932	5222	5512	5802

Table XVI LOGARITHMES À 6 DÉCIMALES
POUR LES NOMBRES DE 1 000 À 10 000

150	0	1	2	3	4	5	6	7	8	9
150	17 6091	6381	6670	6959	7248	7536	7825	8113	8401	8689
51	8977	9264	9552	9839	*0126	*0413	*0699	*0986	*1272	*1558
52	18 1844	2129	2415	2700	2985	3270	3555	3839	4123	4407
53	4691	4975	5259	5542	5825	6108	6391	6674	6956	7239
54	7521	7803	8084	8366	8647	8928	9209	9490	9771	*0051
55	19 0332	0612	0892	1171	1451	1730	2010	2289	2567	2846
56	3125	3403	3681	3959	4237	4514	4792	5069	5346	5623
57	5900	6176	6453	6729	7005	7281	7556	7832	8107	8382
58	8657	8932	9206	9481	9755	*0029	*0303	*0577	*0850	*1124
59	20 1397	1670	1943	2216	2488	2761	3033	3305	3577	3848
160	4120	4391	4663	4934	5204	5475	5746	6016	6286	6556
61	6826	7096	7365	7634	7904	8173	8441	8710	8979	9247
62	9515	9783	*0051	*0319	*0586	*0853	*1121	*1388	*1654	*1921
63	21 2188	2454	2720	2986	3252	3518	3783	4049	4314	4579
64	4844	5109	5373	5638	5902	6166	6430	6694	6957	7221
65	7484	7747	8010	8273	8536	8798	9060	9323	9585	9846
66	22 0108	0370	0631	0892	1153	1414	1675	1936	2196	2456
67	2716	2976	3236	3496	3755	4015	4274	4533	4792	5051
68	5309	5568	5826	6084	6342	6600	6858	7115	7372	7630
69	7887	8144	8400	8657	8913	9170	9426	9682	9938	*0193
170	23 0449	0704	0960	1215	1470	1724	1979	2234	2488	2742
71	2996	3250	3504	3757	4011	4264	4517	4770	5023	5276
72	5528	5781	6033	6285	6537	6789	7041	7292	7544	7795
73	8046	8297	8548	8799	9049	9299	9550	9800	*0050	*0300
74	24 0549	0799	1048	1297	1546	1795	2044	2293	2541	2790
75	3038	3286	3534	3782	4030	4277	4525	4772	5019	5266
76	5513	5759	6006	6252	6499	6745	6991	7237	7482	7728
77	7973	8219	8464	8709	8954	9198	9443	9687	9932	*0176
78	25 0420	0664	0908	1151	1395	1638	1881	2125	2368	2610
79	2853	3096	3338	3580	3822	4064	4306	4548	4790	5031
180	5273	5514	5755	5996	6237	6477	6718	6958	7198	7439
81	7679	7918	8158	8398	8637	8877	9116	9355	9594	9833
82	26 0071	0310	0548	0787	1025	1263	1501	1739	1976	2214
83	2451	2688	2925	3162	3399	3636	3873	4109	4346	4582
84	4818	5054	5290	5525	5761	5996	6232	6467	6702	6937
85	7172	7406	7641	7875	8110	8344	8578	8812	9046	9279
86	9513	9746	9980	*0213	*0446	*0679	*0912	*1144	*1377	*1609
87	27 1842	2074	2306	2538	2770	3001	3233	3464	3696	3927
88	4158	4389	4620	4850	5081	5311	5542	5772	6002	6232
89	6462	6692	6921	7151	7380	7609	7838	8067	8296	8525
190	8754	8982	9211	9439	9667	9895	*0123	*0351	*0578	*0806
91	28 1033	1261	1488	1715	1942	2169	2396	2622	2849	3075
92	3301	3527	3753	3979	4205	4431	4656	4882	5107	5332
93	5557	5782	6007	6232	6456	6681	6905	7130	7354	7578
94	7802	8026	8249	8473	8696	8920	9143	9366	9589	9812
95	29 0035	0257	0480	0702	0925	1147	1369	1591	1813	2034
96	2256	2478	2699	2920	3141	3363	3584	3804	4025	4246
97	4466	4687	4907	5127	5347	5567	5787	6007	6226	6446
98	6665	6884	7104	7323	7542	7761	7979	8198	8416	8635
99	8853	9071	9289	9507	9725	9943	*0161	*0378	*0595	*0813

TABLE XVI

LOGARITHMES À 6 DÉCIMALES
POUR LES NOMBRES DE 1 000 À 10 000

200	0	1	2	3	4	5	6	7	8	9
200	30 1030	1247	1464	1681	1898	2114	2331	2547	2764	2980
01	3196	3412	3628	3844	4059	4275	4491	4706	4921	5136
02	5351	5566	5781	5996	6211	6425	6639	6854	7068	7282
03	7496	7710	7924	8137	8351	8564	8778	8991	9204	9417
04	9630	9843	*0056	*0268	*0481	*0693	*0906	*1118	*1330	*1542
05	31 1754	1966	2177	2389	2600	2812	3023	3234	3445	3656
06	3867	4078	4289	4499	4710	4920	5130	5340	5551	5760
07	5970	6180	6390	6599	6809	7018	7227	7436	7646	7854
08	8063	8272	8481	8689	8898	9106	9314	9522	9730	9938
09	32 0146	0354	0562	0769	0977	1184	1391	1598	1805	2012
210	2219	2426	2633	2839	3046	3252	3458	3665	3871	4077
11	4282	4488	4694	4899	5105	5310	5516	5721	5926	6131
12	6336	6541	6745	6950	7155	7359	7563	7767	7972	8176
13	8380	8583	8787	8991	9194	9398	9601	9805	*0008	*0211
14	33 0414	0617	0819	1022	1225	1427	1630	1832	2034	2236
15	2438	2640	2842	3044	3246	3447	3649	3850	4051	4253
16	4454	4655	4856	5057	5257	5458	5658	5859	6059	6260
17	6460	6660	6860	7060	7260	7459	7659	7858	8058	8257
18	8456	8656	8855	9054	9253	9451	9650	9849	*0047	*0246
19	34 0444	0642	0841	1039	1237	1435	1632	1830	2028	2225
220	2423	2620	2817	3014	3212	3409	3606	3802	3999	4196
21	4392	4589	4785	4981	5178	5374	5570	5766	5962	6157
22	6353	6549	6744	6939	7135	7330	7525	7720	7915	8110
23	8305	8500	8694	8889	9083	9278	9472	9666	9860	*0054
24	35 0248	0442	0636	0829	1023	1216	1410	1603	1796	1989
25	2183	2375	2568	2761	2954	3147	3339	3532	3724	3916
26	4108	4301	4493	4685	4876	5068	5260	5452	5643	5834
27	6026	6217	6408	6599	6790	6981	7172	7363	7554	7744
28	7935	8125	8316	8506	8696	8886	9076	9266	9456	9646
29	9835	*0025	*0215	*0404	*0593	*0783	*0972	*1161	*1350	*1539
230	36 1728	1917	2105	2294	2482	2671	2859	3048	3236	3424
31	3612	3800	3988	4176	4363	4551	4739	4926	5113	5301
32	5488	5675	5862	6049	6236	6423	6610	6796	6983	7169
33	7356	7542	7729	7915	8101	8287	8473	8659	8845	9030
34	9216	9401	9587	9772	9958	*0143	*0328	*0513	*0698	*0883
35	37 1068	1253	1437	1622	1806	1991	2175	2360	2544	2728
36	2912	3096	3280	3464	3647	3831	4015	4198	4382	4565
37	4748	4932	5115	5298	5481	5664	5846	6029	6212	6394
38	6577	6759	6942	7124	7306	7488	7670	7852	8034	8216
39	8398	8580	8761	8943	9124	9306	9487	9668	9849	*0030
240	38 0211	0392	0573	0754	0934	1115	1296	1476	1656	1837
41	2017	2197	2377	2557	2737	2917	3097	3277	3456	3636
42	3815	3995	4174	4353	4533	4712	4891	5070	5249	5428
43	5606	5785	5964	6142	6321	6499	6677	6856	7034	7212
44	7390	7568	7746	7924	8101	8279	8456	8634	8811	8989
45	9166	9343	9520	9698	9875	*0051	*0228	*0405	*0582	*0759
46	39 0935	1112	1288	1464	1641	1817	1993	2169	2345	2521
47	2697	2873	3048	3224	3400	3575	3751	3926	4101	4277
48	4452	4627	4802	4977	5152	5326	5501	5676	5850	6025
49	6199	6374	6548	6722	6896	7071	7245	7419	7592	7766

TABLE XVI

LOGARITHMES À 6 DÉCIMALES
POUR LES NOMBRES DE 1 000 À 10 000

250	0	1	2	3	4	5	6	7	8	9
250	39 7940	8114	8287	8461	8634	8808	8981	9154	9328	9501
51	9674	9847	*0020	*0192	*0365	*0538	*0711	*0883	*1056	*1228
52	40 1401	1573	1745	1917	2089	2261	2433	2605	2777	2949
53	3121	3292	3464	3635	3807	3978	4149	4320	4492	4663
54	4834	5005	5176	5346	5517	5688	5858	6029	6199	6370
55	6540	6710	6881	7051	7221	7391	7561	7731	7901	8070
56	8240	8410	8579	8749	8918	9087	9257	9426	9595	9764
57	9933	*0102	*0271	*0440	*0609	*0777	*0946	*1114	*1283	*1451
58	41 1620	1788	1956	2124	2293	2461	2629	2796	2964	3132
59	3300	3467	3635	3803	3970	4137	4305	4472	4639	4806
260	4973	5140	5307	5474	5641	5808	5974	6141	6308	6474
61	6641	6807	6973	7139	7306	7472	7638	7804	7970	8135
62	8301	8467	8633	8798	8964	9129	9295	9460	9625	9791
63	9956	*0121	*0286	*0451	*0616	*0781	*0945	*1110	*1275	*1439
64	42 1604	1768	1933	2097	2261	2426	2590	2754	2918	3082
65	3246	3410	3574	3737	3901	4065	4228	4392	4555	4718
66	4882	5045	5208	5371	5534	5697	5860	6023	6186	6349
67	6511	6674	6836	6999	7161	7324	7486	7648	7811	7973
68	8135	8297	8459	8621	8783	8944	9106	9268	9429	9591
69	9752	9914	*0075	*0236	*0398	*0559	*0720	*0881	*1042	*1203
270	43 1364	1525	1685	1846	2007	2167	2328	2488	2649	2809
71	2969	3130	3290	3450	3610	3770	3930	4090	4249	4409
72	4569	4729	4888	5048	5207	5367	5526	5685	5844	6004
73	6163	6322	6481	6640	6799	6957	7116	7275	7433	7592
74	7751	7909	8067	8226	8384	8542	8701	8859	9017	9175
75	9333	9491	9648	9806	9964	*0122	*0279	*0437	*0594	*0752
76	44 0909	1066	1224	1381	1538	1695	1852	2009	2166	2323
77	2480	2637	2793	2950	3106	3263	3419	3576	3732	3889
78	4045	4201	4357	4513	4669	4825	4981	5137	5293	5449
79	5604	5760	5915	6071	6226	6382	6537	6692	6848	7003
280	7158	7313	7468	7623	7778	7933	8088	8242	8397	8552
81	8706	8861	9015	9170	9324	9478	9633	9787	9941	*0095
82	45 0249	0403	0557	0711	0865	1018	1172	1326	1479	1633
83	1786	1940	2093	2247	2400	2553	2706	2859	3012	3165
84	3318	3471	3624	3777	3930	4082	4235	4387	4540	4692
85	4845	4997	5150	5302	5454	5606	5758	5910	6062	6214
86	6366	6518	6670	6821	6973	7125	7276	7428	7579	7731
87	7882	8033	8184	8336	8487	8638	8789	8940	9091	9242
88	9392	9543	9694	9845	9995	*0146	*0296	*0447	*0597	*0748
89	46 0898	1048	1198	1348	1499	1649	1799	1948	2098	2248
290	2398	2548	2697	2847	2997	3146	3296	3445	3594	3744
91	3893	4042	4191	4340	4490	4639	4788	4936	5085	5234
92	5383	5533	5680	5829	5977	6126	6274	6423	6571	6719
93	6868	7016	7164	7312	7460	7608	7756	7904	8052	8200
94	8347	8495	8643	8790	8938	9085	9233	9380	9527	9675
95	9822	9969	*0116	*0263	*0410	*0557	*0704	*0851	*0998	*1145
96	47 1292	1438	1585	1732	1878	2025	2171	2318	2464	2610
97	2756	2903	3049	3195	3341	3487	3633	3779	3925	4071
98	4216	4362	4508	4653	4799	4944	5090	5235	5381	5526
99	5671	5816	5962	6107	6252	6397	6542	6687	6832	6976

LOGARITHMES À 6 DÉCIMALES
POUR LES NOMBRES DE 1 000 À 10 000

300	0	1	2	3	4	5	6	7	8	9
300	47 7121	7266	7411	7555	7700	7844	7989	8133	8278	8422
01	8566	8711	8855	8999	9143	9287	9431	9575	9719	9863
02	48 0007	0151	0294	0438	0582	0725	0869	1012	1156	1299
03	1443	1586	1729	1872	2016	2159	2302	2445	2588	2731
04	2874	3016	3159	3302	3445	3587	3730	3872	4015	4157
05	4300	4442	4585	4727	4869	5011	5153	5295	5437	5579
06	5721	5863	6005	6147	6289	6430	6572	6714	6855	6997
07	7138	7280	7421	7563	7704	7845	7986	8127	8269	8410
08	8551	8692	8833	8974	9114	9255	9396	9537	9677	9818
09	9958	*0099	*0239	*0380	*0520	*0661	*0801	*0941	*1081	*1222
310	49 1362	1502	1642	1782	1922	2062	2201	2341	2481	2621
11	2760	2900	3040	3179	3319	3458	3597	3737	3876	4015
12	4155	4294	4433	4572	4711	4850	4989	5128	5267	5406
13	5544	5683	5822	5960	6099	6238	6376	6515	6653	6791
14	6930	7068	7206	7344	7483	7621	7759	7897	8035	8173
15	8311	8448	8586	8724	8862	8999	9137	9275	9412	9550
16	9687	9824	9962	*0099	*0236	*0374	*0511	*0648	*0785	*0922
17	50 1059	1196	1333	1470	1607	1744	1880	2017	2154	2291
18	2427	2564	2700	2837	2973	3109	3246	3382	3518	3655
19	3791	3927	4063	4199	4335	4471	4607	4743	4878	5014
320	5150	5286	5421	5557	5693	5828	5964	6099	6234	6370
21	6505	6640	6776	6911	7046	7181	7316	7451	7586	7721
22	7856	7991	8126	8260	8395	8530	8664	8799	8934	9068
23	9203	9337	9471	9606	9740	9874	*0009	*0143	*0277	*0411
24	51 0545	0679	0813	0947	1081	1215	1349	1482	1616	1750
25	1883	2017	2151	2284	2418	2551	2684	2818	2951	3084
26	3218	3351	3484	3617	3750	3883	4016	4149	4282	4415
27	4548	4681	4813	4946	5079	5211	5344	5476	5609	5741
28	5874	6006	6139	6271	6403	6535	6668	6800	6932	7064
29	7196	7328	7460	7592	7724	7855	7987	8119	8251	8382
330	8514	8646	8777	8909	9040	9171	9303	9434	9566	9697
31	9828	9959	*0090	*0221	*0353	*0484	*0615	*0745	*0876	*1007
32	52 1138	1269	1400	1530	1661	1792	1922	2053	2183	2314
33	2444	2575	2705	2835	2966	3096	3226	3356	3486	3616
34	3746	3876	4006	4136	4266	4396	4526	4656	4785	4915
35	5045	5174	5304	5434	5563	5693	5822	5951	6081	6210
36	6339	6469	6598	6727	6856	6985	7114	7243	7372	7501
37	7630	7759	7888	8016	8145	8274	8402	8531	8660	8788
38	8917	9045	9174	9312	9430	9559	9687	9815	9943	*0072
39	53 0200	0328	0456	0584	0712	0840	0968	1096	1223	1351
340	1479	1607	1734	1862	1990	2117	2245	2372	2500	2627
41	2754	2882	3009	3136	3264	3391	3518	3645	3772	3899
42	4026	4153	4280	4407	4534	4661	4787	4914	5041	5167
43	5294	5421	5547	5674	5800	5927	6053	6180	6306	6432
44	6558	6685	6811	6937	7063	7189	7315	7441	7567	7693
45	7819	7945	8071	8197	8322	8448	8574	8699	8825	8951
46	9076	9202	9327	9452	9578	9703	9829	9954	*0079	*0204
47	54 0329	0455	0580	0705	0830	0955	1080	1205	1330	1454
48	1579	1704	1829	1953	2078	2203	2327	2452	2576	2701
49	2825	2950	3074	3199	3323	3447	3571	3696	3820	3944

TABLE XVI LOGARITHMES À 6 DÉCIMALES
POUR LES NOMBRES DE 1 000 À 10 000

350	0	1	2	3	4	5	6	7	8	9
350	54 4068	4192	4316	4440	4564	4688	4812	4936	5060	5183
51	5307	5431	5555	5678	5802	5925	6049	6172	6296	6419
52	6543	6666	6789	6913	7036	7159	7282	7405	7529	7652
53	7775	7898	8021	8144	8267	8389	8512	8635	8758	8881
54	9003	9126	9249	9371	9494	9616	9739	9861	9984	*0106
55	55 0228	0351	0473	0595	0717	0840	0962	1084	1206	1328
56	1450	1572	1694	1816	1938	2060	2181	2303	2425	2547
57	2668	2790	2911	3033	3155	3276	3398	3519	3640	3762
58	3883	4004	4126	4247	4368	4489	4610	4731	4852	4973
59	5094	5215	5336	5457	5578	5699	5820	5940	6061	6182
360	6303	6423	6544	6664	6785	6905	7026	7146	7267	7387
61	7507	7627	7748	7868	7988	8108	8228	8349	8469	8589
62	8709	8829	8948	9068	9188	9308	9428	9548	9667	9787
63	9907	*0026	*0146	*0265	*0385	*0504	*0624	*0743	*0863	*0982
64	56 1101	1221	1340	1459	1578	1698	1817	1936	2055	2174
65	2293	2412	2531	2650	2769	2887	3006	3125	3244	3362
66	3481	3600	3718	3837	3955	4074	4192	4311	4429	4548
67	4666	4784	4903	5021	5139	5257	5376	5494	5612	5730
68	5848	5966	6084	6202	6320	6437	6555	6673	6791	6909
69	7026	7144	7262	7379	7497	7614	7732	7849	7967	8084
370	8202	8319	8436	8554	8671	8788	8905	9023	9140	9257
71	9374	9491	9608	9725	9842	9959	*0076	*0193	*0309	*0426
72	57 0543	0660	0776	0893	1010	1126	1243	1359	1476	1592
73	1709	1825	1942	2058	2174	2291	2407	2523	2639	2755
74	2872	2988	3104	3220	3336	3452	3568	3684	3800	3915
75	4031	4147	4263	4379	4494	4610	4726	4841	4957	5072
76	5188	5303	5419	5534	5650	5765	5880	5996	6111	6226
77	6341	6457	6572	6687	6802	6917	7032	7147	7262	7377
78	7492	7607	7722	7836	7951	8066	8181	8295	8410	8525
79	8639	8754	8868	8983	9097	9212	9326	9441	9555	9669
380	9784	9898	*0012	*0126	*0241	*0355	*0469	*0583	*0697	*0811
81	58 0925	1039	1153	1267	1381	1495	1608	1722	1836	1950
82	2063	2177	2291	2404	2518	2631	2745	2858	2972	3085
83	3199	3312	3426	3539	3652	3765	3879	3992	4105	4218
84	4331	4444	4557	4670	4783	4896	5009	5122	5235	5348
85	5461	5574	5686	5799	5912	6024	6137	6250	6362	6475
86	6587	6700	6812	6925	7037	7149	7262	7374	7486	7599
87	7711	7823	7935	8047	8160	8272	8384	8496	8608	8720
88	8832	8944	9056	9167	9279	9391	9503	9615	9726	9838
89	9950	*0061	*0173	*0284	*0396	*0507	*0619	*0730	*0842	*0953
390	59 1065	1176	1287	1399	1510	1621	1732	1843	1955	2066
91	2177	2288	2399	2510	2621	2732	2843	2954	3064	3175
92	3286	3397	3508	3618	3729	3840	3950	4061	4171	4282
93	4393	4503	4614	4724	4834	4945	5055	5165	5276	5386
94	5496	5606	5717	5827	5937	6047	6157	6267	6377	6487
95	6597	6707	6817	6927	7037	7146	7256	7366	7476	7586
96	7695	7805	7914	8024	8134	8243	8353	8462	8572	8681
97	8791	8900	9009	9119	9228	9337	9446	9556	9665	9774
98	9883	9992	*0101	*0210	*0319	*0428	*0537	*0646	*0755	*0864
99	60 0973	1082	1191	1299	1408	1517	1625	1734	1843	1951

TABLE XVI LOGARITHMES À 6 DÉCIMALES
POUR LES NOMBRES DE 1 000 À 10 000

400	0	1	2	3	4	5	6	7	8	9
400	60 2060	2169	2277	2386	2494	2603	2711	2819	2928	3036
01	3144	3253	3361	3469	3577	3686	3794	3902	4010	4118
02	4226	4334	4442	4550	4658	4766	4874	4982	5089	5197
03	5305	5413	5521	5628	5736	5844	5951	6059	6166	6274
04	6381	6489	6596	6704	6811	6919	7026	7133	7241	7348
05	7455	7562	7669	7777	7884	7991	8098	8205	8312	8419
06	8526	8633	8740	8847	8954	9061	9167	9274	9381	9488
07	9594	9701	9808	9914	*0021	*0128	*0234	*0341	*0447	*0554
08	61 0660	0767	0873	0979	1086	1192	1298	1405	1511	1617
09	1723	1829	1936	2042	2148	2254	2360	2466	2572	2678
410	2784	2890	2996	3102	3207	3313	3419	3525	3630	3736
11	3842	3947	4053	4159	4264	4370	4475	4581	4686	4792
12	4897	5003	5108	5213	5319	5424	5529	5634	5740	5845
13	5950	6055	6160	6265	6370	6476	6581	6686	6790	6895
14	7000	7105	7210	7315	7420	7525	7629	7734	7839	7943
15	8048	8153	8257	8362	8466	8571	8676	8780	8884	8989
16	9093	9198	9302	9406	9511	9615	9719	9824	9928	*0032
17	62 0136	0240	0344	0448	0552	0656	0760	0864	0968	1072
18	1176	1280	1384	1488	1592	1695	1799	1903	2007	2110
19	2214	2318	2421	2525	2628	2732	2835	2939	3042	3146
420	3249	3353	3456	3559	3663	3766	3869	3973	4076	4179
21	4282	4385	4488	4591	4695	4798	4901	5004	5107	5210
22	5312	5415	5518	5621	5724	5827	5929	6032	6135	6238
23	6340	6443	6546	6648	6751	6853	6956	7058	7161	7263
24	7366	7468	7571	7673	7775	7878	7980	8082	8185	8287
25	8389	8491	8593	8695	8797	8900	9002	9104	9206	9308
26	9410	9512	9613	9715	9817	9919	*0021	*0123	*0224	*0326
27	63 0428	0530	0631	0733	0835	0936	1038	1139	1241	1342
28	1444	1545	1647	1748	1849	1951	2052	2153	2255	2356
29	2457	2559	2660	2761	2862	2963	3064	3165	3266	3367
430	3468	3569	3670	3771	3872	3973	4074	4175	4276	4376
31	4477	4578	4679	4779	4880	4981	5081	5182	5283	5383
32	5484	5584	5685	5785	5886	5986	6087	6187	6287	6388
33	6488	6588	6688	6789	6889	6989	7089	7189	7290	7390
34	7490	7590	7690	7790	7890	7990	8090	8190	8290	8389
35	8489	8589	8689	8789	8888	8988	9088	9188	9287	9387
36	9486	9586	9686	9785	9885	9984	*0084	*0183	*0283	*0382
37	64 0481	0581	0680	0779	0879	0978	1077	1177	1276	1375
38	1474	1573	1672	1771	1871	1970	2069	2168	2267	2366
39	2465	2563	2662	2761	2860	2959	3058	3156	3255	3354
440	3453	3551	3650	3749	3847	3946	4044	4143	4242	4340
41	4439	4537	4636	4734	4832	4931	5029	5127	5226	5324
42	5422	5521	5619	5717	5815	5913	6011	6110	6208	6306
43	6404	6502	6600	6698	6796	6894	6992	7089	7187	7285
44	7383	7481	7579	7676	7774	7872	7969	8067	8165	8262
45	8360	8458	8555	8653	8750	8848	8945	9043	9140	9237
46	9335	9432	9530	9627	9724	9821	9919	*0016	*0113	*0210
47	65 0308	0405	0502	0599	0696	0793	0890	0987	1084	1181
48	1278	1375	1472	1569	1666	1762	1859	1956	2053	2150
49	2246	2343	2440	2536	2633	2730	2826	2923	3019	3116

Table XVI | LOGARITHMES À 6 DÉCIMALES
POUR LES NOMBRES DE 1 000 À 10 000

450	0	1	2	3	4	5	6	7	8	9
450	65 3213	3309	3405	3502	3598	3695	3791	3888	3984	4080
51	4177	4273	4369	4465	4562	4658	4754	4850	4946	5042
52	5138	5235	5331	5427	5523	5619	5715	5810	5906	6002
53	6098	6194	6290	6386	6482	6577	6673	6769	6864	6960
54	7056	7152	7247	7343	7438	7534	7629	7725	7820	7916
55	8011	8107	8202	8298	8393	8488	8584	8679	8774	8870
56	8965	9060	9155	9250	9346	9441	9536	9631	9726	9821
57	9916	*0011	*0106	*0201	*0296	*0391	*0486	*0581	*0676	*0771
58	66 0865	0960	1055	1150	1245	1339	1434	1529	1623	1718
59	1813	1907	2002	2096	2191	2286	2380	2475	2569	2663
460	2758	2852	2947	3041	3135	3230	3324	3418	3512	3607
61	3701	3795	3889	3983	4078	4172	4266	4360	4454	4548
62	4642	4736	4830	4924	5018	5112	5206	5299	5393	5487
63	5581	5675	5769	5862	5956	6050	6143	6237	6331	6424
64	6518	6612	6705	6799	6892	6986	7079	7173	7266	7360
65	7453	7546	7640	7733	7826	7920	8013	8106	8199	8293
66	8386	8479	8572	8665	8759	8852	8945	9038	9131	9224
67	9317	9410	9503	9596	9689	9782	9875	9967	*0060	*0153
68	67 0246	0339	0431	0524	0617	0710	0802	0895	0988	1080
69	1173	1265	1358	1451	1543	1636	1728	1821	1913	2005
470	2098	2190	2283	2375	2467	2560	2652	2744	2836	2929
71	3021	3113	3205	3297	3390	3482	3574	3666	3758	3850
72	3942	4034	4126	4218	4310	4402	4494	4586	4677	4769
73	4861	4953	5045	5137	5228	5320	5412	5503	5595	5687
74	5778	5870	5962	6053	6145	6236	6328	6419	6511	6602
75	6694	6785	6876	6968	7059	7151	7242	7333	7424	7516
76	7607	7698	7789	7881	7972	8063	8154	8245	8336	8427
77	8518	8609	8700	8791	8882	8973	9064	9155	9246	9337
78	9428	9519	9610	9700	9791	9882	9973	*0063	*0154	*0245
79	68 0336	0426	0517	0607	0698	0789	0879	0970	1060	1151
480	1241	1332	1422	1513	1603	1693	1784	1874	1964	2055
81	2145	2235	2326	2416	2506	2596	2686	2777	2867	2957
82	3047	3137	3227	3317	3407	3497	3587	3677	3767	3857
83	3947	4037	4127	4217	4307	4390	4486	4576	4666	4756
84	4845	4935	5025	5114	5204	5294	5383	5473	5563	5652
85	5742	5831	5921	6010	6100	6189	6279	6368	6458	6547
86	6636	6726	6815	6904	6994	7083	7172	7261	7351	7440
87	7529	7618	7707	7796	7886	7975	8064	8153	8242	8331
88	8420	8509	8598	8687	8776	8865	8953	9042	9131	9220
89	9309	9398	9486	9575	9664	9753	9841	9930	*0019	*0107
490	69 0196	0285	0373	0462	0550	0639	0728	0816	0905	0993
91	1081	1170	1258	1347	1435	1524	1612	1700	1789	1877
92	1965	2053	2142	2230	2318	2406	2494	2583	2671	2759
93	2847	2935	3023	3111	3199	3287	3375	3463	3551	3639
94	3727	3815	3903	3991	4078	4166	4254	4342	4430	4517
95	4605	4693	4781	4868	4956	5044	5131	5219	5307	5394
96	5482	5569	5657	5744	5832	5919	6007	6094	6182	6269
97	6356	6444	6531	6618	6706	6793	6880	6968	7055	7142
98	7229	7317	7404	7491	7578	7665	7752	7839	7926	8014
99	8101	8188	8275	8362	8449	8535	8622	8709	8796	8883

TABLE XVI

LOGARITHMES À 6 DÉCIMALES
POUR LES NOMBRES DE 1 000 À 10 000

500	0	1	2	3	4	5	6	7	8	9
500	69 8970	9057	9144	9231	9317	9404	9491	9578	9664	9751
01	9838	9924	*0011	*0098	*0184	*0271	*0358	*0444	*0531	*0617
02	70 0704	0790	0877	0963	1050	1136	1222	1309	1395	1482
03	1568	1654	1741	1827	1913	1999	2086	2172	2258	2344
04	2431	2517	2603	2689	2775	2861	2947	3033	3119	3205
05	3291	3377	3463	3549	3635	3721	3807	3893	3979	4065
06	4151	4236	4322	4408	4494	4579	4665	4751	4837	4922
07	5008	5094	5179	5265	5350	5436	5522	5607	5693	5778
08	5864	5949	6035	6120	6206	6291	6376	6462	6547	6632
09	6718	6803	6888	6974	7059	7144	7229	7315	7400	7485
510	7570	7655	7740	7826	7911	7996	8081	8166	8251	8336
11	8421	8506	8591	8676	8761	8846	8931	9015	9100	9185
12	9270	9355	9440	9524	9609	9694	9779	9863	9948	*0033
13	71 0117	0202	0287	0371	0456	0540	0625	0710	0794	0879
14	0963	1048	1132	1217	1301	1385	1470	1554	1639	1723
15	1807	1892	1976	2060	2144	2229	2313	2397	2481	2566
16	2650	2734	2818	2902	2986	3070	3154	3238	3323	3407
17	3491	3575	3659	3742	3826	3910	3994	4078	4162	4246
18	4330	4414	4497	4581	4665	4749	4833	4916	5000	5084
19	5167	5251	5335	5418	5502	5586	5669	5753	5836	5920
520	6003	6087	6170	6254	6337	6421	6504	6588	6671	6754
21	6838	6921	7004	7088	7171	7254	7338	7421	7504	7587
22	7671	7754	7837	7920	8003	8086	8169	8253	8336	8419
23	8502	8585	8668	8751	8834	8917	9000	9083	9165	9248
24	9331	9414	9497	9580	9663	9745	9828	9911	9994	*0077
25	72 0159	0242	0325	0407	0490	0573	0655	0738	0821	0903
26	0986	1068	1151	1233	1316	1398	1481	1563	1646	1728
27	1811	1893	1975	2058	2140	2222	2305	2387	2469	2552
28	2634	2716	2798	2881	2963	3045	3127	3209	3291	3374
29	3456	3538	3620	3702	3784	3866	3948	4030	4112	4194
530	4276	4358	4440	4522	4604	4685	4767	4849	4931	5013
31	5095	5176	5258	5340	5422	5503	5585	5667	5748	5830
32	5912	5993	6075	6156	6238	6320	6401	6483	6564	6646
33	6727	6809	6890	6972	7053	7134	7216	7297	7379	7460
34	7541	7623	7704	7785	7866	7948	8029	8110	8191	8273
35	8354	8435	8516	8597	8678	8759	8841	8922	9003	9084
36	9165	9246	9327	9408	9489	9570	9651	9732	9813	9893
37	9974	*0055	*0136	*0217	*0298	*0378	*0459	*0540	*0621	*0702
38	73 0782	0863	0944	1024	1105	1186	1266	1347	1428	1508
39	1589	1669	1750	1830	1911	1991	2072	2152	2233	2313
540	2394	2474	2555	2635	2715	2796	2876	2956	3037	3117
41	3197	3278	3358	3438	3518	3598	3679	3759	3839	3919
42	3999	4079	4160	4240	4320	4400	4480	4560	4640	4720
43	4800	4880	4960	5040	5120	5200	5279	5359	5439	5519
44	5599	5679	5759	5838	5918	5998	6078	6157	6237	6317
45	6397	6476	6556	6635	6715	6795	6874	6954	7034	7113
46	7193	7272	7352	7431	7511	7590	7670	7749	7829	7908
47	7987	8067	8146	8225	8305	8384	8463	8543	8622	8701
48	8781	8860	8939	9018	9097	9177	9256	9335	9414	9493
49	9572	9651	9731	9810	9889	9968	*0047	*0126	*0205	*0284

TABLE XVI   LOGARITHMES À 6 DÉCIMALES
POUR LES NOMBRES DE 1 000 À 10 000

550	0	1	2	3	4	5	6	7	8	9
550	74 0363	0442	0521	0600	0678	0757	0836	0915	0994	1073
51	1152	1230	1309	1388	1467	1546	1624	1703	1782	1860
52	1939	2018	2096	2175	2254	2332	2411	2489	2568	2647
53	2725	2804	2882	2961	3039	3118	3196	3275	3353	3431
54	3510	3588	3667	3745	3823	3902	3980	4058	4136	4215
55	4293	4371	4449	4528	4606	4684	4762	4840	4919	4997
56	5075	5153	5231	5309	5387	5465	5543	5621	5699	5777
57	5855	5933	6011	6089	6167	6245	6323	6401	6479	6556
58	6634	6712	6790	6868	6945	7023	7101	7179	7256	7334
59	7412	7489	7567	7645	7722	7800	7878	7955	8033	8110
560	8188	8266	8343	8421	8498	8576	8653	8731	8808	8885
61	8963	9040	9118	9195	9272	9350	9427	9504	9582	9659
62	9736	9814	9891	9968	*0045	*0123	*0200	*0277	*0354	*0431
63	75 0508	0586	0663	0740	0817	0894	0971	1048	1125	1202
64	1279	1356	1433	1510	1587	1664	1741	1818	1895	1972
65	2048	2125	2202	2279	2356	2433	2509	2586	2663	2740
66	2816	2893	2970	3047	3123	3200	3277	3353	3430	3506
67	3583	3660	3736	3813	3889	3966	4042	4119	4195	4272
68	4348	4425	4501	4578	4654	4730	4807	4883	4960	5036
69	5112	5189	5265	5341	5417	5494	5570	5646	5722	5799
570	5875	5951	6027	6103	6180	6256	6332	6408	6484	6560
71	6636	6712	6788	6864	6940	7016	7092	7168	7244	7320
72	7396	7472	7548	7624	7700	7775	7851	7927	8003	8079
73	8155	8230	8306	8382	8458	8533	8609	8685	8761	8836
74	8912	8988	9063	9139	9214	9290	9366	9441	9517	9592
75	9668	9743	9819	9894	9970	*0045	*0121	*0196	*0272	*0347
76	76 0422	0498	0573	0649	0724	0799	0875	0950	1025	1101
77	1176	1251	1326	1402	1477	1552	1627	1702	1778	1853
78	1928	2003	2078	2153	2228	2303	2378	2453	2529	2604
79	2679	2754	2829	2904	2978	3053	3128	3203	3278	3353
580	3428	3503	3578	3653	3727	3802	3877	3952	4027	4101
81	4176	4251	4326	4400	4475	4550	4624	4699	4774	4848
82	4923	4998	5072	5147	5221	5296	5370	5445	5520	5594
83	5669	5743	5818	5892	5966	6041	6115	6190	6264	6338
84	6413	6487	6562	6636	6710	6785	6859	6933	7007	7082
85	7156	7230	7304	7379	7453	7527	7601	7675	7749	7823
86	7898	7972	8046	8120	8194	8268	8342	8416	8490	8564
87	8638	8712	8786	8860	8934	9008	9082	9156	9230	9303
88	9377	9451	9525	9599	9673	9746	9820	9894	9968	*0042
89	77 0115	0189	0263	0336	0410	0484	0557	0631	0705	0778
590	0852	0926	0999	1073	1146	1220	1293	1367	1440	1514
91	1587	1661	1734	1808	1881	1955	2028	2102	2175	2248
92	2322	2395	2468	2542	2615	2688	2762	2835	2908	2981
93	3055	3128	3201	3274	3348	3421	3494	3567	3640	3713
94	3786	3860	3933	4006	4079	4152	4225	4298	4371	4444
95	4517	4590	4663	4736	4809	4882	4955	5028	5100	5173
96	5246	5319	5392	5465	5538	5610	5683	5756	5829	5902
97	5974	6047	6120	6193	6265	6338	6411	6483	6556	6629
98	6701	6774	6846	6919	6992	7064	7137	7209	7282	7354
99	7427	7499	7572	7644	7717	7789	7862	7934	8006	8079

TABLE XVI   LOGARITHMES À 6 DÉCIMALES
POUR LES NOMBRES DE 1 000 À 10 000

600	0	1	2	3	4	5	6	7	8	9
600	77 8151	8224	8296	8368	8441	8513	8585	8658	8730	8802
01	8874	8947	9019	9091	9163	9236	9308	9380	9452	9524
02	9596	9669	9741	9813	9885	9957	*0029	*0101	*0173	*0245
03	78 0317	0389	0461	0533	0605	0677	0749	0821	0893	0965
04	1037	1109	1181	1253	1324	1396	1468	1540	1612	1684
05	1755	1827	1899	1971	2042	2114	2186	2258	2329	2401
06	2473	2544	2616	2688	2759	2831	2902	2974	3046	3117
07	3189	3260	3332	3403	3475	3546	3618	3689	3761	3832
08	3904	3975	4046	4118	4189	4261	4332	4403	4475	4546
09	4617	4689	4760	4831	4902	4974	5045	5116	5187	5259
610	5330	5401	5472	5543	5615	5686	5757	5828	5899	5970
11	6041	6112	6183	6254	6325	6396	6467	6538	6609	6680
12	6751	6822	6893	6964	7035	7106	7177	7248	7319	7390
13	7460	7531	7602	7673	7744	7815	7885	7956	8027	8098
14	8168	8239	8310	8381	8451	8522	8593	8663	8734	8804
15	8875	8946	9016	9087	9157	9228	9299	9369	9440	9510
16	9581	9651	9722	9792	9863	9933	*0004	*0074	*0144	*0215
17	79 0285	0356	0426	0496	0567	0637	0707	0778	0848	0918
18	0988	1059	1129	1199	1269	1340	1410	1480	1550	1620
19	1691	1761	1831	1901	1971	2041	2111	2181	2252	2322
620	2392	2462	2532	2602	2672	2742	2812	2882	2952	3022
21	3092	3162	3231	3301	3371	3441	3511	3581	3651	3721
22	3790	3860	3930	4000	4070	4139	4209	4279	4349	4418
23	4488	4558	4627	4697	4767	4836	4906	4976	5045	5115
24	5185	5254	5324	5393	5463	5532	5602	5672	5741	5811
25	5880	5949	6019	6088	6158	6227	6297	6366	6436	6505
26	6574	6644	6713	6782	6852	6921	6990	7060	7129	7198
27	7268	7337	7406	7475	7545	7614	7683	7752	7821	7890
28	7960	8029	8098	8167	8236	8305	8374	8443	8513	8582
29	8651	8720	8789	8858	8927	8996	9065	9134	9203	9272
630	9341	9409	9478	9547	9616	9685	9754	9823	9892	9961
31	80 0029	0098	0167	0236	0305	0373	0442	0511	0580	0648
32	0717	0786	0854	0923	0992	1061	1129	1198	1266	1335
33	1404	1472	1541	1609	1678	1747	1815	1884	1952	2021
34	2089	2158	2226	2295	2363	2432	2500	2568	2637	2705
35	2774	2842	2910	2979	3047	3116	3184	3252	3321	3389
36	3457	3525	3594	3662	3730	3798	3867	3935	4003	4071
37	4139	4208	4276	4344	4412	4480	4548	4616	4685	4753
38	4821	4889	4957	5025	5093	5161	5229	5297	5365	5433
39	5501	5569	5637	5705	5773	5841	5908	5976	6044	6112
640	6180	6248	6316	6384	6451	6519	6587	6655	6723	6790
41	6858	6926	6994	7061	7129	7197	7264	7332	7400	7467
42	7535	7603	7670	7738	7806	7873	7941	8008	8076	8143
43	8211	8279	8346	8414	8481	8549	8616	8684	8751	8818
44	8886	8953	9021	9088	9156	9223	9290	9358	9425	9492
45	9560	9627	9694	9762	9829	9896	9964	*0031	*0098	*0165
46	81 0233	0300	0367	0434	0501	0569	0636	0703	0770	0837
47	0904	0971	1039	1106	1173	1240	1307	1374	1441	1508
48	1575	1642	1709	1776	1843	1910	1977	2044	2111	2178
49	2245	2312	2379	2445	2512	2579	2646	2713	2780	2847

TABLE XVI — LOGARITHMES À 6 DÉCIMALES
POUR LES NOMBRES DE 1 000 À 10 000

650	0	1	2	3	4	5	6	7	8	9
650	81 2913	2980	3047	3114	3181	3247	3314	3381	3448	3514
51	3581	3648	3714	3781	3848	3914	3981	4048	4114	4181
52	4248	4314	4381	4447	4514	4581	4647	4714	4780	4847
53	4913	4980	5046	5113	5179	5246	5312	5378	5445	5511
54	5578	5644	5711	5777	5843	5910	5976	6042	6109	6175
55	6241	6308	6374	6440	6506	6573	6639	6705	6771	6838
56	6904	6970	7036	7102	7169	7235	7301	7367	7433	7499
57	7565	7631	7698	7764	7830	7896	7962	8028	8094	8160
58	8226	8292	8358	8424	8490	8556	8622	8688	8754	8820
59	8885	8951	9017	9083	9149	9215	9281	9346	9412	9478
660	9544	9610	9676	9741	9807	9873	9939	*0004	*0070	*0136
61	82 0201	0267	0333	0399	0464	0530	0595	0661	0727	0792
62	0858	0924	0989	1055	1120	1186	1251	1317	1382	1448
63	1514	1579	1645	1710	1775	1841	1906	1972	2037	2103
64	2168	2233	2299	2364	2430	2495	2560	2626	2691	2756
65	2822	2887	2952	3018	3083	3148	3213	3279	3344	3409
66	3474	3539	3605	3670	3735	3800	3865	3930	3996	4061
67	4126	4191	4256	4321	4386	4451	4516	4581	4646	4711
68	4776	4841	4906	4971	5036	5101	5166	5231	5296	5361
69	5426	5491	5556	5621	5686	5751	5815	5880	5945	6010
670	6075	6140	6204	6269	6334	6399	6464	6528	6593	6658
71	6723	6787	6852	6917	6981	7046	7111	7175	7240	7305
72	7369	7434	7499	7563	7628	7692	7757	7821	7886	7951
73	8015	8080	8144	8209	8273	8338	8402	8467	8531	8595
74	8660	8724	8789	8853	8918	8982	9046	9111	9175	9239
75	9304	9368	9432	9497	9561	9625	9690	9754	9818	9882
76	9947	*0011	*0075	*0139	*0204	*0268	*0332	*0396	*0460	*0525
77	83 0589	0653	0717	0781	0845	0909	0973	1037	1102	1166
78	1230	1294	1358	1422	1486	1550	1614	1678	1742	1806
79	1870	1934	1998	2062	2126	2189	2253	2317	2381	2445
680	2509	2573	2637	2700	2764	2828	2892	2956	3020	3083
81	3147	3211	3275	3338	3402	3466	3530	3593	3657	3721
82	3784	3848	3912	3975	4039	4103	4166	4230	4294	4357
83	4421	4484	4548	4611	4675	4739	4802	4866	4929	4993
84	5056	5120	5183	5247	5310	5373	5437	5500	5564	5627
85	5691	5754	5817	5881	5944	6007	6071	6134	6197	6261
86	6324	6387	6451	6514	6577	6641	6704	6767	6830	6894
87	6957	7020	7083	7146	7210	7273	7336	7399	7462	7525
88	7588	7652	7715	7778	7841	7904	7967	8030	8093	8156
89	8219	8282	8345	8408	8471	8534	8597	8660	8723	8786
690	8849	8912	8975	9038	9101	9164	9227	9289	9352	9415
91	9478	9541	9604	9667	9729	9792	9855	9918	9981	*0043
92	84 0106	0169	0232	0294	0357	0420	0482	0545	0608	0671
93	0733	0796	0859	0921	0984	1046	1109	1172	1234	1297
94	1359	1422	1485	1547	1610	1672	1735	1797	1860	1922
95	1985	2047	2110	2172	2235	2297	2360	2422	2484	2547
96	2609	2672	2734	2796	2859	2921	2983	3046	3108	3170
97	3233	3295	3357	3420	3482	3544	3606	3669	3731	3793
98	3855	3918	3980	4042	4104	4166	4229	4291	4353	4415
99	4477	4539	4601	4664	4726	4788	4850	4912	4974	5036

TABLE XVI

700	0	1	2	3	4	5	6	7	8	9
700	84 5098	5160	5222	5284	5346	5408	5470	5532	5594	5656
01	5718	5780	5842	5904	5966	6028	6090	6151	6213	6275
02	6337	6399	6461	6523	6585	6646	6708	6770	6832	6894
03	6955	7017	7079	7141	7202	7264	7326	7388	7449	7511
04	7573	7634	7696	7758	7819	7881	7943	8004	8066	8128
05	8189	8251	8312	8374	8435	8497	8559	8620	8682	8743
06	8805	8866	8928	8989	9051	9112	9174	9235	9297	9358
07	9419	9481	9542	9604	9665	9726	9788	9849	9911	9972
08	85 0033	0095	0156	0217	0279	0340	0401	0462	0524	0585
09	0646	0707	0769	0830	0891	0952	1014	1075	1136	1197
710	1258	1320	1381	1442	1503	1564	1625	1686	1747	1809
11	1870	1931	1992	2053	2114	2175	2236	2297	2358	2419
12	2480	2541	2602	2663	2724	2785	2846	2907	2968	3029
13	3090	3150	3211	3272	3333	3394	3455	3516	3577	3637
14	3698	3759	3820	3881	3941	4002	4063	4124	4185	4245
15	4306	4367	4428	4488	4549	4610	4670	4731	4792	4852
16	4913	4974	5034	5095	5156	5216	5277	5337	5398	5459
17	5519	5580	5640	5701	5761	5822	5882	5943	6003	6064
18	6124	6185	6245	6306	6366	6427	6487	6548	6608	6668
19	6729	6789	6850	6910	6970	7031	7091	7152	7212	7272
720	7332	7393	7453	7513	7574	7634	7694	7755	7815	7875
21	7935	7995	8056	8116	8176	8236	8297	8357	8417	8477
22	8537	8597	8657	8718	8778	8838	8898	8958	9018	9078
23	9138	9198	9258	9318	9379	9439	9499	9559	9619	9679
24	9739	9799	9859	9918	9978	*0038	*0098	*0158	*0218	*0278
25	86 0338	0398	0458	0518	0578	0637	0697	0757	0817	0877
26	0937	0996	1056	1116	1176	1236	1295	1355	1415	1475
27	1534	1594	1654	1714	1773	1833	1893	1952	2012	2072
28	2131	2191	2251	2310	2370	2430	2489	2549	2608	2668
29	2728	2787	2847	2906	2966	3025	3085	3144	3204	3263
730	3323	3382	3442	3501	3561	3620	3680	3739	3799	3858
31	3917	3977	4036	4096	4155	4214	4274	4333	4392	4452
32	4511	4570	4630	4689	4748	4808	4867	4926	4985	5045
33	5104	5163	5222	5282	5341	5400	5459	5519	5578	5637
34	5696	5755	5814	5874	5933	5992	6051	6110	6169	6228
35	6287	6346	6405	6465	6524	6583	6642	6701	6760	6819
36	6878	6937	6996	7055	7114	7173	7232	7291	7350	7409
37	7467	7526	7585	7644	7703	7762	7821	7880	7939	7998
38	8056	8115	8174	8233	8292	8350	8409	8468	8527	8586
39	8644	8703	8762	8821	8879	8938	8997	9056	9114	9173
740	9232	9290	9349	9408	9466	9525	9584	9642	9701	9760
41	9818	9877	9985	9994	*0053	*0111	*0170	*0228	*0287	*0345
42	87 0404	0462	0521	0579	0638	0696	0755	0813	0872	0930
43	0989	1047	1106	1164	1223	1281	1339	1398	1456	1515
44	1573	1631	1690	1748	1806	1865	1923	1981	2040	2098
45	2156	2215	2273	2331	2389	2448	2506	2564	2622	2681
46	2739	2797	2855	2913	2972	3030	3088	3146	3204	3262
47	3321	3379	3437	3495	3553	3611	3669	3727	3785	3844
48	3902	3960	4018	4076	4134	4192	4250	4308	4366	4424
49	4482	4540	4598	4656	4714	4772	4830	4888	4945	5003

TABLE XVI · LOGARITHMES À 6 DÉCIMALES
POUR LES NOMBRES DE 1 000 À 10 000

750	0	1	2	3	4	5	6	7	8	9
750	87 5061	5119	5177	5235	5293	5351	5409	5466	5524	5582
51	5640	5698	5756	5813	5871	5929	5987	6045	6102	6160
52	6218	6276	6333	6391	6449	6507	6564	6622	6680	6737
53	6795	6853	6910	6968	7026	7083	7141	7199	7256	7314
54	7371	7429	7487	7544	7602	7659	7717	7774	7832	7889
55	7947	8004	8062	8119	8177	8234	8292	8349	8407	8464
56	8522	8579	8637	8694	8752	8809	8866	8924	8981	9039
57	9096	9153	9211	9268	9325	9383	9440	9497	9555	9612
58	9669	9726	9784	9841	9898	9956	*0013	*0070	*0127	*0185
59	88 0242	0299	0356	0413	0471	0528	0585	0642	0699	0756
760	0814	0871	0928	0985	1042	1099	1156	1213	1271	1328
61	1385	1442	1499	1556	1613	1670	1727	1784	1841	1898
62	1955	2012	2069	2126	2183	2240	2297	2354	2411	2468
63	2525	2581	2638	2695	2752	2809	2866	2923	2980	3037
64	3093	3150	3207	3264	3321	3377	3434	3491	3548	3605
65	3661	3718	3775	3832	3888	3945	4002	4059	4115	4172
66	4229	4285	4342	4399	4455	4512	4569	4625	4682	4739
67	4795	4852	4909	4965	5022	5078	5135	5192	5248	5305
68	5361	5418	5474	5531	5587	5644	5700	5757	5813	5870
69	5926	5983	6039	6096	6152	6209	6265	6321	6378	6434
770	6491	6547	6604	6660	6716	6773	6829	6885	6942	6998
71	7054	7111	7167	7223	7280	7336	7392	7449	7505	7561
72	7617	7674	7730	7786	7842	7898	7955	8011	8067	8123
73	8179	8236	8292	8348	8404	8460	8516	8573	8629	8685
74	8741	8797	8853	8909	8965	9021	9077	9134	9190	9246
75	9302	9358	9414	9470	9526	9582	9638	9694	9750	9806
76	9862	9918	9974	*0030	*0086	*0141	*0197	*0253	*0309	*0365
77	89 0421	0477	0533	0589	0645	0700	0756	0812	0868	0924
78	0980	1035	1091	1147	1203	1259	1314	1370	1426	1482
79	1537	1593	1649	1705	1760	1816	1872	1928	1983	2039
780	2095	2150	2206	2262	2317	2373	2429	2484	2540	2595
81	2651	2707	2762	2818	2873	2929	2985	3040	3096	3151
82	3207	3262	3318	3373	3429	3484	3540	3595	3651	3706
83	3762	3817	3873	3928	3984	4039	4094	4150	4205	4261
84	4316	4371	4427	4482	4538	4593	4648	4704	4759	4814
85	4870	4925	4980	5036	5091	5146	5201	5257	5312	5367
86	5423	5478	5533	5588	5644	5699	5754	5809	5864	5920
87	5975	6030	6085	6140	6195	6251	6306	6361	6416	6471
88	6526	6581	6636	6692	6747	6802	6857	6912	6967	7022
89	7077	7132	7187	7242	7297	7352	7407	7462	7517	7572
790	7627	7682	7737	7792	7847	7902	7957	8012	8067	8122
91	8176	8231	8286	8341	8396	8451	8506	8561	8615	8670
92	8725	8780	8835	8890	8944	8999	9054	9109	9164	9218
93	9273	9328	9383	9437	9492	9547	9602	9656	9711	9766
94	9821	9875	9930	9985	*0039	*0094	*0149	*0203	*0258	*0312
95	90 0367	0422	0476	0531	0586	0640	0695	0749	0804	0859
96	0913	0968	1022	1077	1131	1186	1240	1295	1349	1404
97	1458	1513	1567	1622	1676	1731	1785	1840	1894	1948
98	2003	2057	2112	2166	2221	2275	2329	2384	2438	2492
99	2547	2601	2655	2710	2764	2818	2873	2927	2981	3036

TABLE XVI

LOGARITHMES À 6 DÉCIMALES
POUR LES NOMBRES DE 1 000 À 10 000

800	0	1	2	3	4	5	6	7	8	9
800	90 3090	3144	3199	3253	3307	3361	3416	3470	3524	3578
01	3633	3687	3741	3795	3849	3904	3958	4012	4066	4120
02	4174	4229	4283	4337	4391	4445	4499	4553	4607	4661
03	4716	4770	4824	4878	4932	4986	5040	5094	5148	5202
04	5256	5310	5364	5418	5472	5526	5580	5634	5688	5742
05	5796	5850	5904	5958	6012	6066	6119	6173	6227	6281
06	6335	6389	6443	6497	6551	6604	6658	6712	6766	6820
07	6874	6927	6981	7035	7089	7143	7196	7250	7304	7358
08	7411	7465	7519	7573	7626	7680	7734	7787	7841	7895
09	7949	8002	8056	8110	8163	8217	8270	8324	8378	8431
810	8485	8539	8592	8646	8699	8753	8807	8860	8914	8967
11	9021	9074	9128	9181	9235	9289	9342	9396	9449	9503
12	9556	9610	9663	9716	9770	9823	9877	9930	9984	*0037
13	91 0091	0144	0197	0251	0304	0358	0411	0464	0518	0571
14	0624	0678	0731	0784	0838	0891	0944	0998	1051	1104
15	1158	1211	1264	1317	1371	1424	1477	1530	1584	1637
16	1690	1743	1797	1850	1903	1956	2009	2063	2116	2169
17	2222	2275	2328	2381	2435	2488	2541	2594	2647	2700
18	2753	2806	2859	2913	2966	3019	3072	3125	3178	3231
19	3284	3337	3390	3443	3496	3549	3602	3655	3708	3761
820	3814	3867	3920	3973	4026	4079	4132	4184	4237	4290
21	4343	4396	4449	4502	4555	4608	4660	4713	4766	4819
22	4872	4925	4977	5030	5083	5136	5189	5241	5294	5347
23	5400	5453	5505	5558	5611	5664	5716	5769	5822	5875
24	5927	5980	6033	6085	6138	6191	6243	6296	6349	6401
25	6454	6507	6559	6612	6664	6717	6770	6822	6875	6927
26	6980	7033	7085	7138	7190	7243	7295	7348	7400	7453
27	7506	7558	7611	7663	7716	7768	7820	7873	7925	7978
28	8030	8083	8135	8188	8240	8293	8345	8397	8450	8502
29	8555	8607	8659	8712	8764	8816	8869	8921	8973	9026
830	9078	9130	9183	9235	9287	9340	9392	9444	9496	9549
31	9601	9653	9706	9758	9810	9862	9914	9967	*0019	*0071
32	92 0123	0176	0228	0280	0332	0384	0436	0489	0541	0593
33	0645	0697	0749	0801	0853	0906	0958	1010	1062	1114
34	1166	1218	1270	1322	1374	1426	1478	1530	1582	1634
35	1686	1738	1790	1842	1894	1946	1998	2050	2102	2154
36	2206	2258	2310	2362	2414	2466	2518	2570	2622	2674
37	2725	2777	2829	2881	2933	2985	3037	3089	3140	3192
38	3244	3296	3348	3399	3451	3503	3555	3607	3658	3710
39	3762	3814	3865	3917	3969	4021	4072	4124	4176	4228
840	4279	4331	4383	4434	4486	4538	4589	4641	4693	4744
41	4796	4848	4899	4951	5003	5054	5106	5157	5209	5261
42	5312	5364	5415	5467	5518	5570	5621	5673	5725	5776
43	5828	5879	5931	5982	6034	6085	6137	6188	6240	6291
44	6342	6394	6445	6497	6548	6600	6651	6702	6754	6805
45	6857	6908	6959	7011	7062	7114	7165	7216	7268	7319
46	7370	7422	7473	7524	7576	7627	7678	7730	7781	7832
47	7883	7935	7986	8037	8088	8140	8191	8242	8293	8345
48	8396	8447	8498	8549	8601	8652	8703	8754	8805	8857
49	8908	8959	9010	9061	9112	9163	9215	9266	9317	9368

TABLE XVI   LOGARITHMES À 6 DÉCIMALES
POUR LES NOMBRES DE 1 000 À 10 000

850	0	1	2	3	4	5	6	7	8	9
850	92 9419	9470	9521	9572	9623	9674	9725	9776	9827	9879
51	9930	9981	*0032	*0083	*0134	*0185	*0236	*0287	*0338	*0389
52	93 0440	0491	0542	0592	0643	0694	0745	0796	0847	0898
53	0949	1000	1051	1102	1153	1204	1254	1305	1356	1407
54	1458	1509	1560	1610	1661	1712	1763	1814	1865	1915
55	1966	2017	2068	2118	2169	2220	2271	2322	2372	2423
56	2474	2524	2575	2626	2677	2727	2778	2829	2879	2930
57	2981	3031	3082	3133	3183	3234	3285	3335	3386	3437
58	3487	3538	3589	3639	3690	3740	3791	3841	3892	3943
59	3993	4044	4094	4145	4195	4246	4296	4347	4397	4448
860	4498	4549	4599	4650	4700	4751	4801	4852	4902	4953
61	5003	5054	5104	5154	5205	5255	5306	5356	5406	5457
62	5507	5558	5608	5658	5709	5759	5809	5860	5910	5960
63	6011	6061	6111	6162	6212	6262	6313	6363	6413	6463
64	6514	6564	6614	6665	6715	6765	6815	6865	6916	6966
65	7016	7066	7117	7167	7217	7267	7317	7367	7418	7468
66	7518	7568	7618	7668	7718	7769	7819	7869	7919	7969
67	8019	8069	8119	8169	8219	8269	8320	8370	8420	8470
68	8520	8570	8620	8670	8720	8770	8820	8870	8920	8970
69	9020	9070	9120	9170	9220	9270	9320	9369	9419	9469
870	9519	9569	9619	9669	9719	9769	9819	9869	9918	9968
71	94 0018	0068	0118	0168	0218	0267	0317	0367	0417	0467
72	0516	0566	0616	0666	0716	0765	0815	0865	0915	0964
73	1014	1064	1114	1163	1213	1263	1313	1362	1412	1462
74	1511	1561	1611	1660	1710	1760	1809	1859	1909	1958
75	2008	2058	2107	2157	2207	2256	2306	2355	2405	2455
76	2504	2554	2603	2653	2702	2752	2801	2851	2901	2950
77	3000	3049	3099	3148	3198	3247	3297	3346	3396	3445
78	3495	3544	3593	3643	3692	3742	3791	3841	3890	3939
79	3989	4038	4088	4137	4186	4236	4285	4335	4384	4433
880	4483	4532	4581	4631	4680	4729	4779	4828	4877	4927
81	4976	5025	5074	5124	5173	5222	5272	5321	5370	5419
82	5469	5518	5567	5616	5665	5715	5764	5813	5862	5912
83	5961	6010	6059	6108	6157	6207	6256	6305	6354	6403
84	6452	6501	6551	6600	6649	6698	6747	6796	6845	6894
85	6943	6992	7041	7090	7140	7189	7238	7287	7336	7385
86	7434	7483	7532	7581	7630	7679	7728	7777	7826	7875
87	7924	7973	8022	8070	8119	8168	8217	8266	8315	8364
88	8413	8462	8511	8560	8609	8657	8706	8755	8804	8853
89	8902	8951	8999	9048	9097	9146	9195	9244	9292	9341
890	9390	9439	9488	9536	9585	9634	9683	9731	9780	9829
91	9878	9926	9975	*0024	*0073	*0121	*0170	*0219	*0267	*0316
92	95 0365	0414	0462	0511	0560	0608	0657	0706	0754	0803
93	0851	0900	0949	0997	1046	1095	1143	1192	1240	1289
94	1338	1386	1435	1483	1532	1580	1629	1677	1726	1775
95	1823	1872	1920	1969	2017	2066	2114	2163	2211	2260
96	2308	2356	2405	2453	2502	2550	2599	2647	2696	2744
97	2792	2841	2889	2938	2986	3034	3083	3131	3180	3228
98	3276	3325	3373	3421	3470	3518	3566	3615	3663	3711
99	3760	3808	3856	3905	3953	4001	4049	4098	4146	4194

TABLE XVI LOGARITHMES À 6 DÉCIMALES
POUR LES NOMBRES DE 1 000 À 10 000

900	0	1	2	3	4	5	6	7	8	9
900	95 4243	4291	4339	4387	4435	4484	4532	4580	4628	4677
01	4725	4773	4821	4869	4918	4966	5014	5062	5110	5158
02	5207	5255	5303	5351	5399	5447	5495	5543	5592	5640
03	5688	5736	5784	5832	5880	5928	5976	6024	6072	6120
04	6168	6216	6265	6313	6361	6409	6457	6505	6553	6601
05	6649	6697	6745	6793	6840	6888	6936	6984	7032	7080
06	7128	7176	7224	7272	7320	7368	7416	7464	7512	7559
07	7607	7655	7703	7751	7799	7847	7894	7942	7990	8038
08	8086	8134	8181	8229	8277	8325	8373	8421	8468	8516
09	8564	8612	8659	8707	8755	8803	8850	8898	8946	8994
910	9041	9089	9137	9185	9232	9280	9328	9375	9423	9471
11	9518	9566	9614	9661	9709	9757	9804	9852	9900	9947
12	9995	*0042	*0090	*0138	*0185	*0233	*0280	*0328	*0376	*0423
13	96 0471	0518	0566	0613	0661	0709	0756	0804	0851	0899
14	0946	0994	1041	1089	1136	1184	1231	1279	1326	1374
15	1421	1469	1516	1563	1611	1658	1706	1753	1801	1848
16	1895	1943	1990	2038	2085	2132	2180	2227	2275	2322
17	2369	2417	2464	2511	2559	2606	2653	2701	2748	2795
18	2843	2890	2937	2985	3032	3079	3126	3174	3221	3268
19	3316	3363	3410	3457	3504	3552	3599	3646	3693	3741
920	3788	3835	3882	3929	3977	4024	4071	4118	4165	4212
21	4260	4307	4354	4401	4448	4495	4542	4590	4637	4684
22	4731	4778	4825	4872	4919	4966	5013	5061	5108	5155
23	5202	5249	5296	5343	5390	5437	5484	5531	5578	5625
24	5672	5719	5766	5813	5860	5907	5954	6001	6048	6095
25	6142	6189	6236	6283	6329	6376	6423	6470	6517	6564
26	6611	6658	6705	6752	6799	6845	6892	6939	6986	7033
27	7080	7127	7173	7220	7267	7314	7361	7408	7454	7501
28	7548	7595	7642	7688	7735	7782	7829	7875	7922	7969
29	8016	8062	8109	8156	8203	8249	8296	8343	8390	8436
930	8483	8530	8576	8623	8670	8716	8763	8810	8856	8903
31	8950	8996	9043	9090	9136	9183	9229	9276	9323	9369
32	9416	9463	9509	9556	9602	9649	9695	9742	9789	9835
33	9882	9928	9975	*0021	*0068	*0114	*0161	*0207	*0254	*0300
34	97 0347	0393	0440	0486	0533	0579	0626	0672	0719	0765
35	0812	0858	0904	0951	0997	1044	1090	1137	1183	1229
36	1276	1322	1369	1415	1461	1508	1554	1601	1647	1693
37	1740	1786	1832	1879	1925	1971	2018	2064	2110	2157
38	2203	2249	2295	2342	2388	2434	2481	2527	2573	2619
39	2666	2712	2758	2804	2851	2897	2943	2989	3035	3082
940	3128	3174	3220	3266	3313	3359	3405	3451	3497	3543
41	3590	3636	3682	3728	3774	3820	3866	3913	3959	4005
42	4051	4097	4143	4189	4235	4281	4327	4374	4420	4466
43	4512	4558	4604	4650	4696	4742	4788	4834	4880	4926
44	4972	5018	5064	5110	5156	5202	5248	5294	5340	5386
45	5432	5478	5524	5570	5616	5662	5707	5753	5799	5845
46	5891	5937	5983	6029	6075	6121	6167	6212	6258	6304
47	6350	6396	6442	6488	6533	6579	6625	6671	6717	6763
48	6808	6854	6900	6946	6992	7037	7083	7129	7175	7220
49	7266	7312	7358	7403	7449	7495	7541	7586	7632	7678

Table XVI — Logarithmes à 6 décimales pour les nombres de 1 000 à 10 000

950	0	1	2	3	4	5	6	7	8	9
950	97 7724	7769	7815	7861	7906	7952	7998	8043	8089	8135
51	8181	8226	8272	8317	8363	8409	8454	8500	8546	8591
52	8637	8683	8728	8774	8819	8865	8911	8956	9002	9047
53	9093	9138	9184	9230	9275	9321	9366	9412	9457	9503
54	9548	9594	9639	9685	9730	9776	9821	9867	9912	9958
55	98 0003	0049	0094	0140	0185	0231	0276	0322	0367	0412
56	0458	0503	0549	0594	0640	0685	0730	0776	0821	0867
57	0912	0957	1003	1048	1093	1139	1184	1229	1275	1320
58	1366	1411	1456	1501	1547	1592	1637	1683	1728	1773
59	1819	1864	1909	1954	2000	2045	2090	2135	2181	2226
960	2271	2316	2362	2407	2452	2497	2543	2588	2633	2678
61	2723	2769	2814	2859	2904	2949	2994	3040	3085	3130
62	3175	3220	3265	3310	3356	3401	3446	3491	3536	3581
63	3626	3671	3716	3762	3807	3852	3897	3942	3987	4032
64	4077	4122	4167	4212	4257	4302	4347	4392	4437	4482
65	4527	4572	4617	4662	4707	4752	4797	4842	4887	4932
66	4977	5022	5067	5112	5157	5202	5247	5292	5337	5382
67	5426	5471	5516	5561	5606	5651	5696	5741	5786	5830
68	5875	5920	5965	6010	6055	6100	6144	6189	6234	6279
69	6324	6369	6413	6458	6503	6548	6593	6637	6682	6727
970	6772	6817	6861	6906	6951	6996	7040	7085	7130	7175
71	7219	7264	7309	7353	7398	7443	7488	7532	7577	7622
72	7666	7711	7756	7800	7845	7890	7934	7979	8024	8068
73	8113	8157	8202	8247	8291	8336	8381	8425	8470	8514
74	8559	8604	8648	8693	8737	8782	8826	8871	8916	8960
75	9005	9049	9094	9138	9183	9227	9272	9316	9361	9405
76	9450	9494	9539	9583	9628	9672	9717	9761	9806	9850
77	9895	9939	9983	*0028	*0072	*0117	*0161	*0206	*0250	*0294
78	99 0339	0383	0428	0472	0516	0561	0605	0650	0694	0738
79	0783	0827	0871	0916	0960	1004	1049	1093	1137	1182
980	1226	1270	1315	1359	1403	1448	1492	1536	1580	1625
81	1669	1713	1758	1802	1846	1890	1935	1979	2023	2067
82	2111	2156	2200	2244	2288	2333	2377	2421	2465	2509
83	2554	2598	2642	2686	2730	2774	2819	2863	2907	2951
84	2995	3039	3083	3127	3172	3216	3260	3304	3348	3392
85	3436	3480	3524	3568	3613	3657	3701	3745	3789	3833
86	3877	3921	3965	4009	4053	4097	4141	4185	4229	4273
87	4317	4361	4405	4449	4493	4537	4581	4625	4669	4713
88	4757	4801	4845	4889	4933	4977	5021	5065	5108	5152
89	5196	5240	5284	5328	5372	5416	5460	5504	5547	5591
990	5635	5679	5723	5767	5811	5854	5898	5942	5986	6030
91	6074	6117	6161	6205	6249	6293	6337	6380	6424	6468
92	6512	6555	6599	6643	6687	6731	6774	6818	6862	6906
93	6949	6993	7037	7080	7124	7168	7212	7255	7299	7343
94	7386	7430	7474	7517	7561	7605	7648	7692	7736	7779
95	7823	7867	7910	7954	7998	8041	8085	8129	8172	8216
96	8259	8303	8347	8390	8434	8477	8521	8564	8608	8652
97	8695	8739	8782	8826	8869	8913	8956	9000	9043	9087
98	9131	9174	9218	9261	9305	9348	9392	9435	9479	9522
99	9565	9609	9652	9696	9739	9783	9826	9870	9913	9957

TABLE XVII

TABLE DE MORTALITÉ BASÉE
SUR L'EXPÉRIENCE AMÉRICAINE

Âge x	Nombre de vivants l_x	Nombre de décès d_x	Probabilité annuelle de décès q_x	Probabilité annuelle de vivants p_x	Âge x	Nombre de vivants l_x	Nombre de décès d_x	Probabilité annuelle de décès q_x	Probabilité annuelle de vivants d_x
10	100 000	749	0.007 490	0.992 510	53	66 797	1 091	0.016 338	0.983 667
11	99 251	746	0.007 516	0.992 484	54	65 706	1 143	0.017 396	0.982 604
12	98 505	743	0.007 543	0.992 457	55	64 563	1 199	0.018 571	0.981 429
13	97 762	740	0.007 569	0.992 431	56	63 364	1 260	0.019 885	0.980 115
14	97 022	737	0.007 596	0.992 404	57	62 104	1 325	0.021 335	0.978 665
15	96 285	735	0.007 634	0.992 366	58	60 779	1 394	0.022 936	0.977 064
16	95 550	732	0.007 661	0.992 339	59	59 385	1 468	0.024 720	0.975 280
17	94 818	729	0.007 688	0.992 312	60	57 917	1.546	0.026 693	0.973 307
18	94 089	727	0.007 727	0.992 273	61	56 371	1 628	0.028 880	0.971 120
19	93 362	725	0.007 765	0.992 235	62	54 743	1 713	0.031 292	0.968 708
20	92 637	723	0.007 805	0.992 195	63	53 030	1 800	0.033 943	0.966 057
21	91 914	722	0.007 855	0.992 145	64	51 230	1 889	0.036 873	0.963 127
22	91 192	721	0.007 906	0.992 094	65	49 341	1 980	0.040 129	0.959 871
23	90 471	720	0.007 958	0.992 042	66	47 361	2 070	0.043 707	0.956 293
24	89 751	719	0.008 011	0.991 989	67	45 291	2 158	0.047 647	0.952 353
25	89 032	718	0.008 065	0.991 935	68	43 133	2 243	0.052 002	0.947 998
26	88 314	718	0.008 130	0.991 870	69	40 890	2 321	0.056 762	0.943 238
27	87 596	718	0.008 197	0.991 803	70	38 569	2 391	0.061 993	0.938 007
28	86 878	718	0.008 264	0.991 736	71	36 178	2 448	0.067 665	0.932 335
29	86 160	719	0.008 345	0.991 655	72	33 730	2 487	0.073 733	0.926 267
30	85 441	720	0.008 427	0.991 573	73	31 243	2 505	0.080 178	0.919 822
31	84 721	721	0.008 510	0.991 490	74	28 738	2 501	0.087 028	0.912 972
32	84 000	723	0.008 607	0.991 393	75	26 237	2 476	0.094 371	0.905 629
33	83 277	726	0.008 718	0.991 282	76	23 761	2 431	0.102 311	0.897 689
34	82 551	729	0.008 831	0.991 169	77	21 330	2 369	0.111 064	0.888 936
35	81 822	732	0.008 946	0.991 054	78	18 961	2 291	0.120 827	0.879 173
36	81 090	737	0.009 089	0.990 911	79	16 670	2 196	0.131 734	0.868 266
37	80 353	742	0.009 234	0.990 766	80	14 474	2 091	0.144 466	0.855 534
38	79 611	749	0.009 408	0.990 592	81	12 383	1 964	0.158 605	0.841 395
39	78 862	756	0.009 586	0.990 414	82	10 419	1 816	0.174 297	0.825 703
40	78 106	765	0.009 794	0.990 206	83	8 603	1 648	0.191 561	0.808 439
41	77 341	774	0.010 008	0.989 992	84	6 955	1 470	0.211 359	0.788 641
42	76 567	785	0.010 252	0.989 748	85	5 485	1 292	0.235 552	0.764 448
43	75 782	797	0.010 517	0.989 483	86	4 193	1 114	0.265 681	0.734 319
44	74 985	812	0.010 829	0.989 171	87	3 079	933	0.303 020	0.696 980
45	74 173	828	0.011 163	0.988 837	88	2 146	744	0.346 692	0.653 308
46	73 345	848	0.011 562	0.988 438	89	1 402	555	0.395 863	0.604 137
47	72 497	870	0.012 000	0.988 000	90	847	385	0.454 545	0.545 455
48	71 627	896	0.012 509	0.987 491	91	462	246	0.532 466	0.467 534
49	70 731	927	0.013 106	0.986 894	92	216	137	0.634 259	0.365 741
50	69 804	962	0.013 781	0.986 219	93	79	58	0.734 177	0.265 823
51	68 842	1 011	0.014 541	0.985 459	94	21	18	0.857 143	0.142 857
52	67 841	1 044	0.015 389	0.984 611	95	3	3	1.000 000	0.000 000

TABLE XVIII

COLONNES DE COMMUTATION, TABLE DE MORTALITÉ
BASÉE SUR L'EXPÉRIENCE AMÉRICAINE,
À 3½ POUR CENT

Age x	D_x	N_x	C_x	M_x	$1 + a_x$	A_x
10	70891.9	1575 535	513.02	17612.9	22.2245	0.24845
11	67981.5	1504 643	493.69	17099.9	22.1331	0.25154
12	65189.0	1436 662	475.08	16606.2	22.0384	0.25474
13	62509.4	1371 473	457.16	16131.1	21.9403	0.25806
14	59938.4	1308 963	439.91	15674.0	21.8385	0.26151
15	57471.6	1249 025	423.88	15234.1	21.7329	0.26508
16	55104.2	1191 553	407.87	14810.2	21.6236	0.26877
17	52832.9	1136 449	392.47	14402.3	21.5102	0.27261
18	50653.9	1083 616	378.15	14009.8	21.3926	0.27659
19	48562.8	1032 962	364.36	13631.7	21.2707	0.28071
20	46556.2	984 400	351.07	13267.3	21.1443	0.28497
21	44630.8	937 843	338.73	12916.3	21.0134	0.28940
22	42782.8	893 213	326.82	12577.5	20.8779	0.29399
23	41009.2	850 430	315.33	12250.7	20.7375	0.29873
24	39307.1	809 421	304.24	11935.4	20.5922	0.30365
25	37673.6	770 114	293.55	11631.1	20.4417	0.30873
26	36106.1	732 440	283.62	11337.6	20.2858	0.31401
27	34601.5	696 334	274.03	11054.0	20.1244	0.31947
28	33157.4	661 733	264.76	10779.9	19.9573	0.32512
29	31771.3	628 575	256.16	10515.2	19.7843	0.33097
30	30440.8	596 804	247.85	10259.0	19.6054	0.33702
31	29163.5	566 363	239.797	10011.2	19.4202	0.34328
32	27937.5	537 199	232.331	9771.37	19.2286	0.34976
33	26760.5	509 262	225.406	9539.04	19.0304	0.35646
34	25630.1	482 501	218.683	9313.64	18.8256	0.36339
35	24544.7	456 871	212.158	9094.96	18.6138	0.37055
36	23502.5	432 327	206.383	8882.80	18.3949	0.37795
37	22501.4	408 824	200.757	8676.41	18.1688	0.38560
38	21539.7	386 323	195.798	8475.66	17.9354	0.39349
39	20615.5	364 783	190.945	8279.86	17.6946	0.40163
40	19727.4	344 167	186.684	8088.91	17.4461	0.41003
41	18873.6	324 440	182.493	7902.23	17.1901	0.41869
42	18052.9	305 566	178.828	7719.74	16.9262	0.42762
43	17263.6	287 513	175.422	7540.91	16.6543	0.43681
44	16504.4	270 250	172.680	7365.49	16.3744	0.44628
45	15773.6	253 745	170.127	7192.81	16.0867	0.45600
46	15070.0	237 972	168.345	7022.68	15.7911	0.46600
47	14392.1	222 902	166.872	6854.34	15.4878	0.47626
48	13738.5	208 510	166.047	6687.47	15.1770	0.48677
49	13107.9	194 771	165.982	6521.42	14.8591	0.49752
50	12498.6	181 663	166.424	6355.44	14.5346	0.50849
51	11909.6	169 165	167.315	6189.01	14.2041	0.51967
52	11339.5	157 255	168.602	6021.70	13.8679	0.53104

TABLE XVIII | COLONNES DE COMMUTATION, TABLE DE MORTALITÉ
BASÉE SUR L'EXPÉRIENCE AMÉRICAINE,
À 3½ POUR CENT

Age x	D_x	N_x	C_x	M_x	$1 + a_x$	A_x
53	10787.4	145916	170.234	5853.10	13.5264	0.54258
54	10252.4	135128	172.317	5682.86	13.1801	0.55430
55	9733.40	124876	174.646	5510.54	12.8296	0.56615
56	9229.60	115142	177.325	5335.90	12.4753	0.57813
57	8740.17	105912.8	180.167	5158.57	12.1179	0.59022
58	8264.44	97172.6	183.140	4978.40	11.7579	0.60239
59	7801.83	88908.2	186.340	4795.27	11.3958	0.61463
60	7351.65	81106.4	189.604	4608.93	11.0324	0.62692
61	6913.44	73754.7	192.909	4419.32	10.6683	0.63924
62	6486.75	66841.3	196.117	4226.41	10.3043	0.65155
63	6071.27	60354.5	199.109	4030.30	9.9410	0.66383
64	5666.85	54283.3	201.887	3831.19	9.5791	0.67607
65	5273.33	48616.4	204.457	3629.30	9.2193	0.68824
66	4890.55	43343.1	206.522	3424.84	8.8626	0.70030
67	4518.65	38452.5	208.022	3218.32	8.5097	0.71223
68	4157.82	33933.9	208.903	3010.30	8.1615	0.72401
69	3808.32	29776.1	208.858	2801.40	7.8187	0.73560
70	3470.67	25967.7	207.881	2592.54	7.4820	0.74698
71	3145.43	22497.1	205.639	2384.66	7.1523	0.75813
72	2833.42	19351.6	201.851	2179.02	6.8298	0.76904
73	2535.75 −	16518.2	196.436	1977.17	6.5141	0.77972
74	2253.57	13982.5	189.491	1780.73	6.2046	0.79018
75	1987.87	11728.9	181.253	1591.24	5.9002	0.80048
76	1739.39	9741.03	171.940	1409.99	5.6002	0.81062
77	1508.63	8001.63	161.889	1238.05	5.3039	0.82064
78	1295.73	6493.00	151.2646 −	1076.158	5.0111	0.83054
79	1100.647	5197.27	140.0891	924.894	4.7220	0.84032
80	923.338	4096.62	128.8801	784.805	4.4368	0.84997
81	763.234	3173.29	116.9588	655.924	4.1577	0.85940
82	620.465	2410.05	104.4881	538.966	3.8843	0.86865
83	494.995	1789.59	91.6152	434.478	3.6154	0.87774
84	386.641	1294.59	78.9565	342.862	3.3483	0.88677
85	294.610	907.95	67.0490	263.906	3.0819	0.89578
86	217.598	613.34	55.8566	196.857	2.8187	0.90468
87	154.383	395.74	45.1992	141.000	2.5634	0.91332
88	103.963	241.36	34.82425	95.8011	2.3216	0.92149
89	65.6231	137.398	25.09929	60.9768	2.0937	0.92920
90	38.3047	71.775	16.82244	35.8775	1.8738	0.93664
91	20.18692	33.4700	10.385393	19.05509	1.6580	0.94393
92	9.11888	13.2831	5.588150	8.66970	1.4567	0.95074
93	3.22236	4.16420	2.285784	3.08155	1.2923	0.95630
94	0.827611	0.94184	0.685393	0.79576	1.1380	0.96152
95	0.114232	0.114233	0.110369	0.110369	1.0000	0.96618